HISTORIA Y CRÍTICA
DE LA
LITERATURA ESPAÑOLA

IX
LOS NUEVOS NOMBRES: 1975-1990

PÁGINAS
DE
FILOLOGÍA
Director: FRANCISCO RICO

FRANCISCO RICO
HISTORIA Y CRÍTICA DE LA LITERATURA ESPAÑOLA

HISTORIA Y CRÍTICA
DE LA LITERATURA ESPAÑOLA

AL CUIDADO DE
FRANCISCO RICO

IX

DARÍO VILLANUEVA Y OTROS

LOS NUEVOS NOMBRES:
1975-1990

EDITORIAL CRÍTICA
BARCELONA

Coordinación
de
JAVIER C. MENA
con la colaboración de
JOSEP M. RIPOLL

Secretaria de coordinación:
CARMEN ESTEBAN

Diseño de la cubierta:
ENRIC SATUÉ

© 1992 de la presente edición para España y América:
Editorial Crítica, S.A., Aragó, 385, 08013 Barcelona
ISBN: 84-7423-545-6
Depósito legal: B. 18.369-1992
Impreso en España
1992.—NOVAGRÀFIK, Puigcerdà, 127, 08019 Barcelona

HISTORIA Y CRÍTICA DE LA LITERATURA ESPAÑOLA

IX
LOS NUEVOS NOMBRES: 1975-1990

INTRODUCCIÓN

El volumen VIII de *Historia y crítica de la literatura española*, al cuidado de Domingo Ynduráin, se publicó en 1981, bajo el rótulo de *Época contemporánea: 1939-1980.* Un decenio después, han empezado a salir los suplementos destinados a dar noticia puntual de los diversos hallazgos, métodos y modos de comprensión que en los años recientes han ido enriqueciendo nuestro conocimiento de cada una de las épocas abordadas en los tomos originales. No he creído adecuado, sin embargo, englobar en uno de esos suplementos todo cuanto en nuestra literatura ha llovido de 1939 para acá, y he preferido modificar el diseño de la obra añadiéndole un tomo más, el noveno, y consagrándolo por entero a los autores que hacia 1975 estaban inéditos, tenían escasas publicaciones o, comoquiera que fuese, se han dado a conocer y han logrado amplia estimación a partir de entonces.

Los suyos son los *nuevos nombres* que suenan en los textos críticos del presente libro: el primero, si no me engaño, que intenta ofrecer una visión de las letras españolas apuntada al mañana antes que vuelta sobre el ayer y obtenida no tanto con desordenadas ristras de datos (por más que en las introducciones la única forma de dar algunos era reducirlos a fichas sumarias) cuanto centrándose en un núcleo de escritores y títulos fundamentales, abordados a través de las mejores páginas que hasta el momento se les han dedicado.

Ni que decirse tiene que el epígrafe de la cubierta es justamente lo contrario de una etiqueta, antes bien responde al propósito y aun a la necesidad de evitarla: *nuevos nombres*, en efecto, porque cuando uno quiere contemplar en conjunto los quince o veinte últimos años difícilmente se le vienen a las mientes las tendencias, escuelas o grupos que suelen articular la producción de otras etapas, sino más bien (o tan sólo) un puñado de nombres que tienden a brillar con luz propia mejor que a juntarse en constelaciones (y en quienes, precisamente, quizá se aprecia sobre todo el acento individual, distintivo, que condice con una percepción de la lectura como experiencia básicamente personal).

Un período se reconoce solo cuando, al cerrarse, se descubre toda la complejidad del juego de acciones y reacciones en que se mueve siempre la literatura. Temerario sería, pues, afirmar que los nuevos nombres abren una época: debe bastarnos la certeza de que suponen un quiebro más que notable con respecto a los rumbos inmediatamente anteriores. En cualquier caso, o mucho me equivoco o es convicción largamente extendida que se impone romper de una vez con la inercia perezosa de los manuales, único dominio —dan ganas de decir— en que los sueños del general Franco se han cumplido plenamente y la posguerra se alarga hasta las mismas puertas del nuevo milenio.

Quiero suponer, por ahí, que el entorno de partida de este volumen no suscitará demasiadas objeciones. (Del año de arribada, obviamente circunstancial, no hay que notar sino que se ha respetado rigurosamente, salvo en la *Nómina* de las pp. 124-151 y con la rarísima excepción, en otros lugares, de algún libro salido a la calle en las primeras semanas de 1991.) Como más abajo se leerá, a nadie se le pasa por la cabeza que los posibles rasgos que dan una fisonomía peculiar a las obras aquí consideradas tengan gran cosa que ver con la dolorosa agonía del dictador, y no, naturalmente, con los procesos sociales, artísticos e intelectuales que fueron gestándose en la década precedente. Pero asimismo es obvio que la fuerza simbólica de la fecha empuja inevitablemente a tomar 1975 como, cuando menos, mirador privilegiado para comprobar que el panorama literario en los aledaños de 1985 es inconfundiblemente otro que alrededor de 1965.

También está claro de sobras que una literatura no cambia de la noche a la mañana y que en la fase que aquí nos interesa, como en cualquier otra, han convivido y conviven los representantes de varias generaciones. Hoy mismo, los libros de los nuevos nombres pueden codearse felizmente en los escaparates con una entrega inédita de Rafael Alberti, las últimas publicaciones de Francisco Ayala o de Luis Rosales, un texto de Camilo José Cela todavía fresco de tinta y otro de Carmen Martín Gaite acabado de premiar, una primicia de Claudio Rodríguez o de Luis Goytisolo, una adición importante al teatro de Francisco Nieva o a la poesía de Guillermo Carnero...

Para procurar siempre una misma respuesta —por más que declaradamente arbitraria— a la complejidad de tantas situaciones como esa, el criterio seguido regularmente a lo largo de *HCLE* ha sido estudiar a cada gran escritor «en el volumen correspondiente a los años decisivos de su experiencia literaria y vital, a la etapa de sus libros más característicos o al momento en que se definen las líneas de fuerza del movimiento al que se asocia» (según se indicaba en la *Introducción* general, III, 3). A muy corto plazo, en los suplementos VII/1 y VIII/1, la aplicación de tal criterio permitirá prestar la atención debida a la producción que los autores tratados en los tomos VII y VIII han divulgado desde 1975 (y también hacer justicia a algunos coetáneos suyos sobre quienes en 1981, por azares de la crítica, no se disponía aún de una bibliografía a la misma altura que sobre otros de talla comparable).

Existe, sin embargo, un buen número de escritores que hacia 1975 contaban ya con obra impresa y, no obstante, por inadvertencia mía o por general falta de perspectiva, no fueron estudiados o pasaron con una rápida mención en el volumen VIII, mientras posteriormente han sido objeto de una valoración que los coloca entre los más significativos de sus promociones. Estoy pensando, por ejemplo, en Miguel Espinosa, Antonio Carvajal, Javier Tomeo, Juan Luis Panero, Domingo Miras, Francisco Umbral, Javier Marías, Andrés Sánchez Robayna, Eduardo Mendoza, Jaime Siles, José Sanchis Sinisterra o Luis Alberto de Cuenca, por no recordar a más de un «novísimo» de antaño hoy hecho todo un señor ni traer a colación varias fecundas vocaciones tardías. Cualquiera de esos nombres fronterizos podría entrar tanto en el presente tomo IX como en el suplemento VIII/1, según atendamos al momento en que sale a escena o a la intervención en que cosecha mayores aplausos, a la enjundia de los libros difundidos en las cercanías de 1975 o a la importancia de los aparecidos después. Por si acaso a alguien se le escapara, confesaré que no he sabido resolver el problema de acuerdo con un patrón uniforme y que a unos de ellos les he hecho sitio en las páginas que siguen, en tanto otros lo tendrán en las del aludido suplemento. Sobre estos últimos, con todo, si no los fragmentos críticos ni las referencias bibliográficas que allá se encontrarán, aquí, en las introducciones a los capítulos 2, 3 y 4, hay ya abundantes noticias y enfoques esclarecedores.

En este volumen, por otro lado, no he corrido a solas el riesgo de equivocarme al elegir los nombres y (en menor medida, porque dependía bastante más de la bibliografía disponible) las obras que se destacan en la parte antológica, ahora más que nunca meollo de *HCLE*: he ponderado todos los elementos de juicio a mi alcance y he tomado particularmente en cuenta la opinión de los más sabios amigos que han redactado las introducciones. En última instancia, sin embargo, he sido yo quien ha asumido la responsabilidad del canon de autores que se presenta en los textos críticos, esforzándome por dar un panorama todo lo objetivo que es hacedero en materias tan disputables, pero necesariamente orientado también por mis propias convicciones. (Por eso mismo, para curarme en salud, señalando por dónde podría ir mi parcialidad, me he atrevido a incluir un articulejo mío que ensaya una comprensión global de la nueva literatura.) No puedo ampararme en el socorrido juego de palabras: si no están quienes son o no son quienes están, la culpa es solo mía.

En el prólogo al tomo VIII se observaba que «la reflexión crítica ha de tener un inevitable carácter provisional y llevar un cierto retraso respecto a la intuición creadora». Llegados al IX, la provisionalidad ha de acusarse en la misma medida en que disminuye el retraso. En seguida será notorio, así, que los fragmentos críticos tienden a apartarse no poco de los caminos más seguidos en *HCLE*. En buena parte, se trata de reseñas 'de alcance', formuladas con la urgencia del suplemento semanal, y con frecuencia desde una estética militante. Por ahí, todo está en regla: una obra nueva sólo comienza a ser conocida y saboreada gracias a las apreciaciones de esa índole, y justamente en recogerlas al vivo consisten la singularidad y el interés del presente volumen. Pero, a nuestro propósito, el problema está en la fugacidad y en la dispersión de semejantes materiales, inabarcables, por denodada y minuciosa que sea la labor de documentación. Porque la más grave consecuencia de ese estado de cosas es que en algunas ocasiones ha sido imposible localizar (si de hecho existe) un trabajo que pareciera digno de la calidad de tal o cual obra, y el autor quizá ha quedado insatisfactoria o insuficientemente representado en la sección correspondiente.

Con todo y con eso, confío en que a grandes rasgos, junto a una imagen fiel y sugestiva de la creación literaria en la España de la libertad, aquí se encuentre también una muestra excepcionalmente amplia de la recepción crítica que la ha acompañado, y no sólo en las publicaciones de mayor difusión y con las firmas más conocidas, sino asimismo en las revistas de minorías y en la prensa de provincias en que tan a menudo buscan refugiarse escritores y críticos de extraordinario talento. Precisamente por la variedad y la vastedad de tal muestra, no siempre ha sido factible pedir permiso para reproducir los fragmentos aquí incluidos: a los autores cuyos textos estén en el caso, Editorial Crítica y yo mismo les pedimos ya excusas y les ofrecemos la reparación que juzguen oportuna.

FRANCISCO RICO

Salamanca, 29 de marzo de 1992,
«Ne la stagion che'l ciel...»

NOTAS PREVIAS

1. A lo largo de cada capítulo, cuando el nombre de un autor va asociado a un año entre paréntesis rectangulares, debe entenderse que se trata de un envío a la bibliografía de ese mismo capítulo, donde el trabajo así aludido figura bajo el nombre en cuestión y en la entrada de la cual forma parte el año consignado.

En la bibliografía, las publicaciones de cada autor se relacionan cronológicamente; si hay varias que llevan el mismo año, se las identifica, en el resto del capítulo, añadiendo a la mención del año una letra (*a*, *b*, *c*...) que las dispone en el mismo orden adoptado en la bibliografía.

Igual valor de remisión a la bibliografía tienen los paréntesis rectangulares cuando encierran referencias como *en prensa* o análogas. El contexto aclara suficientemente algunas minúsculas excepciones o contravenciones a tal sistema de citas. Las abreviaturas o claves empleadas ocasionalmente se resuelven siempre en la bibliografía.

2. En muchas ocasiones, el título de los textos seleccionados se debe al responsable del capítulo; el título primitivo, en su caso, se halla en la ficha que, al pie de la página inicial, consigna la procedencia del fragmento elegido. Si lo registrado en esa ficha es un artículo (o el capítulo de un volumen, etc.), generalmente se señalan las páginas que en el original abarca todo él, y a continuación, entre paréntesis, aquellas de donde se toman los pasajes reproducidos.

3. En los textos seleccionados, los puntos suspensivos entre paréntesis rectangulares, [...], denotan que

se ha prescindido de una parte del original. Corrientemente no ha parecido necesario, sin embargo, marcar así la omisión de llamadas internas o referencias cruzadas («según hemos visto», «como indicaremos abajo», etc.) que no afecten estrictamente al fragmento reproducido.

4.   Entre paréntesis rectangulares van asimismo los cortos sumarios con que los responsables de *HCLE* han suplido a veces párrafos por lo demás omitidos. También de ese modo se indican pequeños complementos, explicaciones o cambios del editor (traducción de una cita o sustitución de esta por solo aquella, aclaración sobre un personaje, etc.). Sin embargo, con frecuencia hemos creído que no hacía falta advertir el retoque, cuando consistía sencillamente en poner bien explícito un elemento indudable en el contexto primitivo (copiar entero un verso allí aducido parcialmente, completar un nombre o introducirlo para desplazar a un pronombre en función anafórica, etc.).

5.   Con escasas excepciones, la regla ha sido eliminar las notas de los originales (y también las referencias bibliográficas intercaladas en el cuerpo del trabajo). Las notas añadidas por los responsables de la antología —a menudo para incluir algún pasaje procedente de otro lugar del mismo texto seleccionado (y en tal caso, entonces, puesto entre comillas)—, se insertan entre paréntesis rectangulares.

VOLUMEN IX

LOS NUEVOS NOMBRES: 1975-1990

AL CUIDADO DE
DARÍO VILLANUEVA

CON INTRODUCCIONES

DE

JOSÉ LUIS GARCÍA MARTÍN,
CÉSAR OLIVA,
SANTOS SANZ VILLANUEVA

1. LOS MARCOS DE LA LITERATURA ESPAÑOLA (1975-1990): ESBOZO DE UN SISTEMA

DARÍO VILLANUEVA

Sabido es: cuanto más reducida sea la distancia que separe al historiador del proceso que trata de estudiar mayores serán sus dificultades a la hora de establecer ciertos períodos o etapas que expliquen, sin desnaturalizarla, la secuencia causal de los hechos. Siempre, además, con el riesgo, ya denunciado por un maestro en estas lides como José-Carlos Mainer, de que todo «aparece como síntoma, como intención potencial de algo mayor, como aspiración de una unidad imposible» (AA.VV. [1985], p. 2).

Bien conocen estos achaques quienes como Sanz Villanueva [1984] han tenido que vérselas con el compromiso de historiar la literatura española del último medio siglo, tranco que entre 1939 y 1975 parece aceptar sin mayor violencia el marbete de *posguerra*, que no deja de ser, con todo, harto simplificador. Pero el hecho es que la presencia del general Franco al frente del Estado español hasta su muerte en noviembre de 1975 mantuvo, con ciertas evoluciones impuestas por el contorno internacional y el propio desarrollo de la sociedad española, un marco nacionalcatolicista inalterado en lo esencial que nunca provocó una insurrección política suficiente como para derrocarlo revolucionariamente. El partido comunista llevó el peso fundamental —y a veces único que mereciera tal nombre— de la oposición, para lo que contó siempre con la concurrencia de considerable número de escritores e intelectuales. En consecuencia, tuvo por adhesión lo que cabría denominar la «hegemonía literaria». Se ha podido hablar así, como lo ha hecho Mangini [1987], de la «cultura de la disidencia durante el franquismo», cuyos protagonistas «llegaron a ser "soldados" de importancia fundamental en la sorda batalla de la posguerra», en la que dejaron, si no sus vidas, sí al menos parte de ellas y algún que otro girón de sus estandartes poéticos, narrativos o teatrales, frecuentemente descoloridos tras la refriega con la censura, las inconsecuencias del posibilismo o del compromiso, o la claudicación autocensorial.

Sería absurdo postular que la muerte de Franco transformó radicalmente a España y su literatura, y todo, de la noche a la mañana, se metamorfoseó. En especial, es unánime la opinión de escritores, críticos e investigadores en el sentido de que la evolución estético-literaria de los últimos años se explica no por ese emblemático 1975, sino por procesos internos de índole artística gestados ya en los años sesenta. Con todo, se comprende que historiográficamente el 20 de noviembre de 1975 signifique el final de una era iniciada el 18 de julio de 1936, aunque haya que esperar hasta junio de 1977 para que se produzcan las primeras elecciones generales en cuarenta y un años y hasta diciembre del año siguiente para que se apruebe en referéndum una Constitución democrática. Faltaban aún las pruebas de fuego del intento golpista frustrado en febrero de 1981, y de las tensiones políticas producidas por la evolución del Estado centralista hacia un horizonte autonómico parafederalista y por el acceso al poder, con mayoría absoluta, de una organización histórica de la izquierda española, el Partido Socialista Obrero Español, encauzado ahora por la senda de una conspicua socialdemocracia. La entrada de pleno derecho a mediados de 1985 en la Comunidad Económica Europea, en la que los españoles hemos pasado a figurar en la vanguardia de esa sensata utopía que es el europeísmo, y nuestra incorporación tras referéndum a la OTAN poco antes de que la *perestroika* soviética pusiese fin a otra larga posguerra, la de 1939-1945, completan el cuadro de una España dinámica hasta la convulsión, muy diferente sin duda de la de 1975, pero resultante de lo que ya estaba latente, reprimido o esbozado en ella.

Así, pues, escribiendo —como lo hago— en la primavera de 1991 una introducción al volumen IX de la *Historia y crítica de la Literatura española*, cuento con un *terminus a quo* razonablemente asentado, 1975, que ya incluía por cierto en su campo el tomo VIII, coordinado por Domingo Ynduráin. El *terminus ad quem*, ese todavía próximo 1990, no ofrece por el contrario mejor aval que el de la redondez de sus dígitos, pues completan tres lustros de una España sin Franco que, en tan corta duración, ha visto pasar ante sus ojos, según Salvador Giner (AA.VV. [1985]), la «euforia democrática» (1976-1978), el «desencanto» (1979-1982) y sigue acomodada a la «Gran sensatez posibilista» que le sobrevino desde el último de los años citados. Magro patrimonio para intentar construir con él la conjetura de un período 1975-1990 coherente y unitario, ya bajo el rubro de «posfranquista», ya de «democrático». Mas tampoco se trata de lograr, inexcusablemente, tal objetivo sistematizador, sino de ofrecer una a modo de crónica, lo más coherente y ordenada que nos sea posible, del tramo cronológico acotado.

No nos faltan, desde la vertiente propiamente histórica, ayudas bibliográficas de inestimable valor. Entre la revisión crítica de los cuarenta años de franquismo presentada como resultado de una reunión internacional de investigadores en la Universidad de Valencia por su compilador Fontana [1986] y el balance de la realidad política, social y cultural española de la transición auspiciado por la Fundación Friedrich Naumann, de ideología liberal, con el concurso de varios intelectuales españoles próximos al PSOE y que Vidal Beneyto [1991] asimismo compiló en dos tomos, recordaremos obras tan recomendables como el panorama de amplio espectro publicado originariamente en inglés (1980) por Carr [1983], el sugestivo ensayo de Bennassar y Bessière [1991], la monografía de Tusell sobre la transición española a la democracia [1991] o el tomo X *bis* de la historia de la España contemporánea dirigida por Manuel Tuñón de Lara [1991], en el que se trata ya específicamente del período de 1973 a 1985 —*Transición y democracia* es el título del volumen— con especial atención a la cultura por parte, precisamente, de José-Carlos Mainer.[1]

Aproximadamente ese mismo tramo de la última trayectoria española ha sido objeto de una interesante investigación de Imbert [1990]: *Los discursos del cambio. Imágenes e imaginarios sociales en la España de la transición (1976-1982)*. Se trata de la aplicación de los principios de la semiótica a los discursos producidos por la sociedad en cuanto sujeto colectivo, que en todo caso se entienden como resultado de determinados condicionamientos infraestructurales y como expresión de ideología. Es de notar, a este respecto, que Imbert se fije casi de modo exclusivo en soportes semiológicos encuadrables en el ámbito de la comunicación de masas, bien de índole icónica —cine, televisión, publicidad—, bien lingüísticos —la prensa y la radio, objeto específico de otra monografía anterior del mismo Imbert [1988]— o paralingüísticos —representaciones sociales, estereotipos, modas, conductas de grupo frecuentemente acompañadas de jergas, etc.—, sin que la literatura merezca ninguna atención por parte del investigador, de lo que se deduce el nulo poder modelizante sobre la sociedad que este método de análisis le concede al sistema literario, objeto central, por el contrario, de nuestro trabajo.

Nada extraño, por otra parte, si tenemos en consideración la tesis expuesta por Gianni Vattimo en una conferencia pronunciada en España (Vattimo *et al.* [1990]): que en el nacimiento de una sociedad posmoderna los medios de comunicación desempeñan un papel determinante, pues lejos de producir la uniformidad absoluta del cuerpo social que Theodor W. Adorno había vaticinado en los años cuarenta, han contribuido, con el exhibicionismo plural que los caracteriza, a diluir la coherencia y univoci-

---

1. Recordemos también, una vez más, la utilidad que para este aspecto concreto poseen dos obras colectivas, la recopilada por Amorós [1987] y la del Equipo Reseña [1989], así como el interés que encierran para el conocimiento de nuestra vida colectiva en estos últimos lustros los sucesivos *Anuarios* publicados desde 1982 por *El País*, y luego por otros periódicos españoles.

dad de la razón ilustrada a favor de un abanico variopinto de *Weltansc-hauungen* plurales.

De lo que no cabe dudar es de la incorporación de España y su cultura al concierto europeo e internacional en términos impensables hace años (incluso en plena democracia ya), aspecto innovador que no debe ser ignorado por los historiadores. Si desde siempre —y ello fue vicio generalizado entre nosotros— es inaceptable el enclaustramiento de una literatura en sus estrictos límites nacionales y lingüísticos —«¡Si supieras lo que me cuesta situar un tema español exclusivamente en el ámbito de España!», confiesa una personalidad insólita entre nosotros como Guillén [1989]—, más lo resultaría hoy por hoy, cuando no sólo creemos haber concluido al fin nuestro secular autismo, sino que también parece existir a ambos lados del Atlántico una sorprendente *saison* española en lo que a la cultura se refiere. Y no se trata de flor de un día. Si a principios de 1984 Barbara Probst Salomon, de reconocida hispanofilia, proclamaba a Madrid, en el «Book Review» de *The New York Times*, como la nueva Meca cultural —reconocimiento reiterado por el diario *Le Monde* seis años después (27 de octubre de 1990) mediante un suplemento titulado «Madrid, nouveau pôle économique et culturel»—, Gianni Vattimo, vocero del fin de la modernidad, aplaude en la primavera de 1989 desde las páginas del *Europeo* la «straordinaria vitalità della Spagna attuale. Madrid è forse oggi la capitale del secolo xx como Parigi lo era del secolo xix: il luogo ideale di tutte le avventure dell'avanguardia, il laboratorio della nuova esistenza post-moderna che non si lascia più valutare secondo le categoria a cui eravamo abituati».

Para salir de la perplejidad que tales entusiasmos no dejan de producirnos no nos queda sino revisar desde dentro esos quince años españoles que hemos vivido con intensidad, y hacerlo sin el lastre provinciano que Subirats [1988] identificaba no hace mucho con la falta de una visión propia de las cosas o la incapacidad de verse a sí mismo más que por ojos ajenos, intentando además huir tanto de un esencialismo idealista como de la casuística de lo particular. Por suerte para sus lectores, el presente volumen ofrecerá cumplida información sobre el devenir de nuestras letras en el período en cuestión a cargo de reputados especialistas y el objetivo de mi prefacio será muy otro: trazar, como mera propuesta conjetural, un marco construido a partir de síntomas, que pueden ser ilusorios, tanto de salud como de carencia. Fruto todo ello, como no podría ser menos, de una visión personal estimulada por la lectura de obras que perdurarán y otras —las más— pronto olvidadas, e influida por un reducido número de visiones cercanas, algunas de ellas conocidas a través de los medios de comunicación escritos que levantan acta de nuestro presente, ya que tan estricta contemporaneidad como la que nos acosa no deja espacio todavía para reflexiones más demoradas.[2] No es obligado, empero, que los atisbos de esta literatura volandera y sumamente sintomática carezcan de consonancia con pesquisas intelectuales de más altos vuelos.

Hay, así, un síntoma de notable trascendencia desde el punto de vista de la teoría literaria y de la filosofía y sociología de la cultura, que tiene cabal formulación en una columna de César Alonso de los Ríos (*El Independiente*, 31 de octubre de 1987) titulada «Industrias culturales». Ya al comienzo de nuestro período, concretamente en 1976, José Luis Abellán publicó *La industria cultural en España*, contribución autóctona a esa rama de la sociología prestigiada por Adorno, Horkheimer y los teóricos de Frankfurt, y Luis López Álvarez acaba de reiterar el mismo planteamiento en el primero de los dos tomos de *España a debate* (Vidal Beneyto [1991]). Lo que me interesa ahora de la columna en cuestión es la rotundidad de su tesis: «El viejo discurso cultural sigue moviéndose en una terminología clásica —inspiración, creatividad, autonomía— sin caer en cuenta que tales cualidades únicamente pueden ser garantizadas por la existencia de unas fuertes industrias culturales», hasta el punto que «la personalidad cultural española depende de la entidad de sus industrias culturales. Todo lo demás es historia».

Asoma aquí un rotundo talante materialista, concorde con esa impronta pragmática que lo impregna todo —hasta la metodología de las ciencias— en la sociedad contemporánea, síntoma a su vez de un «espíritu de época» sobre el que habrá que volver. Pero la de Alonso de los Ríos no es una voz aislada; le secundan lúcidos escritores como Manuel Vázquez Montalbán (*El País*, 1 de octubre de 1987) con un artículo cuyo título lo dice todo: «El mercader nos fascina», o, incluso, los recapituladores de las aportaciones de los especialistas españoles y norteamericanos reunidos en la Universidad del Estado de Ohio para analizar la creación literaria y cinematográfica en España durante el decenio de la transición. Allí se concluyó que los dos factores determinantes a este respecto habían sido el fin de la Dictadura censora y, precisamente, la industria cultural (Amell y García Castañeda [1988]).

Se trasluce en todo ello una concepción no idealista de la Literatura como un complejo sistema de acciones y reacciones en el que lo puramente artístico es inseparable de lo social y lo institucional. No es de recibo, sin embargo, olvidar que al principio fue la palabra y la denodada búsqueda por parte del escritor de las mejores y del orden mejor con que ensamblarlas. Es el momento misterioso y fecundo de la producción del texto, cuando este apenas si tiene vida propia más allá de su creador, de cuyo talento, percepción estética de la realidad, cosmovisión y demonios personales la obra viene a ser cabal reflejo.

---

2. Quiero recordar aquí particularmente las múltiples sugerencias y las estimulantes críticas de Francisco Rico.

Mas a partir de aquí comienza a emerger e imponerse esa «Literatura como sistema» que titula otro influyente libro de Claudio Guillén, precursor en su enunciado de una de las propuestas básicas de la teoría empírica de la literatura desarrollada desde Alemania durante los setenta y ochenta bajo la dirección, sobre todo, de Schmidt [1990]. Nada hay que objetar, efectivamente, al planteamiento de que el complejo sistema literario comprende, cómo no, la *producción* de los textos, pero implica también la *mediación* a que estos deberán someterse para ser difundidos, para dar lugar a su *recepción* por el público, sin que falte por último la fase final de lo que Götz Wienold denomina *Textverarbeitung* y se ha dado en traducir como «posprocesado», término que me parece menos acertado que *recreación*, esto es, la lectura transformadora que del texto se hace en forma de crítica, interpretación, comentario, parodia, resumen, adaptación, paráfrasis, versión fílmica, etc.

Huelga afirmar que este «sistema literario» lo es con todas sus consecuencias, es decir, que constituye una estructura de condicionamientos mediante la cual cada elemento, fase o agente participa y depende de todos los demás. El *productor* es el agente de cuya acción surge como resultado la obra; el *mediador* tansmite los productos de la acción creativa a los demás agentes; entre estos, el *receptor* acepta dichos productos como tales sin más; por último, el *recreador* es el agente que reacciona a la recepción de la obra elaborando otro producto relativo a ella. Confío en la pertinencia de esta mínima armazón teórica, de la que me serviré para vertebrar mi análisis conjetural de un marco para el curso de la literatura española entre 1975 y 1990.

PRODUCCIÓN.   En cuanto a los sujetos fundamentales de todo sistema literario, los creadores de los textos, un primer dato se impone fenomenológicamente: la irrupción conjunta más o menos por los mismos años de nuevos escritores que desde similar edad comparten entre sí experiencias y visiones de la realidad forzosamente diferentes de las de quienes les han precedido. Más que de relevo generacional hay que hablar, pues, de convivencia, junto a la inexorable desaparición de los mayores.

Casi en coincidencia puntual con los dos jalones del período acotado, y como un índice más de la reintegración plena de España al concierto universal, son de destacar sendas concesiones del Premio Nobel de Literatura en 1977 al poeta Vicente Aleixandre y al novelista Camilo José Cela en 1989, luego de unos veinte años largos en que le había sido esquivo a España, que no a la lengua española. El complicado proceso que lleva al encumbramiento anual, todos los otoños, de un nuevo escritor como Nobel da lugar siempre a sofisticadas *lecturas* —si es admisible el empleo de tal palabra en este contexto— más allá de las consideraciones puramente valorativas del arte de cada galardonado. Así, cuando lo fue Aleixandre se apreció que en él se reconocía la ingente aportación lírica de los poetas del 27, pero también el reintegro de la España posfranquista al concierto democrático de las naciones. Se me figura, por el contrario, que con Camilo José Cela, representativo de los escritores del 36, la Academia sueca ha reconocido la pluma insólita de un novelista que *desde su verdad de ibero* sigue hablando de un país peregrino que cada vez más deja de serlo —y acaso no podría ser de otra forma—: la *España de más rabiar*, por decirlo de nuevo con las palabras esenciales del recientemente desaparecido Gabriel Celaya.

En todo caso, el Premio Nobel ha honrado, así, a dos conspicuos representantes de las generaciones mayores que hacen, tanto como las siguientes, nuestra literatura del posfranquismo. Al término del decenio de los noventa, fallecidos en años inmediatamente anteriores el propio Aleixandre y Jorge Guillén (ambos en 1984), Gerardo Diego (1988) y Dámaso Alonso (1990), la figura de Rafael Alberti continúa activa, de voz y pluma, para confusión de dómines y detractores del criterio generacional. Algunos creadores siguen, con todo, rechazando tal criterio porque parece desmerecer la personalidad individual, la originalidad irrepetible (romántica) de cada uno de ellos, y no deja de dar motivos a sus enemigos el apriorismo mecanicista con que este que Alfonso Sastre llama «abominable método de las generaciones» viene siendo aplicado por ciertos estudiosos de la literatura, sordos y ciegos ante la evidencia de que se trata, en rigor, de lo que Kant denominaba «ideas reguladoras», es decir, puro constructo mental, conjetura válida en cuanto falsable, y no algo así como un campo de concentración para enclaustrar a escritores reclutados en leva forzosa, cuando no auténticos clubes de amigos que prefieren caminar en reconfortante camaradería por los imprevisibles territorios de la fama literaria.

En uno de los múltiples debates y encuestas sobre tan controvertido asunto, promovido esta vez (1990) por el suplemento «Culturas» de *Diario 16* bajo el lema «¿Qué queda de las generaciones?», un joven del 27, Francisco Ayala, desde su doble autoridad como novelista y sociólogo reconocía a la generación como uno de los ejes del cambio social, que se produce por su sucesión articulada y dinámica y por la suma de aceptaciones y rechazos de sus precedentes por parte de cada una de las comunidades de edad implicadas, pero demandaba «tino y flexibilidad» en su aplicación.

Precisamente desde esa actitud José María Guelbenzu, uno de los más destacados representantes entre los novelistas de la generación del 68 —los «novísimos» en poesía— examinada por Santos Sanz Villanueva en *El Urogallo* (junio de 1980), se congratulaba de que el buen momento de la novelística española coincidiera con la presencia activa, y aún incansable, de figuras de la «comunidad de edad» que hizo la guerra civil (como Torrente Ballester o Cela), hombres del medio siglo (Juan Goytisolo o

Benet), y los rigurosos coetáneos del propio Guelbenzu como Eduardo Mendoza y Luis Mateo Díez («Las tres generaciones y el lobo feroz», *El País*, 29 de noviembre de 1987). Algunos, no obstante, parecen postular que toda incorporación de jóvenes escritores, airados o no, vale tanto como el arrumbamiento, si no de todos los mayores, sí al menos de los que lo son más, que es otra forma de mixtificación de la realidad literaria.

La tercera de esas «comunidades de edad», en rigurosa secuencia cronológica tras las del 27 y el 36, ejemplifica la variedad de «unidades de generación» —por utilizar la terminología *ad hoc* de Mannheim [1990]— que cada momento significativo lleva en su seno. Se trata de los escritores del medio siglo, los niños cuando la guerra, que ofrece nítidos perfiles y gran coherencia de trayectorias sin demérito de las peculiaridades de cada uno de sus componentes. Amén de las pérdidas prematuras de dos de sus narradores, Daniel Sueiro (1986) y Jesús Fernández Santos (1988), la muerte de Carlos Barral (1989) y Jaime Gil de Biedma (1990) ha dado lugar a sucesivos números monográficos de revistas como *El Urogallo, Ínsula* y *Revista de Occidente* que ayudan a comprender mejor, y con las cautelas que Ayala pedía, a aquel grupo o «escuela de Barcelona» cuya peripecia externa estudió cumplidamente Riera [1988].

Esta generación muestra además, para quien no mira con anteojeras, la versatilidad de la incidencia de cada una de las comunidades de edad sobre la realidad social, incluso en un país como la España franquista en donde la cultura era sistemáticamente menospreciada. En efecto, ellos fueron *creadores* de poesía, novela, teatro y ensayo, pero a la vez ejercieron como eficaces *mediadores* al frente de empresas editoriales en el caso de Barral o intermediarios con sellos extranjeros (Goytisolo), e influyentes *post-procesadores* de la literatura mediante la crítica, la teoría literaria o la «inducción» de convergencias estéticas gracias a las estratégicas antologías que tan bien supo ordenar José María Castellet. Por cierto, a este, como a Carlos Barral y a Juan Goytisolo, el período en que nos movemos les debe una interesante producción autobiográfica y memorialista que ayuda sobremanera a comprender la dialéctica del sistema literario. Todo cabe en él menos los rigores mecanicistas. ¿Quién podría predecir la *rentrée* de Rafael Sánchez Ferlosio en 1986, con los nuevos aires de nada menos que cuatro libros de inconfundible prosa y compartida intencionalidad, la ética pública y política (*El testimonio de Yarfoz*, el más narrativo de ellos, *La homilía del ratón, Campo de Marte* y *Mientras no cambien los dioses, nada ha cambiado*)?

«Todos escriben sin soltar las riendas», concluía Guelbenzu en su artículo de 1987. Unos para cerrar su obra, otros tantos para consolidarla, muchos para darla a conocer. Porque sobre esas cuatro generaciones que, puestos a nombrarlas con fechas nos llevarían desde el 27 al 68, es notoria la incorporación de una quinta —para Luis Antonio de Villena, «los *nue-*

vos (es decir, los posteriores a los *novísimos*)»—, nacidos ya después de 1950, cuando España empezaba a salir tímidamente del aislamiento internacional gracias a los efectos de la guerra fría y ensayaba un despegue hacia el desarrollo económico propio de los países industrializados. Esta comunidad de edad que apenas si ha alcanzado aún los cuarenta años está ya plenamente instalada en nuestra vida pública y por razones que luego habrá que comentar consigue muy pronto lo que antaño se lograba con la consagración tardía de los *happy few*: premios, ediciones, voz reconocida, traducciones. Junto a los nacidos en el decenio de los cincuenta, como Miguel Sánchez-Ostiz y Ana Rossetti, ambos precisamente de 1950, Rosa Montero, Javier Marías, Luis Antonio de Villena y Jon Juaristi —los cuatro de 1951—, Jesús Ferrero y César Antonio Molina (1952), Justo Navarro, José Carlos Cataño y Paloma Díaz-Mas (1954), Javier García Sánchez y Julio Llamazares (1955), Antonio Muñoz Molina y Julia Castillo (1956), Manuel Rivas (1957) o Blanca Andreu (1959), figuran ya un Ignacio Martínez de Pisón (1960), Beatriz Pottecher y Francisco J. Satué (1961), Amalia Iglesias (1962), Almudena Guzmán (1964) o Luisa Castro (1966).

El panorama queda así completo si tenemos en cuenta además que en el período acotado se produjo la reincorporación definitiva a la vida de su país de los escritores exiliados de las generaciones que habían hecho la guerra. El caso más sonado fue el de Rafael Alberti, que en abril de 1977 regresa para ser efímero diputado por Cádiz en las primeras Cortes de la democracia y recibir siete años más tarde el Premio Cervantes en el paraninfo de la vieja Universidad de Alcalá. Jorge Guillén, primer recipiendario de ese mismo galardón, regresó «del todo» ese mismo 1977, como también Juan Larrea. Salvador de Madariaga pudo así leer su discurso de ingreso cuarenta años después de su elección como académico. En 1984, con María Zambrano puede decirse que se cierra la malla de nuestra literatura viva en cuanto a la presencia voluntaria de todos sus creadores dentro del país gracias a la nueva situación política. Ya no tendrán los historiadores de la literatura que echar mano de aquel piadoso recurso a capítulos exentos titulados «La novela (o la poesía o el ensayo) del exilio», especie de guetos donde la condición de trasterrados unificaba mal que bien a escritores muy distintos entre sí.

Puede contemplarse también así el panorama orgánico de una sociedad literaria en la que conviven cinco comunidades de edad de escritores españoles. La más provecta perderá, como ya se mencionó, a la mayoría de sus grandes poetas supérstites, pero pervive aún en Alberti o en Ayala, redactores ambos de sendas memorias del máximo interés para conocer los entresijos de otros momentos de España. La generación del 36 está en la palestra de novela, poesía y teatro, no desmereciendo todavía en su productividad frente a los del medio siglo.

La comunidad centrada en torno al 68, protagonista juvenil de un inconformismo que ha dado paso la euforia —o el desencanto— de la responsabilidad o a la retirada a los cuarteles de invierno de una redescubierta «vida privada», es la que ocupa ahora la posición preeminente tanto en lo político como en lo económico, en lo universitario o en los *mass media*, y está a las puertas de la consagración literaria que alguno de sus miembros han alcanzado ya. Pienso, por ejemplo, en el Pere Gimferrer (1945) jovencísimo académico; en las posiciones directivas al frente de empresas de comunicación de un José Miguel Ullán (1944) o un Juan Cruz (1948); en los premios nacionales de literatura de Luis Mateo Díez (1942) y Alfredo Conde (1945), en el Nadal de 1991 para *Los otros días* de este último, precedido por *La soledad era esto* (1990) de Juan José Millás (1946) y *Retratos de ambigú* (1989) de Juan Pedro Aparicio (1941), por no hablar del premio internacional Plaza y Janés para *La tierra prometida* de José María Guelbenzu (1944), el Planeta de 1989 para *Queda la noche* de Soledad Puértolas (1947) o el primer premio Carranza que un jurado compuesto nada menos que por Carlos Fuentes, García Márquez, Roa Bastos, Torrente Ballester y Uslar Pietri concedió en 1990 a *Muchos años después* de José Antonio Gabriel y Galán (1940).

Y, por último, los más nuevos que los novísimos. La convivencia entre todos ellos es efectiva, mas con sesgos contradictorios, como no podría ser menos. Fue proverbial lo que la casa de Wellingtonia representaba como plaza de la alternativa para los nuevos poetas hasta poco antes de la muerte de Aleixandre. En el extremo opuesto, el juicio descalificador del conjunto de sus colegas noveles por quien (CJC) está ya por encima del bien y del mal como para leer a sus contemporáneos provoca las justas y destempladas iras de alguno de ellos (Julio Llamazares) en los papeles, y es de suponer que de todos en las tertulias. No obstante, la diversidad legitimada de tendencias que la literatura española disfruta ya desde antes de 1975 contribuye a limar las aristas de la confrontación generacional. Aquel rito, tan racialmente hispánico, de «matar al padre» parece ya erradicado, al menos por el momento, en el devenir de nuestra Literatura. Mas nos queda la duda razonable de si en vez de ser este un signo de armónica convivencia entre los ciudadanos y facciones que componen nuestra actual República de las Letras, no revelará por el contrario una cierta debilidad o desinterés intelectual por fijar posiciones estéticas e ideológicas, para lo que resulta inevitable con frecuencia que la afirmación de unos pase por su rechazo crítico de las posturas de los otros. Vistas así las cosas, tal situación se compadecería a las mil maravillas con ese aligeramiento general, esa «debilidad de pensamiento» que aqueja a las culturas posmodernas, carentes de una crítica recia, sustentada en fundamentos teóricos muy precisos.

No han faltado tampoco espacios programados para el encuentro intergeneracional, ampliado además a los escritores iberoamericanos, en forma de congresos bianuales que comenzaron (1979) y terminaron (1985) en

Canarias. A este respecto, cada vez resulta más insostenible la consideración por separado de las literaturas escritas en el mismo idioma a uno y otro lado del Atlántico, cuando, amén de la identidad lingüística, comparten similares horizontes de referencia en lo creativo, en la mediación editorial —fundamentalmente española y barcelonesa—, en su recepción y posprocesado. La concesión consecutiva del Premio Nobel de Literatura a Camilo José Cela y Octavio Paz ha sido interpretada precisamente como un reconocimiento por parte de terceros de esa unidad que alienta el más alto galardón institucional español, el Premio Cervantes, creado en los últimos días del franquismo, por vez primera concedido en 1976 y entregado por el rey de España el 23 de abril de 1977 a Jorge Guillén y en similar fecha de 1991 a Adolfo Bioy Casares.

Esta visión integradora tiene sus zonas de luz y de sombra. La notable adhesión, detectada en los últimos años, del público español a la novelística escrita por sus compatriotas y la apertura para nuestros escritores, a través de las traducciones, de nuevos espacios de recepción sobre todo en Europa, ha disuelto la tensión que no sin ciertos ribetes de gremialismo xenófobo había producido en los sesenta y setenta el deslumbrador desembarco, casi diríamos conquista, de los novelistas hispanoamericanos que supieron seducir con los encantos de la narratividad a numerosos lectores españoles ahítos de experimentalismos gratuitos o de mala literatura bienintencionada. Pero el espacio natural para la literatura española es el hispanoamericano, para lo que se cuenta con una infraestructura editorial *ad hoc* reforzada últimamente por la adquisición de editoras americanas por parte de empresas españolas. Bien lo perciben así los grandes grupos internacionales que porfían en introducirse en España como cabeza de puente para un mercado, homogeneizado por la lengua, que saben prometedor. La crisis económica de las repúblicas centro y suramericanas ha significado, no obstante, un duro golpe a este respecto, pues ha disminuido de forma considerable las cifras de una exportación que en años mejores llegó a significar la cuarta parte de lo editado en España.

Esta dimensión no ofrece sólo una faceta economicista, referida a simples parámetros mediadores en el sentido con que estoy utilizando este término. El mercado aquí no es sino consecuencia de un hecho histórico, lingüístico y cultural que tiene en 1992 una cita trascendental. En ese cacareadísimo quinto centenario, el Estado español se ha visto en la tesitura de asumir el protagonismo de una conmemoración forzosamente controvertida. En ello estamos, y resulta difícil predecir cuál sea el balance final del acontecimiento. A la esperable denuncia de los horrores de la conquista por parte de las organizaciones representativas de los indígenas y a la actitud crítica de los intelectuales americanos se añade la solidaridad de españoles tan activos como ellos en su reivindicación —el ejemplo de Rafael Sánchez Ferlosio es muy significativo a este respecto—, junto a la propia controversia, reavivada por los nacionalismos, sobre la identidad de España y el peligro de que el estrenado horizonte de Europa pueda sugerir el rechazo definitivo de la dimensión hispanoamericana a todo un país perplejo por el trueque de una fiesta en un Nuremberg. Mientras tanto, y desde ya, el descubrimiento, la confrontación de la conquista, la colonia y la revolución libertadora, no tan frecuentadas como debieran por los escritores en español, están siendo redescubiertas a su vez como fuentes inagotables de temas por nuestros autores, desde Carlos Fuentes y Abel Posse a José María Merino o Antonio Gala.

Pero hay todavía otras reflexiones que estimo pertinentes para concluir el perfil de la producción literaria y la situación de sus agentes en la España de entre 1975 y 1990. La primera de ellas concierne a la frecuencia con que han venido a confluir en un mismo escritor el profesor (o el historiador, o simplemente el crítico) y el creador: el marbete de «poeta (o novelista) profesor» ha dejado ya de ser anécdota para convertirse en categoría (y no sólo entre nosotros, cabe añadir, pues en los Estados Unidos la Universidad es cada vez más la reserva de los literatos); desde Dámaso Alonso, Jorge Guillén, o Pedro Salinas, son docenas los nombres en los que tal condición se cumple: Nora (nacido en 1923), Valverde (1926), Ángel González (1925), Antonio Prieto (1930), Jorge Urrutia (1945), Guillermo Carnero (1947), Jenaro Talens (1946), Marina Mayoral (1942), Luis Alberto de Cuenca (1950), Andrés Sánchez Robayna (1952), Jaime Siles (1951) son nombres al azar que así lo certifican. Pretendo tan sólo subrayar que esta suma de funciones agenciales, que pueden ir separadas en todo sistema literario pero que entre nosotros tienden a yuxtaponerse, es un rasgo característico en el período que nos interesa. Un mismo sujeto es, obviamente, creador (poeta) y receptor (lector) —pues acaso no pudiera ser aquello sin esto—, pero a ambos papeles ya es común añadir el de recreador (crítico, adaptador, investigador, historiador) de literatura, o aun el de mediador. La memoria de Carlos Barral, el editor más importante de la posguerra española desde el punto de vista de la configuración del gusto literario y la promoción de determinadas formas de hacer literatura, es cita obligada a este respecto.

Entre los más jóvenes encontramos circunstancias concomitantes. Desde la creación y desde la crítica se accede a la dirección editorial allí donde esta aún no ha sido encomendada a técnicos de mercaduría. Más raro, pero no imposible, es que una acreditada editora como Esther Tusquets se revele consumada novelista, como así ocurrió en 1979 con *El amor es un juego solitario*, pórtico de toda una trilogía. Parece como si el sistema literario actualmente imperante reclamase tal intercambio de roles, probablemente porque nuestra sociedad industrial y posmoderna (sobre ello inevitablemente habrá que volver) ha hecho de todos ellos un contínuum funcional. Asimismo cada vez es más numeroso el elenco de los críticos y estudiosos que —como Umberto Eco, aunque sin su repercusión ecuménica— se revelan creadores en plena madurez de sus vidas: Alonso Zamora Vicente, Juan Ignacio Ferreras, Carlos Blanco Aguinaga... Por esta vía falta poco para que el socorrido dicterio de que el crítico es un escritor frustrado se confunda con la *boutade* quiástica que sobre él urdió Juan Benet: el escritor es un crítico frustrado. Y que unos y otros consigan finalmente, al amparo de los nuevos vientos que corren, sublimar de hecho sus respectivas frustraciones.

La segunda reflexión que quisiera hacer ahora guarda relación con una de las realidades que, sin nacer ni mucho menos con la nueva situación española, se ha visto considerablemente potenciada por ella e incide de forma notable sobre la creación literaria entre nosotros. Se trata precisamente de toda la problemática comprendida entre los conceptos sociolingüísticos de diglosia y bilingüismo que el desarrollo del llamado «Estado de las autonomías» ha puesto en primer plano de la vida española. Cada vez es más común que escritores para quienes su lengua de instalación no es la castellana, difundan sus obras originales en la lengua común a toda España, bien por medio de autoversiones, bien con el concurso de traductores. Los primeros en asumir esta práctica han sido los escritores en catalán, que tienen en Barcelona el centro más importante de difusión para la literatura creativa española, al que acuden profusamente españoles e hispanoamericanos. Lógicamente les han secundado gallegos y vascos, con la anuencia del propio sistema institucional como demuestran o parecen demostrar los premios nacionales de literatura conseguidos por Alfredo Conde (1986) por *Xa vai o Griffon no vento* y Bernardo Atxaga (1990) por *Obabakoak*.

La realidad cotidiana en cada una de las nacionalidades o comunidades autónomas con lengua propia no es tan armónica, no obstante. Cada vez es más raro el caso del escritor convicta y confesamente bilingüe con respecto a su calidad de tal, incluso en Galicia, en donde hay casos tan arquetípicos de ello desde Rosalía de Castro, como Álvaro Cunqueiro o Rafael Dieste. La reciente concesión del premio Nadal a la primera novela escrita originariamente en castellano por el ya citado Alfredo Conde no ha dejado de provocar controversia en su país. Tras ello subyace un conflicto de lenguas que, entreverado de política, tiende a provocar una dialéctica entre dos culturas, la vernácula y la mal llamada «castellana», sobre el supuesto de que no cabe punto de equilibrio, sino que una deberá erradicar a la otra.[3]

---

3. Muy significativo a este respecto resulta el artículo que Joan Guitart i Agell, consejero de Cultura de la Generalidad de Cataluña, publicó en *La Vanguardia* de Barcelona (22 de febrero de 1991) con el título de «Cultura y Cataluña». Su tesis es la de que cualquier producción cultural debida a un artista que se considere a sí mismo catalán pasará a formar parte del patrimonio de Cataluña, salvo si se

Un trabajo que ha recibido el Premio Anagrama de Ensayo, *El rumor de los desarraigados* [1985], del catedrático de Valencia Ángel López García, pone luz sobre esta situación, que ha tenido sin embargo episodios mucho más tensos como el protagonizado por Federico Jiménez Losantos y su libro *Lo que queda de España*, de título bergaminiano, rechazado por la editorial de la revista —ya desaparecida— *El Viejo Topo* que había paradójicamente premiado su artículo en él incluido «La cultura española y el nacionalismo». Este episodio dio lugar a una cruda polémica en la que los intelectuales catalanes se pusieron a favor y en contra de las tesis de Jiménez Losantos, reivindicativas —a veces sin suficiente finura intelectual en los matices ni en la propia expresión de las ideas— de una cultura catalana en castellano. En otras de las comunidades afectadas esta polémica latente no salta, como debiera, a la palestra, sino que permanece subterránea. Tampoco se trató el asunto a fondo, pese a las menciones certeras que a él hubo en la síntesis final de lo tratado en la sección correspondiente, en lo que pudo haber sido un importante encuentro clarificador de estos y otros muchos extremos referentes a «La cultura española ante el nuevo siglo», título del congreso al que me refiero, realizado en marzo de 1984 en la Universidad de Salamanca. Ese vacío discursivo deja margen para que, finalmente, un escritor catalán y *charnego* como Juan Marsé haya replanteado el conflicto a través de la esquizofrenia del protagonista de una novela en clave paródica, *El amante bilingüe* (1990).

Ya en otro orden de cosas, a todos nuestros escritores afecta por igual una de las circunstancias más determinantes de la creación literaria en España en los últimos lustros. Sin que se pueda afirmar cabalmente que se trata de un factor completamente desconocido, alumbrado por el nuevo marco de nuestra sociedad tras 1975, sí cabe reconocer que el fenómeno se ha impuesto rotundamente en estos años.

La secular condición marginal del escritor en España imponía múltiples servidumbres, comenzando por la económica, pero al mismo tiempo garantizaba una gran libertad de acción y comportamiento. La sociedad se despreocupaba de tales individuos, víctimas de una vocación que no acababa por ser reconocida como una auténtica profesión. Se les concedía, no obstante, el beneficio de un 'aura' contradictoria, algo así como el prestigio de lo misterioso e incomprensible, que nunca, por lo demás, podría atentar contra la solidez del *statu quo*. Valle-Inclán, que tan directamente padeció esta marginalidad, la reflejó esperpénticamente en *Luces de bohemia*.

---

trata de una obra literaria, en cuyo caso quedará «irrevocablemente incorporada a la lengua en que escribió»: «Rusos que escriben en inglés, checos que lo hacen en alemán, ingleses en francés o catalanes en castellano forman parte de las literaturas y acervos culturales ingleses, alemanes, franceses o castellanos».

Nuestra sociedad reservaba tres ámbitos para los productos de la creación literaria. El más restringido y selecto era el de determinados géneros que como el poético estaban dirigidos casi exclusivamente a la «inmensa minoría». En él tenían cabida todos los experimentos, por vanguardistas o incluso rupturistas que fuesen. Una segunda esfera correspondía a la de las primeras figuras literarias que contra viento y marea se hacían con un público. Era el de los autores prestigiosos y «conocidos», que ocupaban el papel institucional que la sociedad reservaba, cicatera, al «Escritor», sin que ello representara altos índices de difusión para sus obras y los consiguientes rendimientos (cuando Miguel Delibes visitó a Pío Baroja en 1947 no consiguió convencer al maestro de que de su novela Premio Nadal *La sombra del ciprés es alargada* se hubiesen vendido cinco mil ejemplares en dos meses. La cifra era sencillamente inverosímil para quien, habiendo sido en su día el más importante novelista de España a duras penas liquidaba en varios años una edición de dos mil). Finalmente, estaba el saco sin fondo de lo «popular», vergonzantemente subliterario; cuando un escritor «conocido» —no «minoritario»—, como por ejemplo Vicente Blasco Ibáñez, daba el salto a la máxima popularidad veía considerablemente disminuido su prestigio. En suma: cabía pasar del nivel más restringido al segundo de los mencionados, pero no ir más allá.

De un tiempo a esta parte sí que es posible dar ese salto. Existen premios literarios de larga tradición y generosa cartera cuya política parece ser en los últimos años la de favorecer el trasvase de escritores literarios a prácticas en uno u otro grado identificables con la subliteratura. El profesionalismo mal entendido favorece ese comercio, a costa de aquella paniaguada vocación. El medio, y los propios valores consagrados por una sociedad implacable en su tanto vales cuanto tienes, fuerzan al escritor a que persiga por cualquier medio el éxito indiscriminado y lo capitalice inmediatamente en dinero, fama o poder. La obra no es ya un fin en sí misma, sino un medio para otra cosa. No importa que permanezca, sino que sea efectiva. En el camino queda arrumbada la concepción de la creación literaria como juego y revelación. Y ello tanto para los escritores sólidamente consagrados como para sus delfines, que irrumpen veinteañeros con su primer libro bajo el brazo y un programa perfectamente diseñado para alcanzar en breve plazo aquellos objetivos.

Este fenómeno trae consigo, por supuesto, el definitivo arrumbamiento de aquella concepción de lo que Victor Brombert denominó, en el título de un libro de 1961, *The Intellectual as Hero*, vigente entre nosotros durante decenios del franquismo. Frente a semejante modelo, podemos hablar hoy, con Julio Aumente, del franco declive de los intelectuales «orgánicos» y «críticos» (que no de los intelectuales «funcionarios»). El «compromiso» de antaño es una molesta antigualla que llega, si mentada, a producir irritación. Así, por ejemplo, en la sonada mesa redonda que en junio de

1985 tuvo lugar con motivo de la Semana del libro alemán en Madrid, donde Günter Grass y Peter Schneider se las vieron con dos estrictos contradictores españoles de aquel compromiso, Juan Benet y Álvaro Pombo. Me pregunto cuáles son las causas de esta renuncia del escritor a su papel de intelectual con voz propia, sin impostura, en la cosa pública. La más poderosa no le es imputable a él mismo, sino al hecho de que el poder ya no le necesita como referente legitimador de nada. La política es, antes que la praxis de una ideología, una técnica de gestión y, sobre todo, un gran festival semiológico en el que los medios de comunicación de masas y sus agentes —como ya tuvimos oportunidad de apuntar a propósito de los trabajos de Imbert [1988 y 1990]— reemplazan al intelectual. Éste también tiene acceso a los medios, lo que da lugar a la trivialización de su papel por mor de aquella certera ley macluhaniana de que el medio es el mensaje. Y todo ello, en el escenario de lo que Subirats [1988] ha denominado en el propio título de un ambicioso ensayo «la cultura como espectáculo».

Julián Ríos ha reflejado esta realidad con su estilo inconfundible y muy representativo de esta época en una de las facecias tituladas «Decenario», escritas para un monográfico de *Las Nuevas Letras* consagrado al período 1975-1985: «A falta de genio, figura ... Buena o mala, pequeña o grande, triste o alegre, qué importa. Figuritas, figurines, figureros, figurones, todos a hacer figuras. Preferentemente, si es posible, desde la pequeña pantalla. Escritor, a tu papel: un autor ha de ser ante todo actor. La vida ''intelectual'' de este último decenio como una telecomedia de figurón, que se ensaya cada día en presentaciones o representaciones de libros, actos acá endémicos, congresos gregarios, viajes y giras extravagantes, debates de vates, entregas e intrigas de premios... El reparto es cada vez más numeroso».

MEDIACIÓN. Erraría si, llegado a este punto, limitase mi análisis a la estricta esfera de la *producción* o creación literaria, atribuyendo a la febledad de los escritores los signos inquietantes confirmados o entrevistos. Otro factor del sistema literario, la *mediación*, y la preeminencia de sus poderosos agentes se han convertido en la clave a este respecto, como ya tuve la ocasión de apuntar páginas atrás, cuando citaba el artículo publicado en 1987 por Manuel Vázquez Montalbán cuya tesis es congruente con la que cumple explicitar ahora: que la industria literaria española y sus rectores, para los que no existe otro compromiso que el mercado, tiende precisamente a una «normalización mercantilista de la cultura».

El panorama es, con todo, más abigarrado y contradictorio como para iluminarlo a brochazos del sociologismo más rupestre. Mas nada de inexacto hay en el dictamen que Rafael Conte hace en el prólogo al libro por él compilado *Una cultura portátil* [1990]: «La cultura ha caído de bruces en el mercado» (p. 14). Un mercado que también aquí —y basta con remitir al caso de *El Viejo Topo* y *Lo que queda de España*— ha llegado a sustituir el papel de la censura, como denunciaba para los Estados Unidos André Schiffrin, desplazado de la dirección de la editorial progresista Pantheon Books cuando fue absorbida por Random House.

La fuerza del mercado ha minorado, por ejemplo, la mantenida importancia que durante el franquismo tuvieron los premios literarios como aparatos de mediación entre autores, sus obras inéditas, las editoriales y el público. Son ya estas últimas las que a través de sus expertos incorporan a sus filas a escritores desconocidos para llevarlos al éxito inmediato y la consagración incluso con una sola obra. Los premios vienen a caer, por el contrario, del lado de los ya reconocidos, pues en vez de auténticas justas literarias son, con pocas excepciones, meros ceremoniales propagandísticos, estrategias de mercaduría.

Entre escritor y editor surge una nueva figura mediadora, el agente literario, notable aportación de estos últimos tiempos al sistema. Su influencia puede ser bidireccional: defiende tanto los intereses económicos de sus representados ante los directivos de la industria cultural como aconseja a aquéllos sobre cómo crear el producto que la coyuntura editorial, el mercado, demanda. Tiene, pues, una cierta incidencia estética en cuanto promotor de opciones temáticas o estilísticas, pero sobre todo ha reforzado el componente mercantil del circuito producción-mediación-recepción.

El Estado, pese a ciertos indicios de lo contrario, no ha dejado de ser asimismo agente mediador. Lo es, sin duda, en relación al teatro y al cine, como más adelante tendré ocasión de tratar. La creación en 1977 de un Ministerio de Cultura ha ejercido cierta influencia a este respecto. Añádase, además, que si es justo entender que Estado son también los gobiernos de las diecisiete comunidades autónomas, éstas han echado sobre sus espaldas grandes responsabilidades editoriales referidas casi en exclusiva a lo «propio» de cada una de ellas, a veces sin demasiada discriminación y con olvido de la obligada universalidad de la cultura.

Paradójicamente el gobierno central y su Ministerio *ad hoc*, cuya supresión se demanda precisamente desde las autonomías, aunque no sólo desde ellas, adoptó con la llegada al poder del Partido Socialista la medida liberalizadora (en el sentido economicista del término) de suprimir la Editora Nacional, cuya restauración pide, entre otros, Rafael Sánchez Ferlosio. El vacío consiguiente se suple desde el organismo gubernamental mediante una política de coediciones de «obras que integren el patrimonio literario y científico español», entre las cuales tienen justo acomodo las publicadas en el exilio por los escritores de la España peregrina, que ahora quedan así fácilmente al alcance de los lectores actuales, y mediante la creación en 1985 del Centro de las Letras Españolas con el propósito de apoyar y coordinar la ayuda del Estado a todos los agentes mediadores del sistema literario, así como presentar ante similares instancias extranjeras, con el propósito de favorecer su difusión en otras lenguas, «la creación literaria en la España democrática», como anunciaba en 1986 el número cero de una revista trilingüe publicada por el Centro, *Letras de España*.

Nuestra estructura editorial resulta peculiar por diversos motivos. Según los datos aportados por la *Panorámica* del Centro del Libro y la Lectura [1990] integrado en el propio Ministerio de Cultura, de las casi cuatro mil empresas registradas poseen actividad regular menos de la mitad, y tan sólo unas quinientas, concentradas preferentemente en Madrid y Barcelona, poseen considerable entidad. España, sin embargo, es desde comienzos de los ochenta la quinta potencia editorial por el número de obras publicadas, aunque no así por el de volúmenes impresos, dado lo reducido de los tirajes. Mas los 38.715 títulos de 1989 representaron por vez primera en ese decenio un descenso —de un cuatro por ciento— sobre el año anterior.[4]

José María Castellet llamó la atención en junio de 1990 sobre el hecho preocupante de que esa reducción, pareja a un notable aumento en el precio de los libros, haya sido sobre todo a costa de las obras de humanidades en general, y de creación literaria en particular, pues si la poesía se mantiene en el índice de disminución ya mencionado, la narrativa española e hispanoamericana ha decrecido un treinta por ciento. Otra cosa ocurre con el libro técnico, en alza, o, sobre todo, con la literatura de consumo. Con la «cultura portátil».

Asimismo incide en este panorama el hecho de que tal hiperproducción de títulos, de los cuales una cuarta parte corresponden además a traduccio-

4.   Para orientarse en tan frondosa selva editorial, los investigadores cuentan con la inestimable ayuda de los tomos anuales de la *Bibliografía española*, empresa iniciada en los años cincuenta por la Dirección General de Archivos y Bibliotecas para pasar en 1971 a ser responsabilidad del Instituto Bibliográfico Hispánico y, desde 1985, de la Biblioteca Nacional. *Bibliografía Española*, publicada con el concurso del Ministerio de Cultura, tiene como objetivo dar a conocer todos los libros producidos en España que ingresan en la Biblioteca Nacional en virtud de las disposiciones vigentes sobre el Depósito legal de Obras impresas. Por otra parte, el propio Ministerio de Cultura, a través de su Centro del Libro y de la Lectura, edita con periodicidad superior a la anual y carácter acumulativo un índice del ISBN (International Standard Book Number) español con el título de *Libros españoles en venta*, distribuido en tres tomos dedicados, respectivamente, a «Títulos», «Autores» y «Materias». El desarrollo de la tecnología informática nos permite ya contar con una base de datos del ISBN español en un disco óptico del tipo CD-ROM, que contiene información correspondiente a 300.000 libros publicados en España con un programa completo de recuperación de la información. Este ISBN en CD-ROM ha sido editado en 1989 por Micronet, Barcelona, en colaboración con el Ministerio de Cultura. También puede verse el catálogo editado con motivo de la Feria de Frankfurt de 1991, *Escritores españoles contemporáneos*, Centro de Exportación de Libros Españoles, Madrid, 1991.

nes, del inglés, francés y alemán sobre todo, gravite como una losa sobre el talón de Aquiles de la edición española: la distribución. La librería tradicional, verdadero foco de cultura por cuanto en ella, además de comprar, se podía adquirir gratuitamente información y criterio, está en franca decadencia. Están pasando a ser meros escaparates de novedades, de efímeras presencias de lo que la propaganda presenta como la novela del siglo pero que en tres meses será inencontrable y sólo perdurará como un dato en la memoria de los inhóspitos repertorios del ISBN. El libro así comercializado más parece nacido para recalar efímeramente en lo que se llama «las grandes superficies», los mastodónticos almacenes donde su condición de producto industrial se sobrepone por completo a la de objeto intelectual o estético, o pasar como un céfiro por todo lo contrario, los mínimos espacios de los quioscos de prensa donde no cabe perdurar. Se habla así, paradójicamente, de la «caducidad» del libro, y cada vez la fecha en que se cumple se acerca más a la de su producción y edición.

El horizonte se presenta sombrío para los nuevos escritores que ya no podrán, como sus mayores, darle tiempo al tiempo, ganarse un público obra a obra, de forma que el acierto de una de ellas provoque la búsqueda y el hallazgo de las anteriores, disponibles en las librerías, cuando no, en su caso, las obras completas del autor, modalidad editorial esta última en franca recesión. Algunos de nuestros escritores consagrados más leídos llevan desde hace quince años esperando el tomo segundo de las suyas, mientras que cualquier gloria municipal ve fácilmente todos sus escritos reunidos en volúmenes auspiciados por las corporaciones locales o territoriales en que está censado.

Lo que está en juego, a la vista de todas estas circunstancias, es algo fundamental: la pervivencia de la literatura como lenguaje más allá de las restricciones del espacio y el calendario; como la «palabra esencial en el tiempo» que conjuraba don Antonio Machado. Esta dimensión de perpetuidad es inherente a lo literario porque conforma la propia textura del discurso, su *literariedad*, al programarlo, condensarlo y trabarlo como un mensaje intangible, enunciado fuera de situación pero abierto a que cualquier lector en cualquier época proyecte sobre el texto la suya propia, y lo asuma como revelación de su propio yo. Una escritura concebida desde la aceptación de su caducidad por parte de su agente productor, toda escritura «fungible» deja automáticamente de ser literaria, para convertirse en algo completamente diferente, en pasto de una cultura del ocio servida por una poderosa máquina industrial. El riesgo está, por lo tanto, en que se suplante la literatura por algo que no sea sino un remedo de la misma, pese a contar con el concurso de los que en un día fueron escritores y ya son tan sólo operarios de una ingente factoría cultural.

Pese a lo sombrío de este panorama, que Pradera [1990] ha expuesto con rigor, nada está definitivamente perdido mientras los españoles de este fin de siglo no identifiquen la literatura 'aurática' con rústicos cuerpos de libro nutridos con papel ceniciento y cubiertos de letras doradas y en relieve, editados simultáneamente en varias lenguas por grupos industriales como, por ejemplo, Gulf & Western que, junto a departamentos financieros, inmobiliarios o químicos, posean divisiones donde la producción editorial entre en el mismo saco que la discográfica, fílmica, televisiva y videográfica, la prensa escrita, el tebeo o el *show business*.

No es este un delirio apocalíptico. Tiene sus nombres y apellidos de transnacionales europeas, norteamericanas o australianas que pujan por adquirir, no sólo la infraestructura y cartera editorial de empresas menores, sino, sobre todo, el 'aura' legitimadora de lo literario que emanan. Prueba de ese intento sutil de apropiarse de ella está en la práctica común de que cuando uno de estos monstruos industriales se hace con una editorial de prestigio, lejos de integrarla en su marca pública preserve su sello. Mas no tardan en producirse las contradicciones, como el caso ya mencionado de André Schiffrin, cerebro de la Pantheon Books, engullida por Random House, del grupo norteamericano Newhouse, que posee también Alfred Knopf, Ballantine, Fawcett, la revista *New Yorker*, la cadena de revistas Condé-Nast y el grupo británico Cape. El virus ya ha llegado a España, por ejemplo con el caso del editor Mario Muchnik, desplazado de la dirección de la editorial de su nombre cuando dejó de poseer la mayoría accionarial de la misma.

La literatura de la que nosotros tratamos siempre ha precisado de canales mediadores para su difusión, pues es certera aquella hipérbole de Maurice Blanchot de que sólo existen los libros que son leídos. Esa mediación se cifra, desde Gutenberg, en la figura clave del editor, que es una suma de artesano, diseñador, comerciante e intelectual. En esa clave tiene plena vigencia y plausibilidad la afirmación de Roberto Calasso, director de la italiana Adelphi, de que «una editorial de literatura es también un estilo». Estilo artístico, se entiende, al que aquel otro modelo transnacional lo sustituye por meras programaciones del consumo. Desde siempre, al menos en nuestra historia literaria contemporánea, esto ha sido como Calasso afirma con una minoría de influyentes mediadores editoriales que, desde la *Revista de Occidente* de Ortega, entre otras de la Restauración y la República —y remito a un libro de Fernández Cifuentes [1982] imprescindible a estos efectos—, hasta las empresas de Carlos Barral, han publicado literatura, pero en cierto modo también la han creado. (En la misma línea de investigación de Fernández Cifuentes, Acín [1990] nos proporciona un estudio de la narrativa española durante el período del que precisamente nos estamos ocupando.)

Esta tradición, pese a la evidencia de la revolución mercantilista del mundo editorial que se experimenta por doquier y llega a España con no poco ímpetu por el valor añadido que la lengua aporta a lo puramente infraestructural, no se ha perdido por suerte entre nosotros. Mas al contrario, de entre la decena de editoriales verdaderamente literarias que han sabido resistir la tempestad y navegan con rumbo fijo hay alguna que ha trascendido en su fama nuestras fronteras y es reconocida como adalid de esa resistencia activa al gigantismo economicista.

Así, por ejemplo, la editorial Anagrama, fundada en 1967 cuando la estrella de Barral comenzaba a declinar, cuyo director Jorge Herralde es, dentro y fuera de España, representante destacado de ese tipo de editor culto que corre riesgo de extinción. El mantenimiento por su parte de criterios estrictamente culturales no sólo le ha llevado a patrocinar el poderoso renacer de una novelística española sumamente atractiva para los lectores, sino a introducir entre nosotros, como antaño lo hicieran la «Biblioteca Breve» y «Formentor» de Barral, las tendencias y autores más representativos de la narrativa internacional, sin descuidar la difusión de nuestro pensamiento más actual a través del ensayismo. Los instrumentos de los que se ha servido han sido dos premios, el que lleva su nombre para la novela y el ya citado «Anagrama» para el ensayo. Los libros ganadores del primero se han integrado en la serie «Narrativas hispánicas», iniciada en diciembre de 1983 con *El héroe de las mansardas de Mansard* de Álvaro Pombo, autor hoy profusamente traducido, con otra de cuyas novelas, *El metro de platino iridiado*, la citada colección acaba de alcanzar ya el centenar de títulos, la mayoría de ellos escritos por autores españoles y de las generaciones posteriores a la de medio siglo. Luis Goytisolo es el novelista del sello que enlaza esa promoción con una cohorte de escritores posnovísimos, la mayoría de los cuales saltaron del anonimato al justo reconocimiento de sus valores, la adhesión del público y las traducciones a la protectora sombra de Herralde. Otras colecciones también centenarias como «Contraseñas» y «Panorama de narrativas» han aportado los aires foráneos con similar acierto de cara al público, al extremo de que Anagrama no sólo ha llegado a ser pieza codiciada por el gigante editorial español, sino que ha podido resistir y sobreponerse a su abrazo de oso. El propio Herralde ha ponderado en 1990 el significado que su triunfo encierra: en España —y no sólo en ella, hay que añadir— «el proceso de concentración ha coincidido, paradójicamente, con el mejor momento de las editoriales independientes».

RECEPCIÓN. Con la atención prestada a ese conjunto de agentes mediadores que están cobrando una importancia cada vez mayor en el actual sistema literario español, similar a la que tienen en el ámbito de las sociedades más desarrolladas, se ha introducido ya, con el protagonismo que nadie puede negarle, el público como agente receptor de la creación mediatizada por la industria cultural.

En la misma ocasión en la que Herralde declaraba su optimismo sobre el futuro de los sellos independientes pese a la proliferación de los grupos editores, otro ejemplo excepcional de aquella multifuncionalidad agencial en el sistema literario ya comentada, el poeta, ensayista, crítico, académico y director editorial Pere Gimferrer, afirmaba asimismo que en España el público de la literatura ha crecido en los últimos años en número y atención a la calidad («Liber 90», *El País*, 26 de junio de 1990).

Entiéndase que se alude al género popular por excelencia (el novelístico), pues el caso de la poesía merece pabellón aparte. Otro poeta y crítico, Andrés Trapiello (nacido en 1953), ha comenzado una nueva andadura como editor con este rotundo programa: «Editamos quinientos ejemplares porque quinientos son los lectores de poesía en España. No hay más». Pero recuperemos el optimismo de Gimferrer, muy oportuno para introducir tan siquiera una mínima brecha en el tópico de nuestro inveterado despego hacia la lectura. Cabe, además, tener en cuenta la apreciación, igualmente autorizada y esperanzadora, de Andrés Amorós, en el sentido de que «el lector español es, ya, bastante cosmopolita» y que todos los síntomas apuntan que lo seguirá siendo en grado creciente como un rasgo más de «nuestra normalidad cultural» (*República de las Letras*, n.º 18, 1987).

Pese a ello, los datos estadísticos porfían tercos en desinflar el globo. España sigue siendo el segundo país menos lector de la Comunidad Europea. Su red de bibliotecas públicas, en trance de expansión, no absorbe empero hasta el momento sino el 2 por 100 de la producción editorial, cifra que en el Reino Unido hay que multiplicar por diez. Y sólo un 13 por 100 de españoles afirma comprar un libro con periodicidad cercana a la mensual.

¿Quién crea el público, y cómo? La respuesta no se nos presenta difícil: al margen de que las editoriales —o incluso el propio escritor, sobre todo con la ayuda de los medios de comunicación de masas— puedan hacerse con un grupo más o menos estable de fieles en confluencia con el singular fenómeno del autodidactismo, los lectores los produce la educación. Y como promotor y garante de ella en las sociedades modernas, el Estado. He aquí su gran papel mediador, que al fin y a la postre apunta hacia otro departamento ministerial que no es precisamente el de Cultura.

La evidencia de esta realidad está probada estadísticamente. Según el sondeo sobre hábitos culturales de los ciudadanos españoles realizado por el Instituto Demoscopia por encargo del diario *El País*, que lo publicó el domingo 29 de mayo de 1988, más de un 60 por 100 de los españoles consultados convinieron en que ahora se lee más que antes porque [*sic*] «la gente tiene ahora más estudios y le gusta más leer». Cada uno de los demás factores mencionados no sobrepasa un 13 por 100 de anuencia: ni la desaparición de la censura, ni el aumento del nivel de vida, ni las ventajas de la sociedad del ocio, ni la exigencia de estar a la altura de las circunstancias... En cifras redondas, uno de cada dos españoles se declara amante de la lectura, pero la distribución de estos amores no es parigual, pues en nuestro país, en donde aún no se ha llegado a la característica inversión de la pirámide demográfica que nos espera en los umbrales del siglo XXI, más de la mitad de los ciudadanos que superan los sesenta y cinco años son analfabetos o carecen de estudios, mientras un 80 por 100 de los jóvenes con menos de veinte han alcanzado al menos los secundarios.

Otra historia muy distinta es la de la «calidad» de esos lectores. En un perspicaz artículo titulado precisamente «Amado lector» (*Cambio 16*, 25 de abril de 1988), José María Guelbenzu, otro novelista y editor como el ya citado Gimferrer, recordaba el escepticismo de George Steiner en lo referente a la posibilidad de adaptar sin menoscabo el discurso sublime de la literatura y el pensamiento al público de masas, tan democráticamente semiculto como semidoncellas las maritornes cervantinas. En refuerzo de tan polémica idea, alguien tan poco sospechoso de nostalgias *ancien régime* como Enrique Tierno Galván, en su libro de memorias *Cabos sueltos* (Bruguera, Barcelona, 1981, p. 662) auguraba inestabilidad al nuevo régimen español sobre cuya literatura estamos reflexionando en tanto no se asentase y fuese predominando la mediocridad característica de las democracias.

Al margen de estas últimas consideraciones, todo parece ratificar, pues, afirmaciones como la de Gimferrer, en contra del catastrofismo a ultranza. Más aún, comprendemos desde tal visión de las cosas el buen olfato de los sabuesos internacionales a la caza del público español (y en español) presente y venidero.

Lejos de mí el funesto espejismo panglossiano, que me resulta, con todo, menos detestable que el plañidero. El sistema educativo español, que lleva veinte años en el telar de Penélope, semeja perseguir, si hacemos caso a ciertas directrices, que sus destinatarios acaben alentando, y para siempre, horror hacia la literatura. Bien está que esta sea materia de educación histórica, artística y lingüística, que trascienda el mero goce estético hacia la indagación de sus porqués. Pero renegar de la relación primera y más natural del lector con el libro, que ha de ser siempre lúdica y gozosa, significa tanto como caer en la funcionarización sin vida del fenómeno literario, que es lo mismo que signar su acta de defunción. En un sentido contrario, el éxito que la enseñanza puede tener para formar lectores empedernidos es ilimitado si atina a descubrir la revelación que encierra el juego propuesto por todo libro literario.

El mundo editorial español en lo que a la literatura se refiere tiene un amplio sector específicamente dedicado a lo educativo. Las colecciones de textos con tratamiento académico en lo que a estudios introductorios, primor reproductivo y anotación se refiere proliferan y compiten en calidad. Se ha llegado incluso al desdoblamiento de esos catálogos, que cubren ya no sólo a los clásicos, sino también a los rigurosamente contemporáneos, en colecciones *maiores*, pensadas para ciclos educativos universitarios, y *minores*, a menudo adjetivadas como «didácticas». Bien está todo ello, y no es precisamente este el lugar en que se esperaría la diatriba de que el conocimiento racionalizador de la literatura significa su muerte. Pero lo fundamental sigue siendo la capacidad de esos agentes insustituibles de la mediación literaria que son los docentes para revelar la epifanía de la propia literatura.

Otro síntoma preocupante, que tiene su origen asimismo en la política del Estado, es la inconfesada tendencia que sus gestores manifiestan hacia una concepción tecnocrática y tecnológica del aprendizaje de los ciudadanos. La unidimensionalidad del especialista socialmente rentable —como se supone— porque posee ciertas destrezas sin cuestionarse nada más, parece ser el desiderátum de un costoso proceso educativo en el que se invierten grandes recursos, cuando en otras latitudes donde se ha avanzado más por la senda postindustrial la formación humanística se ha vuelto a revitalizar por lo benéfico de sus resultados.

Esa unidimensionalidad nos deja inermes contra la seducción de poderosos medios que pueden competir frontalmente con la literatura. El periodismo en sus múltiples formas, con el ensayo —literatura «no ficticia», como consagran las listas de ventas anglosajonas—; la canción de texto no banal, potenciado por el poder de la música y la identificación de la voz que la modula con el autor de la letra y, al menos supuestamente, con la experiencia revelada competiría con la lírica; el cine y esos grandes espectáculos de masas que son los conciertos de música popular cada vez más enriquecidos semiológicamente mediante mimo, danza, mensajes hablados, escenografía, atrezzo, vestuario, iluminación, etc., entrarían en competencia con el teatro; y con la narrativa, no ya el cine y la televisión, sino esa nueva modalidad de «lectura» individual, potestativa y programada por el receptor que permite la proliferación doméstica del magnetoscopio.

Este último fenómeno, que ha irrumpido en la España de los años objeto de nuestro interés, se ha convertido en motivo de gran preocupación para numerosos novelistas y críticos, entre ellos Ignacio Soldevila Durante que, en el artículo de *Ínsula* (n.os 464/465, 1985) titulado «Sobre el presente de la novela y el futuro de las formas narrativas (A modo de exorcismo)» y en su ponencia en el congreso de la Universidad del Estado de Ohio ya mencionado, llega a sugerir que el vídeo «puede dar la puntilla no solamente a la "gran novela", sino también a la subliteratura narrativa» (Amell y García Castañeda [1988], p. 45). De estar en lo cierto sus previsiones, en modo alguno desdeñables, la profecía del final de la Galaxia Gutenberg y la consiguiente extinción del *homo typographicus* —pronto puesta en duda por el Northrop Frye de *El camino crítico*— no nos sería tampoco ajena.

RECREACIÓN. Entramos así en otro territorio de visita inexcusable si se quieren conocer a fondo los entresijos de la actividad literaria española —que no sólo de la literatura— entre 1975 y 1990: el de la recreación, entendida como aquel conjunto de procesos mediante los cuales el receptor de un producto literario lo transforma en otro *no literario* (lo cual no quiere decir necesariamente *no artístico*). Esta última salvedad es obligada, pues de otra forma la *recreación* de la que tratamos se confundiría con la propia *creación*; porque si de siempre escribir significó imitar los modelos precedentes, en el fecundo equilibrio entre tradición y originalidad, ello ha cobrado nueva vigencia en la escritura «palimpsestuosa» —por remedar el conocido libro de Genette sobre «la literatura en segundo grado», cuya primera edición data de 1982— característica de esta época cenital en la que, como Umberto Eco ha reconocido en sus *Postille*, la vanguardia se ha convertido en tradición y ya no cabe ser escritor (ni lector) adánico; ya, como ha remachado Valverde [1990], «no se puede defender ni restaurar la ingenuidad». Efectivamente, también entre nosotros y en el período indicado Pierre Menard ha sido modelo y guía. La escritura de Julián Ríos representa punto por punto lo que digo, por no citar otros experimentos como, por ejemplo, el de Manuel Longares en *La novela del corsé* (1979), construcción narrativa sobre el hipotexto de numerosas y olvidadas novelas eróticas de comienzos de siglo.

Pero el cierre del apartado anterior, con los negros vaticinios (sin duda fundados) que allí aparecían, me incita a comenzar mi planteamiento de lo que la *recreación* (o posprocesado) puede representar en el sistema literario español del posfranquismo encarando el fenómeno de las mal llamadas «adaptaciones» fílmicas de textos novelísticos —los más— o teatrales, no sólo del pasado, sino de la más inmediata creación. Contamos, por cierto, con un excelente estudio del cine español después de Franco a cargo de Hopewell [1989], que abarca también quince años de nuestra historia reciente, en este caso los comprendidos entre 1973 y 1988.

Ya en su conocido ensayo de 1936 «La obra de arte en la época de su reproductibilidad técnica», Walter Benjamin advertía cómo el cine era el más poderoso agente en el proceso de destrucción del 'aura' singular e irrepetible tradicionalmente característica de la obra artística. Auguraba al séptimo arte la capacidad de liquidar el valor de la tradición en la herencia cultural, pues como Abel Gance había proclamado con entusiasmo en 1927 todos los grandes artistas de nuestra civilización esperaban «su resurrección luminosa» en las pantallas cinematográficas.

Y eso que Benjamin consideraba que el cine como arte de difusión masiva quedaba todavía al margen de la multiplicación reproductiva del producto, usual en el caso de la literatura y la pintura: «la producción de una película es tan cara que un particular que, pongamos por caso, podría permitirse el lujo de un cuadro, no podrá en cambio permitirse el de una película» (Benjamin [1973], p. 27, nota). El magnetoscopio doméstico ha venido a destruir totalmente su predicción y hoy en día es tan factible una *videoteca* particular como la biblioteca correspondiente. Y no sería de extrañar que *Luces de Bohemia, Bodas de sangre, La colmena, Tiempo de silencio*, *Los santos inocentes* o el propio *Quijote* figurasen en aquellas y no en estas...

El hecho es que desde finales de 1980 la televisión estatal española puso en marcha un programa de colaboración con la industria cinematográfica para financiar el rodaje de películas, muchas de ellas basadas en obras literarias contemporáneas, que tras dos años de difusión en salas pasarían a serlo por la televisión y los circuitos del vídeo. Añádanse a este sistema de colaboración las producciones propias que con la versatilidad del medio permiten resolver un grave problema, el de la limitada duración temporal del espectáculo cinematográfico. Susan Sontag comentaba a este respecto la solución ideal encontrada por Fassbinder para recrear convenientemente *Berlin Alexanderplatz* de Alfred Döblin en quince horas y media de filme televisivo. Entre nosotros se ha podido hacer lo propio, y con gran éxito, con la trilogía *Los gozos y las sombras* de Gonzalo Torrente Ballester, *La forja de un rebelde* de Arturo Barea o *Crónica del alba* de Ramón J. Sender, y se está haciendo con un *Quijote* en versión de Camilo José Cela.

No creo, sin embargo, que este fenómeno, cuya influencia puede interferir el proceso educativo en el que tal vez resulte más cómodo para todos *ver* que leer la literatura, tenga una significación unívocamente perjudicial para la pervivencia de la literatura como tal. En principio, el concepto de «adaptación» es semiológica y artísticamente insostenible. Cuando una historia plasmada previamente en un discurso literario es transcrita con otro lenguaje en un discurso cinematográfico, por mucha fidelidad con que se haya resuelto la operación, y aunque la sustancia del contenido argumental haya experimentado mínimas alteraciones, el significado final de la segunda obra de arte (por caso) es inexorablemente distinto de la primera. Hay, pues, un margen de complementariedad y no de redundancia, que el público percibe como tal. La clave está en qué discurso se constituye en horizonte desde el que se recibe el otro. Probablemente el caso menos frecuente es el de los lectores que luego ven su novela o drama en la pantalla, y que por lo general salen decepcionados de la experiencia, pues su recreación imaginativa de los elementos 'vacíos' del texto —la fisonomía de los personajes, por ejemplo, representada mediante palabras y no icónicamente— choca con la evidencia pugnaz de las imágenes proyectadas. Pero la posibilidad contraria, la del espectador que, acaso por primera vez, entra en la librería para comprar la obra que acaba de ser pasada por la televisión o estrenada en sala, nos consta como cierta por los índices editoriales. Hay libros poco leídos en su día que lo son profusamente luego de recreados fílmicamente, y en ciertos casos los lectores novicios originados de tal manera descubren a través del contraste entre película y novela la epifanía de la literariedad.

En este apartado de la recreación se ha presentado ya, como no era menos de esperar, el papel posprocesador de la literatura que tiene el sistema educativo. En efecto, en él los textos son transformados en exégesis, análisis, comentarios, en «lecciones» o lecturas comunicadas. En páginas anteriores habíamos aludido ya a otros aspectos mediadores y, sobre todo, a la capacidad no siempre aprovechada que la enseñanza tiene para producir lectores.

Afirmaba también Benjamin que el lector está siempre dispuesto a pasar a ser escritor, y este tránsito, que usualmente el sujeto realizaba por libre, es sin embargo susceptible asimismo de institucionalización educativa. Tal es el caso de recientes «escuelas de letras» que ofrecen entre nosotros por primera vez lo que ya era común en otras latitudes: academias en las que con el concurso de creadores doblados en recreadores se favorece el aprendizaje literario teórico y práctico (AA.VV. [1990]). Steiner [1989], sin conocer —a lo que creo— esta iniciativa española, se muestra poco favorable a tales invenciones, que considera innecesarias si se habilitan, simplemente, *lugares*: «por ejemplo, una mesa con unas sillas alrededor donde podamos volver a aprender a leer, a leer juntos».

Junto a la novedad relativa de este hecho hay que registrar la creciente importancia que la recreación y el público educativos tienen en nuestro sistema literario, conjurada por los escritores por medio de esporádicos desplantes cara a la galería a la que intentan convencer en vano de que su obra está por encima de tan pedestre ágora. La incorporación de un autor u obra contemporánea a los planes de estudio representa una proyección literaria de consecuencias relevantes, y en el ámbito de alguna literatura española no castellana se empieza a hablar ya de nuevos autores creados y sostenidos por el público estudiantil y sus mentores. En términos generales no se deja de percibir una de las consecuencias más perjudiciales de tal estado de cosas: la del rapto de los creadores por parte de los re-creadores, a veces con anuencia de estos, que se sienten muy reconfortados con su hispanista —español o extranjero— particular como el señor con su *valet de chambre*. Por esta vía puede llegarse al extremo de que en cierto modo el escritor escriba para el hispanista como destinatario privilegiado de su obra, y que a su vez este la recree mediante un análisis que ya nunca será crítico, pues dirá de ella lo que su autor quiera. Tal proximidad tergiversa los términos naturales de la relación crítica en extremo harto peligroso, pues llega a hipotecar lo poco de voz propia que le cabe al crítico, a la que nunca debiera renunciar, dando lugar a un triste espectáculo de ventriloquismo.

A este fenómeno, parejo a la pérdida de influencia social de los críticos literarios propiamente dichos, e incluso de la Literatura toda como institución, se refería Hans Magnus Enzensberger en su comentado artículo «El crepúsculo de los recensores» (*Libros. Diario 16*, 23 de mayo de 1991), donde afirma que a cada escritor le corresponden hoy por hoy «unos 66 pedagogos ocupados de investigar e interpretar sus productos».

De la recreación que de la literatura hace el pedagogo se puede, efectivamente, pasar sin solución de continuidad a la que protagoniza el crítico y es una de las manifestaciones más destacadas del posprocesado de los textos literarios. En sus manifestaciones más selectas puede alcanzar, incluso, el rango de auténtica creación de segundo grado.

René Wellek y Austin Warren, los autores de un manual clásico de teoría literaria traducido por vez primera a otra lengua en 1953 por decisión de un gran crítico creador, Dámaso Alonso, justificaban lo armónico de su colaboración mutua, pese al origen y formación disímiles de ambos, mediante dos convicciones compartidas: la de que «investigación» y «crítica» son compatibles y su negativa a distinguir tajantemente entre literatura contemporánea y literatura pretérita.

Precisamente la presencia de esos mismos debates en los medios universitarios españoles y, en general, del hispanismo internacional ha dado lugar a la existencia en los últimos lustros de una verdadera legión de críticos cuya actividad incide de forma directa sobre la creación literaria rigurosamente contemporánea.

Asimismo se percibe un cambio de actitud con relación a otra de las manifestaciones del rechazo académico hacia lo contemporáneo. Me refiero al desinterés de tales medios por el ejercicio de la lectura crítica de creaciones recientes en las páginas de la prensa periódica, prejuicio sumamente dañino para el funcionamiento correcto del sistema literario y simplemente absurdo en un país en el que la época cultural más brillante de su siglo xx se fundamentó en gran medida en la apertura de los intelectuales más rigurosos a la colaboración habitual en los periódicos, forma idónea de acercamiento de la minoría más culta y creativa a la colectividad.

En este sentido hoy por hoy se difumina cada vez más en España la frontera entre lo que Northrop Frye denomina «crítica pública», la que tiene su palestra en los medios de comunicación de masas, y la propiamente académica. Los suplementos de letras que los más importantes periódicos de Madrid, Barcelona y otras capitales mantienen acogen en sus páginas colaboraciones de críticos universitarios, sin que esto signifique en modo alguno la extinción del crítico independiente ni de la crítica realizada por los propios creadores o por profesionales del periodismo. Es, probablemente, la única forma de llegar a establecer contacto con el público en este período de nuestra historia reciente que contempló la sorprendente paradoja de que las publicaciones periódicas de crítica y pensamiento más influyentes en el final del franquismo —*Cuadernos para el diálogo*, *Triunfo*, por no hablar incluso de *Papeles de Son Armadans*, cuya estela persigue en Mallorca la revista *Bitzoc*— desaparecían en la democracia. Tras unos años problemáticos a este respecto, parece consolidarse un espacio de reflexión literaria relativamente desahogado, siempre dentro de lo minoritario, en torno a la revitalizada revista *Ínsula*, *El Urogallo* recuperado o *Quimera*, continuadora de *El Viejo Topo*, un interesante fruto de la transición, publicado entre 1976 y 1982.

El ya citado Acín [1990] se ocupa precisamente del papel de las revistas en el sistema literario español, objeto también de una ponencia específica de José Miguel Oltra (en Lavaud [1990], pp. 57-70), quien analiza de modo muy esclarecedor el proceso de progresiva ampliación de objetivos que nos lleva de las inicialmente concebidas como «revistas poéticas» o «literarias» —estas últimas, ya con un espectro genérico más abierto— hasta el modelo de las plurales «revistas de la cultura», como por ejemplo *El Paseante*, iniciada en 1985, y repara asimismo en el hecho de que tras la eclosión de este tipo de publicaciones producida en torno a 1975, se puede rastrear en su trayectoria un proceso de desideologización paulatino, que desemboca en un eclecticismo significativo de la posmodernidad, tanto como el cuidado por el diseño y la calidad de impresión que son unánimemente reconocidos en la «revista ilustrada de información poética» que con el somero nombre de *Poesía* se publica en Madrid desde 1978 al amparo del Ministerio de Cultura. Ya en otro orden de cosas, el título de una de las revistas literarias españolas más interesantes, *Syntaxis*, publicada desde 1983 en La Laguna y dirigida por el poeta y profesor universitario Andrés Sánchez Robayna, se refiere explícitamente a esa «ordenación de la diversidad» posmoderna.[5]

En todo caso, el mejor antídoto contra cualquier posible triunfalismo referente a la incidencia de la crítica en el público literario español puede deducirse del hecho de que entre nosotros sea impensable un fenómeno como el del programa televisivo francés *Apostrophes* de Bernard Pivot, mantenido durante años en hora de máxima audiencia por la televisión pública francesa.

No siempre la convivencia entre críticos de diversa procedencia, actitud y metodología se produce armónicamente. Se ha destacado, con razón, que uno de los síntomas más preocupantes para nuestro sistema literario, y en general nuestra cultura, es el de cierta ausencia de debate, de contraste entre tomas de posición polémicas que provoquen controversia y agitación

---

5. En el ámbito del hispanismo internacional existen también algunas publicaciones periódicas singularmente interesadas por la literatura española actual, como *Hispanística XX* de la Universidad de Borgoña; *Anales de la Literatura española contemporánea*, coeditada por las Universidades de Colorado (Boulder) y de Santiago de Compostela bajo la dirección de Luis González del Valle, mentor asimismo de *Siglo XX/20th Century; Letras Peninsulares* de la Michigan State University; *España contemporánea*, presentada explícitamente como «Revista de Literatura y de Cultura» y dirigida por Samuel Amell desde la Universidad del Estado de Ohio y José-Carlos Mainer de la Universidad de Zaragoza; y la *Revista Hispánica Moderna*, fundada en 1934 por Federico de Onís en la Columbia University de Nueva York y renovada hace unos años por Jaime Alazraki y Gonzalo Sobejano.

en las aguas mansas de nuestro presente. Al abandono de las fáciles recetas estéticas que tanto estrago causaron en nuestros creadores durante los cincuenta y sesenta, únese ahora el declive de las ideologías, el hiperbólicamente anunciado fin de la historia, como factores que no propician precisamente la dialéctica intelectual sino el acomodamiento y la fosilización. Y sin embargo, existen puntos de grave discrepancia en nuestra República literaria actual; lo que ocurre es que lejos de resolverse discursivamente dan pasto a intrigas subterráneas o se dejan pudrir en un sustrato de silencio no por ello menos presente.

Recordábamos páginas atrás el brote, más visceral que racionalizado por ambas partes, de la confrontación entre dos culturas españolas en las comunidades bilingües. Mayor altura argumental caracterizó la polémica, intensa pero poco desarrollada y sin visos de posible reavivamiento con los tiempos que corren, que la publicación en 1978 de la primera historia marxista de la Literatura española (prematura por la falta de aportaciones previas) provocó entre sus autores y reseñistas.[6] Alguna escaramuza ha habido, asimismo, en cuanto al asunto que nos ocupa ahora, la crítica literaria, sus diferentes modalidades y su relación con los creadores.

Probablemente el punto más espinoso sea, precisamente, el de la dialéctica entre creación y recreación, agravado por la aparente falta de creatividad de nuestro fin de siglo y la injerencia de los factores mercantiles en todo ello. Ha habido, sin embargo, ocasiones en las que se ha producido una fecunda convivencia entre escritores y críticos en torno a asuntos susceptibles de enfoques complementarios, como por ejemplo el arte de narrar o el personaje, objeto de dos de esos encuentros coordinados por la novelista e investigadora Mayoral [1989 y 1990].

Perdura, con todo, la actitud desautorizadora del escritor hacia el crítico, junto al intento de su domesticación en el sentido ya apuntado (cada escritor con su crítico de cabecera). De tal forma que si Camilo José Cela define el «tipo weberiano» característico de la fauna que titula «Glosadores, comentaristas y demás ralea» (El País, 10 de mayo de 1984) como «un personaje a la caza del elogio vergonzante o de la anécdota pretendidamente descalificadora, que aprendió del periodismo que embiste aquello que no es sino agresión gratuita y horra de cualquier interés informativo», otro novelista de las últimas promociones, Juan José Millás («Ella no estaba en el congreso», El País, 19 de junio de 1988) clasifica en clave irónica a los aristarcos en los siguientes cuatro apartados: el escritor frustrado, el ensayista frustrado, el profesor casposo y el crítico que todo novelista lleva dentro. Bien es cierto que su aportación concluye especular-

---

6.   Recordaremos tan sólo la ponderada y magistral recensión de José-Carlos Mainer titulada «Un antimanual: La historia social de la literatura española», *Ínsula*, 391 (1978), pp. 3 y 4.

mente con una taxonomía homóloga para los novelistas, en la línea de la *boutade* de Juan Benet que ya parafraseé anteriormente. El paroxismo de tal actitud se encuentra en afirmaciones como la de otro novelista de los más jóvenes, que en bizarra entrevista de *El Independiente* (19 de septiembre de 1987) —encabezada por este titular a cuatro columnas «No hay críticos para esclarecer el panorama literario»— afirma: «Yo me paso por el forro del sobaco todo lo que dicen los críticos. He comprobado de forma fehaciente que no entienden nada. Pero no es que no entiendan la función que cumple una novela o determinada obra, es que no saben de lo que se está tratando».

Vistas las cosas como Gándara, nada más lógico que el otrora jardín crítico se figure convertido en una especie de terreno bajo, inculto y lleno de maleza. Muy larga es la distancia que separa, no obstante, este diagnóstico de la realidad, cuando por razones antes apuntadas la labilidad entre crítica pública y crítica académica es muy elevada y el rigor conceptual que la teoría literaria aporta al ejercicio analítico y valorativo es reconocido por todos, sin que por ello haya prendido entre nosotros la logomaquia de la deconstrucción, muy probablemente por la razón apuntada por Claudio Guillén en su último libro: ¿a qué desmontar nuestros textos literarios, cuando, lejos de ser la Literatura una poderosa institución como en Francia, entre nosotros ha sobrevivido a trancas y barrancas? Véanse si no las autorizadas opiniones que, a la sombra de T. S. Eliot, otro de nuestros suplementos más leídos, el *ABC literario* (14 de julio de 1990), ha reunido en torno al tema «Crítica de la crítica». O el ponderado artículo de Javier Marías «Añoranza del árbitro» (*El País*, 1 de febrero de 1990), en donde no sin razón lamenta la inexistencia hoy por hoy en España de un crítico capaz de ocupar «el puesto de árbitro ... vacante desde hace tiempo», en la estela de lo que Steiner representa en Gran Bretaña, Arbasino en Italia, Gore Vidal en Estados Unidos o Patrick Maurès en Francia, vacío considerablemente agrandado por la muerte a principios de 1991 de Ricardo Gullón. De estos y otros asuntos se trató, por cierto, en un «Primer encuentro nacional de la Crítica literaria» que tuvo lugar en Madrid, a finales de 1987. Por otra parte, el prestigio que el premio anual que la Asociación Española de Críticos Literarios concede sigue siendo elevado en un momento de baja para los otorgados por editoriales u organismos políticos.

El teatro, pese a su condición de Finisterre de la literatura donde ésta entra en contacto con otros territorios próximos pero distintos, o quizá precisamente por ello, manifiesta en grado sumo todos los rasgos característicos del sistema literario como tal. El primero de ellos puede ser, justamente, la crítica, pues la teatral desde siempre ha dado lugar a enconos y arbitrariedades favorecidas por su influencia directa en el resultado empresarial del espectáculo.

Esa especificidad, que será convenientemente tratada por César Oliva en el presente volumen, me aconseja esbozar tan sólo las muestras de aquella implicación plena del teatro en el esquema del sistema literario tal y como lo estamos presentando y desarrollando. Aconseja cautela, además, la falta de perspectiva y los síntomas contradictorios que la mala salud de hierro de la escena ofrece. Así mientras en 1981 uno de los dramaturgos de nuestro teatro silenciado durante la dictadura, Jerónimo López Mozo, no dudaba en afirmar en la revista *Estreno* (3, n.º 1) la agonía de la farándula española («No digo que está atravesando un mal momento. No me refiero a una crisis pasajera. Digo, sencillamente, que se nos muere») y su colega José María Rodríguez Méndez aseguraba después ante el congreso de la Universidad del Estado de Ohio de 1985 que la situación teatral con Franco era mucho más favorable (Amell y García Castañeda [1988], p. 121), ese mismo año Jesús Fernández Santos titulaba todo un artículo con la divisa «El teatro resucita» (*El País*, 26 de abril de 1985), para que, finalmente, uno de nuestros críticos más solventes, Eduardo Haro Tecglen, acabe por pintar otra vez un cuadro poco halagüeño, deducido de datos como la hipertrofia de la *recreación* sobre la *creación* teatral —el predominio de los montajes y los espectáculos de director frente al anquilosamiento o retirada parcial de los autores ya consagrados (Buero, Gala, Sastre)—, la desaparición de los grupos independientes y de las compañías de repertorio, el desplazamiento de la función de los empresarios privados por «funcionarios culturales» de las distintas administraciones, la competencia de otros espectáculos y la deficiente motivación de nuevos sectores de público... Diagnósticos como este no son privativos de la situación española. Tom Stoppard acaba de declarar públicamente que el teatro es un artículo de lujo insostenible y para privilegiados.

Es un hecho cierto que el Estado y las administraciones públicas se han convertido en los casi únicos garantes de la escena española, cuando sería síntoma de mejor salud el que la sociedad la sostuviese por sí misma. Pero no todo habrá de ser negativo en este orden. Así por ejemplo se ha emprendido, con resultados ya visibles en muchas ciudades de España, una campaña promovida desde 1985 por el Ministerio de Obras Públicas y Urbanismo para restaurar viejos coliseos abandonados o convertidos en cines para ser finalmente cerrados con la crisis de las grandes salas de exhibición. Está consolidándose así una infraestructura de locales cuya trascendencia está fuera de duda.

Junto a la travesía de rumbo poco cierto emprendida por el Centro Dramático Nacional en 1978 precisamente con el montaje de obras de Rodríguez Méndez y Rafael Alberti, para significar la recuperación del teatro del doble exilio interior y exterior, contamos con otras dos realizaciones complementarias y singularmente interesantes, el Centro Nacional de Nuevas Tendencias Escénicas, concebido en 1984 como instrumento para posibilitar la experimentación, el acceso al estreno de jóvenes autores y la acogida institucional a los grupos independientes, y desde 1986 con la Compañía Nacional de Teatro Clásico, inicialmente dirigida por quien iniciara la primera singladura del Centro Dramático Nacional, Adolfo Marsillach.

Es este, lógicamente, el ámbito del reencuentro del nuevo público con su teatro clásico, de formación de los actores en la técnica del mismo y, claro es, de su *recreación*, aspecto siempre polémico, pues a veces, muy a la moda de la época, el montaje tergiversa el sentido del espectáculo germinal, cuyos detalles podemos reconstruir gracias a la crítica universitaria de la «comedia nueva». Los mejores aciertos en esta empresa están viniendo por la vía de un tratamiento respetuoso, aunque no 'arqueológico', de los textos tradicionales y de otros rescatados del olvido.

Siempre será necesaria, culturalmente imprescindible, la existencia de un centro que preserve activamente el teatro de nuestro repertorio, sin que ello deba ser considerado síntoma de la ausencia de nuevas creaciones, como sin duda lo es la reiterada *recreación* de textos novelísticos muy conocidos, por ejemplo los de Miguel Delibes —*La hoja roja, Cinco horas con Mario, Las guerras de nuestros antepasados*—, merecedores por otro lado de generosa adhesión por parte del público.

Nuestra escena contemporánea ha adolecido de cierta debilidad, más cuantitativa que cualitativa, en lo que a la creación se refiere, y al recurso sustitutivo del repertorio se añade ahora el de esa forma de trasvase entre géneros sin que haya dejado de practicarse la modalidad de la «creación colectiva» característica de los grupos de teatro independiente, hoy representados con brillantez por los catalanes. A este respecto ha causado no poco desencanto que la incorporación de autores anteriormente silenciados por la censura como Fernando Arrabal o los dramaturgos «de resistencia» reunidos por George Welwarth en su libro de amplia repercusión fuera y dentro de España sobre *Spanish Underground Drama* no haya sido tan efectiva como se esperaba —pese a éxitos tan rotundos como el de *Las arrecogías* de Martín Recuerda. Ha habido, no obstante, nuevas incorporaciones. Francisco Nieva ha sido, como autor, todo un descubrimiento, y algo similar puede decirse de Fernando Fernán Gómez y Adolfo Marsillach.

Se trata, en definitiva, de recuperar el favor del público, para lo que no se carece ya de infraestructura de salas más allá de los enclaves privilegiados de Madrid y de Barcelona, de un apoyo económico cifrado no ha mucho (1986) en 10.000 millones de pesetas en un solo año y de la vitalidad inagotable del milagro escénico, que acaso tenga que ser invocado regresando a las raíces de un «escenario vacío» como propone Eduardo Haro Tecglen (en Conte [1990]).

Acaso esto último vaya en contra de los vientos epocales. Me refiero a la ingenua ascesis del teatro pobre, donde la palabra encarnada en el actor volvería a ser la clave del espectáculo. De entre los nuevos autores surgidos tras 1975, que los hay, junto a nombres femeninos como María Manuela Reina o Eloísa Casas, entre otras estudiadas por O'Connor [1988], se percibe en la dramaturgia de un José Luis Alonso de Santos o un Fermín Cabal lo que Phyllis Zatlin ha dado en llamar «el metateatralismo de los nuevos realistas», perceptible en un deliberado y notorio juego intertextual y en una comicidad resabiada (Amell y García Castañeda [1988]). En una práctica del realismo consecuente con este dictamen de Umberto Eco: «La respuesta posmoderna a lo moderno consiste en reconocer que, puesto que el pasado no puede destruirse —su destrucción conduce al silencio—, lo que hay que hacer es volver a visitarlo; con ironía, sin ingenuidad» [1984].

Porque llegados a este último punto de nuestro marco conjetural para la literatura española entre 1975 y 1990 se impone la sospecha de que la mayoría de los rasgos apuntados como constitutivos del mismo tienen mucho que ver con el mapa de la posmodernidad que se viene diseñando en los últimos lustros. Y también entre nosotros, sobre todo a partir de mediados de los ochenta, pues al hilo de la posmodernidad las prensas españolas no han parado de gemir con traducciones de los textos canónicos de Lyotard, Fienkielkraut o el ya citado Gianni Vattimo, con rigurosas compilaciones como la de Josep Picó [1988], monografías didácticas (África Vidal [1989]) o académicas (Ballesteros [1989]), actas de reuniones sobre el tema (Vattimo *et al.* [1990]), volúmenes que desde su propio título plantean el tema en clave polémica como el reunido por el que fuera director de *La Luna* Tono Martínez [1986], reforzados por debates periodísticos como el desarrollado en las páginas del semanario *El Independiente* en otoño de 1987 bajo el lema «España sin ideas», o incluso mediante una sintomática *Guía de la posmodernidad* [1987] de Francisco Umbral, en la que paradójicamente se da una visión de esta como un fenómeno madrileño más que como un *zeitgeist* de notoria universalidad.

Uno de los capítulos de la guía citada, que se titula «Un posmoderno en la Academia», traza a la zaga del personaje glosado la siguiente definición de esa posmodernidad: «el ocaso de las ideologías estéticas, el fin de las vanguardias, la revocación de las consignas y, en buena medida, la sustitución de todo esto por el mercado». De esto último ya hemos tenido oportunidad de tratar ampliamente en los apartados referidos a la mediación y recepción de nuestro sistema literario. Los otros dos factores tienen, por el contrario, más que ver con la creación propiamente dicha y con la recreación.

En efecto, uno de los signos de la posmodernidad es, según Lyotard, el rechazo de la racionalidad totalizante, el descrédito de los grandes relatos legitimadores, la aceptación despreocupada de la pluralidad. Aunque entre nosotros todo ello haya saltado a la palestra de las ideas muy recientemente, mientras que allá por mediados de los sesenta Hayden White lamentaba ya el excesivo peso de «la carga de la historia» y proponía la aceptación cultural de la discontinuidad, el caos y la arbitrariedad, la verdad es que por esos mismos años tal actitud estaba operando a la vez en la cultura española. Empezaba a imponerse entonces una a modo de ideología del fin de las ideologías, al menos en lo que a la literatura se refiere, y se reivindicaba la libertad creativa. «Contra las pesadillas estéticas» es el expresivo título de un artículo de Manuel Vázquez Montalbán (*El País*, 29 de octubre de 1986), donde, a la par que se saluda como positiva la liberación de «la noche dogmática» en lo que a directrices artísticas se refiere, se previene contra la falta de rigor de algunas opciones complacidas en su propia facilidad y se apunta expresamente a «una supuesta novela posmoderna escrita desde el analfabetismo literario y sin otro paraíso perdido que el de Disneylandia».

La polémica de la posmodernidad en lo que más ha trascendido en España es en la defensa nostálgica de los grandes discursos, de una trascendentalidad de nítidos perfiles ideológicos. Así, la aportación de Alfonso Sastre al volumen compilado por Tono Martínez [1986], titulada «La posmodernidad como futura antigualla», certera en su denuncia de la identificación de lo posmoderno con una moda madrileña (?) pero obsesionada por el ocaso de «la deseable militancia en la empresa de la transformación del mundo». Como índice crispado de la misma actitud tómese la proclama de José Antonio Fortes, estudioso de «las leyes del mercado neocapitalista» en un ensayo sobre la novelística de la transición española [1987], en un reciente artículo [1989, p. 225] en el que la proliferación de las mayúsculas es icono reivindicador de lo trascendente: «Basta de Irresponsabilidad, que a nuestra Novela le ha llegado su hora, *La Hora de las Responsabilidades*».

Semejante actitud pesimista la manifiesta José Vidal Beneyto en un artículo posterior, «La insoportable levedad de Kundera» (*El País*, 27 de julio de 1990), referido ya no tanto a este o aquel género literario cuanto al panorama general de nuestra cultura. Los tiempos de «miseria intelectual» que según el ensayista vivimos deben mucho de sus lacras al «proceso de institucionalización e industrialización de la cultura y el conocimiento». La otrora supuestamente poderosa *intelligentsia* ha perdido su autonomía y trivializado su función. Como ya hubo ocasión de apuntar en páginas anteriores, la literatura se ha trasladado al reino de lo efímero y conceptualmente el «discurso blando» ha desplazado a la esencialidad del conocimiento, a la «deserción del pensar».

Cumple, no obstante, valorar objetivamente todos estos síntomas, y hacerlo desde España exige no perder de vista un marco más amplio que el nuestro, como reclamaba Claudio Guillén en palabras ya citadas. Salvador Giner lo hizo en el transcurso del debate promovido por *El Independiente* y llegó a la conclusión de que sería peligroso confundir un estado de cosas, si se quiere precario, pero en todo caso generalizado en Occidente, con «alguna lacra nacional endémica». Y más aún cuando uno de los datos más positivos de los últimos años es el de la viveza creativa y editorial del ensayo de pensamiento, que ha alcanzado una altura considerable en campos como el de la ética y la estética con el concurso de X. Rubert de Ventós, Javier Muguerza, Fernando Savater, Victoria Camps, Simón Marchán, José Jiménez, Eduardo Subirats, Rafael Argullol o Eugenio Trías, como muestran entre otros Muguerza [1991 *a* y *b*], Rühle [1991] y el número especial de la revista *Anthropos* dedicado a «El ensayo filosófico español» [1991].

A la busca de la solidez espacial que puede aportar un esquema-marco, hénos por fin sumidos en el vértigo de una trayectoria que entre 1975 y 1990 parece haber llevado a la literatura española del carpetovetónico franquismo a un homologable y confuso final de la modernidad. Bien lo dictaminaba Julián Ríos en su mentado escrito de 1985: «De lo premoderno, sin transición, a lo posmoderno. Los idos que creen estar ya de vuelta, en esta guerra de las galaxias de McLuhan, prefieren entrar a saco en la nebulosa posmodernidad. En ese saco sin fondo —y sin forma— cabe todo: cualquier cosa, cualquier caos. No ser pre ni post, sino absolutamente moderno, como quería Rimbaud, he ahí la tarea. Cotidiana. Y el reto, nuevo cada día, sin retorno».

BIBLIOGRAFÍA

AA.VV., «Suspiros de España. Diez años de cultura. 1975-1985», *Las Nuevas Letras*, 3/4 (1985).

AA.VV., «Novela y poesía de dos mundos. La creación literaria en España e Hispanoamérica, hoy», *Ínsula*, 512-513 (1989).

AA.VV., *Prácticas de escritura. I Curso de creación y estudios literarios*, Escuela de Letras, Madrid, 1990.

AA.VV., «El Ensayo filosófico español», *Anthropos*, especial Frankfurt, 1991.

Abellán, José Luis, ed., *El exilio español de 1939. IV. Cultura y Literatura*, Taurus, Madrid, 1977.

Acín, Ramón, *Narrativa o consumo literario (1975-1987)*, Universidad de Zaragoza, 1990.

África Vidal, M.ª Carmen, *¿Qué es el posmodernismo?*, Universidad de Alicante, 1989.

Amell, Samuel, y Salvador García Castañeda, eds., *La cultura española en el postfranquismo. Diez años de cine, cultura y literatura (1975-1985)*, Editorial Playor, Madrid, 1988.

Amorós, Andrés, ed., *Letras españolas. 1976-1986*, Editorial Castalia/Ministerio de Cultura, Madrid, 1987.

Ballesteros, Jesús, *Postmodernidad: Decadencia o resistencia*, Tecnos, Madrid, 1989.

Benjamin, Walter, *Discursos interrumpidos I. Filosofía del arte y de la historia*, Taurus, Madrid, 1973.

Bennassar, Bartolomé, y Bernard Bessière, *Le défi espagnol*, La Manufacture, París, 1991.

Blanco Aguinaga, Carlos, Julio Rodríguez Puértolas, e Iris M. Zavala, *Historia social de la Literatura española (en lengua castellana)*, Castalia, Madrid, 1978-1979, 3 vols.

Carr, Raymond, *España: de la Restauración a la democracia, 1875-1980*, Ariel, Barcelona, 1983.

Centro de las Letras Españolas, *Diccionario de Autores. Quién es quién en las letras españolas*, Fundación Germán Sánchez Ruipérez, Madrid, 1988.

Centro del Libro y la Lectura, *Panorámica de la edición española de libros 1989*, Ministerio de Cultura, Madrid, 1990.

Conte, Rafael, ed., *Una cultura portátil. Cultura y sociedad en la España de hoy*, Ediciones Temas de Hoy, Madrid, 1990.

Eco, Umberto, *Apostillas a «El nombre de la rosa»*, Lumen, Barcelona, 1984.

Equipo Reseña, *Doce años de cultura española (1976-1987)*, Encuentro Ediciones, Madrid, 1989.

Fernández Cifuentes, Luis, *Teoría y mercado de la novela en España. Del 98 a la República*, Gredos, Madrid, 1982.

Fernández Torres, Alberto, ed., *Documentos sobre el teatro independiente español*, CNNTE, Madrid, 1987.

Fontana, Josep, ed., *España bajo el franquismo*, Crítica, Barcelona, 1986.

Fortes, José Antonio, *Novelas para la transición política*, Ediciones Libertarias, Madrid, 1987.

—, «Novelistas a la violeta: Última situación de la novela española actual», *Letras Peninsulares*, vol. 2. 2 (1989), pp. 225-229.

Frye, Northrop, *El camino crítico. Ensayo sobre el contexto social de la crítica literaria*, Taurus, Madrid, 1986.

Genette, Gérard, *Palimpsestos. La literatura en segundo grado*, Taurus, Madrid, 1989.

Guillén, Claudio, *Teorías de la historia literaria*, Espasa-Calpe, Madrid, 1989.

Hopewell, John, *El cine español después de Franco. 1973-1988*, Ediciones El Arquero, Madrid, 1989.

Imbert, Gérard, *Le discours du journal. À propos de «El País»*, Éditions du Centre National de la Recherche Scientifique, París, 1988.

—, *Los discursos del cambio. Imágenes e imaginarios sociales en la España de la transición (1976-1982)*, Akal, Madrid, 1990.

Jiménez Losantos, Federico, *Lo que queda de España*, Ajo Blanco Ediciones, Barcelona, 1979.

Lavaud, Eliane, ed., *Nos Années 80. Culture Hispanique, Hispanística XX* / Université de Bourgogne, Dijon, 1990.

López García, Ángel, *El rumor de los desarraigados. Conflicto de lenguas en la península ibérica*, Anagrama, Barcelona, 1985.

Mangini, Shirley, *Rojos y rebeldes. La cultura de la disidencia durante el franquismo*, Anthropos, Barcelona, 1987.

Mannheim, Karl, *Le problème des générations*, Éditions Nathan, París, 1990.

Mayoral, Marina, ed., *El oficio de narrar*, Cátedra/Ministerio de Cultura, Madrid, 1989 (2.ª ed. 1990).

—, *El personaje novelesco*, Cátedra/Ministerio de Cultura, Madrid, 1990.

McLuhan, Marshall, *La galaxia Gutenberg*, Aguilar, Madrid, 1969.

Muguerza, Javier, *Ethik aus Unbehagen*, Karl Alber, Friburgo, 1991 (trad. Ruth Zinmerling).

—, «El presente de la filosofía en España», *Revista de Occidente*, 122-123 (1991), pp. 65-82.

O'Connor, Patricia W., *Dramaturgas españolas de hoy (Una introducción)*, Editorial Fundamentos, Madrid, 1988.

Picó, Josep, ed., *Modernidad y posmodernidad*, Alianza Editorial, Madrid, 1988.

Pradera, Javier, «Apagones en la Galaxia Gutenberg», *Claves de Razón Práctica*, 8 (1990), pp. 75-80.

Rühle, Karl, *Beiträge zur Philosophie aus Spanien*, Karl Alber, Friburgo, 1991.

Sanz Villanueva, Santos, *Historia de la literatura española. El siglo XX. Literatura actual*, Ariel, Barcelona, 1984.

Schmidt, Siegfried J., *Fundamentos de la ciencia empírica de la literatura*, Taurus, Madrid, 1990.

Steiner, George, *Lecturas, obsesiones y otros ensayos*, Alianza Editorial, Madrid, 1990.

Subirats, Eduardo, *La cultura como espectáculo*, FCE, Madrid, 1988.

Tono Martínez, José, ed., *La polémica de la posmodernidad*, Ediciones Libertarias, Madrid, 1986.

Tuñón de Lara, Manuel, ed., *Historia de España*, X**, Labor, Barcelona, 1991.

Tusell, Javier, *La transición española a la democracia*, Historia 16, Madrid, 1991.

Umbral, Francisco, *Guía de la posmodernidad*, Ediciones Temas de Hoy, Madrid, 1987.

Valverde, José María, «Mirando la literatura», *El País*, «Extra 5.000» (28 de diciembre de 1990), pp. 75-77.

Vidal Beneyto, José, ed., *España a debate, I. La Política, II. La Sociedad*, Tecnos, Madrid, 1991, 2 vols.

OCTAVIO PAZ

LA BÚSQUEDA DEL PRESENTE

La idea de modernidad es un subproducto de la concepción de la historia como un proceso sucesivo, lineal e irrepetible. Aunque sus orígenes están en el judeocristianismo, es una ruptura con la doctrina cristiana. El cristianismo desplazó al tiempo cíclico de los paganos: la historia no se repite, tuvo un principio y tendrá un fin; el tiempo sucesivo fue el tiempo profano de la historia, teatro de las acciones de los hombres caídos, pero sometido al tiempo sagrado, sin principio ni fin. Después del Juicio Final, lo mismo en el cielo que en el infierno, no habrá futuro. En la Eternidad no sucede nada porque todo es. Triunfo del ser sobre el devenir. El tiempo nuevo, el nuestro, es lineal como el cristiano pero abierto al infinito y sin referencia a la Eternidad. Nuestro tiempo es el de la historia profana. Tiempo irreversible y perpetuamente inacabado, en marcha no hacia su fin sino hacia el porvenir. El sol de la historia se llama futuro y el nombre del movimiento hacia el futuro es Progreso.

Para el cristiano, el mundo —o como antes se decía: *el siglo*, la vida terrenal— es un lugar de prueba: las almas se pierden o se salvan en este mundo. Para la nueva concepción, el sujeto histórico no es el alma individual sino el género humano, a veces concebido como un todo y otras a través de un grupo escogido que lo representa: las naciones adelantadas de Occidente, el proletariado, la raza blanca o cualquier otro ente. La tradición filosófica pagana y cristiana había exaltado al Ser, plenitud henchida, perfección que no cambia nunca; nosotros adoramos al Cambio, motor del

Octavio Paz, «La búsqueda del presente» (Conferencia Nobel, 1990), *Convergencias*, Seix-Barral, Barcelona, 1991, pp. 7-22 (16-22).

progreso y modelo de nuestras sociedades. El Cambio tiene dos modos privilegiados de manifestación: la evolución y la revolución, el trote y el salto. La modernidad es la punta del movimiento histórico, la encarnación de la evolución o de la revolución, las dos caras del progreso. Por último, el progreso se realiza gracias a la doble acción de la ciencia y de la técnica, aplicadas al dominio de la naturaleza y a la utilización de sus inmensos recursos.

El hombre moderno se ha definido como un ser histórico. Otras sociedades prefirieron definirse por valores e ideas distintas al cambio: los griegos veneraron a la Polis y al círculo pero ignoraron al progreso, a Séneca le desvelaba, como a todos los estoicos, el eterno retorno, san Agustín creía que el fin del mundo era inminente, santo Tomás construyó una escala —los grados del ser— de la criatura al Creador y así sucesivamente. Una tras otra esas ideas y creencias fueron abandonadas. Me parece que comienza a ocurrir lo mismo con la idea del Progreso y, en consecuencia, con nuestra visión del tiempo, de la historia y de nosotros mismos. Asistimos al crepúsculo del futuro. La baja de la idea de modernidad, y la boga de una noción tan dudosa como «posmodernidad», no son fenómenos que afecten únicamente a las artes y a la literatura: vivimos la crisis de las ideas y creencias básicas que han movido a los hombres desde hace más de dos siglos. En otras ocasiones me he referido con cierta extensión al tema. Aquí sólo puedo hacer un brevísimo resumen.

En primer término: está en entredicho la concepción de un proceso abierto hacia el infinito y sinónimo de progreso continuo. Apenas si debo mencionar lo que todos sabemos: los recursos naturales son finitos y un día se acabarán. Además, hemos causado daños tal vez irreparables al medio natural y la especie misma está amenazada. Por otra parte, los instrumentos del progreso —la ciencia y la técnica— han mostrado con terrible claridad que pueden convertirse fácilmente en agentes de destrucción. Finalmente, la existencia de armas nucleares es una refutación de la idea de progreso inherente a la historia. Una refutación, añado, que no hay más remedio que llamar devastadora.

En segundo término: la suerte del sujeto histórico, es decir, de la colectividad humana, en el siglo XX. Muy pocas veces los pueblos y los individuos habían sufrido tanto: dos guerras mundiales, despotismos en los cinco continentes, la bomba atómica y, en fin, la multiplicación de una de las instituciones más crueles y mortíferas que han conocido los hombres, el campo de concentración. Los beneficios de la técnica moderna son incontables pero es imposible

cerrar los ojos ante las matanzas, torturas, humillaciones, degrada-
ciones y otros daños que han sufrido millones de inocentes en
nuestro siglo.

En tercer término: la creencia en el progreso necesario. Para
nuestros abuelos y nuestros padres las ruinas de la historia —cadáveres, campos de batalla desolados, ciudades demolidas— no nega-
ban la bondad esencial del proceso histórico. Los cadalsos y las
tiranías, las guerras y la barbarie de las luchas civiles eran el precio
del progreso, el rescate de sangre que había que pagar al dios de la
historia. ¿Un dios? Sí, la razón misma, divinizada y rica en crueles
astucias, según Hegel. La supuesta racionalidad de la historia se ha
evaporado. En el dominio mismo del orden, la regularidad y la
coherencia —en las ciencias exactas y en la física— han reaparecido
las viejas nociones de accidente y de catástrofe. Inquietante resurrección que me hace pensar en los terrores del Año Mil y en la angustia de los aztecas al fin de cada ciclo cósmico.

Y para terminar esta apresurada enumeración: la ruina de todas
esas hipótesis filosóficas e históricas que pretendían conocer las
leyes de desarrollo histórico. Sus creyentes, confiados en que eran
dueños de las llaves de la historia, edificaron poderosos Estados
sobre pirámides de cadáveres. Esas orgullosas construcciones, desti-
nadas en teoría a liberar a los hombres, se convirtieron muy pronto
en cárceles gigantescas. Hoy las hemos visto caer; las echaron abajo
no los enemigos ideológicos sino el cansancio y el afán libertario de
las nuevas generaciones. ¿Fin de las utopías? Más bien: fin de la
idea de la historia como un fenómeno cuyo desarrollo se conoce de
antemano. El determinismo histórico ha sido una costosa y sangrienta fantasía. La historia es imprevisible porque su agente, el hombre,
es la indeterminación en persona.

Este pequeño repaso muestra que, muy probablemente, estamos
al fin de un período histórico y al comienzo de otro. ¿Fin o mutación de la Edad Moderna? Es difícil saberlo. De todos modos, el
derrumbe de las utopías ha dejado un gran vacío, no en los países
en donde esa ideología ha hecho sus pruebas y ha fallado, sino en
aquellos en los que muchos la abrazaron con entusiasmo y esperanza. Por primera vez en la historia los hombres viven en una suerte
de intemperie espiritual y no, como antes, a la sombra de esos
sistemas religiosos y políticos que, simultáneamente, nos oprimían

y nos consolaban. Las sociedades son históricas, pero todas han vivido guiadas e inspiradas por un conjunto de creencias e ideas metahistóricas. La nuestra es la primera que se apresta a vivir sin una doctrina metahistórica; nuestros absolutos —religiosos o filosóficos, éticos o estéticos— no son colectivos sino privados. La experiencia es arriesgada. Es imposible saber si las tensiones y conflictos de esta privatización de ideas, prácticas y creencias que tradicionalmente pertenecían a la vida pública no terminará por quebrantar la fábrica social. Los hombres podrían ser poseídos nuevamente por las antiguas furias religiosas y por los fanatismos nacionalistas. Sería terrible que la caída del ídolo abstracto de la ideología anunciase la resurrección de las pasiones enterradas de las tribus, las sectas y las iglesias. Por desgracia, los signos son inquietantes.

La declinación de las ideologías que he llamado metahistóricas, es decir, que asignan un fin y una dirección a la historia, implica el tácito abandono de soluciones globales. Nos inclinamos más y más, con buen sentido, por remedios limitados para resolver problemas concretos. Es cuerdo abstenerse de legislar sobre el porvenir. Pero el presente requiere no solamente atender a sus necesidades inmediatas: también nos pide una reflexión global y más rigurosa. Desde hace mucho creo, y lo creo firmemente, que el ocaso del futuro anuncia el advenimiento del hoy. Pensar el hoy significa, ante todo, recobrar la mirada crítica. Por ejemplo, el triunfo de la economía de mercado —un triunfo que *default* del adversario— no puede ser únicamente motivo de regocijo. El mercado es un mecanismo eficaz pero, como todos los mecanismos, no tiene conciencia y tampoco misericordia. Hay que encontrar la manera de insertarlo en la sociedad para que sea la expresión del pacto social y un instrumento de justicia y equidad. Las sociedades democráticas desarrolladas han alcanzado una prosperidad envidiable; asimismo, son islas de abundancia en el océano de la miseria universal. El tema del mercado tiene una relación muy estrecha con el deterioro del medio ambiente. La contaminación no sólo infesta al aire, a los ríos y a los bosques sino a las almas. Una sociedad poseída por el frenesí de producir más para consumir más tiende a convertir las ideas, los sentimientos, el arte, el amor, la amistad y las personas mismas en objetos de consumo. Todo se vuelve cosa que se compra, se usa y se tira al basurero. Ninguna sociedad había producido tantos desechos como la nuestra. Desechos materiales y morales.

La reflexión sobre el ahora no implica renuncia al futuro ni olvido del pasado: el presente es el sitio de encuentro de los tres tiempos. Tampoco puede confundirse con un fácil hedonismo. El árbol del placer no crece en el pasado o en el futuro sino en el ahora mismo. También la muerte es un fruto del presente. No podemos rechazarla: es parte de la vida. Vivir bien exige morir bien. Tenemos que aprender a mirar de frente a la muerte. Alternativamente luminoso y sombrío, el presente es una esfera donde se unen las dos mitades, la acción y la contemplación. Así como hemos tenido filosofías del pasado y del futuro, de la eternidad y de la nada, mañana tendremos una filosofía del presente. La experiencia poética puede ser una de sus bases. ¿Qué sabemos del presente? Nada o casi nada. Pero los poetas saben algo: el presente es el manantial de las presencias.

En mi peregrinación en busca de la modernidad me perdí y me encontré muchas veces. Volví a mi origen y descubrí que la modernidad no está afuera sino adentro de nosotros. Es hoy y es la antigüedad más antigua, es mañana y es el comienzo del mundo, tiene mil años y acaba de nacer. Habla en náhuatl, traza ideogramas chinos del siglo IX y aparece en la pantalla de televisión. Presente intacto, recién desenterrado, que se sacude el polvo de siglos, sonríe y, de pronto, se echa a volar y desaparece por la ventana. Simultaneidad de tiempos y de presencias: la modernidad rompe con el pasado inmediato sólo para rescatar al pasado milenario y convertir a una figurilla de fertilidad del neolítico en nuestra contemporánea. Perseguimos a la modernidad en sus incesantes metamorfosis y nunca logramos asirla. Se escapa siempre: cada encuentro es una fuga. La abrazamos y al punto se disipa: sólo era un poco de aire. Es el instante, ese pájaro que está en todas partes y en ninguna. Queremos asirlo vivo pero abre las alas y se desvanece, vuelto un puñado de sílabas. Nos quedamos con las manos vacías. Entonces las puertas de la percepción se entreabren y aparece el *otro tiempo*, el verdadero, el que buscábamos sin saberlo: el presente, la presencia.

SALVADOR GINER

FINAL DE SIGLO: LA ESPAÑA POSIBLE

A lo mejor sí resulta que España es un enigma histórico. Ningún otro país europeo occidental comparable a ella por su tamaño y complejidad, así como por la envergadura de su civilización, consiguió lo que España logró: zafarse de la modernidad y hacer morder el polvo al *Zeitgeist* de la era industrial con tan insuperable brío y eficacia.

Ese interesante (y por nuestro, entrañable) fenómeno hispano solía ser fuente de irritación constante para las minorías discrepantes, extranjerizantes y activísimas que nutrían las filas de la progresía antigua. Con singular tozudez exasperaban a las mucho más numerosas huestes tradicionalistas. No entendían cómo estas podían mostrar el más absoluto desinterés por emular a los demás países europeos en su manía de hacerse modernos a toda costa. La verdad es que los progresistas no dieron cuartel a los regresistas en este asunto, con resultados fatales para los primeros y hasta para el orden público en general. En la larga guerra entre las dos culturas —la de siempre y la advenediza, la regresista y la progresista— las batallas las ganaba casi siempre la sacrosanta grey. Pero la otra grey, la maligna, maltrecha, desterrada, quebrantados los huesos, diezmadas las filas, volvía a alzarse con sus modernizadores proyectos, una y otra vez. Volvían así unos y otros a las andadas. Volvía el español donde solía.

Es agradable constatar que esto pertenece al pasado: la guerra —esa guerra— ha terminado. Y ha terminado (por ser nuestra quizás) de un modo esperpéntico. Resulta que los vencedores de la última refriega entre regresistas y progresistas obtuvieron su reaccionaria victoria, la más sensacional de toda la historia del país, sólo para hacer de España, a la postre, precisamente lo contrario de lo que se proponía su utopía ultramontana. ¿Hacían falta, para ese viaje, tan ensangrentadas alforjas?

La más íntima naturaleza del franquismo no era política sino cultural. La ideología de aquel régimen que lleva ya, para siempre, el nombre de su astuto autócrata, era algo más que una fachada, más que una mera cobertura de intereses oligárquicos sórdidos: respondía también a las ansiedades, preocupaciones, creencias y viejas costumbres de gran parte de la sociedad.

Salvador Giner, «Ya no vuelve el español donde solía», *Las Nuevas Letras*, 3/4 (1985), pp. 10-16.

Merced a esas hondas raíces, el régimen pudo gozar de una medida muy grande de consenso y hasta de genuina popularidad. Lo hizo, además, porque sus artífices habían aprendido alguna lección de la historia (¿quién dice que los hombres nunca aprenden de ella?). La lección fue la de evitar toda componenda, todo abrazo de Vergara, todo pacto con el enemigo. Fue así como el glorioso Movimiento Nacional impuso su paranoia, el exterminio del rojo, el fascismo clericaloide, la des-secularización de la población contaminada por la progresía (liberal, socialista, anarquista) y la censura ideológica. No fue hazaña menor: la España que forjaron la contienda y sus tristes vencedores tenía genuina alergía al pluralismo político, miedo a la libertad, fe en la Iglesia, desconfianza en la autonomía de la sociedad civil, apego a la gazmoñería sexual y horror al extranjero.

Sin duda, no es éste lugar para entrar en un recuento pormenorizado de lo que ocurrió bajo los auspicios franquistas en el terreno de las ideologías, las creencias y las actitudes morales de los españoles. Dicho con la brevedad más simplificadora, aquel régimen, que dispuso de cuatro decenios para realizarse, vio metamorfosearse la sociedad por él dominada en lo contrario de lo programado. El austero pueblo de frailes y soldados sucumbió sin resistencia digna de mención a las atolondradas tentaciones de la vida moderna, en cuanto éstas, andando el tiempo, se pusieron a tiro. Recordemos tan sólo cómo, tras algunas escaramuzas bochornosas con los celadores de la modestia pública, los españoles se entregaron a la práctica deportiva o erótica de la desnudez con un denuedo imparable. Su ahínco en este empeño fue tal que llegó a dar nombre a un período breve (e intenso), dentro de la fase preagónica del franquismo: el Destape. El siguiente período recibió también su nombre, por igual peregrino e intraducible: el Desmadre. Materiales ambos para afanados semióticos de la venerable lengua castellana.

El desmoronamiento de la cultura franquista (y su transmutación en su aparente contrario) no se manifestó sólo en corrientes tan difusas, efímeras y de mayor alcance de lo que pueda indicar la frivolidad de sus nombres, como lo fueron el Destape y el Desmadre, sino que halló expresiones ideológicas más convencionales. Una de ellas, curiosamente surgida desde el mismo franquismo, fue el esfuerzo de modernización sin democratización encarnado en su día por el Opus Dei. Otra, de signo opuesto, fue el proceso de marxistización de la cultura política del vasto y complicado movimiento antifranquista. Esa cultura política llegó a alzarse como verdadera concepción alternativa y a penetrar casi toda la oposición democrática, incluso, como es notorio, la cristiana progresista. Ello carecía de precedentes, pues nunca alcanzó el marxismo tanta popularidad, ni siquiera durante la guerra civil. Durante la misma, un sector crucial del campo republicano era anarquista, radical liberal o socialista de tradición obrerista, pero no marxista. Una vez más, el franquismo venía a ser el artífice de su contrario, el marxismo en este caso, y ello por mor de su identificación obsesiva de todo movimiento democrático con el comunismo bolchevique. Cuando alcanza el poder, el maniqueo fabrica sus propios demonios.

La urdimbre sobre la que se teje la vida cotidiana de las gentes es más honda que tendencias ideológicas como las indicadas. En ese sentido, la España finisecular de hoy ha experimentado una revolución moral y cultural de tal alcance que es arduo encontrar precedentes recientes de igual medida. Para dar con algo de calibre parejo habría que remontarse al fracaso del reformismo ilustrado, que tan buenos resultados iba dando a lo largo del siglo XVIII y que tan abruptamente acabó con la invasión napoleónica y la guerra de la Independencia. Desde entonces, y hasta 1939, una parte de España se hizo anticlerical hasta lo incendiario y otra antiliberal y oscurantista. Hoy, en cambio, España es un país que posee una mayoría relativamente tolerante y algo escéptica, que opina que la religión (y las creencias ideológicas) son asunto del fuero interno de cada cual. Que a la Iglesia tradicionalista (así como a los partidos y movimientos maximalistas) les haga más daño esto que aquello, es harina de otro costal. El caso es que fue bajo el indiscutido poder eclesiástico cuando se vaciaron los seminarios y menguaron las feligresías, mientras se llenaban estadios, playas y discotecas. Se comprende, dicho sea sólo de paso, que hoy a muchos cristianos les parezca aceptable todo esto, pues ven en ello algo así como una gran oportunidad histórica para librarse del yugo de un anquilosado poder eclesial. Imagino que ya se percatarán de los límites que ofrece su propia Iglesia a la reforma interna y a su adaptación al mundo que se nos viene encima.

Las cosas, claro, son más complicadas que lo que pueda deducirse de lo que digo. No hemos pasado pura y simplemente de una España clerical (o anticlerical) a otra plenamente secularizada; de una sociedad sexualmente gazmoña a otra, como suele decirse, liberada; de un país víctima de un idealismo barroco y grandilocuente a otro inspirado por el más sensato pragmatismo; de una moral guiada por principios de personalismo, compadrazgo y favoritismo, a otra inspirada en los del universalismo, el individualismo moder-

no y los criterios de la impersonalidad en la justicia... No estamos
ni siquiera en un punto equidistante entre estas diversas e imaginarias polaridades. Presentamos una curiosa mescolanza de ellas.
Mientras que en algunos casos —como en el de la religión y la
ideología política— estamos, hoy por hoy, más cerca del pragmatismo que de otra cosa, en otros, como en el del universalismo moral,
seguimos siendo los de siempre, y otorgando a nuestras lealtades
primarias —la amistad, la etnia, la lealtad clásica— la primacía que
siempre han tenido en nuestras costumbres.

Y es que la imagen, la metáfora casi, que he usado para intentar comprender un poco lo que es la cultura española en este decenio que corre, ha sido la de la metamorfosis del universo franquista
en su contrario. Lo he hecho para mayor contundencia del argumento, pero hay que hacer hincapié en que la imagen sólo sirve como
tal. En realidad, el franquismo no se ha convertido estrictamente en
su contrario: lo contrario hubiera sido quizás la España cuasirrevo-
lucionaria contra la que se movilizó la coalición militaroide, eclesiás-
tica, reaccionaria y clasista en su momento. La cultura española
predominante bajo la monarquía constitucional de hoy no obedece
a ninguna norma antitética. En todo caso, es la antítesis tanto de la
cultura franquista como de la republicana radical y además, y ello
es lo crucial, es una cultura que ha asimilado (aunque sea a trancas
y barrancas) algunas de las características incipientes de la sociedad
ultramoderna, que va tomando cuerpo por doquier, y cuyo perfil
no estaba dibujado en ninguna teoría conocida.

Los nombres de esa nueva sociedad son muchos, y casi todos malso-
nantes. Solía estar de moda llamarla «sociedad masa», hasta que vino lo de
«sociedad postindustrial», la cual a su vez fue sustituida por «sociedad
posmoderna». Son nombres que servirían un poco si no se tomaran tan en
serio, si los que los usan no creyeran que con pronunciarlos han explicado
algo fundamental. [...] Pues bien, tomándose la cosa *cum grano salis*, lo
que le está ocurriendo a la cultura española hoy es su disolución paulatina
a manos de las fuerzas y corrientes de la inesperada sociedad ultramoderna. Como quiera que esto está ocurriendo también en muchas otras sociedades, lo que importa no es mentarlo, sino poner de relieve nuestro modo
específico de reconversión. Veámoslo, aunque sea sólo en esbozo.

Antes he señalado el hecho bruto de que España fue, desde el principio, un país occidental con todas las de la ley —y sede, además, no sólo de
un imperio ultramarino, sino europeo occidental, y de un estado renacentista económica, técnica y políticamente avanzado para su tiempo— que,

no obstante, trunca su evolución y queda anonadado frente al capitalismo
mercantilista y, sobre todo, frente al industrial (las salvedades de Cataluña
y, más tarde, del País Vasco, no llegan a cambiar la situación global).
Aunque no haya mentecatez mayor que asumir la ausencia total de España
en la evolución y expansión de la modernidad (en algunos campos, como el
del arte, ésta es sencillamente inexplicable, de Goya a Picasso, sin su
decisiva participación), hay que volver siempre al hecho seminal del proceso histórico truncado. Si a estas consideraciones se añaden las concepciones
y mentalidad de quienes mandaban hasta 1976, cualquier observador que no
conozca los pormenores y vericuetos de nuestra historia concluirá que hemos alcanzado nuestra posible bienaventuranza contemporánea por arte de
birlibirloque: somos de pronto una sociedad industrial, urbanizada, casi
informatizada, acosada por el paro endémico, la delincuencia creciente, la
polución atmosférica, la lluvia ácida, la OTAN, el terrorismo, el Mercado
Común, la crisis fiscal del Estado, las neurastenias de la época, las drogas
y la confusión mental colectiva. Hemos tomado el tren, aunque haya sido
por el furgón de cola. Pero ese es sólo el haz de la moneda. El envés, que
refleja el carácter incompleto de nuestra truncada historia, nos hace participar de la condición de aquellos países que son periféricos al mundo
avanzado: nuestra posición en la cultura plenamente moderna es también,
como la de ellos, dependiente y subordinada. Varía, cómo no, el grado de
dependencia según las esferas de actividad. Puede ser muy alto —y es
normal que lo sea— en el terreno de la música juvenil, más o menos
mimética de la que crean los anglosajones, porque a eso nadie escapa. Lo
es ya mucho menos en la cinematografía. Vuelve a ser alto en el ámbito de
la tecnología, la ciencia y hasta en ciertos ámbitos de las humanidades en
los que el sucursalismo filosófico yanqui o parisiense —o más o menos
frankfurtiano— continúa pertinaz en el seno de una comunidad intelectual
que no acaba nunca de encontrar su propia aportación original, hechas
sean las salvedades que deban hacerse. [...]

Tras haber digerido penosamente la fase de pasmo y desilusión
que siguió a la euforia democrática (1976-1978) y que recibió el
nombre de Desencanto (1979-1982), España ha entrado hoy en otra,
sorprendente para gentes de nuestra hispana condición: la fase de la
Gran Sensatez Posibilista. La sustitución (con notables excepciones)
del reformismo por el posibilismo, ha inspirado algunas de las respuestas culturales más paradójicas del momento.

Véase, por ejemplo, el esfuerzo oficial (a no dudarlo aguijoneado por
iniciativas cívicas difíciles de ignorar) por potenciar el pasado mediante la
festivalización del país. De todos los circos que se nos echan encima (aparte de unas temibles Olimpiadas que, *Deo gratias*, podrían no ocurrir), el

más orgiástico promete ser el festival para conmemorar los cinco siglos del Descubrimiento de las Indias Occidentales. ¡Para sí hubieran querido esta dorada oportunidad ideológica los gobiernos tradicionalistas de antaño! La afirmación angustiada del presente, a base de exhibir credenciales históricas en forma circense, no es sólo nuestra, y tampoco queda confinada al Tercer Mundo. Al contrario, es común a todos los países contemporáneos, y el mal de muchos ya se sabe de quién es consuelo. Pero desde una perspectiva menos oficialista, y libre de toda pomposidad, es notable la consciente búsqueda de nuestras costumbres ancestrales por parte de los amigos del progreso. Mientras tanto, las muertes en lidia de nuestros toreros o sus traperas puñaladas a rivales en amores obtienen el aplauso nacional. Donde no llega el antropólogo para estudiar misteriosos carnavales, males de ojo, alfarerías y tañidos de vihuela, llega la revista de colores y la televisión (Vía Crucis castellanos, tambores de Calanda: tenéis los días contados, los tenéis, eso sí, en vuestra forma genuina, porque entre antropólogos y *mass media* os han dado, en cambio, luenga vida en conserva, grabada en vídeo y en audio. Nunca os lo hubieran fiado tan largo los Coros y Danzas de España, de curiosa memoria). Y no se entienda mal mi referencia a nuestros esforzados antropólogos: ¿hay acaso alguien más consciente que ellos de la valía de la cultura preindustrial, que da hoy sus postreras boqueadas? Pero ellos saben que cuando llega un etnólogo con sus bártulos exiguos e inofensivos a un lugarejo remoto, es que también va a llegar pronto, si no lo ha hecho ya, algún bárbaro sonriente y seguro de su panoplia modernizadora: el *bulldozer* será su montura de conquistador; el martillo neumático, el son que va a tocar danzar. La operación rescate es imposible. La muerte y transfiguración de las Españas tradicionales sólo puede constatarse.

El principio del fin del Antiguo Régimen (versión tardía, muy siglo XX) ocurrió en 1975. Un decenio más tarde, el mundo cultural en el que se mueven los españoles, con todo y ser distinto de cualquier otro, posee más afinidades que nunca con el de los demás pueblos occidentales. Más sutil sería decir, para curarse en salud, que tales afinidades son sólo superficiales y que bajo su tenue barniz hallaremos siempre el bronco acento de la raza. Pero no lo digo.

No cabe duda de que lo que predomina hoy es un pluralismo cultural acentuado, sin mayor consenso ideológico que el de permitir la concurrencia universal de las ideas y las creencias. Como otros países avanzados, España carece hoy de ideología predominante, lo cual no significa que carezca de mentalidad predominante, pues sin esta última no se puede cimentar una sociedad.

Donde el neopluralismo cultural se nota menos es en el campo político, aunque subyazga en la conducta real de los partidos y movimientos. La lucha por el voto flotante y el de la clase media ha diluido un tanto la ideología oficial socialista, por no hablar del desmoronamiento del comunismo cuando éste abandonó el leninismo y coadyuvó con ello a la transición pacífica hacia la democracia liberal. La misma lucha frena las ansias reaccionarias de las agrupaciones más conservadoras que operan hoy dentro del orden constitucional. En el campo religioso, en cambio, menos sujeto a las servidumbres electorales, no hay ya sólo una Iglesia católica, por un lado, y un sector formado de apóstatas, agnósticos e indiferentes por otro, sino un espacio siempre creciente no ocupado por esa Iglesia y sujeto a un proceso de diversificación credencial. Las nuevas religiones han entrado en el mapa religioso de España con mayor éxito que el que otrora tuvieran los grupos evangélicos. Algunos focos recientes (como los musulmanes andalusíes de nuevo cuño) podrán o no medrar más allá de un número moderado de fieles (lo cual está por ver), pero otras minorías, como los Testigos de Jehová, forman una parte significativa del mundo religioso de las clases inferiores suburbanas. Hay sectas de gran vistosidad (porque ejercen el proselitismo en la calle mayor) y poco éxito, y otras con mayor *succès de scandale* que otra cosa. Pero, juntas, crean un panorama insólito por estos pagos.

En su día, tanto el socialismo como, sobre todo, el anarquismo, intentaron crear una cultura popular, alternativa a la entonces predominante. El anarquismo prácticamente lo logró, en sus dos versiones, la campesina andaluza y la catalana industrial. Pero aquel mundo de austero amor libre, pacifismo, cooperativismo, autodidactismo, fe en el progreso, y ateísmo darwinista y conmovedor se fue con la guerra. La expansión del marxismo como ideología hegemónica durante los años sesenta y setenta parecía que iba a producir en España un fenómeno parecido al que ocurrió (con antelación) en Italia: la creación de una cultura (y no sólo de una ideología) prácticamente marxista, que ofrezca una disyuntiva a la tradicional. Pero su quiebra como universo hegemónico alternativo ha producido en los años ochenta una España tan ajena e indiferente al marxismo como lo había sido tradicionalmente. Su lugar lo están ocupando (aquí como en otros lugares) las causas singulares (la feminista, la pacifista, la ecologista), con lo cual el movimiento obrero ha quedado aislado en sus reivindicaciones. Las clases subordinadas han sido abandonadas a su suerte. Y cuando los de abajo no hallan apoyo en los de en medio, no hay posibilidad de derrocar a los de arriba. [...] Estos movimientos monocausales forman parte esencial de la nueva cultura política, que no sólo compensa la supuesta apatía general política (el llamado *pasotismo*), sino que hostiga por la izquierda a un gobierno de cuyo talante socialista dieron fe, en su día, programas electorales victoriosos.

El surgimiento del nacionalismo étnico en las partes del país en las que carecía de fuerza o era muy menor (es decir, fuera de Cataluña y el País Vasco), podría considerarse como una importante variante específica frente a otros países occidentales, si no fuera que ocurre lo mismo en todos los que tienen minorías étnicas territoriales. Parece como si, con el declinar de la fe religiosa y el avance de una cultura impersonal, fragmentaria, desoladora en su incapacidad por generar una orientación moral trascendente, los acentos tribales, el ámbito local, se hayan hecho mucho más comprensibles y acogedores, se hayan convertido en la verdadera morada de lo mágico y sagrado. A esas bases universales del neonacionalismo se añade en nuestra tierra el descrédito sufrido por la nación española, como tal, a manos de sus nacionalistas reaccionarios, que la tergiversaron a expensas de las nacionalidades periféricas. En ellas, y bajo el manto nacionalista, encontramos hoy en España lo que más se parece a una ideología global, lo que más contrasta con las ideologías monocausales o sectarias predominantes.

A todo esto, se superpone una importantísima evolución de las costumbres que merecería una discusión aparte, pero que en gran medida no es más que una extensión de hábitos internacionales: la medicalización de la vida, la privatización de ciertas preocupaciones cotidianas, el redescubrimiento de la naturaleza, el cultivo de la lectura o la música, han hecho su entrada incipiente, pero innegable, en una sociedad como la española, en la que la mayor parte de la energía ociosa se gastaba en convivencia (con frecuencia trasnochadora) y que tampoco lleva visos de desaparecer. No obstante, embelesados por el mundo feliz de lo ultramoderno, los españoles abandonan, sin percatarse del todo de ello, y poco a poco, muchos de sus más antiguos y venerables hábitos y convicciones. El pueblo, que en tiempos cada vez más remotos se hiciera proverbial por su sentido terrible y religioso de la vida, se va entregando hoy al fantástico, pero banal, culto que cada vez más caracteriza a la alboreante civilización de nuestros días: la sacralización de todo lo profano.

José-Carlos Mainer

CULTURA Y SOCIEDAD

I. *1975-1985.* Los últimos años del franquismo desataron una invasión de humor gráfico y literario en la que rayó muy alto Mingote —por la prensa de derecha monárquica-autoritaria— y el compacto equipo que aunó la revista *Por Favor* en lo que toca a los medios de tímida izquierda. Aquel humorismo no fue sólo una forma de crónica o editorial político que podía esquivar mejor la vigilancia censorial: era, de hecho, una reacción que aunaba en su seno el reconocimiento implícito de la impotencia, la conciencia de la sordidez de la historia que se estaba viviendo y el ejercicio de cierto estoicismo benevolente con que «verlas venir». Solamente el desalmado fusilamiento de cinco activistas en septiembre de 1975 mostró la dureza que todavía alentaba por debajo de tanto grotesco sainete y de los síntomas de una liquidación por derribo. Y fue un humorista, Forges, quien dio la mejor respuesta a aquella sinrazón en una inolvidable portada de *Por Favor*: uno de sus personajes, el joven mesetario Blasillo, ascendía hasta la cima de un monte para verter allí una gruesa lágrima y simplemente clamar: «¿Hasta cuándo, Dios Mío?». Nada reflejó mejor el espanto de aquellos días. Pero ya faltaba poco para el final, para los días de insomnio, champán y transistores en que se esperaba de la Fortuna lo que había negado la justicia de la Historia. Pero también faltaba poco para que la gestión de la «transición», confiada exclusivamente al juego de la política de partidos, y los juegos de prestidigitación que amparó el devaluado término de «reconciliación», auspiciaron otra frase entre cínica y nostálgica, que revelaba la mucha frustración de las expectativas de regeneración moral colectiva: «Contra Franco, vivíamos mejor»...

Pero esta frase transparentaba involuntariamente otro aspecto

---

I. José-Carlos Mainer, «1975-1985: Los poderes del pasado», en Samuel Amell y Salvador García Castañeda, eds., *La cultura española en el posfranquismo. Diez años de cine, cultura y literatura en España (1975-1985)*, Playor, Madrid, 1988, pp. 11-26; II, «1985-1990: cinco años más», ponencia de apertura del Congreso de la Universidad del Estado de Ohio de 1990.

de la vida española de 1975: la interiorización de los fantasmas del franquismo por sus víctimas, la inseparabilidad patológica de aquella ortopedia histórica y la conformación de la propia conciencia [una «interiorización»] que nunca compareció como forma de pensamiento, aunque sí como soterraña y poderosa imagen artística.

Me refiero, en este caso a concepciones creativas que han reflejado, en orden a la ominosa potestad del franquismo, los rasgos de un peculiar «síndrome de Estocolmo» como el que dicen que sienten las víctimas con respecto a sus secuestradores: síndrome que aquí no sería de simpatía sino de un raro equilibrio entre la aversión profunda y un húmedo sentimiento de solidaridad irremediable con algunos rasgos del encierro. [...] En la mayor parte de los casos, la causa real de esa piedad hacia el pasado —y, por ende, hacia nosotros mismos— es el sincero deseo de cancelarlo como llaga abierta. Propósito que no atañe, por supuesto, a la mala fe con la que un escritor de indiscutible éxito popular, Fernando Vizcaíno Casas, parece querer desmitificar el período de la guerra civil y de la alta posguerra: a vueltas de sus burlas veniales y sus indecorosas nostalgias, hiede la mercancía averiada de una apología del franquismo como período de paz y la explícita esperanza de su restauración. Pero ese no es el caso del cineasta Jaime de Armiñán —el mejor dialoguista que ha dado la pantalla española— en la atractiva serie de comedias con las que, desde *Mi querida señorita* (1972), viene socavando los prejuicios y las fidelidades de la clase media nacional. En ese orden de cosas, *¡Jó, papá!* es, por ejemplo, una habilísima pieza donde el proceso de decepción de un ex combatiente franquista que quiere «recuperar» *su* guerra civil a través de un viaje físico al pasado se acompasa sabiamente con el encuentro de la libertad que su propia hija realiza al entregarse a un locutor de radio que conoció en el camino. Tras este y algún otro antecedente, Luis García Berlanga ha podido rodar —aunque con cierto escándalo de las vestales de la compunción— su divertida comedia *en* (y no, *sobre*) la guerra civil. Y con *La vaquilla* ha llevado a término un viejo proyecto suyo del guionista Rafael Azcona, varado durante años por la censura.

Ya no resulta hacedero siquiera saber qué se ganó y qué se perdió entre quienes echaron suertes sobre el país un lejano julio de 1936. Todo el vasto empeño narrativo de Juan Benet hasta sus recentísimas *Herrumbrosas lanzas* ha sido una contemplación de cómo destinos personales, fuerzas oscuras, designios inmemoriables, se hundían en el caos de lo infructuoso y en el desorden de la ruina conforme se acercaban a la fecha que marcó a fuego el país de Región: que fue concebido en nombre de la contienda y que en ella persevera, mientras Eugenio Mazón, comandante republicano, sigue buscando un paso en las montañas por el que caer con sus tropas sobre la enemiga Macerta. En términos menos metafísicos y más tangibles, las novelas recientes de Juan Marsé ofrecen otra inquisición sobre el mismo tema: si *La muchacha de las bragas de oro* reconstruía el pasado —entre sombras y mentiras— de un «intelectual» falangista para mejor condenarle —como un héroe griego degradado— a la inevitable comisión de un incesto, *Un día volveré* rehacía del mismo modo el perfil entreverado de heroísmo y miseria de un antiguo anarquista para mejor llevarlo también a la muerte como guardaespaldas del enemigo que selló su destino de perseguido.

No habrá tampoco un epinicio triunfal para los nuevos héroes de la lucha reciente contra el franquismo que lógicamente han comparecido como tema en los autores más jóvenes y en fechas más recientes. *Luz de la memoria* (1976), primer relato de Lourdes Ortiz (fechado, por cierto, entre 1972 y 1974 según previene la escritora) nos trae a uno de ellos, recomponiéndolo sobre una taracea textual compleja y aleatoria: Enrique García Alonso, veintinueve años, está al borde de la locura y en un manicomio sin que alcancemos a saber si lo que señaló su rumbo fue el cerrilismo autosatisfecho de su padre, el egoísmo de su madre, los celos de sus hermanos, la difícil aceptación de la promiscuidad sexual de su compañera o el doctrinarismo de su grupúsculo político. Héroes rotos de atrayente similitud protagonizan también las novelas de quien se va confirmando como el primer narrador de su generación, José María Guelbenzu: personajes como los de *La noche en casa* (1977) y *El río de la luna* (1981) que buscan en la relación erótica total el sentido de la vida y el descanso de la razón que para ellos ya no tiene una acción política rutinaria (en la primera novela citada) o una compleja rebeldía contra el medio que, en un inolvidable verano, descubrió en la carne de una mujer las especies de un destino más allá del engaño y aún de la muerte (*El río de la luna*).

Las novelas citadas —y otros muchos testimonios que cabría aducir— muestran un aspecto muy característico de los años recientes y que ya parecía incubarse antes de 1975: el naufragio generalizado de la *tradición de izquierda* —política y cultural— que antaño estaba tan segura de su razón histórica, de su potestad de interpretar los signos de realidad, de su capacidad de proselitismo. Pero la «realidad» concreta de los años más recientes parece una entidad de piel muy dura y bastante resistente a dejarse analizar con las herramientas teóricas de un análisis materialista simplificado. Y aquella tradición, tan segura de sí, se ha hecho añicos en el encuentro. Unas veces se ha trocado en hedonismo desencantado y escéptico que consume su fracaso y los restos de su razón ante la buena mesa, la cama placentera, el viaje exótico o el atuendo estrafalario. Otras veces aplica la sombra de sus recursos intelectuales a causas secundarias a través de las cuales cree encontrar, como en un espejismo, la luz de la *totalidad* revolucionaria que ha perdido: y así divaga, llena de mala conciencia, sobre la legitimidad de luchas armadas o liberaciones esotéricas; reflexiona sobre la intrínseca maldad de toda organización estatal; combate con eslóganes de patética elementalidad la implantación universal de la violencia preventiva; añora simplicísimos estados de naturaleza; se identifica (con vagas aprensiones pero patética buena fe) con las formas de rebeldía grupal en que es tan pródigo nuestro tiempo. Y, sobre todo, intenta resolver en el seno de su conciencia lacerada la pugna pertinaz entre el instinto de organización y disciplina (que es el legado de su tradición reciente) y el instinto de rebeldía individual (que fue su origen remoto y que hoy parece su destino).

Fruta del tiempo es, evidentemente, esa crisis de autenticidad moral desorientada pero también es consecuencia (y, en cierto modo, causa) de la trayectoria nada ejemplar de sus organizaciones políticas. El caso más llamativo y conocido es, por supuesto, el del Partido Comunista de España que, en este lapso de diez años, ha pasado de ser el protagonista moral y cultural del antifranquismo a sobrevivir en una confusa mezcla de fidelidades a ultranza, decepciones dolorosas, expectativas vagas, que apenas afectan a unas decenas de millares de españoles. Pero la corrosión de la «tradición de izquierda» ha afectado a quienes convoca la capacidad comunicativa del Partido Socialista Obrero Español, hoy elevado al gobierno por la decisión de diez millones de esperanzas de regeneración nacional. No se equivocaba, sin embargo, aquel sagaz funcionario norteamericano del Departamento de Estado que disipó los recelos de la prensa de su país al afirmar que, en octubre de 1982, habían llegado al poder en España unos «jóvenes nacionalistas». A ellos que frisaban la cuarentena, habían combatido al franquismo y ostentaban una notable formación técnica de cuño anglosajón, correspondió, en efecto, el cumplimiento de una fase histórica necesaria que el conglomerado de intereses que se llamó UCD no pudo llevar a término: erradicar las numerosas trampas corporativistas o autoritarias de la legislación vigente, negociar una prepotencia más discreta para los llamados «poderes fácticos» y racionalizar ciertas «evidencias» de nuestra pertenencia al Imperio de Occidente. Toda esta tarea se ha acometido apelando a una tradición de pedagogía liberal, nacionalista y regeneradora de rancio *pedigree* hispánico (Institución Libre de Enseñanza, «generación del 98», socialismo de cátedra...), pero a despecho de una real «tradición de izquierda», de viejos sueños de unidad que se han burlado y, sobre todo, de las expectativas (todo lo confusas que se quiera) de muchos de sus diez millones de votantes. Y el resultado ha sido ya patente: ni la honestidad administrativa, ni la terca resistencia de los obstáculos encontrados, ni el previsible mantenimiento de los votos para las próximas elecciones legislativas, han impedido que el *desencanto* anidara también en las reservas socialistas.

La bancarrota de la «tradición de izquierda» ha alimentado otras afirmaciones. Unos pocos se han constituido en vestales de esta pero radicalizando hasta lo apocalíptico sus contenidos: en ese esfuerzo cumple reconocer a Manuel Sacristán una rara coherencia y una calidad de pensamiento y expresión infrecuentes en su medio. Su solitaria actitud viene a culminar una trayectoria ejemplar que ha encontrado su expresión en dos revistas significativas, *Materiales* y *Mientras tanto*, cuyos bien elegidos títulos dicen tanto de esa esperanza mantenida contra viento y marea en tiempos muy duros. Otros, sin embargo, han preferido ámbitos donde la ausencia de autodisciplina venía compensada por la espontaneidad de lo inmediato: en modos muy dispares, Agustín García Calvo, Juan Goytisolo y Rafael Sánchez Ferlosio se han movido en la proximidad después de 1975. Nada en común tiene, no obstante, la compungida seriedad con que se aplicó Goytisolo al desmantelamiento de la adusta moral de los cristianos viejos y el desenfado y la ironía con que resurgió para las letras el Sánchez Ferlosio de *Las semanas del jardín* (en 1974 y 1975) y que viene cultivando su colega García Calvo (cuyas desopilantes *Cartas de negocios de José Requejo* vieron la luz en 1975). Fernando Savater (*Panfleto contra el Todo* se publicó en 1977) ha merodeado en los aledaños de la acracia y siente singular atracción por causas exóticas, aunque otras reservas y una aguda inteligencia dada a la disección le vedan abrazar otra acracia que no sea la de la razón. En cambio, una necesidad patética de transgredir barreras y respetabilidades sacudió los últimos años de José Bergamín que, huyendo de su ejecutoria nacionalista española, vino a dar en el irredentismo vasco. También Alfonso Sastre refugió dudas y peleas en ese confuso horizonte de milenarismo y goma-2, donde, en opinión de este muladí del siglo xx, la palabra «revolución» aún tiene sentido.

Este recorrido por los confines del razonamiento ilustra muy bien sobre la dureza y las contradicciones que subyacen en un tiempo aparentemente liberal y llevadero. Que no fue así para todos, ni lo es ahora, lo evidencia la personalísima disidencia de un septuagenario, José Luis Aranguren, al que, a estas alturas, no cabe calificar de simplemente versátil. Que esos senderos son arduos y poco solidarios lo demostró la brevísima singladura del diario madrileño *Liberación* que, en apenas un año de vida, quiso ser portavoz de la izquierda a la intemperie y que concluyó sin un duro en la caja y, lo que es menos ejemplar, en un fuego cruzado de acusaciones y denuncias. Fruta menor y más resistente del radicalismo ha sido lo que cabría llamar con cautela la hermandad del vitalismo: cofradía que reúne muchos desencantados y algún catecúmeno y que se esboza como moral de salvación en tiempos históricos que parecen remedar los finales helenísticos de la cultura griega o los últimos estertores de la Roma imperial. La

aceptación de tal vitalismo explica el extenso predicamento —tan mereci-
do— del que goza la obra lírica de Jaime Gil de Biedma, poeta entre los
pocos que puede y sabe hablar de sí mismo. Y explica también la resurrección de un poeta tan distinto como José Hierro, o el deslumbramiento ante
la ya dilatadísima memoria de Juan Gil-Albert... Tampoco en este caso
tienen mucho en común la clásica contención casi conceptuosa de Gil de
Biedma, la ardorosa convicción de Hierro y el trémulo esteticismo del gran
escritor de Alcoy. Pero forman la línea de legítimo egoísmo que también
cimenta la devoción por escritores como Francisco Brines, Claudio Rodríguez y José Ángel Valente. Que tiene su lado de *bibelot* decadente en la
insolencia menor de Luis Antonio de Villena y su exhibicionismo de madurez en la excelente prosa y la vanidosa autoconmiseración que Carlos Barral
desparramó en sus dos volúmenes de memorias (culminados con unos *Pe-
núltimos castigos* que es más piadoso olvidar).

Pero hay formas de hedonismo que en su vindicación de la
inocencia histórica tocan las lindes de un deliberado cinismo. Me
refiero aquí a lo que se reconoce alborozadamente con el término
vago y significativo de *movida* y en cuyos aledaños pulula —lo que
resulta muy lógico— un sector de público y creadores que apenas
era adolescente a la muerte de Franco pero también una nómina de
desmovilizados, apóstatas y desencantados que, a despecho de sus
años, han puesto no poca imaginación en el empeño. Son la tardía
resaca de un 1968 que nuestro país no vivió en modo directo y
tienen un raro talento mercantil para comercializar sus fantasías.
Han sabido convertir Madrid y Barcelona (sobre todo, la primera)
en dos ciudades divertidas; generan continuamente grupos musicales de nombres estrafalarios y de cantables tan chapuceros como
—a veces— inteligentemente agresivos; diseñan objetos inútiles, de-
coraciones imposibles y ropas inverosímiles que, sin embargo, se
venden en toda Europa. Los filmes de Pedro Almodóvar —que,
por debajo de su factura cómica, transpiran una desasosegante amo-
ralidad— pueden ser un buen emblema de esa vitalidad que se
complace en el avulgaramiento de una subcultura urbana pero que,
en el fondo, es una desesperada búsqueda de la inocencia perdida.
Los cuadros en grandes formatos de los cotizadísimos Miguel Bar-
celó y Guillermo Pérez Villalta reflejan, por medio de sus ingenui-
dades pseudoclasicistas o el académico dibujo de objetos desolados,
la añoranza de esa inocencia y el rechazo de la historia, el egotismo
estético y el abandono de la razón por el sentimiento, que son, a lo
que parece, síntoma de *posmodernidad*.

Al hablar de los nacionalismos y regionalismos en la vida cultural española, no sabría decir si tal cosa debe ser emparentada con las resoluciones de las crisis de valores o si corresponde al ámbito de las búsquedas de la vitalidad perdida. En muchos casos, tal parece, en efecto, la cicatería protocolaria y hasta las peregrinas invenciones de idiomas regionales que no existen sino en la mente calenturienta de sus devotos. No se vea descalificación sistemática en lo antecedente, porque lo que resulta palmario es que regionalismos y nacionalismos son parte sustancial de la conciencia colectiva de muchos españoles y, desde mediados de los años sesenta cuando menos, han sido un ingrediente decisivo en el repudio popular del franquismo (puede, incluso, que el más importante). Claro está también que no todas esas inquietudes podían medirse con el mismo rasero: en algunas comunidades (País Vasco, Cataluña y Galicia) la cuestión idiomática se había erigido en problema capital y exigía una normalización —quicio de otras muchas «normalizaciones»— que ha sido administrada con muy poca imaginación; en otros lugares —Andalucía en primer lugar— la vindicación de la peculiaridad era el resultado de desidias y vergüenzas inmemoriales; en no pocos sitios, este legítimo resentimiento se mezcló con el mimetismo de las comunidades «mayores» y con una progresiva reacción de envidia ante los nuevos privilegios. Hablar de culturas regionales debe excluir, por tanto, hacerlo de la invasión de neofolklorismo, de pretensiones de erudición local, de ediciones facsimilares inútiles con las que se gratifican autoridades y visitantes, por más que todo esto forme parte tan sustancial de nuestro presente histórico como lo son otras manifestaciones: la dialéctica de metralletas y añoranzas paleolíticas que corroe las espléndidas potencialidades de una cultura vasca de hoy; las prédicas separatistas y expansionistas que dañan más de lo que parece la vivaz realidad de la creación catalana. Unos y otros fenómenos de onfaloscopia aguda son la patología de un proyecto político y de un porvenir cultural que, si se le aplica generosidad e imaginación, puede ser uno de los más originales de Europa. No será hacedero, sin embargo, si previamente no dilucida *sine ira et studio* lo que el presente estado de cosas debe a la crisis de hoy (que invita a buscar culpables tanto como a buscar la propia «inocencia» de unas inmaculadas «señas de identidad») y, en otro orden más importante, sino buscamos entre todos el lugar que se reserva a España como tarea y sentimiento común.

Lo que queda de España fue en 1978 el título afortunado que Federico Jiménez Losantos dio a un volumen de ensayos. Pero la fortuna no acompañó más que a esa elección y a alguna crítica ingeniosa en su interior... La reintegración de España no puede resolverse buscando su identidad en una «historia mágica» (que proporcionó buenos dividendos a Fernando Sánchez Dragó) o debatiéndola en una tertulia auspiciada por el ayuntamiento de Gerona: no puede ser otra cosa que un reconocimiento meditado y colectivo que exige, para empezar la reconstrucción de la historia del nacionalismo español, sugestiva tarea que tienen pendiente los estudiosos del catolicismo, del institucionismo, de la idea de «literatura nacional», de la educación o de la milicia... Entre tanto, la plural realidad de nuestra cultura es un hecho gratificante como pocos: lo encarna la rigurosa obra de un J. V. Foix —en buena hora galardonado con el primer Premio de las Letras Españolas (1984)— que no tiene ninguna relación de parentesco con la de otros colegas peninsulares, y la pintura de Antoni Tàpies en la que un Pere Gimferrer ha creído ver la asunción del «esperit català»; lo representa en el País Vasco el rigor filológico de Koldo Michelena o los volúmenes escultóricos de Eduardo Chillida y de Oteiza; lo encarna en Galicia la función casi socrática de Ramón Piñeiro o la reciente y brillante comparecencia de una narrativa en gallego... Pero, junto a esto, no debe olvidarse que alguna de las mejores revistas españolas de hoy se producen en lo que despectivamente alguien llama todavía «provincias»: *Cuadernos del Norte* en Asturias, *Syntaxis* en Tenerife, *Fin de siglo* en Jerez de la Frontera, *Las Nuevas Letras* en Almería...

La presencia cotidiana de estos y otros esfuerzos significa que un fenómeno muy importante se está produciendo también entre nosotros, hijo de un rechazo frontal del receloso ambiente franquista y del gozoso palmeo de la libertad: el asentamiento y la regularización de la cultura como expresión y objeto de consumo de la sociedad española. Cierto es que, como señalaba Julián Marías en un número de la revista liberal-conservadora *Cuenta y Razón*, «se *habla* enormemente de cultura —palabra que se usa constantemente— y, a veces, se descuida crearla. Hay la tendencia de llamar cultura a cualquier cosa, a las actividades o simplemente los deseos de algunos grupos cuya realidad es poco más que la difusión que alcanzan en algunos medios de comunicación».

Nos hallaríamos, pues, en una situación parecida a la que inspiró la requisitoria de Eliot en sus *Notes toward a Definition of the Culture*, aunque aquí no contemos con un inquisidor de la talla del fundador de *Criterion*, ni quepa compartir en su integridad sus aprensiones. Porque, inevitablemente, «cultura» es término multívoco que significará cosas muy diferentes según lo invoque un concejal de festejos (para quien una verbena «también es cultura»), un cantante de *rock* como Miguel Ríos (para quien su música es un emblema generacional de los «colegas»), un desconocido grupo teatral o un «colectivo» de muralistas cuando reclamen una subvención... Ni siquiera voces más autorizadas están de acuerdo: para Juan Cueto nos falta cultura científica (¡viejo problema de un viejo libro de C. P. Snow!) pero a los programas de la televisión estatal les sobran sesudos coloquios de historiadores o adaptaciones de obras literarias; para el divertido *Diario cultural* de Andrés Amorós, cultura es no renunciar a nada, desde Paul Klee hasta Andy Warhol, desde Anton Bruckner a Julio Iglesias; harto de centenarios admirativos y circunspectos, Manuel Vicent se burla de Antonio Machado y declara la muerte por aburrimiento de la generación del 27, mientras Rafael Sánchez Ferlosio trae a la picota la comezón subvencionadora de las autoridades que, parodiando a Goebbels, «en que oyen hablar de cultura, sacan el talonario». Y mientras Francisco Umbral añora casticismo, seguridad y desparpajo en un tiempo hipócrita y desangelado.

Verdad es que en esta consideración de la cultura como expresión de la vida social anidan muchas contradicciones. Algunas surgen de la sospechosa troquelación «cultura popular»: ya no solamente por lo que tiene de mercancía averiada y repetitiva, sino por lo que amenaza en sus versiones más recientes. Parece, en opinión de sus entusiastas, que visitar un museo, escuchar una sinfonía o leer un libro son formas de pasividad culpable y fruiciones delegadas en nada comparables a las que otorga pintarrajear un cuadro por sí mismo, aporrear un instrumento de percusión o debatir el sexo de los ángeles al final de un coloquio: «participación» y «creatividad» son los modismos que convienen a la reclamación de protagonismo que sacude a los partidarios de tal cosa. Pero también otros males —amén del susodicho— provienen de la indiscriminada «oficialización» de la cultura: asistimos a una inflación de premios y recordatorios, a una picaresca de subvenciones, a la proliferación de editoriales institucionales perfectamente prescindibles, a dispendios en la organización de exposiciones, a un cúmulo de Universidades de verano donde casi siempre los mismos disertan de lo mismo... Todo lo cual —y cumple reconocer que muchos lo saben y lo van poniendo por obra— distrae dineros y gentes de empeños menos llamativos pero más sólidos: la dignificación material de conservatorios de música y de escuelas de Bellas Artes, el patrocinio y programación de una red de locales teatrales, la solución de la vergüenza nacional que son nuestras actuales bibliotecas y archivos, la organización de una sólida proyección internacional de nuestra creación cultural (que va a tropezar con programas muy avanzados de México —en lo hispánico— y de Francia —en lo que se ha dado en llamar «latino»).

Pero los resultados de estos afanes culturales no son, ni mucho menos, negativos. A pesar de la evidente crisis editorial un kiosko español de hoy es un lugar atractivo donde se exhiben en grata compañía un clásico del pensamiento y una reciente novela hispanoamericana, la última novedad sobre ordenadores y un disco baratísimo de Haydn. Y esa oferta indiscriminada y quizá poco rigurosa va cambiando, sin embargo, hábitos y opiniones de vastos sectores de la sociedad española, más permeable y abierta al día de hoy que otras muchas europeas. Cierto es así mismo que la voluntad de «recuperación» cultural al hilo de centenarios u homenajes ha sido objeto de merecidas rechiflas, pero también lo es que estos años han presenciado un notable esfuerzo de ajustar deudas con el propio pasado y por eso han proliferado enciclopedias regionales (a veces muy estimables) y empeños de revisión muy oportunos: sea este el caso de la todavía incompleta *Historia del pensamiento español* que acometió José Luis Abellán y de la significativa obra de conjunto sobre *El exilio español* que coordinó el mismo estudioso, de las numerosas y leídas divulgaciones históricas de Manuel Tuñón de Lara o de la *Historia y crítica de la literatura española* cuidada por Francisco Rico. Datos como estos desmienten en buena medida la pobre opinión que suele sustentarse sobre la vida universitaria española: no es, como pretenden algunos de sus miembros, la sal de la tierra ni carece de problemas de financiación y de organización muy serios, pero sus tareas recientes la colocan en un lugar de privilegio en lo que concierne a la renovación y a la reflexión sobre su entorno.

II. *1985-1990.* [¿Qué es lo más significativo que ha ocurrido en la vida cultural española entre 1985 y 1990?] Un sociólogo —especie que ha seguido floreciendo entre nosotros— no vacilaría en responder a dicha pregunta: lo más significativo de la vida nacional desde 1985 hasta acá es la perduración del Partido Socialista en el poder, tras haber vencido en dos elecciones generales más y manteniendo siempre una holgada mayoría que hasta ayer mismo era absoluta. Y todo esto en un contexto internacional de confusión nada favorable a las siglas políticas de izquierda, como acaba de demostrar el transcurso de unos pocos meses que se han llevado, a vueltas de Ceausescu, de Pinochet y de Honnecker, las ilusiones del sandinismo, la dignidad nacional de Panamá y los jirones de una concepción política de Centroeuropa.

Cierto es que los socialistas españoles de 1990 ya no son los mismos de 1982, por mucho que se repitan los nombres: ahora tienen algunas canas en los aladares y, pese al *jacuzzi* y al *squash*, muestran barrigas incipientes, tienen —a lo que se dice— cuentas corrientes más saneadas y su orgullosa vocación de ejercicio político se ha trocado en manifiesto apego al poder. Nuestro sociólogo imaginario sabe que encarnan dos generaciones de jóvenes universitarios y técnicos que se han criado en la «nostalgia del Estado» frente a la inoperancia y el bochorno de la administración franquista. Como he recordado más arriba, un sagaz funcionario del Departamento de Estado norteamericano los definió como «jóvenes nacionalistas», pensando seguramente más en Kemal Ataturk que en Lenin: el tiempo le ha dado todavía más razón y de ahí que hoy se acusen más que ayer cierta tendencia al cesarismo, el incremento del pragmatismo político (que ya no cuida disfrazarse de ideología en los asuntos económicos), cierta propensión al mesianismo populista cuando se baja al río revuelto de la propaganda electoral y algo todavía más significativo. Y es que estos jóvenes nacionalistas, en vez de dar lo que llamaron jactanciosamente «una pasada por la izquierda», han venido en encarnar con singular denuedo el legado liberal, unitario y tibiamente «social» que está más cerca del sueño de la Institución Libre de Enseñanza y de los «demócratas» del XIX que de Pablo Iglesias. Suelen reclamarse, con autocomplacencia piadosa, de las luces utópicas de 1968: son sus hijos en la misma medida en que lo fueron de otro 68, de 1868, los rectificadores de la Restauración de 1875, aquellos reformistas de 1881 que fueron Sagasta, Alonso Martínez o Echegaray. Un siglo justo después, la historia parece repetirse...

La derecha española persevera, en tanto, en su aversión al Estado y a cualquier forma de organización que perciba impuestos y recorte beneficios; por eso, odia a los socialistas y ha perdido los pudores y el estupor histórico que la aquejaba en 1981, tras el esperpéntico fracaso del «golpe» de febrero. Los conservadores de hoy son más listos y más cínicos y, desde entonces, han extendido su poder a una mayoría de los medios de comunicación donde alientan campañas de desprestigio que han hecho profunda mella en la opinión: buena parte de la población cree de buena fe vivir en la cueva de Alí Babá y términos como «prepotencia», «tráfico de influencias», etc., ocupan las planas de los periódicos, los reportajes de *free-lancers* desaprensivos y los programas radiofónicos de pintorescos locutores convertidos en demagogos. Al lado de esto, se ha producido —y a esto no son ajenos algunos socialistas— una impúdica exhibición de nuevos valores como la ambición de dinero, el éxito personal, la desatentada búsqueda de juventud, que encandilan a amplios sectores del país y que asientan, como ninguna otra cosa, un horizonte moral de insolidaridad e individualismo que se da de bofetadas con cualquier voluntad de Estado. Pero esa pugna contra la derecha tradicional era predecible, aunque lo fueran menos las coartadas en que esta refugia sus intereses: llámase así «libertad de enseñanza» a un confuso movimiento donde se mezclan los intereses económicos y los últimos residuos del nacionalcatolicismo y se bautiza como «conquista de la libertad en televisión» la implantación de unas cadenas privadas de corte más bien reaccionario y horras de cualquier criterio cultural serio como el que, a trancas y barrancas, sustenta todavía la televisión estatal.

Menos esperable, empero, ha sido el que este progresismo gubernamental —fiel al mandato nacionalista-liberal y estatalista— se haya enfrentado con otros enemigos que parecían estar a su cobijo. La pugna más pertinaz (y, de hecho, la más lógica) lo ha sido con los nacionalismos periféricos catalán y vasco frente a los que el partido del gobierno ha resucitado, con notable inoportunidad a veces, un jacobinismo estatalista que difícilmente hubiera sabido encarnar la derecha tradicional más pertinaz. Más que nunca, España se resiente de la endeblez con la que el siglo XIX remató el proyecto de estado unitario más antiguo y razonable de toda Europa: no es hora de lamentar el desaguisado y mucho menos de ponerse a remediarlo con medidas anacrónicas pero conviene consignar, por un mínimo respeto a la razón y a los datos de la historia, que España no es el Imperio Austrohúngaro, ni Cataluña es Lituania ni el País Vasco una incurable Irlanda (por más que se parezcan en los hervores católicos: el clero es otro enemigo, nada sutil, de un estado unitario y secular). En tanto, la confusión es grande: en el hostigamiento se relevan, con notable precisión, el nacionalismo burgués que lamenta la incomprensión ajena y que busca culpables exteriores, y el nacionalismo milenarista y visionario que tiene confuso emplazamiento en la red sociológica y que sueña con un ejército popular al que remeda con sus anoracs, sus encuadramientos juveniles y la abyecta poesía de las armas cortas.

Enemigo más endeble pero real ha venido siendo la incomodidad de las clases medias urbanas que han generado, a la izquierda y a la derecha del régimen, manifestaciones de desazón. La soberbia y la chapucería gubernamentales las justifican a menudo; otras veces, sin embargo, las protestas solamente alumbran la incurable mentalidad de Peter Pan en la que muchos se refugian: ejemplo patente lo fue la revuelta universitaria de los años 1986 y 1987 donde, al lado de un lenguaje radical, se oía demasiado la apelación a vanos igualitarismos y el eco de un mercado de trabajo que ofrece perspectivas cada vez menos halagüeñas. Conviene advertir, pese a todo, que esa universidad convulsa, reformada deprisa y mal, viene siendo la productora de ciencia bastante notable y quizá algún día se dirá, sin el rubor que producen estas cosas, que la investigación española ha vivido entre 1970 y 1990 un período de insólita fecundidad creadora. En el campo que nos resulta más afín, el de las ciencias humanas, tal cosa es palpable: la historiografía social, la historia del arte, los estudios literarios y la reflexión filosófica han sumado una lista de títulos difícilmente igualable.

Disentimiento más profundo fue el que convocó el 14 de diciembre de 1988 la primera y única huelga general que ha afrontado un gobierno desde 1975. Una interpretación exclusivamente política atribuiría tal acontecimiento a la inevitable —y seguramente necesaria— separación del Partido Socialista y de su sindicato. Una lectura de los hechos de más fuste aconseja buscar causas morales y más escondidas: aquel 14 de diciembre puso en la calle los últimos restos de la capacidad de indignación contra el enriquecimiento de unos pocos, contra la insolidaridad con la que se contempla la miseria de los menos capaces o menos preparados, contra la indolencia con la que el poder observa la dinámica económica como si fuera el curso inmutable de las estrellas. Ya era mucho... El éxito de la huelga no tuvo traducción electoral directa y tras aquella fecha no hubo como horizonte la dictadura del proletariado ni quizá siquiera la conciencia de clase. Hubo, como sucedió el día de la expropiación de aquella estafa que se llamó Rumasa, la sensación colectiva de una victoria ética: aquella vez, a favor del gobierno; esta, en su contra. [...]

Decir «cultura» en 1990 es evocar las gigantescas colas que en marzo asediaban el Museo del Prado con el fin de ver la exposición de la obra de Velázquez y es ponderar la cifra de un cuarto de millón de catálogos vendidos, como si las luminosas explicaciones de Julián Gállego a cada cuadro fueran la conversación de cada día para sus compradores. Decir «cultura» es recordar los escándalos motivados por el tráfico de entradas para ver ópera o para ocupar los generosos espacios de los auditorios musicales de Madrid y Valencia. Este consumo generalizado de alta cultura es un fenómeno universal al que nuestro país se ha incorporado con enorme rapidez, igual que lo ha hecho a otros sentimientos que en nuestro tiempo sustituyen antiguos y más sólidos ideales: también este país desidioso y sucio, que pintarrajea sus paredes y llena el suelo de papeles, tiene una hiperconciencia ecológica que ha jurado guerra a muerte a los embalses hidráulicos y a las autopistas.

Y es que todo se adopta y se consume. De ese modo, se ha auspiciado un evidente eclecticismo del gusto que hemos argumentado llamándolo *posmodernidad* por más que el término huela ya a puchero de enfermo. Su primer síntoma viene, precisamente, de la convivencia *blanda*, nada dialéctica, de lo que la oferta cultural presenta en tumultuosa promiscuidad: cuadros de Velázquez y figulinas *art nouveau*; finas tanagras y líricos hormigones de Eduardo Chillida, inquietantes paisajes de Edward Hopper y ensoñaciones de Odilon Redon, ninfas sonrientes y malignas dibujadas por Rafael de Penagos y carnavales pintados por Gutiérrez Solana; todo en el mismo día, o en la misma semana, al alcance de un paseante de exposiciones (no deja de ser revelador, por cierto, que una preciosa revista cultural de Jacobo Martínez de Irujo se llame así, *El Paseante*, como si la fruición artística hubiera de mezclar a dosis iguales la fugacidad de la observación, la ausencia de motivaciones y la necesidad de la variedad: condiciones todas de paseos y paseantes).

A este eclecticismo ha de sumarse un como rebajamiento de los grandes empeños artísticos: en vez de novelas, hemos adoptado el fácil anglicismo de «ficciones» (que cada vez son más breves); el ya cauteloso término de «ensayo» ha dado paso al de «reflexión», como el de filosofía a «pensamiento»; ya no se representan dramas sino que se plantean «propuestas escénicas»... Autores y lectores parecen comprometidos en una aversión a lo definitivo, a lo orgánicamente estructurado, y la adopción de la palabra *light*, otro comodín universal de nuestro tiempo, parece tener que ver con esa timidez. Pero, a cambio, se ha producido por otro lado un regreso generalizado a formas artísticas muy explícitas y directamente emotivas, como si los sentimientos se rescataran del pudor que los había encubierto: la pasión por lo *light* tiene el singular anverso de la pasión... por la misma pasión. Ahora los pintores regresan con placer a los grandes formatos y a las composiciones complejas, mientras los autores del nuevo teatro redescubren el sainete con moraleja (y ahí están los éxitos de Fermín Cabal y José Luis Alonso de Santos) y mientras Fernando Fernán Gómez apela a los recuerdos colectivos en una comedia como *Las bicicletas son para el verano* que parece restituirnos a la dramaturgia norteamericana de los años cincuenta. El regreso de la ópera como espectáculo es un síntoma más de esa proclamación del imperio de los sentimientos. No deja de ser significativo que una realizadora cinematográfica como Pilar Miró, autora de filme tan explícito en su exploración de la violencia y el absurdo como *El crimen de Cuenca*, regrese a las cámaras para ofrecer una adaptación de *Werther* que es, amén de un homenaje a Massenet, un canto a la capacidad de amar que triunfa precisamente cuando el amante es olvidado, escarnecido o desdeñado. [...]

Si observamos la producción literaria de estos años, hay un denominador común que resulta muy revelador: la refundamentación de un ámbito íntimo, *privado*, a costa de otros valores. Murió de consunción la trascendencia *social* de la literatura en los años finales de los sesenta y la enterró, como es sabido, la entronización de una estética neoparnasiana. Nacida de ésta, sobrevino una literatura obsesionada por sí misma, en permanente trance metaliterario, donde el sujeto enunciador vivía bajo continua amenaza de desposesión. El regreso de ese sujeto ha llegado por la vía de sus sentimientos, por la necesidad de afirmarse como conciencia feliz y como explorador de sus propias posibilidades sentimentales (y, por supuesto, eróticas, ya que no hay más acreditada metáfora de autoposesión y, a la vez, de aniquilación que el coito: recuérdese, sin ir más lejos, la interminable relación con la que Jorge y Julia, los protagonistas de *Visión del ahogado* de Juan José Millás, prolongan su inútil despertar y se zafan a la responsabilidad, a la historia y a su propio pasado que les acecha más allá de las paredes de su minúsculo piso madrileño).

Lucien Goldmann saludó hace muchos años al *nouveau roman* francés como una transposición literaria de la fase culminante del capitalismo imperialista: un mundo cosificado, ajeno, industrial, hallaba su correspondencia en aquellas descripciones enigmáticas de las que se había suprimido toda subjetividad. Veinte años después, esos objetos plastificados, insolentes, relucientes, se han hecho nuestra prolongación y son las prótesis mediante las que nos creamos ámbitos reducidos y confortables. La posesión física vuelve a ser una ley y el territorio de lo privado, un tabú. A la *reprivatización* de la vida económica —que ha concluido con el mito del estado benefactor y ha exaltado la iniciativa individual— ha de corresponder una *reprivatización* de la literatura: en lo que tiene de creación de un mundo imaginario y en lo que tiene de uso y disfrute por parte de autores y lectores.

Un síntoma de tal *reprivatización* se halla, a mi parecer, en la reciente abundancia de diarios, dietarios y memorias personales, cuya presencia actual contrasta con el escaso cultivo de ese género en épocas anteriores. El dietario es fórmula para épocas de incertidumbre histórica en la que los refugios individuales cobran mayor importancia: cuando todo es incierto alrededor, en ellos se asienta la potestad del *yo* que se permite el capricho de la arbitrariedad —pues habla de lo que quiere y desde su peculiar punto de vista— y hasta donde quiere, sin llegar a la misantropía ni a la soberbia, pero siempre rozando una y otra, a la par que se afirma con orgullo vivir por y para la literatura. [Desde Rosa Chacel (*Alcancía. Ida y vuelta*, 1982) hasta Pere Gimferrer (*Dietari (1979-1982)*, 1983, y *Segon dietari*, 1985), pasando por Miguel Sánchez-Ostiz (*La negra provincia de Flaubert*, 1987, *Mundinovi*, 1987, y *Literatura, amigo Thomson*, 1989) o

Antonio Muñoz Molina (*El robinson urbano*, 1985, y *Diario del Nautilus*, 1986), los diarios han constituido un síntoma importante de ese retorno de la privacidad. Todo se ha convertido en comunicación privada de experiencias y, a la vez, se ha impuesto una concepción del mundo que quiere verlo como una reunión de fragmentos emotivos, un álbum de sorpresas y reminiscencias. Incluso el arte de las memorias se ha contaminado de tales características. Y han dejado de ser, como lo eran, una forma de *leerse* uno mismo por un modo de coherencia autojustificatoria que la dispersión de lo vivido difícilmente proporciona.]

A la poesía lírica la ha alcanzado también la corriente reprivatizadora. Ya empieza por ser significativa la vuelta de los escritores a la disposición de la escritura mediante la ficción del diario que convierte a todo poema en transitiva expresión de una intimidad omnipresente y al libro entero en una compleja unidad de emoción. *Páginas de un diario* fue, en 1981, el primer libro importante del poeta murciano Eloy Sánchez Rosillo quien después ha afianzado su cuidada expresión personal y su mundo delicadamente introspectivo en más poemarios de inequívocos títulos privatizadores: *Elegías* (1984) y *Autorretratos* (1989), por ejemplo. Diarios son también *La luz, de otra manera* (1988) de Vicente Gallego y *Diario abierto* (1990) de Dionisia García, entre otros.

Tanto Sánchez Rosillo como Dionisia García hablan de sensaciones impúdicamente personales —un vasar envejecido, un concreto día de felicidad, un paisaje familiar— que hace unos años se hubieran visto con recelo por lo excesivamente cotidianas y hace unos años más, con irritación por lo burguesamente egoístas. Pero ahora la poesía no pretende hinchar la voz ni vivir un mundo neoparnasiano. [Es significativo que un joven e interesante poeta sevillano, Felipe Benítez Reyes, haya reivindicado una poética personal y casi autobiográfica, pero firmemente amparada por el ansia epistemológica. Este hecho ha tenido mucho que ver con la resonante vuelta a la poética del grupo generacional de los años cincuenta:] se ha admirado la capacidad de comunicar con la vida que persiste en Claudio Rodríguez, la disciplina ética de José Agustín Goytisolo, la luminosa pero ceñida melancolía temporalista de Francisco Brines, la irónica ferocidad de Ángel González... Y cómo no podría serlo cuando hitos de estos años han sido libros como *Prosemas o menos* (1985), de González, con su insólita maestría verbal; *El otoño de las rosas* (1987) de Francisco Brines, con su milagrosa contención elegíaca en la percepción del tiempo; *Primer y último oficio* (1981) de Carlos Sahagún, con su violenta y certera capacidad de autoanálisis. Los casos aparte han sido José Ángel Valente, cuya última poesía —al borde del silencio por lo enigmática— ha sido objeto de un culto que no es

de este lugar comentar, y, sobre todo, Jaime Gil de Biedma. La muerte
reciente de este poeta de contados versos y larguísima autoexigencia poética
ha levantado un huracán de elegías que inútilmente remedarán la ironía, la
concisión clásica, la calculada vulgaridad certera, la emoción de la *disposi-
tio*, cuyos secretos dominó el autor de *Las personas del verbo* (o de *Colección particular*: ¡qué dos títulos más significativos para unas poesías completas!). Gil de Biedma y otro fallecido de 1990, Carlos Barral, han encarnado la irónica maestría y el vitalismo, a la vez jovial y complejo, que
secretamente, o públicamente, envidian sus muchos epígonos. No es casual
que Luis García Montero y Álvaro Salvador hayan organizado un bonito
número de la revista *Litoral* dedicado a Jaime Gil de Biedma bajo el título
del último poema de *Moralidades*, «El juego de hacer versos». O que
Carme Riera haya escrito un libro —más escolar de lo que debiera—
consagrado a *La escuela de Barcelona*. O que, tras un precioso número
monográfico de la extinta revista *Olvidos de Granada* dedicado a la generación de 1950, el Centro Cultural Campoamor, de Oviedo, acabe de publicar unos *Encuentros con el 50. La voz poética de una generación*.

Es lo que un importante grupo de poetas granadinos ha llamado la
vuelta de la «otra sentimentalidad», entendida como una fórmula de compromiso entre la pasión individualizada y un hacerse cargo de las circunstancias de una realidad amarga. [...] Luis García Montero, quizá el más
conocido de los poetas del grupo granadino, ha dedicado un librito, *En pie
de paz*, a solicitar —infructuosamente, por cierto— el alejamiento de España con respecto a la OTAN, ha colocado uno de sus primeros libros —*El
jardín extranjero*— bajo patrocinio de Pasolini en su preciosa oda «Le
cenere di Gramsci»... pero, a la vez, en esta antología, rinde tributo a
García Lorca —otro fetiche sentimental de nuestro tiempo— con una bella
evocación de título cernudiana, «A Federico, con unas violetas», que está
dedicada a un profesor marxista, Juan Carlos Rodríguez. Y es que el
sentimiento se promedia con la historia.

[¿Existe un aglutinante común de estos últimos años de producción novelesca?] Del malestar que sucedió al 68, que tantas cosas puso
en crisis, surgió un relato que se ha transformado a menudo en una
búsqueda de la identidad perdida del sujeto narrador o en una pesquisa en pos del propio relato: metanovela e introspección que nos han
restituido también las briznas de un realismo perdido. Ahora las
novelas no son aquellos «vastos frisos narrativos» que admiraban los
críticos a la antigua usanza pero, a cambio, han ganado sensibilidad
para el paisaje, amor a ciertos objetos, atención a ciertos estados
psicológicos de transición. Un relato de Álvaro Pombo o de Soledad
Puértolas, por ejemplo, ya no se produce en el vacío desolador de la

metafísica sino en realidades próximas y a menudo bien observadas: no pretenden ser los testigos campanudos de una época pero sí imaginar ciertas zonas de la ilusión que tienen estrecha relación con aquello que Baroja llamaba «el fondo psicológico del escritor».

Gonzalo Sobejano, tomando el término de Linda Hutcheon, ha hablado de «novela narcisista» para referirse a estas tan obstinadas en la elaboración de personajes suavemente contradictorios y mundos extraordinariamente anfibios entre la realidad y la ficción. Y ha acuñado un término de raigambre mucho más orteguiana, el de «novela ensimismada», que también puede convenirles: literatura «privada», diría yo, que incluso ha traído a ese terreno el ámbito de la novela histórica que, en otro tiempo, fue una metáfora transparente de las ambiciones didácticas y morales del relato decimonónico. [Literatura «privada», sí; pero también literatura «literaturizada»: muchas de las novelas que hoy se escriben entre nosotros, desde las de Juan José Millás hasta algunas de José María Merino, pasando por los últimos títulos de Eduardo Mendoza, Luis Mateo Díez o —por poner el ejemplo más claro de todos— la obra entera de Antonio Muñoz Molina, son *novelas de novelas*, ámbitos donde la imaginación se desdobla o multiplica anunciando la convergencia final de vida y literatura.]

Un recorrido, siquiera sea superficial y arbitrario, por los territorios de la creación literaria de hoy revela que nuestros escritores se observan en el espejo o se refugian en la literatura, seguramente a falta de mayores certezas. Y en honor a la verdad, cuando se mira en derredor, nadie podría reprochárselo en un fin de siglo que cruzan los vendavales de la desconfianza y las brisas enervantes del hedonismo: donde se oscila entre la satanización de las drogas como fantasma colectivo y la permisividad ante su uso privado, donde la proclamación de la libertad sexual convive con un pavor medieval ante el sida. El egoísmo es el tema y el lema de nuestro tiempo. Hace cinco años, observaba que cuando el escritor o el cineasta español miraba dentro de sí —y ya tendía a hacerlo con denuedo— veía su infancia robada, los recuerdos de una guerra civil, la pugna de los sentimientos con la obligación histórica, la pelea de los instintos y la sistemática frustración de la espontaneidad. ¿Sucede ahora lo mismo? No existiría la literatura si no existiera la capacidad de los hombres para autosatisfacerse, para consignar fragmentos de sí mismos —que envuelven, claro, otras cosas— a la lectura de los demás. Y tampoco existiría la literatura si ese mecanismo de ofrecimiento y lectura no comportara las características de una com-

plicidad hecha de sobreentendidos. Pero esos parajes interiores que
el arte descubre no siempre han sido tan directa, tan decididamente
autogratificadores como hoy. Y pocas veces ha sido tan obvio el
acuerdo tácito entre creadores y público para afirmar la hegemonía
de lo placentero sobre lo caviloso.

JAVIER PRADERA

EL LIBRO: INDUSTRIA Y MERCADO

La industria del libro parece ocupar en todo el mundo un espacio cada vez menos importante dentro de la industria de la cultura;
y tanto desde el lado de la oferta (por la competencia de los medios
audiovisuales) como desde el lado de la demanda (por las transformaciones de la estructura del tiempo libre en las sociedades desarrolladas). El sector del libro se ve forzado a competir en múltiples
frentes para llenar las horas de las gentes, para moverles a la reflexión, para ofrecerles entretenimiento y para transmitirles conocimientos: los periódicos, las revistas, la televisión, las emisoras de
frecuencia modulada, los conciertos de música clásica y al aire
libre, las cadenas de alta fidelidad, los juegos de ordenador y las
grandes exposiciones han desplazado al libro de su privilegiado
lugar en la economía del ocio cultural.

Esa competencia múltiple está causando transformaciones y poniendo en marcha tendencias que afectan a las estructuras de producción y distribución mercantiles del libro. Ante todo, la nueva
situación ha reforzado las dimensiones específicamente empresariales de las editoriales; es decir, ha acentuado el carácter del libro
como mercancía frente a su condición de bien cultural. Llevadas las
implicaciones de esa dinámica hasta sus últimas consecuencias, la
cuenta de resultados de cada editorial y la rentabilidad económica
de cada libro se convertirían en la única vara de medir éxitos y

Javier Pradera, «Apagones en la Galaxia Gutenberg», *Claves*, 8 (1990),
pp. 75-80.

fracasos en el ámbito de la letra impresa. De añadidura, los fenómenos de concentración editorial, ligados en España a la entrada de capital extranjero, guardan una estrecha relación con esas transformaciones. Y tales cambios explican también que el centro de las decisiones tienda a ser ocupado por especialistas en demanda que sustituyen parcialmente en sus cometidos a los antiguos programadores de la oferta editorial. Los departamentos comerciales, entre los que se incluyen los departamentos de promoción y de publicidad, tienen cada vez mayor peso en la fijación de los planes editoriales.

Hasta que las estadísticas mostraron en 1989 que el número de títulos publicados en España había descendido un 4 por 100 respecto al año anterior, el sector editorial no empezó a preocuparse seriamente por unas tendencias ya visibles en otros países. Al fin y al cabo, la producción de nuevos libros había seguido hasta entonces una línea ascendente, pese a las dificultades derivadas de la crisis económica mundial y del estrechamiento del mercado latinoamericano.[1] Sin embargo, un análisis pormenorizado de las cifras hubiese servido para rebajar ese injustificado optimismo.

Por lo pronto, cualquier comparación estadística con la etapa predemocrática debe recordar que la actual producción editorial española incluye libros no sólo en castellano, sino también en otras lenguas (catalán, euskera, gallego) de mínima circulación bajo el franquismo. Tampoco es seguro que las inscripciones registradas por la Agencia Española del ISBN reflejen de forma adecuada nuestra actividad editorial, tomada la expresión en su sentido fuerte; no siempre las publicaciones oficiales, por ejemplo, encajan dentro de una definición rigurosa de libro.[2] De añadidura, el incremento de

1. El estudio más actualizado y completo sobre la producción editorial española es el informe *Panorámica de la edición española de libros*, 1989, Ministerio de Cultura, Centro del Libro y la Lectura, 1990. En 1989 se concedieron 38.715 números de ISBN, frente a 40.365 números en 1988; el retroceso resultó especialmente notable (un 13,6 por 100) en el renglón de creación literaria. Desde la muerte de Franco hasta 1988, la producción por títulos no había hecho sino crecer: 17.727 en 1975, 21.875 en 1976, 24.447 en 1978, 27.629 en 1980, 30.127 en 1982, 34.752 en 1985, 36.192 en 1986, 38.814 en 1987.

2. La Agencia Española del International Standard Book Number (ISBN) es el centro oficial encargado de registrar las inscripciones de los nuevos títulos. En 1989 fueron publicados 4.327 títulos en catalán, frente a 33.316 en castellano. En lo que se refiere a las publicaciones no comerciales, de los números de ISBN de ese año, 7.210 eran de origen institucional; 2.521 de la Administración central, 1.705 de las Administraciones autónomas, 2.679 del mundo universitario y académico, 305 de fundaciones sin ánimo de lucro.

títulos anual —ininterrumpido hasta 1989— marchó en paralelo con una preocupante caída de las tiradas y con el correspondiente aumento del precio de los libros; si se multiplica el número de títulos publicados por el número total de ejemplares impresos durante esos años, se comprueba que la cifra de volúmenes estaba descendiendo en su conjunto.[3] Por lo demás, los datos estadísticos sobre el sector editorial son demasiado opacos y no permiten conclusiones seguras; por ejemplo, escasean las informaciones fiables sobre la rotación de los *stocks* de los editores, la amortización de sus existencias y las *ratios* entre ejemplares producidos y ejemplares vendidos.

Si bien las pérdidas relativas de situación sufridas por el libro se han producido en todo el mundo, en España los problemas de la galaxia Gutenberg y su parcial deriva hacia la nueva galaxia electrónica han sido interferidos por factores específicos. De manera inmediata, el libro español está sufriendo las consecuencias de un serio estrechamiento de su demanda global a consecuencia de la grave crisis latinoamericana, un mercado tradicional para el libro español que está viendo reducida su capacidad de compra hasta extremos dramáticos.[4] A la brusca recesión latinoamericana se unen las prácticas de piratería editorial, especialmente escandalosa en Colombia y la República Dominicana. Para colmo de males, la tradicional piratería exterior se ve reforzada por esa nueva forma de piratería interior que es la reprografía ilegal, sobre todo en el mundo universitario.[5]

En una perspectiva temporal más amplia, el corte dado por la guerra civil a la continuidad cultural española interrumpió de forma catastrófica el normal desarrollo de una situación editorial en sí

3. La tirada media de los libros españoles descendió desde los 8.260 ejemplares de 1982 a los 5.119 ejemplares de 1989, en tanto que el precio promedio subió de 924 pesetas a 1.839 pesetas durante ese mismo período. Entre 1985 y 1988 los ejemplares impresos descendieron de 253 millones a 220 millones, a la vez que el número de títulos se elevaba de 34.752 a 40.365.

4. La exportación de libros españoles a Latinoamérica descendió de 22.368 millones de pesetas en 1984 a 10.970 millones en 1988. En los países latinoamericanos, un libro español se puede convertir en un objeto de lujo por un triple efecto: el precio de origen, el recargo del precio interior para cubrir las devaluaciones y la baja capacidad adquisitiva de los sueldos y salarios locales.

5. Según cálculos de editores de Madrid, el volumen de 1988 de la reprografía ilegal en España ascendió a 2.000 millones de fotocopias; esto es, a unos 7 millones de ejemplares de libros y a unos 16.000 millones de pesetas de facturación. La importancia de estas cifras se aprecia debidamente al comparar esos 7 millones de imaginarios ejemplares pirateados, no con la globalidad de los 220 millones de volúmenes producidos en 1988, sino con el porcentaje correspondiente a los libros de uso universitario.

misma deficiente. La actual debilidad de los fondos bibliotecarios, que impide la existencia de una demanda mínima para aquellos editores que no aspiran a publicar *best-sellers*, perpetúa en nuestros días una política presupuestaria tradicionalmente restrictiva para las infraestructuras culturales. Salvo los logros de la breve experiencia republicana, la herencia recibida por la España democrática en materia bibliotecaria es tan pobre como sectaria. [...]

Los efectos de la guerra civil sobre la industria editorial española fueron devastadores. La censura de libros —administrada desde el Ministerio de Información por algunos de los dirigentes del Partido Popular que más claman ahora por la libertad de expresión— humilló a los creadores españoles y desvió hacia Latinoamérica muchos originales y traducciones tachados por el lápiz rojo. El exilio no sólo explica la desertización del mundo académico oficial tras la guerra civil, sino también el florecimiento de una pujante industria cultural en América Latina en los años cuarenta y cincuenta. Editorial Losada, Editorial Sudamericana y Emecé fueron creadas en Argentina por exiliados; Fondo de Cultura Económica recibió su principal impulso del exilio español en México, donde también los republicanos trasterrados ayudaron a desarrollar empresas como Compañía General de Ediciones, Joaquín Mortiz y ERA. Así, el tejido editorial español, desgarrado por la guerra civil, tuvo que ser recompuesto con la doble hipoteca de la sangría del exilio y de la competencia exterior creada por los exiliados españoles.

A partir de la década de los sesenta, sin embargo, las cosas empezaron a cambiar. El crecimiento económico inducido por la prosperidad europea de la posguerra y las consiguientes transformaciones del sector educativo crearon un marco favorable para el relanzamiento de la industria editorial española.[6] Desde mediados de los setenta, el desmantelamiento del franquismo puso fin a la censura de libros (aunque no a la carrera política de los censores). Así, justo durante los años en que se producía la revolución informática y electrónica en todo el mundo occidental, España pasaba del subdesarrollo al desarrollo económico, de la baja escolarización

6. Entre 1965 y 1970 se duplicó la renta *per cápita* de los españoles; y entre 1970 y 1979 volvió a crecer un 30 por 100. Entre 1950 y 1985 también se duplicó el número de alumnos de enseñanza primaria; y durante ese período, la población universitaria se multiplicó casi por 17. Cf. Stanley Payne, *El régimen de Franco*, Alianza Editorial, Madrid, 1988.

a la explosión universitaria, y del autoritarismo al sistema de libertades. Sin embargo, esos factores operaron de forma ambivalente sobre la industria del libro. Ciertamente, la desaparición de la censura permitió sacar a los escaparates los libros que antes se habían vendido en la trastienda; y también concedió a los editores españoles la posibilidad de competir con los editores latinoamericanos en la publicación de libros previamente prohibidos por el franquismo. Pero la supresión de la censura benefició al sector del libro probablemente en menor medida que a otras industrias de la comunicación, en parte porque desde mediados de los cincuenta los libreros habían logrado burlar la censura de los libros importados desde Latinoamérica y Europa.

El crecimiento de la renta y el aumento de población escolarizada de la década de los sesenta habían creado consumidores potenciales de bienes culturales con mayor instrucción y superior capacidad adquisitiva que las generaciones anteriores. Pero el libro no era ya el principal invitado a la fiesta. A finales de los años setenta, las nuevas industrias culturales basadas en la revolución electrónica y asociadas a los medios audiovisuales también encontraron disponible a ese nuevo público y tuvieron comparativamente más éxito que las ofertas tradicionales a la hora de lograr sus favores. No es fácil determinar las causas del retroceso relativo del sector editorial en esa lucha competitiva por los consumidores.[7] Tal vez las oportunidades brindadas al libro por la nueva demanda cultural de masas, libre, con capacidad adquisitiva y educada, llegaron demasiado tarde; los cambios acelerados en el mundo de la cultura, de la política y de la tecnología irrumpieron quizás en nuestra sociedad antes de que los españoles hubiesen adquirido esa adicción a la lectura que sólo un largo aprendizaje y una socialización familiar durante generaciones permiten. Ambas conclusiones parecen razonables. Por un lado, las nuevas ofertas tenían el atractivo de la modernidad y del menor esfuerzo en su recepción. Por otro, el hábito de lectura no había prendido en amplios sectores de la población con la hondura suficiente como para hacerla triunfar sobre las restantes ofertas culturales.

7. No sólo el libro, sino también el cine, padeció esa nueva competencia. Si en 1980 había 4.096 salas de cine, en 1988 descendieron a 1.746; y los 330 millones de espectadores de 1970 y los 176 millones de 1980 bajaron a 68 millones en 1988. (Datos recogidos de informaciones periodísticas diversas y sin contrastación estadística fiable.)

En cualquier caso, la nueva demanda de bienes culturales no se dirigió preferentemente a la adquisición de libros. Hay datos para suponer que la incrementada capacidad de compra se orientó hacia los televisores (primero en blanco y negro, luego en color), los magnetoscopios, las cadenas de alta fidelidad, los discos y el turismo cultural.[8] Dicho sea de paso, las transformaciones del estilo de vida y de los hábitos de vivienda no parecen haber beneficiado al libro. A diferencia de los adquirentes de discos o de vídeos, que oyen o ven el producto cultural casi de inmediato, los compradores habituales de libros suelen estar movidos en sus decisiones por una pasión coleccionista o bibliotecaria que aplaza la lectura. Sin embargo, en los pisos modernos hay cada vez menos lugar para las bibliotecas personales en las que conservar esos volúmenes adquiridos para su consulta en un futuro remoto; a este respecto, las estadísticas sobre el equipamiento de libros de los hogares españoles son desmoralizadoras. Y si las bibliotecas particulares son escasas en España, las dotaciones de las bibliotecas públicas continúan siendo muy inferiores a las cifras de otros países de nuestro entorno.[9]

La respuesta del sector editorial a esa pérdida de espacio en el ocio de la sociedad ha sido la intensificación del tratamiento mercantil del libro.

8. En 1960 sólo un 1 por 100 de familias poseían televisor, pero en 1975 eran ya el 89 por 100. Y si en 1960 un 3 por 100 de familias tenían tocadiscos, en 1975 eran ya el 41 por 100. Los datos de 1989 sobre el parque de televisores y magnetoscopios confirman esa deriva de la capacidad de compra hacia los audiovisuales. Sobre 10 millones de hogares, hay más de 11 millones de televisores y más de 4 millones de magnetoscopios. Los vídeos comunitarios cubren 1 millón de hogares desde 1.500 centros de emisión. Antes de que las cadenas privadas y autonómicas aumentasen la oferta cinematográfica televisiva, funcionaban en España unos 6.000 videoclubes, con 6 millones de copias, 20.000 títulos, 950.000 socios y 26.000 millones de pesetas de facturación. (También estos datos, de origen periodístico, deben ser leídos con cautela.)

9. En 1985, el 20 por 100 de los hogares carecía de libros; y sólo un 6 por 100 pasaba de los 400 ejemplares. El conjunto de libros almacenados en los hogares españoles ascendía en esa fecha a unos 900 millones de volúmenes. En lo que respecta a las bibliotecas públicas, la Unesco recomienda una dotación bibliotecaria de entre dos y tres volúmenes por habitante; según el Anuario de la Unesco de 1988, esa media es, para España, del 0,53, frente a los 2,3 del Reino Unido, los 2,43 de Bélgica y los 6,5 de Dinamarca. La situación es todavía más grave en las bibliotecas universitarias; frente a los 105 volúmenes por alumno de Austria, los 47 de Alemania y los 23 del Reino Unido, España ofrece sólo 14 volúmenes.

Vaya por delante que, a efectos industriales, el concepto «libro» abarca indistintamente las enciclopedias, los textos escolares, los manuales universitarios, las novelas rosas, los panfletos políticos, los ensayos cultos, las obras pías, los reportajes escandalosos o las investigaciones científicas. Las clasificaciones por materias, géneros o públicos carecen de significación para el libro como mercancía. Tampoco cuentan, a este respecto, las diferenciaciones basadas en la calidad o la ideología. Con independencia de que sus contenidos sean políticamente antidemocráticos o culturalmente inexistentes, cualquier discriminación negativa del libro resulta indiferente para los mecanismos comerciales que les sirven de vehículo en tanto que mercancía. Ni el franquismo logró suprimir la circulación mercantil de los libros prohibidos por la censura, ni las críticas más severas a la falta de calidad de una obra de éxito le impide convertirse en un *best-seller*.

La industria editorial, como sector productivo, puede ser dividida en tres grandes áreas.[10] El primer sector está formado por los libros vendidos a plazos, puerta a puerta, mediante clubes de lectores o a través de lanzamientos televisivos de kiosco; todos ellos tienen como rasgo común la adecuación de la oferta a una demanda previamente conocida o sondeada. El segundo sector lo integran los textos de enseñanza general básica y de enseñanza media, que forman un típico mercado cautivo; también en este caso la oferta se adecua a una demanda previamente conocida o sondeada. El tercer renglón de esta clasificación abarca la producción que sale a librerías asumiendo a cuerpo limpio los riesgos empresariales, con la esperanza de ser adquirida por un mercado anónimo cuyos perfiles exactos nadie conoce exactamente.[11] De este bloque de «libros de librerías» habría que restar todavía no sólo la inmensa mayoría de las ediciones de las Administraciones públicas, por lo general mal comercializadas, sino también los títulos de demanda inelástica y con destinatarios más o menos previsibles, tales como las obras técnicas y científicas orientadas a profesionales y estudiantes universitarios. Todo hace pensar que las transformacio-

10. A estos efectos, no ofrece demasiada utilidad la habitual división de la producción editorial en seis grandes sectores temáticos. Para España, y en 1989, los porcentajes de esas áreas convencionales por materias eran los siguientes: infantil y juvenil, 14 por 100; enseñanza y educación, 15 por 100; ciencias sociales y humanidades, 27 por 100; creación literaria, 17 por 100; libros técnicos y científicos, 14 por 100, y varios, 12 por 100. Cf. *Panorama de la edición española de libros*, 1989, *op. cit.*

11. El texto escolar ocupa entre el 12 por 100 y el 15 por 100 del mercado. Según un análisis de la Federación de Gremios de Editores, la venta a crédito (con un 44,7 por 100) y los clubes del libro (con un 4,2 por 100) ocuparían casi la mitad del mercado nacional (un 48,9 por 100). Dado que los fascículos y las colecciones de libros para kioscos alcanzan el 17 por 100 de las ventas nacionales, el primer sector ocuparía el 66 por 100 del mercado, quedando las ventas a librerías reducidas al 34 por 100.

nes producidas durante estos años han intensificado la aplicación a este tercer sector (los «libros de librerías») de criterios empresariales tomados de los dos anteriores. En cualquier caso, las principales víctimas de los apagones sufridos últimamente por la galaxia Gutenberg son precisamente esos «libros de librerías» sometidos repentina e inadecuadamente a una disciplina inventada para la producción editorial de mercados cautivos o estadísticamente previsibles.

Ni que decir tiene que resultaría artificioso establecer una oposición antagónica entre las editoriales como creadoras de «bienes culturales» y como productoras de «bienes mercantiles»; o, para decirlo en términos marxianos, entre los libros como «valores de uso» y como «valores de cambio». Una editorial sólo puede sobrevivir si es al mismo tiempo una empresa eficiente y si sus libros son fabricados y distribuidos a través de circuitos mercantiles. Cualquier editor que intentase saltar por encima de estas dos obvias exigencias tendría un destino análogo al del inquilino de un octavo piso que ignorase la ley de la gravedad y pretendiera bajar a la calle directamente desde una ventana; en este caso, el resultado no sería la muerte, pero sí la quiebra. Aunque sólo sea para sobrevivir, una editorial tiene que ser sensible a las indicaciones de un mercado que asigna recursos escasos y que despide de la escena a quien los dilapida o los maneja de forma ineficiente. De añadidura, el mercado no es sólo indicador de demandas monetarias, sino también de demandas culturales; es decir, orienta al libro como mercancía o valor de cambio, pero también como bien cultural y valor de uso. Si un editor imprime libros que luego no vende, fracasará a la vez como empresario en busca de beneficios y como supuesto conocedor de unas necesidades culturales que su oferta quería cubrir y que resultaron inexistentes.

No cabe, así pues, menospreciar la dimensión empresarial de las editoriales ni suponer que el mercado sea cosa del diablo o —como cree André Schiffrin— un mecanismo sustitutorio de la censura. Las experiencias de los países de economía planificada del bloque soviético han sido lo suficientemente desoladoras como para no hacerse ilusiones al respecto; la propaganda invendible en forma de libro y la aplicación de criterios restrictivos —aquí sí se puede hablar de censura— a la literatura discrepante formó parte de esa experiencia que la caída del muro de Berlín puso en triste evidencia.

También las economías de mercado son escenario de ineficiencias en la producción editorial por ignorancia o desatención de la demanda. En la España actual, los servicios de publicaciones de las Administraciones públicas en todos sus niveles (central, autonómico, provincial, municipal y paraestatal) cometen abundantes pecados de despilfarro. Pero también la iniciativa privada mancha papel y derriba eucaliptos en vano.[12] Los carritos de libros saldados son una denuncia de que un editor equivocó tanto la demanda efectiva a satisfacer como las necesidades culturales que aspiraba a cubrir. Ahora bien, el editor incapaz de detectar las señales enviadas desde el mercado o de buscar un compromiso entre oferta y demanda no puede servir de coartada complaciente al editor que sólo se preocupa de maximizar sus beneficios.

En tanto que empresas mercantiles, las editoriales han sufrido durante los últimos quince años los mismos embates que el resto del mundo empresarial; desde la elevación de costes salariales y el exceso de plantilla hasta el encarecimiento y la escasez de los créditos, pasando por la descapitalización, la falta de inversión, la quiebra de clientes y la multiplicación de los impagos. Además, la entrada de España en Europa ha implicado consecuencias desfavorables para el sector: el Iva en las ventas internas, la desaparición de la desgravación fiscal a las exportaciones y la supresión del crédito circulante para las exportaciones. Los mercados tradicionales latinoamericanos no han podido ser sustituidos —por razones obvias de carácter idiomático— por otros territorios alternativos. Finalmente, las dificultades de comercialización interna de una oferta creciente (de los 17.727 títulos de 1975 a los 40.365 de 1988) a través de una red de librerías estancada han agravado todavía más los problemas de los editores.

Se pone en marcha así un círculo vicioso de efectos temibles: la demanda estancada o en retroceso obliga a reducir las tiradas de cada título; lo que a su vez encarece los costes unitarios por ejemplar; lo que a su vez implica mayores precios de tapa; lo que a su vez desanima la demanda interna. El efecto perverso de ese círculo vicioso es que la venta de *menos* ejemplares por título obliga al editor a incrementar los títulos de su oferta anual, a fin de seguir vendiendo *igual* número de ejemplares aunque sea a costa de *más* títulos. El resultado es el incremento de novedades, las menores tiradas promedio y los precios más altos. La sobreoferta de títulos se

---

12.   Buena parte de esos libros producidos a un alto coste —unos libros que muchas veces nadie quiere— duerme el sueño de los justos en los almacenes. En 1989, las ediciones institucionales representaron el 19 por 100 de los títulos inscritos en el ISBN, frente a un 16 por 100 en 1988.

añade así a su elevado precio.[13] La búsqueda de soluciones para ese estrangulamiento de la rentabilidad producido por las bajas tiradas explica el impresionante desarrollo de las *grandes superficies* (supermercados y grandes almacenes) y la correlativa orientación de un sector de la industria editorial hacia la fabricación de libros especialmente diseñados para ese nuevo canal de ventas. Las *grandes superficies*, especializadas en vender *muchos* ejemplares de *pocos* títulos, se convierten en el cliente obligado de las editoriales que no se resignen a multiplicar las novedades para compensar las bajas tiradas. Pero ese poderoso comprador termina por condicionar a sus proveedores y por imponerles el tipo de texto, de cubierta y de autor que permite vender miles de ejemplares. El cliente dicta la línea editorial al director comercial, que, a su vez, se la dicta al editor.

Había razones de fondo, así pues, para que el «momento empresarial» del mundo editorial pasara a primer plano con el fin de responder a las dificultades de la crisis económica y a la competencia de los medios audiovisuales. Ahora bien, el respeto a ese momento empresarial no tiene por qué implicar el sacrificio del «momento cultural», indisociable hasta ahora para los editores vocacionales. Las contradicciones y tensiones entre ambos polos, su interacción en un equilibrio inestable, no son sólo soportables, sino también enriquecedores; sin embargo, los cambios de los últimos años están desequilibrando seriamente los dos polos de ese binomio en claro perjuicio del libro como valor de uso, esto es, como bien cultural que se distribuye en forma de valor de cambio y de bien mercantil. El reforzamiento hasta la hipertrofia del momento empresarial de las editoriales y del carácter mercantil del libro, al convertir esos criterios en exclusivos y excluyentes, está rompiendo los delicados equilibrios del pasado.

Esa destructiva tendencia tiene dos principales manifestaciones. Por un lado, las editoriales pasan a ser consideradas de forma exclusiva como empresas cuya cuenta de resultados tendría que arrojar beneficios comparables a los que generaría ese mismo capital invertido en otras ramas de la industria o el comercio. De los balances de la industria editorial desaparecen, de esta forma, los beneficios intangibles, entendidos como plusvalías a largo plazo materia-

13.   Valgan tres datos ilustrativos al respecto. El precio medio de los libros es hoy el triple que en 1979 y el doble que en 1983; el aumento del precio medio de 1989 ha significado un aumento del 22,7 por 100 respecto a 1988; entre 1982 y 1988 la tirada promedio de los libros ha caído en un 36 por 100 (de 8.521 ejemplares a 5.454).

lizadas en el fondo de comercio o *goodwill*; y también desaparecen de la mentalidad del editor otros beneficios inmateriales: las gratificaciones de orden cultural y profesional que anteriormente interesaban a los inversores en empresas editoriales. Por otro lado, esas excluyentes exigencias las paga el libro como valor de uso o bien cultural, ya que para la nueva estrategia optimizadora sólo importa su dimensión como valor de cambio o bien mercantil. Así se produce el total doblegamiento del sector editorial ante el mercado inmediato y a corto plazo; es decir, su dedicación a la fabricación exclusiva de libros que puedan maximizar sus ventas en pocas semanas o meses. El corolario es que la demanda a medio o largo plazo queda fuera de los cálculos editoriales, pese a que sea un hecho comprobable que las grandes editoriales del pasado no se limitaban a satisfacer las demandas inmediatas, con ofertas también inmediatas, sino que también preparaban la demanda del futuro a través de una oferta diseñada para el medio y el largo plazo, capaz de prefigurar esa demanda del mañana.[14] De esta forma, al resolverse la contraposición entre valor de uso y valor de cambio (es decir, entre el libro como bien cultural y como bien mercantil) en favor del segundo término, se desequilibra otra tensión tradicional de los editores: entre la demanda a corto plazo y la demanda a medio y largo plazo. Las consecuencias para la industria cultural terminarán siendo dramáticas. Porque si un editor resuelve publicar sólo lo que puede venderse en pocos meses, terminará sin catálogo.

Para mayor desgracia, a finales de los setenta y comienzos de los ochenta se impuso la moda de las grandes colecciones de literatura, economía, historia, ciencia y pensamiento que se vendían a precios ultracompetitivos (entre 100 y 200 pesetas) en series cerradas, lanzadas por la televisión y comercializadas a través de kioscos de periódicos.[15] Los armadores de esas colecciones entraron a saco en los catálogos trabajosamente construidos por los editores españoles y latinoamericanos durante las últimas cinco

---

14. De otra manera, Fondo de Cultura nunca habría editado *Economía y sociedad*, de Max Weber, cuya primera edición duró casi veinte años en almacén; y tampoco Revista de Occidente se habría atrevido a publicar, antes de la guerra civil, *La metamorfosis*, de Kafka.

15. Obras como *Las estructuras elementales del parentesco*, de Levi Strauss, y *La sociedad abierta y sus enemigos*, de Popper, fueron vendidas en kioscos por decenas de miles de ejemplares, multiplicando por diez o por cincuenta las cifras de venta conseguidas a lo largo de años de distribución en librería.

décadas y mostraron los aciertos del «largo plazo» de esos editores. Ahora bien, el catálogo de un editor está formado por una acumulación de apuestas, hechas libro a libro, que salen bien, regular o mal, según los casos. Y es una amarga ironía que los dinámicos empresarios que descubrieron las ventajas de armar esas colecciones de kioscos, a costa de quemar en pocas semanas un patrimonio acumulado durante décadas, secuestraran en su provecho las apuestas que salieron bien y dejaran a los apostantes las que salieron mal; algo así como si un jugador de ventaja, conocedor por anticipado del resultado de un sorteo, comprase a su precio la papeleta premiada en la rifa de un jamón y dejase a los restantes e incautos jugadores con el peso muerto de las demás papeletas.

Los lanzamientos de fascículos, primero, y las operaciones de kioscos, después, enseñaron a los editores las potencialidades de la publicidad televisiva. En la misma dirección funcionaron también las espectaculares cifras de ventas logradas por algunas novelas sobre las que se basaban series televisivas que les sirvieron de publicidad gratuita. Los grandes premios literarios fabricaron igualmente el soporte adecuado para esos lanzamientos millonarios. Las enseñanzas extraídas por los empresarios metidos en el negocio editorial de todas esas experiencias fueron las enormes ventajas de trabajar sin almacén, con ventas a corto plazo y sin pesadas maquinarias comerciales.

Para un editor al antiguo estilo, la venta de libros era casi como vender arroz grano a grano y con derecho a devolución. Su *stock* era pesado y sus únicos canales eran las librerías. Pero los fascículos y la oferta de colecciones a través de kioscos y con fuerte soporte publicitario en televisión alteraron espectacularmente el panorama. Luego, la aparición de las grandes superficies favorecieron la técnica de ventas del *best-seller*, acumulado en altas pilas y sometido a una rápida rotación. Ni que decir tiene que no todo libro puede ser un *best-seller*; o para decirlo más crudamente, que el *best-seller* existe, por lo general, antes que el propio libro, en el sentido de que dicta al editor y al escritor los temas, los personajes, el estilo y la presentación de las obras. ¿Quién editará, entonces, los libros de venta media o modesta?

La mayoría de las editoriales al estilo tradicional eran empresas de servicios cuya política estaba dictada por el departamento editorial. El negocio del libro no suele tener una estructura vertical; los editores rara vez son impresores, papeleros o encuadernadores, y ni siquiera disponen siempre de departamento comercial. El departamento editorial, en sentido estricto, y los servicios de promoción y publicidad complementarios formaban así el núcleo de la empresa editorial entendida como industria cultural. Sin embargo, las modificaciones producidas durante los últimos años tienden a desplazar la toma de decisiones desde los departamentos editoriales propiamente dichos hasta los departamentos comerciales. De esta forma, los vendedores, los promotores o los publicitarios asumen cada vez en mayor medida el peso de la política editorial. Las competencias del departamento editorial se limitan a la preparación de manuscritos, cuando reciben luz verde del auténtico centro de decisión. Y los autores quedan relegados al papel de proveedores, casi en pie de igualdad con impresores y papeleros.[16]

Esta contraposición entre «departamento editorial» y «departamento comercial» no hace sino reproducir, al nivel de la toma de decisiones, la contraposición entre el libro como valor de uso y como valor de cambio, como bien cultural o como bien mercantil. Ciertamente, resulta razonable que los departamentos comerciales sean consultados para la adopción de decisiones referidas a nuevas colecciones, presentación de series o formas de distribución. Pero sería absurdo descargar sobre los vendedores la responsabilidad de decidir la publicación de un nuevo autor o de una nueva materia de los que no existen precedentes en el mercado que permitan sondear su demanda potencial. ¿Quién sabía en España lo que significaba el psicoanálisis o quién era Freud cuando Ortega y Gasset recomendó a Biblioteca Nueva su traducción? ¿Qué haría el departamento comercial de una editorial si tuviese que asumir ahora la responsabilidad de publicar las obras de un desconocido médico vienés que pretendiera haber descubierto una nueva vía de acceso a la mente humana?

No es fácil, desde luego, definir lo que es un editor en el sentido estricto del término. Dado que los contratos de autor tienen fecha de vencimiento, y dado también que la demanda es caprichosa y cambia de signo sin avisar, una editorial es casi como humo encerrado dentro de una botella; no sólo puede perder sus mejores autores, por denuncias de contratos, sino que además su oferta puede dejar de interesar al mercado. Pero las dificultades casi invencibles para

16. Sería interesante analizar a fondo las repercusiones de la figura del «agente literario» sobre las relaciones de los autores con los editores. De un lado, la relación personal entre el autor y el editor queda cortada por un intermediario que aplica a la venta de los derechos los mismos criterios mercantiles que a cualquier otro elemento del libro. De otro, la política de elevados anticipos impone altas tiradas a los editores, que entregan, a su vez, a los departamentos comerciales y de publicidad la responsabilidad de asumir ese compromiso.

establecer esa definición no impiden llegar al acuerdo de que, en cualquier caso, una editorial es algo más que su cifra de ventas, que sus *best-sellers* y que sus beneficios. Aunque el editor debe conocer las orientaciones y las exigencias del mercado, no tiene por qué someterse a ciegas a sus dictados: por así decirlo, no debe acomodar mecánicamente su oferta cultural a la demanda existente, sino que ha de tratar de crear con su oferta de hoy la demanda del futuro.

El análisis *micro* de las transformaciones del mundo editorial (la hipertrofia de sus aspectos propiamente empresariales orientados hacia la optimización de los beneficios, la burocratización de sus estructuras y el predominio de sus departamentos de ventas, *marketing* y publicidad) puede ser completado por otro enfoque *macro*, orientado al estudio del vertiginoso proceso de fusión y concentración editorial producido en los últimos años. Esa deriva hacia la concentración ha sido en ocasiones acompañada o precedida por la adquisición de los grupos editoriales por empresas extranjeras.[17] Seguramente, se trata de una tendencia dictada por la búsqueda de economías de escala y de eficiencia. Hay razones para temer, sin embargo, que una concentración editorial excesiva terminase por crear un oligopolio de la oferta y por asfixiar la creatividad editorial, con la negativa consecuencia de una uniformación de los estilos y de una subordinación a los departamentos comerciales. En el caso de la adquisición de editoriales españolas por grupos extranjeros, existe ciertamente el peligro de exagerar los reflejos nacionalistas o de caer en la demagógica denuncia de un supuesto colonialismo cultural; ahora bien, el desplazamiento de los centros de decisión de nuestra industria editorial más allá de nuestras fronteras tampoco está exento de riesgos.

Las conclusiones no son optimistas para quienes simpaticen poco con la idea de que un libro sólo se debería publicar para maximizar la cifra de ventas o que una editorial no debiera tener otra meta que la optimización de sus beneficios. Existe también el riesgo de que el tejido editorial español pudiera romperse o deteriorarse como con-

17. En 1989 el 5 por 100 de los operadores editoriales (empresas) pusieron en el mercado el 53 por 100 de la oferta (20.398 títulos). Valgan como ejemplo de la adquisición de grandes editoriales españolas por editoriales extranjeras los casos de Plaza, Grijalbo, Salvat y Alhambra. En el ámbito nacional, Ariel, Seix Barral, Tecnos, Aguilar, Alfaguara, Alianza o Destino, integradas ahora en grandes grupos, fueron en su día editoriales independientes.

secuencia de una hipertrofia mercantil que llevase en su último extremo a producir tan sólo libros que pudieran ser absorbidos en breve plazo por la demanda actualmente existente y en cifras tales que justificaran la pretensión de transformarlos en *best-sellers*. Ahora bien, la cultura de un país es una formación geológica de estratos superpuestos a lo largo de los años; sería una frivolidad que la moda llevase a la desaparición de editoriales no orientadas exclusivamente hacia la optimización de los beneficios. Al tiempo, suenan a falso las voces que siempre anuncian el fin del mundo cuando algunos aspectos de la modernidad lesionan los intereses del profeta o defraudan sus expectativas. Es probable que las tendencias antes señaladas, lejos de ser irreversibles y voraces, queden frenadas por otras corrientes de signo contrario más acordes con los equilibrios tradicionales del libro. La mejor prueba de que nada está perdido es que en España siguen funcionando, pese a todo, excelentes editoriales, creadas muchas de ellas en las postrimerías del franquismo o en la democracia y que logran mantener con éxito esa deseable tensión del libro como mercancía y como bien cultural.

FRANCISCO RICO

DE HOY PARA MAÑANA: LA LITERATURA DE LA LIBERTAD

La desaparición de la censura se deja posiblemente entender como el síntoma más locuaz de la nueva literatura española. El progresivo desmantelamiento de las foscas covachuelas del Ministerio de Información ocurrió casi al tiempo que la consunción de sus enemigos más enconados: la literatura comprometida y las ideologías clásicas de la izquierda. Era en todos los casos la culminación de un proceso de desmoronamiento interno, no menos biológico que el otoño y la muerte del patriarca. El marco previo del régimen

Francisco Rico, «De hoy para mañana: la literatura de la libertad», *El País*, 9 de octubre de 1991.

franquista y las inercias de la oposición retrasaron ligeramente los fenómenos en cuestión y les dieron matices singulares respecto a otros países. Pero nos las habemos siempre, claro está, con los aires de la asendereada posmodernidad.

Porque son gajes posmodernos, tampoco podían ser sino negativos. La palabra y la noción de *posmodernidad* suscitan cierta duda sólo mientras *postmodernism* se calca, pero no se traduce al castellano. El *modernism* de norteamericanos e ingleses es simplemente el espíritu que alentó a las *vanguardias*, a los *ismos*, coletazos postreros del romanticismo para renovar a toda costa la literatura y las artes con el propósito de agredir a la sociedad burguesa. Por definición, pues, la *posmodernidad* es el rechazo de los dogmas de las vanguardias, sin la propuesta de otros equivalentes. (Por eso, *posmodernidad* parece designación preferible a *posmodernismo*, cuyo mismo regusto normativo lo convierte en un *ismo* más, en otra fase de las vanguardias. *Posmodernidad* describe; se diría que *posmodernismo* prescribe. Sólo al segundo hay que temerle.)

Es lícito interpretar la agonía de las vanguardias como un episodio más del famoso crepúsculo de las ideologías (según era en un principio, cuando el radicalismo artístico fue a la escuela del político). En cualquier caso, el penoso recorte o feliz desplume de las alas extremas del pensamiento de izquierdas, con sus anejos de *Realpolitik* y de «to er mundo é güeno», ha estado en España particularmente ligado a los avatares de la posmodernidad, porque la literatura social y el compromiso del escritor, cultivados con admirable tenacidad en tanto ilusión de 'resistencia', se prolongaron anormalmente entre nosotros como penúltima etapa de la vanguardia que también habían sido a orillas de otros ríos.

La última, siempre contra la anterior, fue un 'experimentalismo' de laboratorio, puro *ismo* sin horizontes, menos unido al continente de la voluntad de expresión que a la península de la teoría, y en concreto a las 'ciencias humanas' que por entonces se aclimataban en nuestras facultades de letras: el estructuralismo, la semiología, una cierta antropología... El experimentalismo, que convivió con experimentos y tanteos harto mejor encarrilados hacia el porvenir, trataba de hacer verdad, aplicándolas a la letra, las recetas de la crítica del día y practicó con esfuerzo la 'novela estructural' y la 'lírica del lenguaje' (*sic*), en un terco empeño en pos de la 'metaficción', la 'metapoesía', el 'metateatro'. Pocos rozaron tales objetivos (no nos encarnicemos en el retruécano), y el formalismo y el teoricismo experimentalistas fueron apagándose entre bostezos.

Tenía que llegar y llegó: sin censuras a diestra ni a siniestra, sin el espejismo de cambiar el mundo con armas de papel, sin la obsesión de mirarse el ombligo *tel qu'en lui même*, a la literatura española de la democracia se le vino a las manos una libertad como en siglos no había conocido.

El notorio sabor escolar del experimentalismo nos devuelve a una de las razones del declive de las vanguardias. Los *ismos* habían promulgado demasiadas leyes, impuesto demasiadas constricciones en nombre de la libertad, como para que no acabara por hacerse sentir la nostalgia de la libertad. La novedad se destruía a sí misma en el vértigo del cambio y las fuerzas se agotaban en radicalismos verbales y excesos de artificiosidad. Pero, por encima de todo, a partir de un cierto momento, la agresión vanguardista contra la cultura establecida se había hecho imposible porque la vanguardia era ya cultura establecida: en la Universidad, en las instituciones, en los medios de masas, en los salones de la clase media medianamente ilustrada. Los lemas de la vieja revolución habían pasado a ser del nuevo capitalismo, convertidos en anuncio por palabras en las ofertas de empleo: «Firma de *vanguardia* busca director comercial *agresivo*, con *imaginación, creatividad* y capacidad de *innovación*. Condiciones acordes con nuestra *cultura* empresarial».

Por ahí, la cultura de vanguardia y otras culturas, empresariales o no, en estado más o menos gaseoso, comenzaron a llenar algunos de los huecos que había dejado la liquidación de las ideologías. Los sociólogos se han despachado a gusto sobre el modo en que los ideales colectivos, que un tiempo habían ocupado una parte destacada en la cotidianidad de muchos, iban ahora quedando olvidados, mientras los ciudadanos se concentraban con creciente exclusivismo en los intereses particulares, en el ocio, en la vida privada.

A nosotros nos basta con tomar nota de que hacia el otoño de 1975, y con más decisión según se fue respirando con más desahogo, también aquí la ideología empezó a ser sustituida como marihuana del pueblo no sólo por el deporte, los viajes y la buena mesa, sino además por las exposiciones, los bellos libros, la ópera, los conciertos... Por el atractivo escaparate, en suma, de una oferta cultural tan variopinta como es viable cuando la riqueza y las conveniencias del mercado se unen a la falta de criterios estéticos tajantes y a la destrucción de la secuencia y la ordenación tradicionales en la percepción de los cambios artísticos. (No quiero darle a este esbozo ningún toque anecdótico entrando en el asunto de la utilización de esa droga blanda por parte del poder, y especialmente de los poderes regionales, en la España de la Constitución.)

Así las cosas, si no las masas desmovilizadas, sí amplias capas de los beneficiarios de una educación ahora más extendida y de los damnificados por el desplome de las ideologías prometían ser los consumidores de elección para las literaturas de la posmodernidad. Tanto más, cuanto que los editores estaban descubriendo las posibilidades de someter el libro a los mismos planteamientos comerciales que cualquier otro producto y renovaban las técnicas de producción, los departamentos de promoción y las estrategias de *marketing*.

Pero esas amplias capas podían ser asimismo lo que ni vanguardistas ni comprometidos ni experimentales habían tenido nunca: lectores, y no únicamente cómplices. No es exageración excesiva decir que en 1970 España criaba una literatura sin público. Ganárselo, unos años después, había de parecer una empresa fascinante también *literariamente* para un escritor digno del nombre.

Por más que enunciados a vuelapluma, pienso que esos son los antecedentes inmediatos y los factores externos más significativos para comprender a grandes trazos la nueva literatura española. Al esbozárselos, atiendo fundamentalmente a la obra que ha publicado y al sentido en que ha evolucionado en los tres últimos lustros un crecido número de poetas y novelistas que en general andan entre los treinta y los cincuenta años y, con escasas excepciones, nada habían impreso bajo la estaca de Franco. He tomado además particularmente en cuenta el hecho de que las actitudes y preferencias de esos escritores hayan ido siendo compartidas cada vez más resueltamente por otros que sí contaban con una trayectoria anterior, y a menudo de sesgo no poco diverso. Ese es mi horizonte cuando hablo de «nueva literatura española».

Por supuesto, en el período en cuestión han continuado difundiendo libros de indiscutible mérito muchos autores cuya carrera había comenzado tiempo atrás y ha mantenido los supuestos de que partió; otros textos de importancia tampoco entran en mis coordenadas. ¿Tendré que subrayar que no he podido ser neutral? Ante un panorama poético y narrativo cuya primera nota es la multiplicidad propia del eclecticismo posmoderno, y tratándose, como se trataba, de ir algo más allá de esa mera constatación, para apuntar un par de orientaciones recientes que hayan producido ya abundantes logros y parezcan particularmente llamadas a seguir produciéndolos en el mañana a la vista, no me cabían sino dos opciones: la parcialidad o el catálogo.

En cualquier caso, la perspectiva que hasta aquí hemos conseguido debiera dejar claros los rasgos que se me antojan sobresalientes en la nueva literatura española. La supresión de la censura es sólo un síntoma de la desaparición de constricciones —políticas, ideológicas, de escuela— que la ha puesto bajo el signo de la libertad. Frente al prescriptivismo de las vanguardias, la ausencia de normas estéticas dominantes entroniza ahora el patrón individual como única medida en la creación y en la recepción (y así, a falta de adictos convencidos de antemano, el escritor ha de seducir a los lectores uno a uno). Frente al compromiso social, la parte del león se la lleva el ámbito de la intimidad; frente a los relumbrones del experimentalismo, se renuncia a la ostentación de la forma y de la literariedad. El general repliegue de la sociedad hacia la vida privada concuerda con esos planteamientos, y el mercado los apoya y los aprovecha. En pocas palabras: la nueva literatura española es más personal y menos literaria. O, si se quiere, más significativamente personal y menos convencionalmente literaria.

No escandalizará que intente discurrir a un tiempo sobre poesía y novela, si se repara en que las dos se han acercado de manera patente, no ya porque quienes cultivan tanto la una como la otra sean hoy, con mucho, más numerosos que medio siglo atrás, sino porque las concesiones mutuas que ambas se han hecho ilustran justamente aspectos mayores de la nueva literatura: los poemas ganan sustancia narrativa, cotidianidad, lenguaje coloquial, humor, en tanto las novelas crecen en intimidad, afectos, rumbos meditativos, poder de convicción individual.

Donde más a gusto se mueven los nuevos autores, en efecto, es en ese dominio en que el individuo, en entornos familiares, en especial de la ciudad, es sólo él mismo y está solo consigo mismo, por determinantes que sean las circunstancias externas (que no se desatienden en absoluto); ese dominio en que los datos y los factores objetivos se hacen incertidumbres, problemas, sentimientos, obsesiones, fantasías estrictamente personales, y el mundo consiste en la huella que las cosas dejan en el espíritu. No se nos muestra simplemente cómo y por qué anda un individuo en tales o cuales vericuetos, sino sobre todo qué quiere decir para él encontrarse ahí.

No se trata, sin embargo, de dar rienda suelta a los subjetivismos a ultranza (en poesía es corriente el monólogo dramático, en novela no priva ni mucho menos el tipo de efusión con inevitable regusto autobiográfico), ni tampoco de embarcarse en la introspección ni en las grandes travesías psicológicas, sino de privilegiar ese momento y ese lugar en que la realidad y los otros suscitan por fuerza una respuesta personal e intransferible, cuando está en juego el significado particular, para cada uno, de situaciones y experiencias que no tienen por qué ser particulares.

Al propósito, es elemental no confundir los temas y los argumentos. En los repasos a la narrativa de los últimos años son indispensables las clasificaciones de apariencia temática: novelas históricas, rurales, urbanas y cosmopolitas, de profesiones y de ambientes, policiacas, de aventuras, de intriga... No nos equivoquemos: esas taxonomías suelen responder más bien a los argumentos, muchas veces contados, por cierto, con un oficio y una fluidez admirables. (Pero tampoco aquí nos engañemos, fluidez no es ligereza: la procesión va por dentro.) El tema, sin embargo, no reside ahí. Un *thriller* procuraba ayer sorprendernos con un culpable inesperado; hoy, quizá sin perder en *suspense*, es fácil que la culpabilidad que cuenta sea del detective. Posiblemente, además, esté interrogándonos con una versión individualizada, sin pretensiones de generalidad, de alguna de las cuestiones eternamente pendientes de la condición humana: soledad, amor, destino, dolor, esperanza... Tras el andamiaje argumental, pues, el núcleo del tema tiende a hallarse en la conciencia que filtra contextos, peripecias, testimonios, y resuelve en experiencia personal las grandes abstracciones.

La piedra de toque para tildar de 'menos literaria' a la nueva literatura española está en la tradición de las vanguardias (cuya herencia en descomposición ha hecho propia el bando menos articulado de la crítica). El escritor había lucido la marca de *maldito* extremando la literariedad convenida, la 'pureza' de la obra lanzada contra una sociedad en teoría hostil, la comprensible indiferencia de cuya respuesta lo empujaba a fijarse metas día a día más radicales, a avanzar por el callejón sin salida de la novedad a cualquier precio o a encerrarse todavía más en el laberinto de la autorreferencialidad.

La nueva literatura —es dato esencial— no se siente acosada por los fantasmas de la originalidad y la innovación continua, ni se propone llamar la atención sobre sí misma en tanto tal literatura. En especial, no intenta darle al lenguaje brillos superficiales, sacrificando al ídolo de la verbalidad: le contenta más la templanza expresiva, una diafanidad discretamente coloreada por el sentimiento. El tono del discurso, sin dar necesariamente en la confidencia o en la confesión ni insistir en el coloquialismo, es con notoria frecuencia el de un diálogo personal, con los matices y los condicionantes (reales o ficticios) del individuo que habla a otro y toma en cuenta la singularidad del interlocutor, con libertad, pero sin intención de apabullarlo, concediéndole incluso la sobria dignidad de un estilo. Un género de discurso, así, que por imposible en el terreno público y cada día más raro en el privado está quedando, por paradoja, poco menos que reservado a la literatura, y es en ella una notable fuente de placer para el lector hastiado de los planos discursos de la realidad.

No quiero dar a entender que se ignore ni se desdeñe la literatura. Al revés. Por lo mismo que la posmodernidad se niega a aceptar preceptivas, es más libre de picotear acá y allá, y lo hace con largueza, para quedarse con cuanto le parece de valor en las distintas tradiciones, vanguardias incluidas.

Los poetas lo han concretado, en primer término, en un espectacular retorno a las formas y estrofas clásicas. Los narradores les han perdido el miedo a los patrones del género (más, sin embargo, a retazos que en conjuntos). En prosa y en verso se han prodigado además las citas y los préstamos, las alusiones y los ecos. (Los recién llegados a la literatura se llenan la boca de *intertextualidad*, palabra indigna de una persona educada.) A diferencia de antaño, sin embargo, esas transparencias de unas obras en otras no son marcas de literariedad ni contraseñas para iniciados. Tampoco me parecen tan frecuentemente paródicas como en ocasiones se afirma. Yo las veo más a menudo como homenajes y testimonios de distancia en relación con los maestros, precisamente porque los nuevos autores utilizan sugerencias suyas, pero no respetan el sentido primitivo de los materiales aprovechados, ni menos el sistema literario que originalmente los ordenaba.

De hecho, si un rasgo hay de prominencia manifiesta, es precisamente la disociación de las formas y los contenidos tradicionales. Decía antes que los moldes de los géneros narrativos están ahora disponibles a conveniencia y los esquemas argumentales consagrados pueden encauzar temas muy distintos. Valga añadir sólo que nunca el repertorio métrico había prefijado menos el talante y la visión del mundo que comunica el poema.

El punto de convergencia de todas las direcciones entrevistas está verosímilmente en una recuperación de la pertinencia personal de la escritura y la lectura, gracias al retorno a los universales de la literatura, frente a las precarias modas de la literariedad. El encanto de un relato ¿dónde va a residir mejor que en el tirón de la trama y en el interés de los personajes, en el juego de implicación y distancia, de ver uno la ficción y verse viéndola? ¿Qué habrá de apreciarse en poesía por encima de ese peculiar ajuste de la emoción y la dicción que mantiene unos versos irreductibles en la memoria? Pues las armas de siempre vuelven a esgrimirse ahora sin rubores, por voluntad libérrima del escritor y para conquistar al lector, no tras penosos rodeos, haciéndole pasar antes por la adhesión a unas consignas estéticas o ideológicas, sino directamente por la fuerza del texto, con el disfrute personal de quien se siente a gusto con unas páginas que en última instancia han de decirle: *De te fabula narratur*, aquí se habla de ti. Creo que así han hablado y apuesto por que así sigan hablando largos años las páginas más frescas y más valiosas de la nueva literatura española.

2. LA POESÍA

JOSÉ LUIS GARCÍA MARTÍN

En cualquier período de la historia literaria son muy diversas las promociones en activo. Durante los quince años a los que se refiere esta crónica, han publicado libros desde autores de la generación del 27 (uno de los mayores, Rafael Alberti, todavía sigue escribiendo en la actualidad) hasta poetas nacidos a finales de los sesenta: Lorenzo Oliván, Javier Almuzara, Esther Morillas ... Los críticos han solido subrayar «el hecho infrecuente de la coexistencia en el plano creativo de cinco generaciones de poetas» (Duque Amusco [1991]), aunque siempre se haya dado la coexistencia de varias.

En los suplementos 7/1 y 8/1 de *HCLE* se estudiará la obra realizada durante los últimos años por poetas como Jorge Guillén y Gerardo Diego, Luis Rosales y Gabriel Celaya, Ángel González y Francisco Brines. Limitaremos nuestra crónica a aquellos escritores que se dieron a conocer después de 1975, aunque haremos también una breve referencia a la trayectoria de los poetas coetáneos que, por ser más precoces a la hora de publicar sus primeros libros, ya eran conocidos antes de esa fecha.

La bibliografía recoge las antologías, generales o regionales, que incluyen autores que comenzaron a publicar con posterioridad a 1975, además de estudios y artículos de carácter general. Se prescinde de la bibliografía específica sobre cada poeta cuando se trata de las reseñas periodísticas de sus libros, pero no cuando nos encontramos con publicaciones exentas o con algún interés especial (como Ors [1989], que ofrece un útil compendio bibliográfico). En el apéndice final, se contiene una amplia selección de los poetas nacidos después de 1939 y que publicaron su primer libro a partir de 1975 (el lector debe disculpar las inevitables e involuntarias ausencias).

Pertenecientes a dos generaciones literarias (la de los nacidos entre 1939-1953 y 1954-1968, según la clasificación más extendida), estos poetas tienen bastantes rasgos en común. A mediados de los setenta comienza a producirse un cambio de estética que afectará a todas las generaciones en activo, pero especialmente a las más jóvenes. Se manifiesta por entonces un declive de la que podríamos llamar estética «novísima», centrada en la experimentación y en el artificio verbal, en el irracionalismo y en el barroquismo expresivo. No quiere ello decir que no sigan surgiendo poetas que escriben en esa línea, pero poco a poco va resultando más evidente su carácter epigonal: dejan de ser los que marcan el tono de la época.

Intimismo, neorromanticismo, recuperación de la anécdota, lenguaje coloquial, gusto por contar historias en el poema, por hacer hablar a distintos personajes (abunda el «monólogo dramático»), preferencia por los procedimientos retóricos «invisibles» (los que parecen no existir), amplio uso de la ironía y la parodia, alternancia de estrofas tradicionales con el verso libre, preferencia por el marco urbano para situar los poemas son algunos de los rasgos que los críticos han ido señalando como característicos de la poesía última.

Hay que tener en cuenta que esos rasgos, que se dan, por otra parte, en poetas muy diversos, han encontrado desde el principio no escasa oposición: los llamados «poetas del silencio», los neosurrealistas apoyados en el éxito de Blanca Andreu, los discípulos de Celan y Gamoneda reunidos en torno a la revista vallisoletana *Un ángel más*, etc. La tendencia predominante ha sido, sin embargo, muy otra. De ahí la boga actual de la generación del cincuenta en la que se encuentran buena parte de esas mismas características (curiosamente los poetas del cincuenta que más trataron de aproximarse a los novísimos —el Caballero Bonald de *Descrédito del héroe*, por ejemplo—, son ahora los que tienen menor predicamento). También poetas de generaciones anteriores, a los que en gran medida había alcanzado la crisis de la poesía social, como José Hierro, vuelven a encontrar la atención de críticos y lectores en los ochenta.

GUÍA BIBLIOGRÁFICA. Para orientarse en el bosque de la poesía actual, las antologías siguen siendo el camino más recomendable, aunque la proliferación de los últimos años les ha restado gran parte de su utilidad.

La nueva estructura autonómica del Estado español ha propiciado la aparición de recopilaciones regionales, que ahora abundan más que en ninguna otra época. Bastantes de esas antologías, sin embargo, tienen poco de antologías y mucho de acrítico centón. Pero tampoco faltan las que resultan de utilidad. *Poesía andaluza de hoy*, de Barroso [1991], cuenta con un buen estudio preliminar y con una atinada bibliografía; la mayor parte de los poetas seleccionados resulta imprescindible en cualquier antología de la poesía española.

Aunque limitada a una provincia, *Antología de la joven poesía granadina*, de Gallego Roca [1990], incluye a algunos de los nombres mejor considerados por la crítica de la generación última; cuenta con un bien informado estudio preliminar, bibliografía específica de cada uno de los antologados y la reproducción de algunas de las reseñas que les fueron dedicadas.

La poesía más joven, de Bejarano [1991], dedicada asimismo a la poesía andaluza, vale sobre todo por los nuevos nombres que descubre, algunos de ellos todavía inéditos en libro en el momento de la selección. Las antologías de carácter general, lo mismo que las regionales, poseen muy desigual valor. *Las voces y los ecos*, de García Martín [1980], además de señalar los nuevos rumbos que tomaban los poetas del' setenta tras el abandono de la estética novísima, ocupa buena parte de su prólogo con una cuestión que parece preocupar especialmente a los estudiosos de la poesía española contemporánea: la clasificación generacional de los poetas, a la que casi todos suelen negar cualquier valor, pero que todos utilizan en mayor o menor medida.

El mérito de *Poetas de los 70*, de Palomero [1987], consiste en ofrecernos un panorama de la generación del setenta que no se limita al núcleo novísimo y a las asimilaciones posteriores. Enriquece el volumen una minuciosa nómina de poetas nacidos entre 1939 y 1953. La bibliografía, algo caótica, y el confuso estudio preliminar resultan de menor interés.

Tres antologías, ninguna de ellas con pretensiones de exhaustividad, presentan a la generación siguiente: *Postnovísimos*, Villena [1986], con un interesante estudio previo del antólogo, uno de los poetas de la generación anterior más atentos a la poesía joven; *La generación de los ochenta*, de García Martín [1988 *b*], que incluye abundante bibliografía general y específica sobre cada uno de los autores seleccionados; *Poetas de los 90*, de Piquero [1991], donde se seleccionan poetas nacidos con posterioridad a 1963, y que es la antología más decididamente programática (el prólogo tiene mucho de manifiesto generacional).

Las diosas blancas, de Buenaventura [1985], es una recopilación antológica que contribuyó a poner de moda la poesía escrita por mujeres. Wilcox [1991] y Ugalde [1991 *a*] estudian sumariamente la obra de varias poetisas aparecidas en la última década: Amparo Amorós, Blanca Andreu, Luisa Castro, Almudena Guzmán, Ana Rossetti, Juana Castro y Andrea Luca. Ugalde [1991 *b*] dialoga con esas escritoras (salvo Almudena Guzmán) y con María Victoria Atencia, María del Valle Rubio Monge, Pureza Canelo, Rosa Romojaro, Fanny Rubio, María del Carmen Pallarés, María Sanz, Carmen Borja y Amalia Iglesias; una breve selección de poemas de cada una de ellas completa las entrevistas.

Barella [1987] antologa a los poetas que escriben en castellano junto a otros que lo hacen en catalán, vasco o gallego para poner de relieve las coincidencias estéticas a pesar de las diferencias lingüísticas. La poesía experimental española es estudiada y antologada por Sarmiento [1990], que puede complementarse con Lanz [1991 *c*].

Aparte de los prólogos a las diversas antologías, son escasos los trabajos de conjunto sobre la última poesía española, y presentan el inconveniente además de estar escritos en su mayoría por poetas doblados de críticos, lo que les suele restar objetividad, al ser sus autores jueces y parte en los fenómenos estudiados. Marco [1975-1979], Rubio [1981], Colinas [1988] y Navarro [1989] han ido ofreciendo panoramas anuales, más informativos que críticos, de las publicaciones poéticas. Una labor semejante la realiza más recientemente Lanz [1990, 1991 *a* y 1991 *b*]. García de la Concha y Sánchez Zamarreño [1987] se ocuparon de la década 1976-1986; enfoque distinto de similar período ofrecen Jiménez Martos [1985] y Alfaro [1987].

Los manuales sobre literatura contemporánea apenas si se refieren, por obvias razones cronológicas, al período que estamos estudiando. Merece, sin embargo, tenerse en cuenta el tomo que Sanz Villanueva [1984] dedica a la literatura actual.

El artículo de Siles [1991 *a*], que tiene algo de palinodia respecto de anteriores posturas suyas (véanse sus respuestas a la encuesta incluida en Colinas *et al.* [1984]), trata de ofrecer un análisis de los rasgos estructurales de la última poesía española y de determinar en qué radica su contraposición con la estética novísima. Una versión ligeramente distinta del mismo estudio encontramos en Siles [1991 *b*].

Linares [1991] se detiene especialmente en lo que podríamos denominar la sociología literaria del período: premios, colecciones, suplementos literarios, grupos; García Román [1991] recoge las opiniones de poetas, editores, críticos, libreros y distribuidores sobre la situación actual de la edición de libros de poesía.

LA GENERACIÓN DE LOS SETENTA. En la segunda mitad de los años sesenta comienza a hacer acto de presencia una nueva generación poética que capitaliza el cansancio del realismo que se hacía sentir claramente en los escritores más lúcidos desde mediados de la década anterior. El encarnar una estética rompedora y el que varios de sus componentes fueran de una insólita precocidad —es el caso de Gimferrer o el de Carnero, por citar los ejemplos más significativos— hizo que esta generación se perfilara muy nítidamente desde sus comienzos para críticos y lectores.

Dos antologías, aparecidas ambas en 1970, *Nueve novísimos*, de José María Castellet, y *Nueva poesía española*, de Enrique Martín Pardo, complementadas con otra que se publica al año siguiente, *Espejo del amor y de la muerte*, determinan la más prestigiosa nómina generacional y las que serán, en este primer momento, sus características básicas: esteticismo, culturalismo, recuperación de las vanguardias.

La antología *Joven poesía española* (1979), de Concepción G. Moral y Rosa María Pereda, incluida a finales de la década en una colección de clásicos, supone de algún modo la consagración de este estado de cosas, la oficialización de la ruptura. Pero por entonces el clima estético comenzaba a ser otro: de una parte, los propios «novísimos» (nombre que, de aplicarse a los antologados por Castellet, pasó a referirse al resto de los poetas jóvenes de similar estética y, en algunos casos, a toda la generación) comenzaban a mostrar un cierto cansancio por los radicalismos expresivos de la primera hora; de otra, nuevos poetas —estrictamente coetáneos, aunque de menor precocidad— comenzaban a publicar sus primeros libros, bastante ajenos a los llamativos modos que por esos años se habían convertido en una fórmula en manos de epígonos.

La recuperación de nombres que habían comenzado a publicar ya en los sesenta, pero que fueron oscurecidos por el ruido y la furia de los novísimos, es otro de los factores que llevan a la necesidad de replantearse la configuración generacional. El cambio de estética comienza a hacerse patente en la antología *Las voces y los ecos* (1980), con el deliberado tono menor y la ausencia de llamativa ruptura en la mayoría de los antologados. El intento de completar la nómina generacional con nombres como los de Juan Luis Panero, Clara Janés o Antonio Carvajal es el rasgo más característico de *Poetas de los 70* (1987), el más extenso de los recuentos antológicos publicados hasta la fecha sobre estos poetas (del que, sin embargo, faltan nombres imprescindibles).

LA PRIMERA PROMOCIÓN: TRAYECTORIA DE LOS NOVÍSIMOS DESPUÉS DE 1975. A partir de 1975, buena parte de los novísimos «históricos» (los incluidos en las antologías de Castellet y Martín Pardo, fundamentalmente) inician rumbos personales que sólo tienen en común el rechazo de las estridencias vanguardistas, del exhibicionismo culturalista, una vuelta —matizada, según los casos— al intimismo y a la contención clásica.

Quedan parcialmente al margen de esa evolución Pere Gimferrer y Guillermo Carnero. Gimferrer, el abanderado de la nueva generación, da por concluida su labor poética en castellano con la publicación del volumen *Poemas 1963-1969* (1969), en el que se incluyen sus tres títulos principales: *Arde el mar* (1966), lleno de guiños culturalistas, de referencias que pronto se convertirían en moda pero que entonces resultaban insólitas y deslumbraron, por su brillantez expresiva, a toda una generación; *La muerte en Beverly Hills* (1967), un libro cuyo tema es «la nostalgia y la indefensa necesidad de amor», según señala el propio Gimferrer, enmascarándose la «historia íntima» con elementos del cine norteamericano «de los años dorados»; *Extraña fruta* (1969), donde alternan los homenajes, la metapoesía, el experimentalismo de tonos y modos que luego se desarrollará ampliamente en la etapa catalana. Una reciente reedición de la poesía castellana completa, ahora con el título de *Poemas 1962-1969* (1988), ha rescatado abundantes textos antiguos, entre ellos un libro completo, *Mensaje del Tetrarca* (1963). Se trata de poemas que, en algunos casos, no desdicen de los ya conocidos, pero que tampoco modifican el valor de la poesía en castellano de Pere Gimferrer.

Guillermo Carnero cierra una etapa de su trayectoria poética en 1975. En los quince años siguientes sólo publicaría los tres poemas inéditos que cierran *Ensayo de una teoría de la visión* (1979), recopilación de su obra completa, y algún otro inédito disperso en revistas o entregas menores. Con la aparición de *Divisibilidad indefinida* (1990) concluye ese prolongado período de silencio. Su labor inicial, muy influyente en su momento, abarca desde el culturalismo de *Dibujo de la muerte* (1967) hasta la parodia del lenguaje filosófico de *El azar objetivo* (1975), pasando por la metapoesía de *El sueño de Escipión* (1971) y *Variaciones y figuras sobre un tema de La Bruyère* (1974).

Continúa Carnero en *Divisibilidad indefinida* fiel a sus obsesiones estéticas (todos sus libros deben ser considerados como un único libro, ha declarado alguna vez), poniendo de relieve en estos nuevos versos «el fasto y la mentira del discurso», la incapacidad del arte para reflejar «la mezclada gloria / de vacuidad, de encanto y de vileza / que por imprecisión llamamos vida».

El tono de *Divisibilidad indefinida* contrasta con la narratividad, el humor y el coloquialismo habituales hoy en la poesía más joven, que ha crecido bajo el magisterio de los poetas del cincuenta y de espaldas a los novísimos. Incluso la vuelta al estrofismo clásico —la mayoría de los poemas del libro son sonetos—, tan característica de buena parte de la generación de los ochenta, tiene en Carnero un sentido distinto; falta al empaque barroco de sus sonetos el toque irónico que caracteriza, por ejemplo, a los de Luis Alberto de Cuenca o Jon Juaristi.

Considera Guillermo Carnero, tan alérgico a lo confesional y a cualquier forma de patetismo, al arte poético (a toda actividad artística) como a una fría, elegante y abstracta suplantación de la vida. El eco que de ella creemos encontrar en los versos no es sino —según puede leerse en el terceto final de «Reloj de autómatas»— «el latir de los flejes y espirales, / el calor de los jaspes y metales, / el consuelo del plano y de la esfera». Detrás de la apariencia de vida del verso asomará siempre, al menos en la poesía de Carnero, el complicado mecanismo de relojería que la hace posible.

El cambio de rumbo viene marcado en Antonio Martínez Sarrión por el libro inédito que da título a la recopilación de su poesía completa, *El centro inaccesible*. Las fechas en que se han escrito esos nuevos poemas, 1975-1980, según se nos indica, no dejan de ser significativas. Frente a la acumulación de imágenes y al caos sintáctico de la más hermética poesía anterior, ahora —para decirlo con palabras de Jenaro Talens, prologuista del volumen— «el léxico se adelgaza, voluntariamente empobrecido, la anécdota queda minimizada y el discurso semeja buscar reducirse a un dispositivo mínimo capaz de sugerir lo que, de cualquier forma, le está vedado expresar» (Talens [1981], p. 33).

Algunas de estas características podrían aplicarse igualmente a *Horizonte desde la rada* (1983), su siguiente entrega, salvo en lo que se refiere al empobrecimiento del léxico, de una gran precisión y variedad de registros. Humor y lirismo, ironía y ternura se entrecruzan en un libro que recuerda unas veces a la poesía de la experiencia de la generación anterior (el corte entre novísimos y poetas del cincuenta, que parecía tan radical, se ha ido difuminando con el tiempo) y otras al ludismo postista, ya presente en Sarrión desde su primer título, *Teatro de operaciones* (1967).

De acedía (1986) sigue dando expresión al mismo escepticismo y a idéntica desengañada visión del mundo que los libros anteriores de su autor. La poesía —según leemos en el poema final, «Otra poética improbable»— no se concibe ni como «un arma cargada de futuro» (según la conocida fórmula de Celaya) ni como «una estólida tienda de abalorios» (definición que podría aplicarse a la inicial reacción novísima), sino como esas pocas palabras verdaderas que alguna vez, y quizás por azar, alcanzan a retener «la más perecedera luz del sueño». La breve serie *Ejercicio sobre Rilke* (1988) acentúa hasta casi la caricatura la sequedad, el prosaísmo y el feísmo de la poesía de Martínez Sarrión, cada vez más desolada y áspera, más ajena a cualquier evasivo decorativismo.

Antonio Colinas es acaso, de entre los poetas de su promoción, el que ha evolucionado de una manera más natural, quizás por ser desde sus comienzos el poeta más asentado en una tradición y alejado de extremismos. Sólo en *Truenos y flautas en un templo* (1972) parece darse alguna concesión al externo culturalismo generacional. Muy pronto conseguirá su madurez con *Sepulcro en Tarquinia* (1975), libro que aúna la belleza de la dicción —heredera del mejor modernismo— y el temblor lírico con el que se tratan los grandes temas de la poesía: el amor y la muerte, el arte y la naturaleza, el eterno enfrentamiento del hombre con los enigmas de la existencia. Especialmente alabado por la crítica resultó el extenso poema que da título al conjunto, comparable por su empeño y tensión lírica a *Piedra de sol*, de Octavio Paz.

En *Astrolabio* (1979) se ahonda en los logros del libro anterior, como el propio poeta indica en la nota preliminar: «El lector acaso pueda encontrar por debajo de la anécdota y de lo que, acaso con extrema ligereza, pudiera ser juzgado como frutos meramente literarios, los problemas de siempre: el ya citado vacío austral, la intemporalidad de la materia, la fatalidad, el amor, la muerte, la capacidad del sueño, la *luz* que aún asciende para nuestro equilibrio del mar latino ...». Los poemas dedicados a la noche estrellada, a los súbitos claros del bosque, a las calas solitarias, a las altas cumbres, resultan los más significativos del libro y confirman sobradamente a Colinas como el poeta actual con mayor sentido de la naturaleza.

Noche más allá de la noche (1983) constituye el más ambicioso empeño emprendido por el poeta hasta la fecha: un extenso poema en alejandrinos —libres o agrupados en serventesios—, dividido en treinta y cinco cantos, donde se evocan —alternadamente— los momentos claves del desarrollo del espíritu humano y de la biografía del autor. La indagación intelectual de Colinas —muy ligada a los presocráticos, a cierta filosofía oriental, a las especulaciones del romanticismo alemán, a la obra de María Zambrano— casi nunca incurre en el error de convertir el poema en un tratado, de llenar sus versos con términos abstractos, aunque un exceso de pretensiones simbólicas y alegorizantes quizás perjudique algo a este libro y, sobre todo, al que publica a continuación, *Jardín de Orfeo* (1988), no demasiado bien recibido por la crítica, a pesar de que sigue manifestando unas dotes retóricas poco comunes.

Jaime Siles, tras la publicación de *Canon* (1973), modelo de una lírica depurada y esencial que ha sido puesta en relación con la poesía pura de los años veinte, se adentra con *Alegoría* (1977) y *Música de agua* (1983) en un camino cada vez más abstracto en el que la reflexión sobre el ser y el lenguaje (obsesiva ahora en sus versos) no siempre alcanza a encontrar la adecuada configuración literaria. Consciente el poeta de las limitaciones del camino emprendido, da un giro a su poesía con *Columnae* (1987), donde la recuperación del estrofismo tradicional —liras, romances, sonetos— simboliza de alguna manera la nueva atención concedida a las exigencias de lo literario frente al conceptualismo anterior. Los temas cotidianos, ausentes hasta ahora de esta poesía, hacen su aparición en *Semáforos, semáforos* (1990). El gusto por las rebuscadas aliteraciones y el léxico insólito diferencian estos versos de la poesía urbana puesta de moda por la generación siguiente.

Al contrario que los poetas a los que nos acabamos de referir, Luis Antonio de Villena no comienza a significarse como poeta hasta la segunda mitad de los setenta. Su primer libro, *Sublime solarium* (1971), recargado y lujoso, vale como síntoma de un momento generacional, pero no descubre todavía la verdadera voz del autor. Ya en algunos poemas de su segunda entrega, *El viaje a Bizancio* (1976, edición definitiva 1978), el mundo de Luis Antonio de Villena, su apasionado canto a la belleza y al deseo, aparece con nitidez, pero es a partir de *Hymnica* (1979) cuando adquiere una personal e intensa configuración expresiva que le gana definitivamente el fervor de críticos y lectores. Su influencia se dejará sentir no sólo en los poetas más jóvenes —los «villenianos», que imitan de sus rasgos más superficiales, serán legión—, sino también en autores de mayor edad (caso de Julio Aumente y otros poetas de *Cántico*). Culturalismo y poesía de la experiencia, reflexión estética —como un tratado sobre la belleza puede ser considerado el libro— y anecdotario erótico, se alían en *Hymnica* para dar lugar a una obra en la que las más diversas tradiciones (de Cavafis a Cernuda, de la *Antología Palatina* a la poesía arábigo-andaluza, de Catulo al decadentismo finisecular) se personalizan de inconfundible manera.

Huir del invierno (1981), a la vez que continúa los logros del libro anterior (en las «Odas» de su primera parte) añade dos nuevos tonos: el de las brillantes etopeyas de «Efigies» (retratos que, sin dejar de serlo, son también autorretratos) y el más desengañado e íntimo de las «Elegías», donde quizás se encuentre el mejor Villena. En su siguiente libro, *La muerte únicamente* (1984), hay un intento de alejarse de la poesía de la experiencia (aunque en ella puedan inscribirse bastantes de sus logros) para indagar, por medio de símbolos, en los entrevistos arquetipos neoplatónicos y contraponer al gusto por la vida, tan patente en los libros anteriores, un casi místico deseo de aniquilamiento.

Como a lugar extraño (1990) exagera hasta casi la caricatura los extremos de la poesía de Villena; es un libro a la vez cultista y plebeyo, narrativo y meditativo, rebuscado e improvisado. El cuento, la anécdota casi costumbrista, alternan con la neoplatónica reflexión sobre la Belleza (así con mayúscula) y sobre el arte que ayuda a vivir y la vida que se convierte en arte.

El segundo momento novísimo, el abandono de los modos rupturistas de la primera hora, les llega más tarde a otros poetas. A lo largo de los setenta continúa Luis Alberto de Cuenca con el exacerbado culturalismo de *Los retratos* (1971) y *Elsinore* (1972). En *Scholia* (1978) los poemas se conciben —según nos indica el propio autor— como «aquellas notas o comentarios que se adscriben a un texto para explicarlo». El poeta parecía que iba a quedar sepultado por el erudito o a verse reducido a ciertos manidos juegos borgianos.

Con la publicación de *La caja de plata* (1985), sin embargo, Luis Alberto de Cuenca se convierte en uno de los autores más significativos e influyentes de los ochenta. En «Serie negra» —una de las partes del libro—, mediante un estilo sincopado de gran eficacia, se evocan escenas típicas del cine de género; en las otras secciones, humor, prosaísmo, referencias cotidianas —en impecables endecasílabos por lo general—, junto a un transfondo cultural ya no caprichosamente exhibido, están al servicio de una poesía que se pretende expresión de la nueva sensibilidad urbana. *El otro sueño* (1987) confirma que nos hallamos ante uno de los poetas más desenfadados y originales de los últimos años.

Al reunir sus poemas en el volumen *Poesía 1970-1989* (1990) Luis Alberto de Cuenca ha sometido sus libros primeros a un proceso de reescritura sumamente significativo: elimina citas, añade puntuación, trata de limar los excesos vanguardistas y culturalistas.

Jenaro Talens comienza su escritura con una poesía, representada por *Víspera de la destrucción* (1970), muy próxima a la línea meditativa de la generación del cincuenta (en ambos casos resulta evidente el magisterio de Luis Cernuda), para inscribirse luego, y cada vez con mayor radicalismo, en la tendencia metapoética. Sus libros *El cuerpo fragmentario* (1978),

Otra escena. Profanacion(es) (1980) y *Proximidad del silencio* (1981) interesan así más a los semiólogos y a los teóricos de la literatura que a los meros lectores de poesía. El propio autor parece haber tomado conciencia de encontrarse en un callejón sin salida e inicia una nueva manera con *Tabula rasa* (1985), acertada síntesis del confesionalismo inicial y de la toma de conciencia de la opacidad del texto —el lenguaje no es nunca, como pensaban los románticos, un neutro transmisor de la intimidad— que supuso la larga etapa intermedia. Con posterioridad ha publicado *La mirada extranjera* (1985) y *El sueño del origen y la muerte* (1988). En *Cenizas de sentido* (1989) reedita *El vuelo excede el ala* (1973), recopilación de sus libros iniciales, y *El cuerpo fragmentario*; el prólogo expresa la disconformidad del autor con las interpretaciones críticas que, como la que acabamos de hacer, contraponen al «enrarecimiento y abstracción» de buena parte de su poesía la escritura «más realista y vivencial» de *Tabula rasa* y las obras siguientes. *El largo aprendizaje* (1991) recopila el resto de las obras poéticas de Jenaro Talens, con el añadido de numerosos poemas inéditos.

Tras la publicación de *Farra* (1983), sin duda alguna su mejor libro, Félix de Azúa ha anunciado repetidas veces su renuncia a la poesía. En sus entregas iniciales, de *Cepo para nutria* (1968) a *Lengua de cal* (1972) había insistido en un abstruso prosaísmo de escaso interés. Un lirismo más inmediato y una menos hermética ironía hacen su aparición en *Pasar y siete canciones* (1977).

Novísimo de la primera hora (inicia la recopilación de Castellet), Manuel Vázquez Montalbán cultiva muy esporádicamente la poesía después de 1975, en contraste con su fecundidad en otros géneros. Entre 1967 y 1973 publica lo fundamental de su obra poética; incluso alguno de los libros editados posteriormente, como *Praga* (1982), data de esas fechas (se comenzó a escribir en 1972, según indica una nota del autor). El peculiar *collage* de referencias cultas y populares (Cernuda alternando con Machín, Truman Capote con Paul Anka) que caracteriza su primer libro, *Una educación sentimental*, se continuaría en los siguientes. Vázquez Montalbán se diferencia de sus coetáneos por no rechazar de su obra los temas políticos, lo que le emparienta con los poetas sociales. La España de posguerra, con sus mitos y sus ritos —canciones de Concha Piquer, primeras huelgas, desvaídas imágenes del Nodo—, constituye el escenario denostado y añorado de la mayor parte de sus versos. Tras la recopilación de su poesía completa en *Memoria y deseo* (1986), con prólogo de Castellet, publica *Pero el viajero que huye* (1991), donde, según la nota preliminar del autor, se «cierra el ciclo iniciado por *Una educación sentimental* según pretende subrayar el último poema, en clara referencia a *Nada quedó de abril*, introito del libro publicado en 1967».

José María Álvarez, después de rechazar los postulados novísimos en un primer momento —significativo resulta al respecto el prólogo a *87 poemas*—, se ha convertido posteriormente en un novísimo casi profesional, caricaturizando en su obra y en su personaje literario los postulados de Castellet. Tras aumentar en sucesivas ediciones ese monumento al culturalismo que es *Museo de cera* (1978, 1984), cultiva el apócrifo en *La edad de oro* (1980) y consigue una de sus más significativas entregas con *Tosigo ardento* (1985), brillante recopilación de todos los tópicos de escuela.

Leopoldo María Panero, por sus circunstancias personales, que se traslucen continuamente en su obra, es un caso aparte dentro de los poetas contemporáneos. Maldito por necesidad, desgarrado, caótico, ha convertido a la locura y a las teorías psiquiátricas que tratan de explicarla en protagonistas de su obra. *Narciso* (1979) es acaso su mejor libro; en *Dióscuros* (1982) se acerca, a su manera, al tema clásico, tan frecuente entre los poetas del setenta; los poemas políticos constituyen la novedad de *El último hombre* (1984). Los residuos de cierta romántica mitología sobre la figura del poeta han llevado a algunos críticos a considerar su irregular trayectoria poética, que por ahora culmina con los *Poemas del manicomio de Mondragón* (1987) y *Contra España y otros poemas de no amor* (1990), como una de las más radicales aventuras estéticas contemporáneas.

La poesía experimental, que a finales de los sesenta comienza a adquirir un cierto predicamento hasta culminar con la antología *La escritura en libertad* (1975), de Fernando Millán y Jesús García Sánchez, disminuye luego su presencia a lo largo de la última década, debido al escaso fervor vanguardista que caracteriza al segundo momento de la generación novísima. Algunos autores como Fernando Millán, José María Montells, Pablo del Barco, José Miguel Ullán o Rafael Gutiérrez-Colomer, se han mantenido fieles a estos procedimientos experimentales, aunque alternándolos en ocasiones con la por ellos denominada «poesía discursiva».

POETAS COETÁNEOS AL MARGEN DE LA PRIMERA ESTÉTICA GENERACIONAL. Para completar el cuadro de esta generación, debemos referirnos ahora a algunos poetas que, aunque comenzaron a publicar en los años sesenta, a la vez que Gimferrer o Carnero, resultaron oscurecidos en un primer momento por la algarada novísima y sólo tardíamente, ya en los ochenta, consiguieron la adecuada difusión y el prestigio crítico a que eran acreedores.

El primer, y excelente, libro de Juan Luis Panero, *A través del tiempo* (1968), fue visto más como una derivación epigonal de la línea cernudiana manifestada en la generación anterior por poetas como Francisco Brines que como una muestra de la renovación estética que entonces se intentaba; a ello se debió la ausencia de su autor de prácticamente todas las antologías. No es extraño, por tanto, que, tras la publicación de *Los trucos de la muerte* (1975), una obra ya de madurez que tuvo todavía menor eco que el primer libro, desapareciera Panero del panorama poético español.

La edición de sus poesías completas, *Juegos para aplazar la muerte* (1984), cuando ya el clima estético era otro, supuso así una sorpresa para la mayoría de los lectores. Es la de Juan Luis Panero una poesía de estirpe cernudiana, en la que el tiempo, el amor y la muerte (muy a menudo, violenta) resultan protagonistas. «Con palabras usadas, / gastadas por el tiempo y la costumbre» —según nos indica al comienzo de uno de los poemas—, hace Panero un recuento de *Desapariciones y fracasos* —título de un libro suyo—, sin importarle incurrir a veces en lo abiertamente melodramático. La obsesión por el suicidio —a evocar escritores que se quitaron la vida dedica varios de sus mejores poemas— recorre toda la obra de este poeta, «espía implacable en la cerradura de la nada», como él dice de Costafreda —otro suicida— en uno de los poemas de *Antes que llegue la noche* (1985).

Ninguna llamativa novedad encontramos tampoco en *Galería de fantasmas* (1988), donde el poeta —de acuerdo con el título— reúne a todos los fantasmas personales que estaban dispersos por sus otros libros; a pesar de que el lector conoce ya casi todos los viejos trucos del poeta no puede dejar de estremecerse con la habilidad de este reiterado «testigo de derrotas».

También en 1968 publica Antonio Carvajal su primer libro, *Tigres en el jardín*, una obra no menos culturalista y esteticista que *Arde el mar* o *Dibujo de la muerte*, pero de otra manera que pudo parecer menos rupturista. Reivindica Carvajal la versificación tradicional (en la que resulta acaso el más consumado maestro de la poesía contemporánea) y la herencia barroca (especialmente, la escuela granadina: las glosas de Soto de Rojas constituyen un *leit motiv* en sus versos), lo que da a su obra una cierta pátina arcaizante que lo distancia de sus coetáneos.

En *Serenata y navaja* (1973) culmina la primera etapa del poeta: nada suena a pastiche en estos versos de léxico con frecuencia rebuscado y complicada sintaxis; Carvajal escribe como un poeta barroco —un discípulo de Góngora capaz de emular al maestro— que fuera rigurosamente contemporáneo. *Siesta en el mirador* (1979) constituye un intento de demostrar que las acusaciones de virtuosismo evasivo (reiteradamente aplicadas a su obra) no eran ciertas: el verso libre, el humor, el prosaísmo, la evocación autobiográfica e intimista e incluso la temática social hacen ahora su aparición. Los títulos siguientes devuelven al poeta a su camino más propio: los sonetos petrarquistas de *Sitio de ballesteros* (1981), las «mudanzas sobre temas del *Desengaño de amor* de don Pedro Soto de Rojas» de *Servidumbre de paso* (1982), el estilizado cancionero amoroso —Bécquer y Juan Ramón al fondo— de *Del viento en los jazmines* (1984). A partir de la reunión de sus poesías completas en el volumen *Extravagante jerarquía* (1983), comienza Carvajal a salir del gueto de las ediciones minoritarias —muchos de sus libros eran inencontrables— para hacer sentir su magisterio en los poetas más jóvenes, como Fernando de Villena. *Testimonio de invierno* (1990), su último libro, incorpora a esta poesía un tono desengañado y meditativo junto a una mayor sobriedad expresiva.

La muerte ha cerrado ya la trayectoria de Aníbal Núñez (1944-1987), quien comienza su poesía «en zonas aledañas a la denuncia cultural y social, pero con decidida voluntad artística, se acerca luego a motivos culturalistas y *novísimos*, para terminar proponiendo una poesía singularmente simbólica y hermética, que sigue fiel a su negación y ruptura iniciales» (Nicolás [1987]). Lo anómalo de esta evolución le mantuvo un tanto al margen de su grupo generacional. En *Fábulas domésticas* (1972) su ironía le aproximaba más a Ángel González que a sus coetáneos. *Taller del hechicero* (1979) y *Cuarzo* (1981), acaso sus mejores entregas, trabajan el poema como una rigurosa miniatura, y le aproximan a la metapoesía y al culturalismo. *Alzado de la ruina* (1983), describe —con objetividad que es casi sequedad— las ruinas de una ciudad que se convierte en símbolo del deterioro del propio autor, la mediocridad de un ambiente provinciano que llega a formar parte de nosotros mismos. El hermetismo —la voluntaria frialdad— se acentúa posteriormente, como acreditan los poemas de *Clave de los tres reinos* (1986). Deja Aníbal Núñez abundante obra inédita que es posible que obligue a reconsiderar su evolución y su lugar en la poesía contemporánea.

Antecede a la publicación de los primeros libros novísimos Clara Janés con *Las estrellas vencidas* (1964); una nueva etapa inicia con *En busca de Cordelia y poemas rumanos* (1975), pero es en los ochenta cuando consigue su voz más personal y la atención crítica con *Eros* (1981), *Vivir* (1983), *Kampa* (1986), libro en que la poesía termina convertida en música, *Fósiles* (1987), *Lapidario* (1988) y *Creciente fértil* (1989).

Lázaro Santana escribe una poesía de la experiencia en la que el concepto de insularidad tiene, como en otros poetas canarios (pensemos en Sánchez Robayna), una gran importancia; *Efemérides* (1973) y *Destino* (1981) son volúmenes antológicos que recopilan la mayor parte de su obra. Con posterioridad ha publicado *Que gira entre las islas* (1985), donde intenta una poesía de mayor concentración expresiva, menos anecdótica, y *Paisajes y otros cuerpos* (1989).

En 1971 publican sus primeros libros José Infante y Justo Jorge Padrón. *Elegía y no* (1972), *La nieve de su mano* (1978) y *El artificio de la eternidad* (1985) son los títulos más destacados de Infante, cuyo culturalismo y decadentismo le aproximan a otros compañeros de generación, como Luis Antonio de Villena. El volumen *Poesía (1969-1989)* (1990) recopila su obra publicada hasta la fecha con el añadido de numerosos inéditos.

Justo Jorge Padrón publica en 1976 su título más ambicioso y afamado, *Los círculos del infierno*, pero es posible que sus mejores poemas se encuentren en *Mar de la noche* (1972), donde los componentes visionarios y oníricos suenan menos a fórmula deliberada. Neorromántico y visionario, de una gran fecundidad poética, sus últimos libros aparecen de dos en dos: *La visita del mar. Los dones de la tierra* (1984), *Sólo muere la mano que te escribe. Los rostros escuchados* (1989).

El título inicial de Miguel d'Ors, *Del amor, del olvido* (1972), presentaba algunas características disonantes en el panorama de la poesía última que explican, aunque no justifican, la desatención con que fue recibido por la crítica: temática religiosa y familiar, sencillez de lenguaje, un cierto sentimentalismo de tono menor. Idéntica cosmovisión expresan sus libros más recientes, aunque con un constante y considerable enriquecimiento expresivo. *Codex 3* (1981), *Chronica* (1982) y *Es cielo y es azul* (1984) constituyen así una trilogía en la que el conservadurismo de la visión del mundo contrasta con la renovadora originalidad de los recursos artísticos. En *Curso superior de ignorancia* (1987) vuelve el poeta a evocar su infancia, a ironizar sobre algunos aspectos de la sociedad contemporánea, a exponernos su concepción de la poesía (nada que ver con la metapoesía a lo Carnero-Talens), a emocionarnos con un lenguaje sólo aparentemente coloquial. Al igual que Juan Luis Panero y otros poetas desdeñados en principio por poco novedosos, Miguel d'Ors ha acabado revelándose como uno de los líricos más radicalmente originales, más capaces de crear un universo propio, de su generación.

Canciones, oraciones, panfletos, impoemas, epigramas y ripios (1990) reúne poemas antiguos y recientes, de tanta diversidad como indica el largo título (incluye también algunas traducciones). *La música extremada* (1991) es quizás el libro más coherente, cerrado y unitario de Miguel d'Ors. Las alusiones a los libros anteriores son constantes y deliberadas, como si quisieran subrayar la unidad de toda la poesía del autor. El poeta «convierte en música» la tristeza de su infancia o de las tardes lluviosas de los domingos, el desacuerdo consigo mismo, esos momentos en que la vida «viene tan malintencionada / que parece la vida» (según él mismo nos indica, con paradójica expresión). Y lo hace mediante el más «hábil artificio», el que se disfraza de naturalidad.

Otros poetas que comenzaron a publicar antes de 1975, aunque sus obras más significativas aparecerían después, son Carlos Clementson y Antonio Enrique, cuyo gusto por la pomposidad y el estilo sublime les aleja un tanto del resto de sus coetáneos; César Antonio Molina, autor de *Las ruinas del mundo* (1991), quien intenta una poesía neoépica en la estela de Saint John Perse; Ángel Guinda, expresionista, vallejiano, conceptuoso y torturado, que ha reunido su poesía en el volumen *Claustro* (1991); Ramón Irigoyen, que vuelve del revés el clericalismo de la posguerra con el humor blasfemo de *Cielos e inviernos* (1979); José A. Ramírez Lozano, recreador de un estilizado mundo barroco; Álvaro Salvador, uno de los más destacados integrantes del grupo granadino de «la otra sentimentalidad».

LA SEGUNDA PROMOCIÓN DE POETAS DE LOS SETENTA. Sin intenciones polémicas ni afanes rupturistas, sin conciencia ni voluntad de grupo, a partir de 1975 comienza a publicar sus libros la segunda promoción de la generación de los setenta. «Los nuevos poetas de finales de los setenta rompieron con la estética novísima del modo posiblemente más contundente: ni siquiera la atacaron, sencillamente se olvidaron de ella. Pero esa ruptura por su misma contundencia permaneció invisible a los ojos de la crítica», señala Linares [1991]. Se trata de poetas coetáneos de los que acabamos de mencionar, pero un poco menos precoces a la hora de darse a conocer. Una característica común es el conceder más importancia a la tradición que a la originalidad, a la emoción que al brillo estilístico. Un neorromanticismo intimista hace su aparición en escena; hay un cierto cansancio de exotismos, piruetas verbales y baratijas culturalistas, sustituidos por el humor, la ironía y el tono menor. Se trata de poetas que no ocultan sus maestros; en algunos casos, incluso no dudan en llevar su devoción hasta el deliberado pastiche.

Un nuevo romanticismo. Alejandro Duque Amusco (o Alejandro Amusco, como firmaba entonces) publica su primer libro, *Esencias de los días*, en 1976. Una muy patente deuda con Aleixandre y Brines, junto a una quizás excesiva preferencia por el léxico más convencionalmente poético, no anulaban por completo la personalidad de una voz de gran perfección y belleza.

Tras el intermedio de *El sol en Sagitario* (1978), Duque Amusco alcanza su madurez con *Del agua, del fuego y otras purificaciones* (1983), libro en el que alterna el amplio versículo evocador, indagador, meditativo («Poema de las purificaciones») con el deslumbramiento, aprendido en la poesía oriental, de los textos más breves («Tankas de la última luna»). La huella de la poesía neohelénica —Séferis, Elytis— se deja sentir igualmente en su obra.

Sueño en el fuego (1989) continúa el tono del libro anterior. El sueño —y de ahí el título del libro— es protagonista de buena parte de los poemas. Del «cofre de la noche» extrae el poeta las «monedas vivas» de sus versos. El sueño permite entrar en contacto con el mágico territorio del que brotan los mitos, con otra realidad más verdadera que la de todos los días. Ante la gris pesadilla en que a menudo se convierte la cotidianidad («Pesadilla, grisura» se titula uno de los poemas), «los ojos buscan, en el fondo del sueño, un arco iris imposible». El recuerdo es el otro gran protagonista del libro. Algunos de los mejores poemas —«Días con luz de cielo», «Gorriones en la siesta», «Episodio de lobos»— recrean escenas de la infancia, mítico paraíso del que no faltaban la crueldad y la muerte. «Episodio de lobos», heredero de una larga tradición de cuentos y consejas, acierta a emocionarnos como el mejor de los viejos romances que se cantaban junto al fuego. Es el poema más narrativo del libro y uno de los mejores de su autor.

El también andaluz Francisco Bejarano se reveló con su primer libro, *Transparencia indebida* (1977), como un intenso poeta amoroso. La imposible belleza adolescente protagoniza la mayor parte de los poemas: «Hermoso era hasta el desconsuelo», comienza uno de ellos, significativamente subtitulado «Visconti», lo que nos indica la atmósfera esteticista y decadente en que se inscribe. *Recinto murado* (1981), su siguiente entrega, es una obra más reflexiva, de menor riqueza metafórica, pero de similar tono elegíaco. «Sucede así y es triste hacer memoria», termina uno de los poemas; del «deseo imposible de retorno» se nos habla en el que cierra el libro. La inutilidad del recuerdo como medio de escapar al «recinto murado» de la soledad presente constituye el núcleo cosmovisionario de la obra. Con «Entreacto», una de las secciones de *Las tardes* (1988), el tono irónico hace su aparición por vez primera, aunque la mayor parte de los textos continúan la meditación sobre la soledad que caracteriza la obra de Bejarano. La influencia de la generación de los ochenta en las nuevas inflexiones de su poesía ha sido reconocida por el propio autor: «Los jóvenes me han enseñado que se puede escribir poemas frivolizando, y defendiéndose un poco de la vida y riéndose de ciertas cosas» (J. Mateos, [1989]).

Mitos (1979), el primer libro de Abelardo Linares, nos muestra a un poeta cuidadoso y perfeccionista. En buena parte de los textos —según se indica en el poema final— el poeta se oculta «tras los ecos amados de otras voces» y escribe un poco a la manera de Brines, Borges o Cernuda. *Sombras* (1986) supone una negación de la estética anterior. Si la frialdad y el quedarse en un mero ejercicio retórico, eran los riesgos que acechaban a los poemas de *Mitos*, el no sobrepasar el tópico sensiblero resulta el peligro más evidente de muchos de los poemas de *Sombras*, un libro neorromántico en el que el amor y la poesía resultan protagonistas.

El don de la ironía. Javier Salvago había publicado *Canciones del amor amargo y otros poemas* en 1977, pero *La destrucción o el humor*, de 1980, es el primer libro en que se encuentra, ya desde el título paródico, su peculiar estilo. El humor, la ironía (ejercida, sobre todo, contra sí mismo) y un prosaísmo que viene de Manuel Machado y de Gil de Biedma caracterizan a este poeta. Otro autor muy presente en Salvago, que incluso lo parodia con cierta frecuencia, es Gustavo Adolfo Bécquer; muchos de sus poemas recuerdan formalmente a las rimas. El oficio de poeta (nada idealizado) y las peripecias biográficas de un hombre como hay muchos constituyen el tema de sus versos, llenos de referencias cotidianas y explícitamente contrapuestos al decir «pulcro, discreto y decadente» de sus compañeros de generación, los poetas novísimos. El tono encontrado por Salvago en *La destrucción o el humor* lo mantendrá en los títulos siguientes, *En la perfecta edad* (1982), *Variaciones y reincidencias* (1985), *Volverlo a intentar* (1989) y *Los mejores años* (1991).

La poesía de Fernando Ortiz ha pasado por dos etapas. En la inicial, constituida por *Primera despedida* (1978) y *Personae* (1981), rechaza el concepto romántico de la originalidad y trata de esconderse tras la máscara estilística de autores que ama: Cernuda, Brines, Gil-Albert, García Baena. Aunque el resultado no pueda equipararse a una mimética serie de poemas de homenaje, la habilidad del orfebre —muy considerable— predomina en estos libros sobre la emoción poética. Un cambio importante supone la etapa siguiente, integrada por *Vieja amiga* (1984), *Marzo* (1986) y *Recado de escribir* (1990), donde el brillante y decorativo poeta anterior deja paso al estremecedor memorialista de poemas como «Pasado en claro» (el título remite a Octavio Paz) o de tantos otros que contraponen el esplendor de una ciudad —esa Sevilla presente en toda su obra— a la constante derrota del autodestructivo protagonista poemático.

La contención horaciana, el horror por la grandilocuencia y el énfasis, la inextricable mezcla de pensamiento y emoción, el continuo uso del prosaísmo son características que la crítica ha aplicado al primer libro de Víctor Botas, *Las cosas que me acechan* (1979), y que resultan igualmente válidas para sus otros títulos, *Prosopon* (1980) e *Historia antigua* (1987). Habría que añadir una cada vez mayor presencia de la ironía, un uso magistral de los encabalgamientos (al servicio de la sorpresa expresiva o del coloquialismo) y de los finales anticlimáticos, una constante referencia al mundo clásico (nada que ver con el culturalismo y decadentismo al uso), a la historia de Roma especialmente, que sirve para mejor entender el caos contemporáneo. Sin duda alguna —y sin que eso suponga negar su raíz borgiana—, Víctor Botas es uno de los pocos poetas de su generación, de los pocos poetas de cualquier tiempo, que desde las primeras líneas publicadas muestra ya perfilado un estilo de poderosa originalidad y eficacia. Las traducciones y recreaciones poéticas reunidas en *Segunda mano* (1982) confirman su capacidad para personalizar las más diversas tradiciones.

Neopurismo y conceptualismo.   Andrés Sánchez Robayna —partiendo de Mallarmé, y en la línea marcada por Ungaretti, Wallace Stevens, cierta parte de la obra de Octavio Paz, Haroldo de Campos— considera el poema como «un espacio de lenguaje hacia el metalenguaje, espacio en que tiene lugar la imaginación fonológica y la indagación metafísica», según señala en García Martín [1980], p. 186. El concepto de insularidad —Sánchez Robayna es también un considerable estudioso de la literatura canaria— tiene una gran importancia en esta poesía, progresivamente más abstracta, y cuyos títulos centrales son *Clima* (1978), *Tinta* (1981) y *La roca* (1984), reunidos en el volumen *Poemas* (1987) con el añadido de algunos inéditos anteriores y posteriores. Un cierto cambio de rumbo supone *Palmas sobre la losa fría* (1989), libro en el que el paisaje canario sigue teniendo una importancia fundamental, pero en el que la expresión, menos seca y abstracta, recupera algo de la musicalidad de Juan Ramón Jiménez.

Amparo Amorós entronca también en su primer libro, *Ludia* (1983), con la línea de la «poesía del silencio» que parte de Mallarmé (estudiada por ella en Amorós [1982]). En los títulos siguientes buscará caminos nuevos, desde la poesía de la meditación en *La honda travesía del águila* (1986) hasta la poesía satírica en los lúdicos sonetos de *Quevediana* (1988).

Tras la publicación de *Sitio* (1986), los críticos situaron a Miguel Martinón en el grupo de poetas «neopuristas» u «objetivistas» que encabeza, desde Canarias, Andrés Sánchez Robayna, con cuya práctica poética muestra una considerable afinidad. Esa poesía despojada y esencialista se continuará en los libros posteriores, *Actos* (1988) y *Por esta claridad* (1990).

Prosaísmo elegíaco. Como un intento de eternizar, de perpetuar la emoción y la belleza del instante, concibe Eloy Sánchez Rosillo la poesía ya desde su primer libro *Maneras de estar solo* (1978); de la imposibilidad del empeño brota su acento elegíaco, la melancolía que impregna toda su obra. Neorromanticismo, intimismo, sencillez expresiva (acentuada progresivamente), y una cierta tendencia hacia lo bucólico e idílico, son rasgos señalados por la crítica a propósito de este poeta. En *Páginas de un diario* (1981), quizás su libro más representativo hasta la fecha, los apuntes autobiográficos —y las frecuentes alusiones al gozo de la escritura y a la angustia de la espera ante el papel en blanco— se completan con poemas históricos («La familia de Carlos IV», «Melville en la aduana») que ayudan a objetivar la cosmovisión propuesta. *Elegías* (1984) supone una reiteración temática unida a una mayor concentración expresiva; el poeta trata de contrarrestar su tendencia hacia lo narrativo con la concisión, casi meramente enumerativa, de cierta poesía oriental (sin olvidar al Juan Ramón Jiménez de las estilizadas y mínimas cancioncillas). Tampoco ofrece demasiadas novedades —ni temáticas ni formales— *Autorretratos* (1989), la más reciente entrega de Sánchez Rosillo, donde sin embargo se encuentran algunos de sus mejores poemas, con el tiempo y la muerte como protagonistas.

Diario abierto titula uno de sus libros Dionisia García; *Mnemosine* es el título de otro de ellos. Sus poemas oscilan entre el intento de fijar el instante que pasa y el rescate de los momentos esenciales del pasado. De tono intimista y conversacional, su poesía no pretende nunca sorprender: se conforma con emocionar.

Un nuevo erotismo. Ana Rossetti resulta para muchos críticos la más significativa de las numerosas voces femeninas que se han dado a conocer —con muy desigual fortuna— en los últimos años. El desenfado erótico de *Los devaneos de Erato* (1980), que no confundía nunca la audacia con el descuido expresivo, la insinuada procacidad con la vulgaridad y la obviedad (como tantas de sus seguidoras), se continuaría con *Dióscuros* (1982), sutil juego de alusiones y elusiones en torno a un tema tabú, el del incesto, y, tras el intermedio de *Indicios vehementes* (1985), meditación sobre la muerte a través de la evocación de diversos suicidas, con *Devocionario* (1986), sin duda alguna su libro más conseguido. Lo que la mitología griega ha sido para tantos poetas novísimos (y para la propia Ana Rossetti en su obra inicial), correlato objetivo de muy privadas obsesiones, cuando no mero adorno culturalista, lo es en *Devocionario* el santoral cristiano y la liturgia tridentina. En un estilo que se quiere noble, y que huye de la chabacana irreverencia —aunque no de la ironía—, se evoca una educación sentimental presidida toda ella (como la de tantos niños en la España de posguerra) por convencionales símbolos religiosos. Mártires, ángeles y demonios se convierten así en objetos del deseo, en metáforas de los primeros terrores y pasiones carnales.

Por la línea abierta por Ana Rossetti seguirán Juana Castro, entre cuyos libros destacan *Narcisia* (1986), glosa de diversas imágenes arquetípicas de la feminidad, y *Arte de cetrería* (1989), original indagación de las relaciones entre el amor y la muerte; Isla Correyero, Andrea Luca, y bastantes más de los nombres antologados por Ramón Buenaventura en *Las diosas blancas*.

Dentro de la segunda oleada de la generación del setenta podrían citarse otros nombres como Vicente Sabido, de gran sobriedad y eficacia verbal, entre cuyos libros destacan *Décadas y mitos* (1977) y *Sylva* (1981); Ángeles Mora, quien con *La canción del olvido* (1985) se aproxima a la escuela granadina de «la otra sentimentalidad» a la que nos referiremos más adelante; María del Carmen Pallarés, intimista, neosimbolista, con una depuración expresiva aprendida en la poesía oriental; Jesús Munárriz, que recrea con humor en *Cuarentena* (1977) los años de la posguerra española; Dionisio Cañas, quien, de alguna manera, reescribe *Poeta en Nueva York* con la apocalíptica violencia de *El fin de las razas felices* (1987), su libro más personal.

LA GENERACIÓN DE LOS OCHENTA. En torno a 1980 una nueva promoción poética entra en escena. Al contrario de lo que había ocurrido con los novísimos, su aparición tiene poco de espectacular: faltaron esos dos o tres libros de precoz madurez que se impusieran a críticos y lectores desde el primer momento, la antología combativa y madrugadora, el polémico rechazo de lo anterior. Abelardo Linares ha señalado cómo «hasta mediados de los ochenta los novísimos militantes y buena parte de la crítica solían coincidir en tres cosas: primero, en que los novísimos habían renovado la poesía española; segundo, en que esa renovación aún era vigente; tercero, en que tras ellos sólo habían surgido epígonos o, en todo caso, que la nueva generación era meramente epigonal y no parecía tener nada que aportar a la nueva poesía española» (Linares [1991]).

Sintomático resulta que, dejando a un lado las numerosas antologías regionales y las aparecidas en revistas, la presentación en sociedad de los nuevos poetas tenga lugar de la mano de uno de los más característicos representantes de la generación precedente, Luis Antonio de Villena, y bajo el significativo título de *Postnovísimos*.

De ahí que el calificativo de continuista haya sido aplicado por la mayoría de los críticos a los poetas nuevos. Conviene, sin embargo, matizar tal adjetivación: no hay continuismo si nos referimos a la estética novísima según fue configurada entre, por poner unas fechas concretas, 1966 (en que aparece *Arde el mar*, de Gimferrer), y 1972 (fecha de publicación por Antonio Colinas de *Truenos y flautas en un templo*). Serán los autores marginados en su momento, como Juan Luis Panero, los que comienzan a publicar después de 1975, como Abelardo Linares, o los que cambian radicalmente su estética a finales de la década (es el caso de Luis Alberto de Cuenca), los más afines a los nuevos poetas.

A medida que pasa el tiempo, se va viendo mejor que ni los primeros libros novísimos eran tan innovadores como se quiso dar a entender ni los títulos iniciales de la generación siguiente tan epigonales como pudo parecer en un principio (el epigonismo, que lo hubo, como siempre lo hay, afectaba a los poetas de menor interés).

La «pluralidad» ha sido otro de los rasgos que con mayor unanimidad crítica se ha aplicado a la generación de los ochenta. Es una caracterización que debe ser matizada, al igual que el continuismo: tendencias diversas, y contradictorias en ocasiones, se dan también en las generaciones anteriores, si se las examina en su real complejidad y no en el reduccionista esquema con que suelen pasar a los manuales de literatura.

Lo peculiar entonces radicaría en lo no excesivamente conflictiva convivencia, al menos en un principio, de las distintas opciones generacionales, en que ninguna tendencia parecía tener fuerza suficiente como para marginar a las otras que enriquecen el período (al contrario de lo que ocurrió con quienes no siguieron las corrientes realistas en los años cuarenta y cincuenta).

Avanzada la década de los ochenta la situación, sin embargo, comienza a cambiar. La poesía «figurativa», la que rechaza los elementos irracionales del lenguaje y hace hincapié en la emoción, la experiencia, el humor, la narratividad y el ambiente urbano (por citar algunas características heterogéneas), parece convertirse en la opción estética predominante.

Aunque la escala generacional que se viene aplicando a la poesía española considera que la generación de los ochenta está formada por autores nacidos entre 1954 y 1968, creemos que resulta absurdo tomar esas fechas —meramente orientativas— con el matemático rigor que pretenden algunos. Entre una generación y otra los límites son siempre borrosos. Poetas como Andrés Trapiello, Juan Manuel Bonet o Justo Navarro que nacen en 1953, pero que no publican su primer libro hasta 1980, 1983 y 1985, respectivamente, ¿deben formar parte de la generación de los setenta o de la siguiente? La cuestión carece de importancia, aunque algún estudioso reproche que se les incluya con «los nuevos» y no con «los *otros* novísimos y los novísimos *otros*» (Siles [1991 *b*], p. 146). En las páginas que siguen nos ocuparemos fundamentalmente de poetas que nacieron con posterioridad a 1954; tendremos, sin embargo, también en cuenta a algunos autores nacidos unos años antes (como Jon Juaristi o Francisco Castaño), pero que no comenzaron a publicar hasta la década de los ochenta.

TENDENCIAS GENERACIONALES. Trataremos de enumerar a continuación las principales opciones que configuran la poesía de los ochenta. El lector debe tener en cuenta que no se trata de compartimentos rígidos, sino de tendencias que muy a menudo se entremezclan y resultan difíciles de distinguir. La complejidad de lo real, por otra parte, escapa siempre a las redes, por muy fina que pretenda ser su trama, de cualquier clasificación.

La recuperación del realismo. A partir de la segunda mitad de los sesenta hay un creciente rechazo de la literatura realista y comprometida, rechazo del que participan tanto los antiguos poetas sociales como los nuevos poetas. De ahí la novedad que supone la aparición en Granada de un grupo relativamente homogéneo que, bajo el magisterio de Rafael Alberti y del teórico marxista Juan Carlos Rodríguez, pretende reivindicar —sin caer en lo panfletario— ese tipo de literatura. En las antologías *La otra sentimentalidad* (1983) y *1917 versos* (1987) se reúne una muestra de la teoría y la práctica de la escuela. De los diversos poetas que integran el grupo —Javier Egea, Álvaro Salvador, Antonio Jiménez Millán— acaso sea Luis García Montero el que ha alcanzado un mayor reconocimiento. Benjamín Prado, con *Un caso sencillo* (1987) y *El corazón azul del alumbrado* (1990) e Inmaculada Mengíbar, con *Los días laborables* (1988), constituyen las más recientes incorporaciones a esta escuela poética granadina.

No sólo los poetas de «la otra sentimentalidad» intentan la recuperación del realismo. El humor paródico de Jon Juaristi, patente ya en el título de sus libros, *Diario del poeta recién cansado* (1985), *Suma de varia intención* (1987) y *Arte de marear* (1988), le sirve para enfrentarse tanto con las desventuras sentimentales de su personaje poético, sin caer en la falacia patética, como con la conflictividad social del País Vasco, sin incurrir en el esquematismo panfletario.

La poesía urbana de Fernando Beltrán, su concepto de la «poesía entrometida» (la que no vuelve la espalda a las realidades sociales), representada por libros como *Gran Vía* (1990) o *El gallo de Bagdad y otros poemas* (1991), nos ofrece otro ejemplo de aproximación a la poética del realismo por parte de los poetas de los ochenta.

La escuela de «Trieste». Aunque no han publicado antologías ni manifiestos conjuntos, al contrario que los poetas granadinos a que nos referíamos anteriormente, un significativo grupo de los poetas dados a conocer por la desaparecida editorial Trieste presentan importantes características comunes que permiten hablar, sin excesiva impropiedad, de la «escuela de

Trieste». En ella se incluirían Andrés Trapiello, director de la colección, en la que ha publicado *Las tradiciones* (1982) y *La vida fácil* (1985); Juan Manuel Bonet, autor de *La patria oscura* (1983); Ángel Rupérez, con *En otro corazón* (1983) y *Las hojas secas* (1986); Ángel Guache, que en Trieste ha publicado *El viento en los árboles* (1986) y en otras colecciones de similar estética libros como *Vals de bruma* (1987) o *Los adioses* (1991). Predominan en estos poetas —que se declaran herederos del impresionismo y del simbolismo— los valores pictóricos, los leves matices sentimentales, la creación de atmósferas sugerentes con los mínimos elementos.

La nueva épica. El término épica se ha aplicado, al referirse a la poesía última, a dos tendencias bastante disímiles. El nombre más significativo de la primera de ellas es el de Julio Llamazares, antologado en *Poesía épica española* (López [1982]); lo épico en este autor parece estar en el intento de rescate de una memoria colectiva, de una ancestral sabiduría; en sus versos encontramos la brumosa evocación de una edad de oro situada, al margen de la historia, en sus natales montañas leonesas. El versículo característico de sus dos libros publicados hasta la fecha, *La lentitud de los bueyes* (1979) y *Memoria de la nieve* (1982), resulta de la yuxtaposición de varios versos tradicionales, al contrario del utilizado por los poetas neosurrealistas. La poesía de Julio Llamazares ha sido continuada por José Carlón en *Así nació Tiresias* (1983) y, menos miméticamente, por Juan Carlos Mestre en *Antífona del otoño en el valle del Bierzo* (1986).

Más próxima al concepto tradicional de épica se encuentra la poesía de Julio Martínez Mesanza, autor de un único libro, *Europa* (1983-1990), que ha ido creciendo en sucesivas ediciones. En impecables y rotundos endecasílabos —metro único utilizado hasta la fecha por Martínez Mesanza— se evoca un mundo heroico de santos y guerreros, y se rechaza la decadencia presente. No se trata, sin embargo, de los poemas de largo aliento que solemos asociar al término «épica», sino de breves fragmentos en los que la erudición histórica sirve para objetivar e ilustrar las reflexiones sobre la condición humana.

El neosurrealismo. El éxito obtenido por Blanca Andreu con su primer libro, *De una niña de provincias que se vino a vivir en un Chagall* (1981), en el que se destacaban sobre todo los valores irracionales del lenguaje, puso de moda entre los poetas jóvenes —y especialmente entre los muy jóvenes— las técnicas surrealistas, aunque sin ninguna ortodoxia de escuela. Fernando Beltrán aúna surrealismo y poesía urbana en *Aquelarre en Madrid* (1983), onírica visión de la ciudad que se refleja en un decir inconexo, en una continua ruptura de los nexos sintácticos (sus libros posteriores seguirán, sin embargo, otras vías). Connotaciones intimistas y neorrománticas añade Amalia Iglesias al componente surrealista de su primer libro, *Un lugar para el fuego* (1985). Arbitrariedad, feísmo, protesta, humor absurdo (con ecos de la «*beat* generación» y, a veces, de las letras de los conjuntos de *rock*) caracterizan los versos de poetas como Pedro Casariego Córdoba, Ángel Muñoz Petisme o Luisa Castro.

El premio Adonais en estos años ochenta ha recaído, por lo general, en poetas jóvenes más o menos vagamente surrealistas. Un ejemplo reciente lo constituye Francisco Serradilla con *El bosque insobornable* (1988), donde las disonancias que propicia la escuela se liman para aproximarse a lo convencionalmente poético.

Minimalismo y conceptualismo. La palabrería excesiva y gratuita, la verborrea, constituye el riesgo al que con mayor frecuencia se encuentran abocados los poetas neosurrealistas. Contra ese riesgo reaccionan otros autores que pueden considerarse emparentados con la poesía pura de los años veinte. Los nombres que se han aplicado a esta tendencia —minimalismo, poesía del silencio— resultan suficientemente expresivos de su intención de sugerir, de ir más allá de las palabras, de dejar que el silencio diga lo que el lenguaje no es capaz de expresar. El magisterio del último Valente resulta especialmente significativo en la mayoría de estos autores.

Algunos de los poetas últimos que participan, con diversos matices personales, de la estética minimalista son José Carlos Cataño, cuya práctica poética se encuentra próxima a la de Andrés Sánchez Robayna; Julia Castillo, que la entremezcla con ciertos manierismos barrocos; José Luis Amaro, que aúna el intelectualismo con una cierta dosis de sensualidad (coincide en esto con otros poetas del grupo cordobés «Antorcha de paja»); el Serafín Senosiáin de *La sangre* (1983), puesto que su primer libro, *El sur* (1979), a pesar de participar de una similar síntesis expresiva, se incluía más bien en la línea de la que hemos denominado «escuela de Trieste»; Ángel Campos Pámpano, que evoca una estilizada Lisboa en *La ciudad blanca* (1988); Álvaro García, traductor de Philip Larkin, con quien le emparienta cierto gusto por la sobriedad expresiva, por la música asordinada; Diego Doncel, que recrea en *El único umbral* (1991) los tópicos de la literatura mística, de acuerdo con las interpretaciones que de ellos han hecho José Ángel Valente y María Zambrano; Álvaro Valverde, etc.

También relacionado con la poesía pura, aunque no hay en él rechazo sino estilización distanciadora de la anécdota, Justo Navarro se aproxima a los minimalistas en el papel concedido a la inteligencia en la construcción del poema. Sus libros *Los nadadores* (1985) y *Un aviador prevé su muerte* (1986) se caracterizan por el rigor formal que, tomando como base las estrofas tradicionales, llega a unos resultados de sorprendente originalidad.

Tradicionalismo. La reivindicación de la métrica clásica caracteriza a buena parte de los poetas de los ochenta frente a la generación anterior. En algunos casos se llega incluso a propugnar un nuevo manierismo que tome como modelo a los poetas del Siglo de Oro. Así lo hace Fernando de Villena en el prólogo a *Pensil de rimas celestes* (1980), conjunto de poemas escritos a la manera de los autores clásicos; tratará luego de emular a

Góngora en las *Soledades tercera y cuarta* (1981), para seguir un camino menos mimético en los títulos siguientes, entre los que destacan *En el orbe de un claro desengaño* (1984) y *Vos o la muerte* (1991), un insólito libro de amor.

Un empeño similar, aunque con mayores dosis de ironía, encontramos en Luis Martínez de Merlo, quien da a sus últimos libros títulos tan significativos como *Fábula de Faetonte* (1982) y *Orphenica Lyra* (1985). La ironía se acrecienta —hasta el punto de que el pastiche se convierte ya decididamente en parodia— en parte de la obra de Luis García Montero y Jon Juaristi, poetas a los que ya nos hemos referido anteriormente. David Pujante, en *La propia vida* (1986), alterna la recreación de mitos en sonetos neoclásicos con una más desenfadada aproximación al mundo grecolatino (ya un tanto tópico en la poesía contemporánea).

Desde la publicación de su libro inicial, *Breve esplendor de mal distinta lumbre* (1985), Francisco Castaño ha destacado como el primer artífice de la métrica clásica, que usa con sorprendente rigor y maestría y sin incurrir en arcaísmos inútiles; su dominio técnico puede compararse al de un poeta de la generación de los setenta, Antonio Carvajal. Sus títulos posteriores, *El decorado y la naturaleza* (1987) y *Fragmentos de un discurso enamorado* (1990), han servido para reiterar su virtuosismo hasta casi el amaneramiento.

Otros autores, Manuel Sánchez Chamorro es acaso el nombre más significativo, buscan su modelo en épocas menos lejanas que los siglos áureos. En *Tres poemas* (1983) se mimetiza la dicción del Cernuda del exilio; en *El pétalo invisible* (1986), Pablo García Baena, Juan Luis Panero o Sandro Penna son modelos muy próximos —y confesados— de algunos de los textos. En sus últimas entregas se aproxima —como otros poetas de su generación— al mundo cinematográfico para recrear historias que tienen mucho que ver con el cine de género.

La poesía elegíaca y metafísica. A medio camino entre el decadentismo y la poesía de la meditación, José Gutiérrez, quien publica muy precozmente sus libros entre 1976 (*Ofrenda en la memoria*) y 1980 (*La armadura de sal*), ejemplifica otra de las tendencias de la generación más reciente: la que adopta un prematuro tono de desengaño, de elegíaco lamento por la fugacidad de la juventud y la belleza, de obsesiva preocupación por el paso del tiempo. Su último libro, aparecido tras un prolongado silencio, *De la renuncia* (1989), constituye una depuración y una síntesis de su poesía primera.

Un cuidado tono menor, una musicalidad sin estridencias, un culturalismo vivido (nada que ver con el exhibicionismo de promociones anteriores) caracteriza *Muro contra la muerte* (1982), *Interiores* (1986) y *Música oscura* (1989), los tres libros publicados hasta la fecha (todos ellos aparecieron en la sevillana editorial Renacimiento) por Juan Lamillar. Uno de los poemas de *Música oscura* (1989), «La palabra imposible», está escrito a partir de los títulos de otros poetas, constituyendo un secreto catálogo de afinidades y tópicos de escuela: se alude a «mitos» y «sombras» (libros de Abelardo Linares), «paraíso manuscrito» y «los vanos mundos» (de Felipe Benítez Reyes), «pasión y paisaje» (de Jacobo Cortines), «la caja de plata» (de Luis Alberto de Cuenca), etc. La corrección impersonal, el escribir poemas intercambiables, es una de las objeciones que más frecuentemente se les ha solido hacer a los poetas de los ochenta.

La poesía femenina. El auge de la poesía femenina —por primera vez se le dedican premios, colecciones y congresos con exclusividad— caracteriza a los años ochenta. Aunque resulta cuando menos dudosa la pertinencia crítica de la separación de la poesía escrita por mujeres de la escrita por hombres, algunos estudiosos han tratado de fundamentar esta distinción: «Adaptar el lenguaje dominante a las necesidades expresivas de la mujer que desea definirse a sí misma, requiere una acrobacia lingüística que haga apoderarse de y simultáneamente rechazar los modelos literarios canónicos. La subversión, a veces burlona y otras angustiosa, y la revisión de mitos e imágenes, permiten a la escritora inscribir una identidad auténtica, sin perder la riqueza expresiva del lenguaje tradicional. Al tener poder expresivo propio, la poesía femenina de la actualidad empieza a presentar una nueva imagen de la mujer» (Ugalde [1991 *a*], p. 134). Además de los ya citados en páginas anteriores —Ana Rossetti, Blanca Andreu, Juana Castro, Amparo Amorós, Luisa Castro— otros nombres de interés son los de Rosa Romojaro, conceptual y neopurista, que nada tiene que ver con lo que tópicamente se entiende por poesía femenina; Almudena Guzmán, definida como «poeta del amor, al menos de las primeras experiencias amorosas de la juventud: su despertar, su florecimiento, y su fracaso» (Wilcox [1991], p. 110), quien en *El libro de Tamar* (1989) adopta el tono de los cuentos infantiles para evocar experiencias de la infancia; María Sanz, en la que los sentimientos convencionalmente poéticos alternan con toques de ironía que recuerdan a Miguel d'Ors; Mercedes Escolano, Concha García, Lola Velasco, etc.

LOS POETAS. Ironía, sarcasmo y parodia caracterizan la obra de Jon Juaristi (Bilbao, 1951), patentes incluso en los títulos de sus libros. El juego de palabras, la comicidad fácil, presentes ya en *Diario del poeta recién cansado* (1985), su primer libro, constituyen sólo la faceta más superficial del modo de hacer de Juaristi. Hay también en él un poeta civil que se atreve a hablar —con vigor en inteligencia— de temas que el descrédito de la poesía social había convertido en tabú, y un poeta lírico de seca y emocionada palabra. Poemas como «Los tristes campos de Troya», tan hilarante, «Epístola a los vascones» o «Cirro en San Ángel» pueden servir para ejemplificar los diversos tonos de Juaristi, un poeta que se ve a sí mismo incluido (junto con Trapiello, Sánchez-Ostiz, Bonet) en la «poesía de la intrahistoria», caracterizada por «el rigor formal, la preferencia por el poema breve (por el apunte, incluso) y por la voluntad más o menos explícita de vincularse a una tradición nacional —la del 98 y la del modernismo refrenado—, de la que extraen un imaginario común: paisajismo, vida de provincia, ciudades del norte, estampas decimonónicas, etc.» (cf. Amorós [1989]).

Los poemas de Juan Manuel Bonet (París, 1953) tienen mucho de apuntes impresionistas. Él mismo, en la poética incluida en *La generación de los ochenta* (1988), ha declarado al respecto: «Impresionismo es una palabra que oigo emplear a menudo despectivamente. La asumo. Del simbolismo, movimiento que me es próximo por encima de todos, esa esencia es lo que me interesa; no la voluta *art nouveau*; no la pedrería. Hacer, con impresiones pasajeras, un poema. Un poema cuya forma, precisa e imprecisa a un tiempo, esté al servicio de la impresión fugitiva, del tiempo que huyó». *La patria oscura* (1983), su primer libro, destaca por la capacidad para evocar atmósferas asordinadas y melancólicas; nos hablan sus versos de ciudades de provincia, como Lugo o Pamplona; de la Salamanca de la guerra civil; del «sencillo irse de las horas / sentado en la terraza de un café»; de «la canción del tiempo que pasa / oída en una tarde de domingo»... El simbolismo finisecular y el modernismo tardío (Fernando Fortún es citado en el primer poema del libro) encuentran en Bonet su mejor heredero.

Abundan también los poemas viajeros en *Café des exilés* (1990), centrados ahora en los países del centro europeo. «Briznas, esquirlas, pavesas» define Bonet las anotaciones de su dietario *La ronda de los días* (1990); de la misma manera podrían definirse sus poemas.

El primer libro de Andrés Trapiello (Manzaneda de Torío, León, 1953), *Junto al agua* (1980), presentaba ya algunas de las características que lo peculiarizan como poeta —el gusto por lo descriptivo, la capacidad para la creación de atmósferas—, unidas a una cierta vaguedad expresiva que iría desapareciendo en títulos posteriores. La herencia simbolista y posmodernista patente en *Las tradiciones* (1982) —el título serviría en 1990 también para sus poesías completas— y *La vida fácil* (1985) dará paso en su última obra, *El mismo libro* (1989), a una insólita recuperación de temas y tonos arrinconados por las más recientes promociones poéticas: la ternura de los poemas familiares de Unamuno, las tardes y los caminos de Antonio Machado, el castellanismo de Enrique de Mesa. El rechazo de la originalidad, tan propio de su generación, se acentúa en Andrés Trapiello: «Me gustaría pensar —ha declarado— que la poesía no es sino un largo, extenso y único poema que escriben, en épocas diferentes y en diferentes lenguas, los diferentes poetas. Según esto, un poeta escribe siempre en un papel prestado y con plumas prestadas. Incluso escribe de prestado él mismo. De uno a otro sólo varía el trazo, la caligrafía. Como se ve, no gran cosa».

Paradójicamente, ese huir de la originalidad le lleva a escribir algunos de los poemas más hondamente originales y hermosos de la poesía contemporánea, si bien el lector debe saber encontrarlos entre los prescindibles pastiches noventayochistas que tampoco escasean en *El mismo libro*.

Luis García Montero (Granada, 1958) se inicia como poeta con *Y ahora ya eres dueño del puente de Brooklyn* (1980), poemas en prosa que recrean el mundo de la novela negra norteamericana. Luego ha jugado a la invención heteronímica (ese Álvaro Montero que firma *Tristia*, un libro escrito en colaboración con Álvaro Salvador) y a esos dos modos complementarios de la intertextualidad que son la parodia y el pastiche (*Rimado de ciudad*, *Égloga de los dos rascacielos*, *Anuncios por palabras*), sin olvidar tampoco un directo intento de poesía comprometida (el folleto *En pie de paz*). Pero sus títulos más significativos están formados por la trilogía *El jardín extranjero* (1983), *Diario cómplice* (1987) y *Las flores del frío* (1991). La intertextualidad se encuentra también presente en estas obras de más empeño: el tono y los temas de ciertos poetas del cincuenta, especialmente Gil de Biedma, resuenan a menudo en sus versos. García Montero ha sido uno de los más activos reivindicadores de la poesía del medio siglo, tan denostada por los novísimos. Él mismo ha declarado al respecto: «Siempre había oído que en la carrera poética los jóvenes deben aliarse con los abuelos para hacerle frente a la perturbación del dominio paterno. En mi caso, la cordialidad producida por la lectura de algunos poetas del cincuenta no se hizo esperar. Un mundo que no era el mío, pero que me daba libertad para crear mi mundo, surgió como punto de enlace y como tono de referencia». En *Diario cómplice* alcanza García Montero su voz más personal: un decir matizado, minucioso, preciso, que no busca el brillo aislado del verso (salvo en algunos finales ingeniosos, casi a manera de greguerías) ni rehúye el detalle realista o el giro coloquial; sus poemas tienen siempre, como quería Auden, al menos todas las virtudes de la buena prosa.

Las flores del frío (1991) recoge, en su parte inicial, los hallazgos de la canción neopopularista de los años veinte para darles un nuevo tono paradójicamente realista y alucinado, surreal y urbano. Otros textos alternan la poesía de la meditación —«Casa en ruinas»— con la que trascendentaliza anécdotas del vivir cotidiano.

José María Parreño (Madrid, 1958) se inicia con la poesía intimista y neorromántica de *Instrucciones para blindar un corazón* (1981). Con *Libro de las sombras* (1986) se ejercita en el apócrifo y en la poesía heteronímica. *Las reglas del fuego* (1987), su mejor libro, combina culturalismo, intimismo y neorromanticismo en un brillante ejercicio de estilo. Esos tres libros, más el añadido de algunos poemas, forman el volumen *Fe de erratas* (1990). En los «Nueve poemas inéditos» que anteceden en esta recopilación a *Libro de las sombras* resulta perceptible la influencia, no excesivamente mimética, sin embargo, de Borges.

Álvaro Valverde (Plasencia, 1959) mostraba ya en *Territorio* (1985), su primer libro, una decidida vocación de estilo, un deseo de violentar la sintaxis, de enrarecer la anécdota y multiplicar las referencias intelectuales que lo apartaba de buena parte de sus compañeros de generación, más partidarios de referirse a «lo que pasa en la calle», de cultivar una poesía urbana y de la experiencia, que de aludir crípticamente a «los eventos consuetudinarios que acontecen en la rúa» o de internarse en metafísicos laberintos. En un segundo momento, prescinde Valverde de los barroquismos experimentales y esencializa sus versos hasta convertirlos en emblemática representación de la corriente minimalista. Los cuadernos *Sombra de la memoria* (1986) y *Lugar del elogio* (1987) ejemplifican una poesía que se aproxima peligrosamente a «un vacío poblado de ecos», para decirlo con sus propias palabras, pero que, en ocasiones, consigue la nitidez y la capacidad de sugerencia de la lírica de oriente, de los maestros del haikú. Contrastan con estos poemas mínimos los textos de *Las aguas detenidas* (1989), que constituyen una nueva etapa en la evolución del autor. No es que los poemas resulten de gran extensión —en torno a los treinta versos—, pero la diferencia con el despojamiento anterior resulta notable; el período sintáctico puede ahora demorarse, desarrollarse, perderse en complejidades que permiten expresar las más sutiles reflexiones. Los poemas de *Las aguas detenidas* —según sugiere la cita inicial de María Zambrano— hablan de algo «apenas entrevisto o presentido», del sentido oculto de las cosas que se nos revela, o creemos que se nos revela, en fugaces instantes; su dificultad, lo que de inasibles tienen estos textos para el lector, se debe a que la experiencia a comunicar resulta, como en la mística, inefable; el poeta sólo puede aludir a ella, bordear sus huellas con circunloquios, dejar que adivinemos. Un cierto cambio de rumbo supone su último libro, *Una oculta razón* (1991), en el que la meditación existencial que caracteriza la obra de este poeta parece haber encontrado menos evanescentes «correlatos objetivos».

Estancia en la heredad (1979), primera entrega de Felipe Benítez Reyes (Rota, Cádiz, 1960) sería pronto rechazada por el propio autor debido a su difusa imprecisión, a su vaguedad adolescente. Pero ya en *Paraíso manuscrito* (1982) nos encontramos con un poeta al que los evidentes ecos borgianos o del modernismo crepuscular (el menos sonoro y preciosista) no le impiden mostrarse dueño de un seductor mundo propio, hecho, a partes iguales, de música verbal y de música de la memoria, de precisión retórica y de capacidad imaginativa. Con *Los vanos mundos* (1985), Benítez Reyes pasa —según sus propias palabras— «de entender la poesía como una confesión a entenderla como un género de ficción». El magisterio de Pessoa —tan admirado por los poetas de los ochenta— no se encuentra ausente de ese cambio. Frente a la poética romántica, viva todavía en la teoría y en la práctica de autores como Antonio Colinas, se propugna un ideal clásico de sobriedad y un pessoano fingimiento: «No me agrada la pomposidad en el tono ni el desorden estilístico. Creo que en un poema la emoción debe ser fingida». Breves entregas menores, en la estela de *Los vanos mundos* y con poemas de su misma época, han acompañado la publicación del tercer libro importante de Benítez Reyes, *La mala compañía* (1989). Como ficciones, como relatos oníricos, como cuentos fantásticos pueden considerarse muchos de sus textos. La novedad frente a la poesía anterior se encuentra en los poemas más extensos; los más breves continúan, por lo general, procedimientos frecuentes en los títulos anteriores. Hable de libros, de pesadillas, de andanzas etílicas, de borgianos espejos o de la imposibilidad de escribir un poema de amor, Benítez Reyes posee siempre esa cualidad que, al decir de Stevenson, de no existir hace inútiles a todas las demás: el encanto. Pocos poetas han acertado nunca a moverse con tanto garbo por «las callejuelas melancólicas / de la literatura», a bordear el tópico, la música fácil, el léxico convencionalmente poético, las metáforas gastadas, consiguiendo esquivarlos finalmente con un quiebro irónico.

José Ángel Cilleruelo (Barcelona, 1960) ha reunido su poesía en el volumen *El don impuro* (1989). La presencia de Pessoa, y de la cultura portuguesa, resulta especialmente patente en los versos de Cilleruelo. *Alfama* (1987) es el título de uno de los libros recopilados en *El don impuro*; en él se incluye la serie poética «Persona», donde se recrea la biografía de Pessoa y se incluye un poema apócrifo de Álvaro de Campos. Otra huella del magisterio pessoano la constituye la creación de un heterónimo, Clemente Casín. Pero Cilleruelo, buen conocedor de la lengua y la literatura portuguesas, no reduce Portugal a la figura de Pessoa: de la moderna poesía portuguesa ha aprendido un tono, una sintaxis, un sabio uso de las disonancias temáticas y estilísticas que lo distancian, en gran manera, de sus compañeros de generación. Melodramático, desigual, torpe a veces en la expresión, ajeno al neoformalismo que parece haberse puesto de moda en los últimos años, José Ángel Cilleruelo ha sabido, sin embargo, captar como pocos el desolado clima espiritual de la ciudad contemporánea. Sus versos nos hablan de hombres solos, de venales encuentros eróticos, de ambiguos personajes que no aciertan a encontrar «el lenguaje tierno con que se escribe / la compañía».

Carlos Marzal (Valencia, 1961) se inscribe en una línea que parte de Manuel Machado, sigue con Jaime Gil de Biedma y en la poesía reciente se encuentra representada por Javier Salvago; coloquialismo, neorromanticismo, autoironía son calificativos que pueden definir a esa corriente. Carlos Marzal, autor de *El último de la fiesta* (1987) y *La vida de frontera* (1991), ambos libros publicados por la editorial sevillana Renacimiento, no oculta sus antecedentes literarios. «El mal poema» titula uno de sus textos, en clara alusión a Manuel Machado. El final de «Imagino el infierno» es muy característicamente machadiano: «Así pues, nos veremos, si no imagino mal. / Y si no coincidimos ... es lo mismo ... es igual» (recordemos los finales anticlimáticos de Manuel Machado estudiados por Dámaso Alonso). El alba «helada y sucia» de otro de los poemas de *El último de la fiesta* aúna la referencia a Machado y a Gil de Biedma. Uno de los poemas de *La vida de frontera* ironiza sobre esta relación tan insistentemente subrayada por los críticos. «Media verónica para don Manuel Machado» comienza con estos versos: «La crítica, tan crítica, tan lista, me ha indicado / que soy nieto cercano de don Manuel Machado».

Vicente Gallego (Valencia, 1963) se inicia como poeta con *Santuario* (1986), un poema unitario que se quiere desenfadado y provocador. Voluntaria e ingenuamente escandaloso, acaso lo que más interesa del libro es su aspecto técnico, la sabia alternancia de registros lingüísticos y el entrecruzamiento de narración y lirismo. La lección de los últimos títulos de Luis Rosales —los que integran *La carta entera*— no es ajena al modo de hacer de Vicente Gallego, aunque su mundo resulte otro. *La luz, de otra manera* (1988) supone un considerable paso adelante en el proceso de maduración del poeta. También se trata de un libro unitario, aunque de modo distinto que la obra anterior. Los diferentes poemas se nos presentan como anotaciones de un diario, escrito por un solitario que pasea cada atardecer por un desolado paisaje costero. El asombro ante las cosas elementales (como en la poesía de César Simón), y también ante el propio cuerpo, constituye el tema del libro, resumido así en uno de sus versos: «Mar, tarde, sol, contemplo, duermo. Soy». En su última entrega, *Los ojos del extraño* (1990) se acoge Vicente Gallego a un magisterio distinto, el de Francisco Brines. La versatilidad, la facilidad verbal constituyen el mérito y el demérito mayor de este camaleónico poeta.

En las antologías *La poesía más joven*, de Bejarano [1991] y *Poetas de los noventa*, de Piquero [1991] encontramos los últimos nombres de interés que se han incorporado a la poesía española: José A. Mesa Toré, José Mateos, Tomás Cano, Lorenzo Oliván, José Manuel Benítez Ariza, Javier Almuzara.

Humor, cotidianidad, gusto por la narración, rechazo de los experimentalismos vanguardistas, convivencia de diversas tradiciones (*Las tradiciones* se titula precisamente un libro de Andrés Trapiello) siguen siendo sus rasgos más característicos.

Al Eliot de *The Waste Land* se prefiere el de los *Four Quartets*; al magisterio de Ezra Pound le sucede el de W. H. Auden o el de Philip Larkin, un poeta que se ha puesto especialmente de moda en los últimos años. Jaime Gil de Biedma, a pesar de haber concluido su obra poética a finales de los años sesenta, sigue siendo el autor español contemporáneo citado y admirado en primer lugar. No resulta casual que *Poetas de los noventa* le esté precisamente dedicado. La poesía más joven vuelve silenciosamente la espalda al núcleo de la generación anterior desde el primer momento más prestigiado y promocionado. Gimferrer, Carnero, Azúa o Vázquez Montalbán, incluidos desde hace tiempo en los libros de texto, sin llegar todavía a la categoría de clásicos se han convertido ya, para la mayor parte de los lectores jóvenes, en polvorienta y manoseada arqueología. Otros poetas más tardíos en cuanto a la publicación de su primer libro, como Eloy Sánchez Rosillo, o ajenos al núcleo generacional de los «novísimos», como Juan Luis Panero, serán ahora los considerados maestros.

Unas palabras del poeta catalán Gabriel Ferrater podrían servir casi de lema generacional: «Òptimament, tot poema hauria d'ésser clar, sensat, lúcid i apassionat, és a dir en una paraula, divertit». «Claros, sensatos, lúcidos y apasionados», quieren estos poetas que su verso tenga, por lo menos, las características de la buena prosa. El sentido común, además del menos común de los sentidos, es también para ellos el de mayor fertilidad poética.

NÓMINA: POETAS QUE SE DIERON A CONOCER A PARTIR DE 1975

Antonio Abad (Melilla, 1949)
  El ovillo de Ariadna, Ánade, Granada, 1978.
  Misericor de mí, Rusadir, Melilla, 1980.
  Mester de lujuria, Corona del Sur, Málaga, 1980.
  Invención del paisaje, Ánade, Granada, 1983.
  El arco de la luna, Rusadir, Melilla, 1987.

Jesús Aguado (Madrid, 1961)
  Primeros poemas del naufragio, Cuadernos de la memoria, Sevilla, 1984.
  Mi enemigo, El mágico íntimo, Sevilla, 1987.
  Semillas para un cuerpo (en colaboración con Chantal Maillard), Diputación Provincial, Soria, 1988.
  Los amores imposibles, Hiperión, Madrid, 1990.

Leopoldo Alas (Arnedo, Logroño, 1962)
  Los palcos, Olifante, Zaragoza, 1988.

Roberto Albandoz (Vitoria, 1951-1985)
  De buenas a primeras, Bahía, Algeciras, 1982.
  Andarivel que oscila sobre zanjas, Zurgai, Bilbao, 1986.

José María Algaba (Sevilla, 1955)
  Exergo, Alfar, Sevilla, 1986.
  Las ciudades, Sevilla, 1989.
  La casa de las sirenas, Editora Regional de Extremadura, Mérida, 1990.

JAVIER ALMUZARA (Oviedo, 1969)
El sueño de una sombra, Oliver, Oviedo, 1990.

JAIME ÁLVAREZ BUIZA (Badajoz, 1952)
Tarde de siempre, Universitas Editorial, Badajoz, 1978.
Huida de las horas, Universitas Editorial, Badajoz, 1980.
Insistente reencuentro, Universitas Editorial, Badajoz, 1984.
Personario, Diputación Provincial, Badajoz, 1987.
Espera inacabada, Kylix, Badajoz, 1988.

FRANCISCO ÁLVAREZ VELASCO (Cimanes del Tejar, León, 1940)
Tiempo de maldición, Taranto, Madrid, 1979.
Del viejísimo jugo de la tierra, Ateneo Obrero, Gijón, 1988.

AMPARO AMORÓS (Valencia)
Ludia, Rialp, Madrid, 1983.
Al rumor de la luz, Zarza Rosa, Valencia, 1985.
La honda travesía del águila, Llibres del Mall, Barcelona, 1986.
Quevediana, Mestral, Valencia, 1988.

BLANCA ANDREU (La Coruña, 1959)
De una niña de provincias que se vino a vivir en un Chagall, Rialp, Madrid, 1981.
Báculo de Babel, Hiperión, Madrid, 1983.
Elphistone, Visor, Madrid, 1988.

GINÉS ANIORTE (Murcia, 1960)
Poemas de amor, 1980.
Es tiempo de vivir, 1986.
Fragmentos, 1987.
Mientras dure el invierno, Los libros de la frontera, Barcelona, 1990.

MIGUEL ARGAYA (Valencia, 1960)
Prohibido el paso a perros y poetas, Valencia, 1983.
Elementos para un análisis específico de los poblamientos indígenas, La pluma del águila, Valencia, 1987.
Luces de gálibo, Visor, Madrid, 1990.

JOSÉ LUIS ARGÜELLES (Mieres, Asturias, 1960)
Cuelmo de sombras, Versus, Mieres, 1988.

MARGARITA ARROYO (Boñar, León)
Reducido a palabras, Torremozas, Madrid, 1983.
El yelmo y sus adornos, Almarabú, Madrid, 1985.

CARLOS AURTENETXE (San Sebastián, 1942)
Caja de silencio, Ediciones Vascas, San Sebastián, 1979.
Pieza del tiempo, Caja de Ahorros Provincial de Guipúzcoa, San Sebastián, 1983.
Palabra perdida (Poesía 1977-1989), Universidad del País Vasco, Bilbao, 1990.

LUIS EDUARDO AUTE (Manila, 1943)
 Canciones y poemas, Demófilo, Madrid, 1976.
 La liturgia del desorden, Hiperión, Madrid, 1979.
 La matemática del espejo, Hiperión, Madrid, 1979.
 Canciones, Hiperión, Madrid, 1984.
 Canciones 2, Hiperión, Madrid, 1990.

JUAN BARJA (La Coruña, 1951)
 Equilibrio del día, Madrid, 1981.
 Horizonte de entrada, Akal, Madrid, 1983.
 El fuego y la ceniza, Madrid, 1989.
 Las estaciones, Caja General, Granada, 1991.

LEONOR BARRÓN (Lucena, Córdoba)
 Sobre palomas y tus manos, Orígenes, Madrid, 1986.
 Siete claves, Jorge Huertas, ed., Fernán-Núñez (Córdoba), 1990.

AMALIA BAUTISTA (Madrid, 1962)
 Cárcel de amor, Renacimiento, Sevilla, 1988.

FRANCISCO BEJARANO (Jerez, Cádiz, 1945)
 Transparencia indebida, Silene, Granada, 1977.
 Recinto murado, Calle del Aire, Sevilla, 1981.
 Elogio de la piedra, Cuadernos de Cera, Rota, 1981.
 Las tardes, Renacimiento, Sevilla, 1988.
 Antología (1969-1987), Diputación Provincial, Granada, 1990.

FERNANDO BELTRÁN (Oviedo, 1956)
 Umbral de cenizas, Cúspide, Madrid, 1978.
 Corteza de la génesis más cierta, Aeda, Gijón, 1981.
 Aquelarre en Madrid, Rialp, Madrid, 1983.
 Ojos de agua, El Observatorio, Madrid, 1985.
 Cerrado por reformas, La Favorita, Madrid, 1989.
 Gran Vía, Libertarias, Madrid, 1990.
 El gallo de Bagdad y otros poemas, Ayuso, Madrid, 1991.

RICARDO BELLVESER (Valencia, 1948)
 Cuerpo a cuerpo, Alarabe, Murcia, 1977.
 La estrategia, Lindes, Valencia, 1977.
 Manuales, Fernando Torres, Valencia, 1980.
 Cautivo y desarmado, Libertarias, Madrid, 1987.

JOSÉ MANUEL BENÍTEZ ARIZA (Cádiz, 1963)
 Expreso y otros poemas, Ayuntamiento de Rota, Rota, 1988.

FELIPE BENÍTEZ REYES (Rota, Cádiz, 1960)
 Estancia en la heredad, Pandero, Rota, 1979.
 Paraíso manuscrito, Renacimiento, Sevilla, 1982.

Los vanos mundos, Diputación Provincial, Granada, 1985.
Pruebas de autor, Renacimiento, Sevilla, 1989.
La mala compañía, Mestral, Valencia, 1989.

JOSÉ LUIS BERNAL (Cáceres, 1959)
Primavera invertida, Editora Regional de Extremadura, Mérida, 1984.
El alba de las rosas, Editora Regional de Extremadura, Mérida, 1990.

FELICÍSIMO BLANCO (Valverde de Campos, Valladolid, 1952)
Los dioses de la calle, El telar de Penélope, Oviedo, 1982.
Un amor entre sombras, Cuadernos de Cristal, Avilés, 1984.
Taller de máscaras, Oliver, Oviedo, 1987.

JOSÉ ANTONIO BLANCO (Baracaldo, 1961)
Dermatológicas, Pamiela, Pamplona, 1985.
Thriller, Laida, Bilbao, 1991.

JOSÉ BOLADO (Oviedo, 1946)
Línea imperceptible al temor, Deva, Gijón, 1988.
Nomade, Levanti Editori, Bari, 1991.

JUAN MANUEL BONET (París, 1953)
La patria oscura, Trieste, Madrid, 1983.
Café des exilés, La Veleta, Granada, 1990.
La ronda de los días, Guillermo Canals, Palma de Mallorca, 1990.

JUAN BONILLA (Jerez, Cádiz, 1966)
Cuestiones personales, Caffarena, Málaga, 1988.

JOSÉ LUNA BORGE (Sahagún, León, 1952)
Las buenas costumbres, La Isla de Erimo, Sevilla, 1989.

CARMEN BORJA (Gijón, 1957)
Con la boca abierta, Barcelona, 1978.
Buscando el aroma, Ámbito Literario, Barcelona, 1980.
Libro de Ainakls, Arenal, Jerez, 1987.

VÍCTOR BOTAS (Oviedo, 1945)
Las cosas que me acechan, Jugar con fuego, Avilés, 1979.
Prosopon, El toro de barro, Cuenca, 1980.
Segunda mano (versiones poéticas), Noega, Gijón, 1982.
Aguas mayores y menores, Oliver, Oviedo, 1985.
Historia antigua, Pamiela, Pamplona, 1987.

JOAQUÍN BROTONS (Valdepeñas, Ciudad Real, 1952)
Poemas para los muertos, Ciudad Real, 1977.
Las máscaras del desamor, Campos, Valdepeñas, 1978.
Amor, deseo, desencanto, Participación, Madrid, 1979.

La soledad de la luna, Dúo, Madrid, 1980.
El espejo de la belleza, Col. Juan Alcaide, Valdepeñas, 1982.
Poemas del amor ambiguo, Hacia Afuera, Valdepeñas, 1984.

RAMÓN BUENAVENTURA (Tánger, 1940)
Cantata soleá, Hiperión, Madrid, 1978.
Tres movimientos, Hiperión, Madrid, 1981.
Vereda del gamo, Hiperión, Madrid, 1984.
El abuelo de las hormigas, Hiperión, Madrid, 1986.
Eres, Plaza & Janés, Barcelona, 1989.

EUGENIO BUENO (Galisteo, Cáceres, 1942)
De mar y amor, Angaro, Sevilla, 1978.
Las manos sobre el jardín, Jueves Literarios, Avilés, 1983.
Cargos de ausencia, Editora Regional de Extremadura, Mérida, 1986.
Álbum de instantes, Per/versiones poéticas, Avilés, 1991.

ALFREDO BUXÁN (1950)
Acumulada, numerosa herrumbre, 1979.
Cuaderno de Lubu, 1979.
El telar de la nostalgia, 1982.
Legado de ternura, 1989.
Liturgia de la heredad, Cuadernos de Cántiga, Madrid, 1991.
Cantar de ciego, Ediciones de la Banda Oriental, Montevideo, 1991.

JOSÉ JULIO CABANILLAS (Granada, 1958)
Las canciones del alba, Renacimiento, Sevilla, 1990.

JOSÉ MANUEL CABRA DE LUNA (Málaga, 1949)
De los que frecuentan las alturas, Málaga, 1978.
Vuelos, Ánade, Granada, 1980.
Elogio y denuestos, Rialp, Madrid, 1981.
Las palabras del agua, Diputación Provincial, Málaga, 1984.
S, Dador, Málaga, 1990.

JUAN MARÍA CALLES MORENO (Cáceres, 1963)
Silencio celeste, Rialp, Madrid, 1987.
El peregrino junto al mar, Editora Regional de Extremadura, Mérida, 1987.

ÁNGEL CAMPOS PÁMPANO (San Vicente de Alcántara, Badajoz, 1957)
La ciudad blanca, Pre-Textos, Valencia, 1988.
Caligrafías, Junta de Extremadura, Mérida, 1989.

TOMÁS CANO (Blanca, Murcia, 1965)
Los días perezosos, Dama Ginebra, Lérida, 1989.
Paraninfo, Biblioteca Privada, Lérida, 1990.

DIONISIO CAÑAS (Tomelloso, Ciudad Real, 1949)
El olor cálido y acre de la orina, Barcelona, 1977.
La caverna de Lot, Hiperión, Madrid, 1981.
Los secuestrados días del amor, Oasis, México, 1982.
El fin de las razas felices, Hiperión, Madrid, 1987.
En lugar del amor, Diputación Provincial, Ciudad Real, 1990.

RAÚL CARBONELL (Cárcer, Valencia, 1950)
Interior esencial, Atlántida, Barcelona, 1982.
Decir, Hacia Fuera, Valdepeñas, 1983.
Viaje al océano, Rialp, Madrid, 1984.
Nocturno sin consejo, Diputación Provincial, Ciudad Real, 1988.

JOSÉ CARLÓN (León, 1954)
Así nació Tiresias, Ayuso, Madrid, 1983.
Los ojos del cielo, los labios del mar, Artesa, Burgos, 1985.
El cenotafio de Newton y otros poemas, Icaria, Barcelona, 1990.

MIGUEL CASADO (Valladolid, 1954)
Invernales, Alcalá la Real, 1985.
Inventario, Hiperión, Madrid, 1987.

PEDRO CASARIEGO CÓRDOBA (Madrid, 1955)
Maquillaje, Editora Nacional, Madrid, 1983.

JUAN PEDRO CASTAÑEDA (El Hierro, Canarias, 1945)
ohrrohrrr (poesía 1975-1985), Canarias, 1990.
Un manojo de arcilla, Hiperión, Madrid, 1991.

FRANCISCO CASTAÑO (Salamanca, 1951)
Breve esplendor de mal distinta lumbre, Hiperión, Madrid, 1985.
El decorado y la naturaleza, Hiperión, Madrid, 1987.
Fragmentos de un discurso enamorado, Hiperión, Madrid, 1990.

SANTIAGO CASTELO (Granja de Torrehermosa, Badajoz, 1948)
Tierra en la carne, Oriens, Madrid, 1976.
Memorial de ausencias, Álamo, Salamanca, 1979.
Monólogo de Lisboa, Rondas, Barcelona, 1980.
La sierra desvelada, Arbolé, Madrid, 1982.
Cruz de Guía, Alpe, Madrid, 1984.
Cuaderno de verano, Diputación Provincial, Badajoz, 1985.
Como disponga el olvido (Antología 1970-1985), Rialp, Madrid, 1986.

JULIA CASTILLO (Madrid, 1956)
Urgencias de un río interior, Rialp, Madrid, 1975.
Poemas de la imaginación barroca, Sur, Santander, 1980.
Selva, Begar, Málaga, 1983.

Demanda de Cartago, 1987.
Siete movimientos, 1991.

JUANA CASTRO (Villanueva de Córdoba, 1945)
Cóncava mujer, Córdoba, 1978.
Del dolor y las alas, Villanueva de Córdoba, 1982.
Paranoia en otoño, Col. Juan Alcaide, Valdepeñas, 1985.
Narcisia, Taifa, Barcelona, 1986.
Arte de cetrería, Diputación Provincial, Huelva, 1989.
Volo cieco, Levante Editori, Bari, 1990.

LUISA CASTRO (Foz, Lugo, 1966)
Odisea definitiva (libro póstumo), Arnao, Madrid, 1984.
Los versos del eunuco, Hiperión, Madrid, 1986.
Baleas e baleas, Esquío, Ferrol, 1988.
Los hábitos del artillero, Visor, Madrid, 1990.

MERCEDES CASTRO (León, 1953)
Paisaje de la sangre, Polifemo, Córdoba, 1986.
La sombra de la sombra de un sueño, Delegación Provincial de Educación y Ciencia, Huelva, 1990.

JOSÉ CARLOS CATAÑO (Canarias, 1954)
Jules Rock, 1975.
Muerte sin ahí, 1982.
Disparos en el Paraíso, Llibres del Mall, Barcelona, 1982.

CARLOS CAVIÑO DE FRANCHY (Santa Cruz de Tenerife, 1952)
La emancipación de los objetos, Tenerife, 1983.
Sobre las piernas, Tenerife, 1985.
La emancipación de los objetos, ed. ampliada, Hiperión, Madrid, 1988.

ALEJANDRO CÉSPEDES (Gijón, 1958)
La noche y sus consejos, Diputación Provincial, Granada, 1986.
James Dean, amor que me prohíbes, Pamiela, Pamplona, 1986.
Tú, mi secreta isla, Plaza de la Marina, Málaga, 1990.

JOSÉ ÁNGEL CILLERUELO (Barcelona, 1960)
Narrado en bronce, Cuadernos Poema Joven, Elche, 1982.
Sortilegio, Prometeo, Valencia, 1983.
Alfama, Víctor Orenga, Valencia, 1987.
El don impuro 1977-1988, Diputación Provincial, Málaga, 1989.
Diario de ciudad, Vizland & Palmart, Málaga, 1990.

JUAN COBOS WILKINS (Huelva, 1957)
El jardín mojado, Dendrónoma, Sevilla, 1981.
Sol, Pliegos de Mineral, Huelva, 1985.
Barroco ama a Gótico, Caffarena, Málaga, 1986.

Espejo de príncipes rebeldes, Diputación Provincial, Málaga, 1989.
Diario de un poeta tartesso, Diputación Provincial, Huelva, 1990.

ISLA CORREYERO (Miajadas, Cáceres, 1957)
Cráter, Provincia, León, 1984.
Lianas, Hiperión, Madrid, 1988.

JACOBO CORTINES (Lebrija, Sevilla, 1946)
Primera entrega (1974-1978), Sevilla, 1978.
Pasión y paisaje, Llibres del Mall, Barcelona, 1983.
Poemas escogidos, Sevilla, 1983.

LUIS CREMADES (Alicante, 1962)
El animal favorito, Pre-Textos, Valencia, 1991.

CARMEN DÍAZ MARGARIT
Gacelas de la selva alucinada, Adonais, Madrid, 1991.

BERND DIETZ (Alcalá de Henares, 1953)
XVIII poemas y un preludio, Tenerife, 1977.
Alcorces, Hiperión, Madrid, 1981.
El arte de la sustitución, Orígenes, Madrid, 1983.
Ciclos, o el progreso del turismo, Tenerife, 1986.
Un apocalipsis invita a vivir, Hiperión, Madrid, 1991.

FRANCISCO DOMENE (Caniles, Granada, 1960)
Libro de las horas, Diputación Provincial, Granada, 1991.

CECILIA DOMÍNGUEZ LUIS (La Orotava, Tenerife, 1948)
Porque somos de barro, Taifa, 1977.
Objetos, Taifa, 1977.
Presagios de sueños en las gargantas de las palomas, Caja de Ahorros, Tenerife, 1982.
Un cierto sabor ácido para los días venideros, Añil, Tenerife, 1987.

ACACIA DOMÍNGUEZ UCETA
Como el viento en la empalizada, El toro de barro, Cuenca, 1982.
Incesante fuga, Rialp, Madrid, 1985.

DIEGO DONCEL (Malpartida, Cáceres, 1964)
El único umbral, Rialp, Madrid, 1991.

RAFAEL DUARTE (San Fernando, Cádiz, 1948)
Vuelo de pruebas, Bellido, Cádiz, 1978.
Diario de un hombre vulgar, Aldebarán, Sevilla, 1979.
Preludios, elegías y alucinaciones, Ayuntamiento de Alcalá de Henares, Alcalá de Henares, 1981.
Entre el pecho y el mar, Ayuntamiento de Córdoba, Córdoba, 1982.

Los viejos mitos del asombro, Rialp, Madrid, 1982.
Elogio del fracaso, Arenal, Jerez, 1983.

ALEJANDRO DUQUE AMUSCO (Sevilla, 1949)
Esencias de los días, Ínsula, Madrid, 1976.
El sol en Sagitario, Ámbito Literario, Barcelona, 1978.
Del agua, del fuego y otras purificaciones, Los libros de la frontera, Barcelona, 1983.
Sueño en el fuego, Renacimiento, Sevilla, 1989.

EDUARDO ERRASTI (Oviedo, 1960)
Invasión preferida, El telar de Penélope, Oviedo, 1984.
Lugar de lo informe, Altair, Gijón, 1985.
Las memorias de un gentil-hombre, Oviedo, 1987.
Sol de hielo, Ateneo Obrero, Gijón, 1990.

MERCEDES ESCOLANO (Cádiz, 1964)
Marejada, Cuadernos Poema Joven, Elche, 1982.
Las bacantes, Catoblepas, Madrid, 1984.
Felina calma y oleaje, Diputación Provincial, Córdoba, 1986.
Estelas, Torremozas, Madrid, 1991.

ROSA ESPADA (Zamora, 1954)
Manuscrito del mar, Aeda, Gijón, 1980.
De un taciturno río, Ateneo Obrero, Gijón, 1987.

JUAN JOSÉ ESPINOSA VARGAS (Sevilla, 1956)
Síntoma de alas, Euskal Bidea, Pamplona, 1981.
Trabailar, Corona del Sur, Málaga, 1982.
Marzo o la traducción del aire, Anthopos, Barcelona, 1984.

JOSÉ LUIS FALCÓ (Valencia, 1952)
Lebrel de sombras, Universidad de Valencia, Valencia, 1978.
El encanto de la serpiente, Septimomiau, Valencia, 1980.
Paisaje dividido, Quervo, Valencia, 1981.
Diez fragmentos en abril, Valencia, 1984.
Paisaje dividido (poesía completa), Mestral, Valencia, 1988.

JOSÉ FERNÁNDEZ-CAVIA (Barcelona, 1963)
Correspondencia, Ediciones del Serbal, Barcelona, 1989.

JESÚS FERNÁNDEZ PALACIOS (Cádiz, 1947)
Poemas anuales, Universidad de México, México, 1976.
El ámbito del tigre, Padilla, Madrid, 1978.
De un modo cotidiano, Ayuso, Madrid, 1981.

JOSÉ FERNÁNDEZ DE LA SOTA (Bilbao, 1960)
Te tomo la palabra, Laida, Bilbao, 1989.

Jesús Ferrero (Zamora, 1952)
  Río amarillo, Pamiela, Pamplona, 1986.
  Negro sol, Pamiela, Pamplona, 1987.

José Luis V. Ferris (Alicante, 1960)
  Piélago, Hiperión, Madrid, 1985.
  Cetro de cal, Rialp, Madrid, 1985.
  Niebla firme, Hiperión, Madrid, 1989.

Abel Feu Vélez (Ayamonte, Huelva, 1965)
  La vida misma, Númenor, Sevilla, 1991.

Pelayo Fueyo (Gijón, 1967)
  Memoria de un espejo, Zigurat, Gijón, 1990.

Herme G. Donis (Villalón de Campos, Valladolid, 1951)
  Catón de infancia, Cuadernos de Cristal, Avilés, 1983.
  Marginalia urbana, Oliver, Oviedo, 1986.
  El fuego desvelado, Torremozas, Madrid, 1987.
  Mientras el tiempo pasa, Versus, Mieres, 1989.

José Antonio Gabriel y Galán (Plasencia, Cáceres, 1940)
  Descartes mentía, Provincia, León, 1977.
  Un país como éste no es el mío, Hiperión, Madrid, 1978.
  Poesía 1970-1985, Editora Regional de Extremadura, Mérida, 1988.

Manuel Gahete (Fuente Obejuna, Córdoba, 1957)
  Nacimiento al amor, Ayuntamiento de Córdoba, Córdoba, 1986.
  Los días de la lluvia, 1987.
  Sortilegio de polvo y de gaviotas, 1987.
  Capítulo del fuego, 1989.
  Íntimo cuerpo sin luz, Rialp, Madrid, 1990.
  Ángel pagano, Jorge Huertas, Fernán-Núñez (Córdoba), 1990.
  Alba de lava, Barro, Sevilla, 1990.

José Gaitán (Málaga, 1958)
  La danza de los espacios, Canente, Málaga, 1988.

Antonio Galán Berrocal (Montánchez, Cáceres, 1965)
  El buque fantasma, Fundación Colegio del Rey, Alcalá de Henares, 1990.

Miguel Galanes (Daimiel, Ciudad Real, 1951)
  Inconexiones, Ágora, Madrid, 1979.
  Urgencias sin nombre, Rialp, Madrid, 1981.
  Ópera ingenua para Isabel María, col. Hacia Fuera, Valdepeñas, 1983.
  Condición de una música inestable, Ayuso, Madrid, 1984.
  La demencia consciente, Libertarias, Madrid, 1987.
  Los restos de la juerga, Libertarias, Madrid, 1991.

VICENTE GALLEGO (Valencia, 1963)
Santuario, Universidad de Valencia, Valencia, 1986.
La luz de otra manera, Visor, Madrid, 1988.
Los ojos del extraño, Visor, Madrid, 1990.

FEDERICO GALLEGO RIPOLL (Manzanares, Ciudad Real, 1953)
Poemas del condottiero (paisaje para una batalla), Rialp, Madrid, 1981.
Crimen pasional en la plaza roja, Rialp, Madrid, 1985.
Libro de la metamorfosis, Diputación Provincial, Toledo, 1985.
Escrito en no, Junta de Comunidades, Toledo, 1986.
Caín, Libertarias, Madrid, 1990.

JUAN F. GAMBARTE (1948)
Tiempo ahogado entre las sombras, 1980.
Rimbaud en Harar y otros poemas, Jueves Literarios, Avilés, 1987.
Pianoforte, Anthropos, Barcelona, 1990.

CONCHA GARCÍA (La Rambla, Córdoba, 1956)
Rabito de pasas, Cuadernos del Mar, Valencia, 1981.
Por mí no arderán los quicios ni se quemarán las teas, Universidad de León, León, 1986.
Otra ley, Víctor Orenga, Valencia, 1987.
Ya nada es rito, Barcarola, Albacete, 1988.
Desdén, Libertarias, Madrid, 1990.

ÁLVARO GARCÍA (Málaga, 1965)
Pelea de negros, Los Cuadernillos del Grumete, Málaga, 1983.
Para quemar el trapecio, Diputación Provincial, Málaga, 1985.
La noche junto al álbum, Hiperión, Madrid, 1989.

DIONISIA GARCÍA (Fuente Álamo, Albacete)
El vaho en los espejos, Diputación Provincial, Murcia, 1975.
Antífonas, Murcia, 1978.
Mnemosine (De las palabras y los días), Rialp, Madrid, 1981.
Voz perpetua, Málaga, 1982.
Interludio, Los libros de la frontera, Barcelona, 1987.
Diario abierto, Trieste, Madrid, 1989.

EUGENIO GARCÍA FERNÁNDEZ (Sueros de Cepeda, León, 1951)
Juegos de la memoria, Endymión, Madrid, 1989.
Clima interior, Libertarias, Madrid, 1989.
Sombras de un verano, Provincia, León, 1991.

ANTONIO GARCÍA JIMÉNEZ (Cehegín, Murcia, 1957)
Un búho aún más solitario, Editora Regional, Murcia, 1983.
Ávida calma, Universidad de Murcia, Murcia, 1987.

Luis García Montero (Granada, 1958)
  Y ahora ya eres dueño del puente de Brooklyn, Universidad de Granada, Granada, 1980.
  Tristia, Rusadir, Melilla, 1982. En colaboración con Álvaro Salvador.
  El jardín extranjero, Rialp, Madrid, 1983.
  Diario cómplice, Hiperión, Madrid, 1987.
  Las flores del frío, Hiperión, Madrid, 1991.

Adolfo García Ortega (Valladolid, 1958)
  Esta labor digital, Balneario escrito, Valladolid, 1983.
  La mirada que dura, Ayuso, Madrid, 1986.
  Oscuras razones, Trieste, Madrid, 1988.
  Los hoteles, Plaza de la Marina, Málaga, 1990.

Olvido García Valdés (Santianes de Pravia, Asturias, 1950)
  El tercer jardín, Ediciones del Faro, Valladolid, 1986.
  Exposición, Esquío, El Ferrol, 1990.

Juan Ignacio González
  Otros labios, acaso, Cálamo, Gijón, 1985.

Juan Manuel González (Madrid, 1954)
  Ritos, 1978.
  Doce nombres de mujer, 1979.
  Solsticio, 1981.
  Líneas minerales, Corona del Sur, Málaga, 1984.
  De ritos y solsticios, Libertarias, Madrid, 1986.

Ángel Guache (Luanco, Asturias, 1950)
  Apariciones, Biblioteca Popular Asturiana, Oviedo, 1979.
  El viento en los árboles, Trieste, Madrid, 1986.
  Vals de bruma, Décaro, Madrid, 1987.
  Las sombras del bosque, Scriptum, Torrelavega, 1989.
  Canciones para interpretar con maracas, Barnabooth, Oviedo, 1990.
  Los adioses, Gulliver, Madrid, 1991.

Carmelo Guillén Acosta (Sevilla, 1955)
  Envés del existir, Rialp, Madrid, 1977.
  Rosa de invierno, Pasarela, Sevilla, 1988.
  La ternura infinita, Caja de Ahorros, Ávila, 1991.

José Gutiérrez (Nigüelas, Granada, 1955)
  Ofrenda en la memoria, Silene, Granada, 1976.
  El cerco de la luz, Ánade, Granada, 1978.
  Espejo y laberinto, Caffarena, Málaga, 1978.
  La armadura de sal, Hiperión, Madrid, 1980.
  De la renuncia, Trieste, Madrid, 1989.

Menchu Gutiérrez (Madrid, 1957)
El grillo, la luz y la novia, Entregas de la Ventura, Madrid, 1981.
Dos poemas, Salvador López Becerra, Málaga, 1985.
De barro la memoria, Ayuso, Madrid.

Almudena Guzmán (Navacerrada, Madrid, 1964)
Poemas de Lida Sal, Libros Dante, Madrid, 1981.
La playa del olvido, Altair, Gijón, 1984.
Usted, Hiperión, Madrid, 1986.
Después del amor..., La Plaza de la Marina, Málaga, 1988.
El libro de Tamar, Rusadir, Melilla, 1989.

Eduardo Haro Ibars (Madrid, 1948-1988)
Pérdidas blancas, Libros Dante, Madrid, 1976.
Empalador, La Banda de Moebius, Madrid, 1980.
Sex-Fiction, Hiperión, Madrid, 1981.
En rojo, Libertarias, Madrid, 1985.

Domingo-Luis Hernández (Tenerife, 1954)
Ilión, Ilión o Troya irresurgente, 1986.
Taller de tránsfugas, H. A. Editor, Tenerife, 1989.
Arbusto en el pantano, Endymión, Madrid, 1991.

Julio Herranz (Rota, Cádiz, 1948)
Armas de sueño y cuerpo, Pandero, Rota, 1979.
Del ángel y su estirpe, Silene, Granada, 1981.
Retrato de familia en blanco y negro, Ibiza, 1987.
Memoria de la luz, Caja General de Ahorros, Granada, 1989.

Amalia Iglesias (Menaza, Palencia, 1962)
Un lugar para el fuego, Rialp, Madrid, 1985.
Memorial de Amauta, Ayuso, Madrid, 1989.
Mar en sombra, Plaza de la Marina, Málaga, 1989.

Rafael Inglada (Málaga, 1963)
Biografía, Diputación Provincial, Málaga, 1984.
Brillante muerte, Málaga, 1986.
La senda jaque, Ayuntamiento de Córdoba, Córdoba, 1987.
Noticia del amor, Caffarena, Málaga, 1988.
Habitaciones contiguas, Málaga, 1991.
Vidas ajenas, Olifante, Zaragoza, 1991.

Antonio Jiménez Millán (Granada, 1954)
Predestinados para sabios, en el colectivo *La poesía más transparente*, Caffarena, Málaga, 1976.
Último recurso, Universidad de Granada, Granada, 1977.
De iconografía, Caffarena, Málaga, 1982.
Restos de niebla, Litoral, Málaga, 1983.

Poemas del desempleo, Ayuso, Madrid, 1985.
La mirada infiel (Antología poética 1975-1985), Diputación Provincial, Granada, 1987.
Ventanas sobre el bosque, Visor, Madrid, 1987.
Espejos y bares, I. B. Sierra Bermeja, Málaga, 1990.

PABLO JIMÉNEZ (Navalmoral de la Mata, Cáceres, 1943)
La luz bajo el celemín, Madrid, 1978.
Cáceres o la piedra y otras soledades, Cáceres, 1981.
Descripción de un paisaje, Institución Pedro de Valencia, Badajoz, 1982.
El hombre me concierne, Ayuntamiento de Toledo, Toledo, 1985.

RAFAEL JUÁREZ (Estepa, Sevilla, 1956)
La otra casa, 1980.
Emblemas y conversaciones, Silene, Granada, 1982.
Otra casa, Diputación Provincial, Granada, 1986.
Fábula de fuentes, Granada, 1988.
Las cosas naturales, La Veleta, Granada, 1990.

JON JUARISTI (Bilbao, 1951)
Diario del poeta recién cansado, Pamiela, Pamplona, 1985.
Suma de varia intención, Pamiela, Pamplona, 1987.
Arte de marear, Hiperión, Madrid, 1988.

MANUEL JURADO LÓPEZ (Sevilla, 1942)
Piedra adolescente, Sevilla, 1978.
Elemental liturgia, Vox, Madrid, 1979.
Ejercicio dual, Aldebarán, Sevilla, 1979.
Poemas, Padilla, Sevilla, 1980.
De amore, Dendrónoma, Sevilla, 1982.

RICARDO LABRA (Langreo, 1958)
La danza rota, Luna de Abajo, Langreo, 1984.
Último territorio, Luna de Abajo, Langreo, 1986.
Código secreto, Luna de Abajo, Langreo, 1987.

JUAN LAMILLAR (Sevilla, 1957)
Muro contra la muerte, Renacimiento, Sevilla, 1982.
Interiores, Calle del Aire, Sevilla, 1986.
Música oscura, Renacimiento, Sevilla, 1989.
El arte de las sombras (1987-1988), Caja General de Ahorros, Granada, 1991.
El paisaje infinito, Renacimiento, Sevilla, 1991.

DANIEL LEBRATO (1954)
De quien mata a un gigante, Caja de Ahorros, Jerez, 1988.

ABELARDO LINARES (Sevilla, 1952)
Mitos, Calle del Aire, Sevilla, 1979.

Sombras, Renacimiento, Sevilla, 1986.
Espejos, Pre-Textos, Valencia, 1991.

ALEJANDRO LÓPEZ ANDRADA (Villanueva del Duque, Córdoba, 1957)
Hijos del Valle, 1983.
Sonetos para un valle, 1984.
El valle de los tristes, 1985.
Novilunio en Allozo, Diputación Provincial, Ciudad Real, 1988.
Códice de la melancolía, Rialp, Madrid, 1989.

SALVADOR LÓPEZ BECERRA (Málaga, 1959)
Poemas, Caffarena, Málaga, 1979.
Museum, 1983.
Riente azar, Diputación Provincial, Málaga, 1986.
El patio, Ayuso, Madrid, 1989.

ARMANDO LÓPEZ CASTRO (Orense, 1949)
Revelaciones, Laia, Barcelona, 1983.
Memorial, Dardo, Málaga, 1985.
De lo imposible, Taifa, Barcelona, 1986.

ESPERANZA LÓPEZ PARADA (Madrid, 1962)
Como fruto de frontera, Arnao, Madrid, 1984.
La cinta roja, Caffarena, Málaga, 1987.

FRANCISCO M. LÓPEZ SERRANO (Epila, Zaragoza, 1960)
Ars Moriendi, Diputación Provincial, Granada, 1986.
Un funesto deseo de luz, Institución Fernando el Católico, Zaragoza, 1990.

JAVIER LOSTALÉ (Madrid, 1943)
Jimmy, Jimmy, Organización Sala Editorial, Madrid, 1976.
Figura en el paseo marítimo, Hiperión, Madrid, 1982.

ANDREA LUCA (Madrid, 1957)
A golpes del sino, Vox, Madrid, 1979.
En el banquete, Endymión, Madrid, 1989.
El don de Lilith, Endymión, Madrid, 1990.

AURORA LUQUE (Almería, 1962)
Hiperiónida, Universidad de Granada, Granada, 1982.
Problemas de doblaje, Rialp, Madrid, 1990.

JOSÉ LUPIÁÑEZ (La Línea, Cádiz, 1955)
Ladrón de fuego, Universidad de Granada, Granada, 1975.
Río solar, Ánade, Granada, 1978.
El jardín de Ópalo, Edascal, Madrid, 1979.
Amante de gacela, Zumaya, Granada, 1980.
Música de esferas, Genil, Granada, 1982.

Arcanos, Diputación Provincial, Córdoba, 1984.
Laurel de la costumbre. Antología, Ánade, Granada, 1988.

JULIO LLAMAZARES (Vegamián, León, 1955)
La lentitud de los bueyes, Provincia, León, 1979.
Memoria de la nieve, Junta de Castilla y León, Valladolid, 1982.
La lentitud de los bueyes / Memoria de la nieve, Hiperión, Madrid, 1985.

JOSÉ CARLOS LLOP (Palma de Mallorca, 1956)
Drakul-letre, 1983.
La naturaleza de las cosas, 1988.
La tumba etrusca, Anthropos, Barcelona (en prensa).

MARI FELI MAIZCURRENA (Londres, 1962)
Los otros reinos, Mensajero, Bilbao, 1987.
Los cantos del dios oscuro y otros poemas, Laida, Bilbao, 1989.
Una temporada en el invierno, Rialp, Madrid, 1990.

JUAN CARLOS MARSET (Albacete, 1963)
Puer profeta, Rialp, Madrid, 1990.

LORENZO MARTÍN DEL BURGO (Almagro, Ciudad Real, 1952)
Raro, Renacimiento, Sevilla, 1982.
Jarvis, Renacimiento, Sevilla, 1987.

LUIS MARTÍNEZ DE MERLO (Madrid, 1955)
De algunas otras veces, Libros Dante, Madrid, 1975.
Alma del tiempo, Lumen, Barcelona, 1978.
Fábula de Faetonte, Hiperión, Madrid, 1982.
Orphénica Lyra, Alcalá de Henares, 1984.

JULIO MARTÍNEZ MESANZA (Madrid, 1955)
Europa, El Crotalón, Madrid, 1983.
Europa (ed. ampliada), Renacimiento, Sevilla, 1986.
Europa (1985-1987), La Pluma del Águila, Valencia, 1988.
Europa y otros poemas, Diputación Provincial, Málaga, 1990.

DIEGO MARTÍNEZ TORRÓN (Córdoba, 1950)
Guiños, Ámbito, Barcelona, 1981.
Alrededor de ti, Ámbito Literario, Barcelona, 1984.

MIGUEL MARTINÓN (Tenerife, 1945)
Común historia, Nuestro Arte, Santa Cruz de Tenerife, 1975.
Estancias, Taller de Ediciones J. B., Madrid, 1977.
Sitio, Llibres del Mall, Barcelona, 1986.
Actos, Caja Canarias, Santa Cruz de Tenerife, 1988.
Por esta claridad, Dador, Málaga, 1990.

CARLOS MARZAL (Valencia, 1961)
El último de la fiesta, Renacimiento, Sevilla, 1987.
La vida de frontera, Renacimiento, Sevilla, 1991.

MIGUEL MAS (Valencia, 1955)
Frágil ciudad del tiempo, Valencia, 1977.
Celebración de un cuerpo horizontal, Madrid, 1978.
El testigo, Valencia, 1982.
La hora transparente, Fernando Torres, Valencia, 1985.
Las ocasiones perdidas, Renacimiento, Sevilla, 1989.

JOSÉ MATEOS (Jerez, Cádiz, 1963)
Una extraña ciudad, Renacimiento, Sevilla, 1990.

CARLOS MEDRANO (Salamanca, 1961)
Corro, Diputación Provincial, Badajoz, 1987.
Las horas próximas, Diputación Provincial, Badajoz, 1989.
A lo breve, Editora Regional de Extremadura, Mérida, 1990.

JOSÉ MÉNDEZ (La Rubiera, Asturias, 1952)
El oficio de la necesidad, Algar, Alcalá de Henares, 1980.
En esta playa, El Observatorio, Madrid, 1985.

FERNANDO MENÉNDEZ (Mieres, Asturias, 1953)
Sinfonía interior, Aeda, Gijón, 1979.
Fondo negro, Salamanca, 1980.
Oquedad, Aeda, Gijón, 1980.
Noche humana, El telar de Penélope, Oviedo, 1983.
Azul marino, Cantiga, Madrid, 1984.
Acuarelas sin color, Altair, Gijón, 1984.
Sentir-se, Gijón, 1985.
Gotas de silencio, Santander, 1986.
Latitud interior, Ateneo Obrero, Gijón, 1988.

PEDRO LUIS MENÉNDEZ (Gijón, 1958)
Horas sobre el río, Aeda, Gijón, 1978.
Escritura del sacrificio, Aeda, Gijón, 1982.
Canto de los sacerdotes de Noega, Altair, Gijón, 1985.

INMACULADA MENGÍBAR (Córdoba, 1962)
Los días laborables, Hiperión, Madrid, 1988.

MARGARITA MERINO (León, 1952)
Viaje al interior, Provincia, León, 1986.

JOSÉ A. MESA TORÉ (Málaga, 1963)
En viento y en agua huidiza, Málaga, 1985.
Jóvenes en el daguerrotipo, Málaga, 1987.

La dirección del mar, Caffarena, Málaga, 1988.
El amigo imaginario, Visor, Madrid (en prensa).

JUAN CARLOS MESTRE (Villafranca del Bierzo, León, 1957)
Siete poemas escritos junto a la lluvia, Barcelona, 1981.
La visita de Safo, Provincia, León, 1983.
Antífona del otoño en el valle del Bierzo, Rialp, Madrid, 1986.

VICENTE MOLINA FOIX (Elche, Alicante, 1946)
Los espías del realista, Península, Barcelona, 1990.

MÓNICA MONTEYS (Barcelona, 1957)
Los años olvidados, Lumen, Barcelona, 1991.

SANTIAGO MONTOBBIO (Barcelona, 1966)
Hospital de inocentes, Devenir, Madrid, 1989.
Ética confirmada, Devenir, Madrid, 1990.

ÁNGELES MORA (Rute, Córdoba, 1952)
Pensando que el camino iba derecho, Genil, Granada, 1982.
La Canción del Olvido, Universidad de Granada, Granada, 1985.
La dama errante, Caja General de Ahorros de Granada, Granada, 1991.

ENRIQUE MORENO CASTILLO (Londres, 1947)
La noche prodigiosa, Provincia, León, 1981.
En el rumor del fondo, Taifa, Barcelona, 1987.

JESÚS MORENO SANZ (Cáceres, 1949)
Recorrido de sombras, Ayuso, Madrid, 1983.
Memoria de la estación ausente, Ayuso, Madrid, 1984.

LUIS J. MORENO (Segovia, 1946)
Diecisiete poemas, Salamanca, 1978.
Época de inventario, Balneario Ediciones, Valladolid, 1979.
En contra y a favor, Barcelona, 1980.
En tierra, Balneario Ediciones, Valladolid, 1983.
De cara a la pared y otros poemas, Caja de Ahorros, Segovia, 1984.
324 poemas breves, Barrio de Maravillas, Valladolid, 1986.
Última argucia de la razón práctica, Caja de Ahorros, Cádiz, 1989.

ESTHER MORILLAS (Jaén, 1968)
Memoria de rafia, Newman/Poesía, Málaga, 1987.

JESÚS MUNÁRRIZ (San Sebastián, 1940)
Viajes y estancias, Visor, Madrid, 1975.
Cuarentena, Turner, Madrid, 1977.
Esos tus ojos, Hiperión, Madrid, 1981.

MIGUEL MUNÁRRIZ (Gijón, 1951)
Vivir de milagro, Luna de Abajo, Langreo, 1985.

J. M. MUÑOZ AGUIRRE (Madrid, 1959)
Omnia, Alcalá de Henares, 1986.
Adiós, dijo el duende, Hiperión, Madrid, 1991.

LUIS MUÑOZ (Granada, 1966)
Calle del mar, 1987.
Septiembre, Hiperión, Madrid, 1991.

ÁNGEL MUÑOZ PETISME (Calatayud, Zaragoza, 1961)
Grito, Zaragoza, 1979.
Cosmética y terror, Olifante, Zaragoza, 1984.

JOSÉ MARÍA MUÑOZ QUIRÓS (Ávila, 1957)
Para una noche nunca amanecida, Buñol, 1981.
Biografía lírica, Ávila, 1981.
En una edad de voces, Quervo, Valencia, 1982.
Ternura extraña, Álamo, Salamanca, 1983.
Carpe diem, Diputación Provincial, Ávila, 1987.

JUSTO NAVARRO (Granada, 1953)
Los nadadores, Antorcha de Paja, Córdoba, 1985.
Un aviador prevé su muerte, Diputación Provincial, Granada, 1986.
La visión, Caffarena, Málaga, 1987.

MANUEL NEILA (Hervás, Cáceres, 1950)
Clamor de lo incesante, Jugar con Fuego, Avilés, 1978.

PABLO NOGALES HERRERA (Montánchez, Cáceres, 1964)
El arte de la espera, Fundación Colegio del Rey, Alcalá de Henares, 1987.

JULIA OCHOA (San Sebastián, 1953)
Composición entre la luz y la sombra, San Sebastián, 1978.
Luz del arte, Edarcón, Madrid, 1982.
Cuaderno de bitácora, Pasajes, 1986.
Antología poética, San Sebastián, 1988.
Centauro, Torremozas, Madrid, 1990.

LORENZO OLIVÁN (Castro Urdiales, Cantabria, 1968)
Entorno tuyo, Oliver, Oviedo, 1988.
Único norte, La Veleta, Granada (en prensa).

MARÍA ANTONIA ORTEGA (Madrid, 1954)
Épica de la soledad, Libertarias, Madrid, 1988.
La viña de oro, Libertarias, Madrid, 1989.
Descenso al cielo, Torremozas, Madrid, 1991.

FERNANDO ORTIZ (Sevilla, 1947)
  Primera despedida, Angaro, Sevilla, 1978.
  Personae, Calle del Aire, Sevilla, 1981.
  Vieja amiga, Trieste, Madrid, 1984.
  Marzo, Trieste, Madrid, 1986.
  Recado de escribir, Renacimiento, Sevilla, 1990.

TERESA ORTIZ (Madrid, 1949)
  La rosa de San Juan, Trieste, Madrid, 1985.

ANTONIO PACHECO (Olivenza, Badajoz, 1953)
  En la ciudad del agua, Asoc. de la Prensa, Badajoz, 1983.
  Tú para tristes momentos tristes, Editora Regional de Extremadura, Mérida, 1984.

MARÍA DEL CARMEN PALLARÉS (Madrid, 1950)
  Del lado de la ausencia, Noega, Gijón, 1979.
  Molino de agua, Rialp, Madrid, 1980.
  La llave de grafito, Rialp, Madrid, 1984.
  Caravanserai, Esquío, El Ferrol, 1987.
  Antología (1979-1986), Diputación Provincial, Málaga, 1987.

JOSÉ MARÍA PARREÑO (Madrid, 1958)
  Instrucciones para blindar un corazón, Rialp, Madrid, 1981.
  Libro de las sombras, Diputación Provincial, Soria, 1986.
  Las reglas del fuego, El mágico íntimo, Sevilla, 1987.
  Postrimerías, La Plaza de la Marina, Málaga, 1988.
  Fe de erratas (poesía completa), Diputación Provincial, Málaga, 1990.

JAVIER PEÑAS (Madrid, 1956)
  Adjetivos con agua, adjetivos sin agua, Rialp, Madrid, 1984.
  De Cántaro, El toro de barro, Cuenca, 1988.
  Non plus ultra, Devenir, Madrid, 1989.
  Intimidatoria, Per-versiones poéticas, Avilés, 1991.

JOSÉ LUIS PIQUERO (Mieres, Asturias, 1967)
  Las ruinas, Versus, Mieres, 1989.

ENCARNA PISONERO (Valladolid, 1951)
  El jardín de las hespérides, Torremozas, Madrid, 1984.

ALBERTO PORLÁN (Madrid, 1947)
  Pájaro, Hiperión, Madrid, 1981.

BENJAMÍN PRADO
  Un caso sencillo, Diputación Provincial, Granada, 1986.
  El corazón azul del alumbrado, Libertarias, Madrid, 1990.

ÁNGEL L. PRIETO DE PAULA (Ledesma, Salamanca, 1955)
Ortigia, Taifa, Barcelona, 1984.
Compás del vacío, Aguaclara, Alicante, 1989.

PEDRO PROVENCIO (Alhama de Murcia, 1943)
Tres ciclos, Dédalo, Madrid, 1980.
Forma de margen, Libros de Estaciones, Madrid, 1982.
Es decir, Diputación Provincial, Córdoba, 1986.
Embrión, Provincia, León, 1991.
Tiempo al tiempo, Hiperión, Madrid, 1991.

JOSÉ LUIS PUERTO (La Alberca, Salamanca, 1953)
El tiempo que nos teje, Provincia, León, 1982.
Un jardín al olvido, Rialp, Madrid, 1987.

DAVID PUJANTE (Cartagena, 1953)
La propia vida, Editora Regional, Murcia, 1986.
Con el cuerpo del deseo, Universidad de Murcia, Murcia, 1990.

LUIS MIGUEL RABANAL (Riello, León, 1957)
Variaciones, León, 1977.
Obdulia azul, A. H. E., Mataró, 1980.
Labios de la locura, Jueves Literarios, Avilés, 1983.
Cuaderno de junio, Provincia, León, 1984.
Rená, a solas con nosotros, León Celaryn, 1984.
(Técnicas) para abrazar un oscuro nombre, Aldebarán, Sevilla, 1985.
Palabras para Obdulia, Provincia, León, 1985.
La memoria buscando sus disfraces, Junta de Castilla y León, Valladolid, 1986.
O podríamos amarnos sin que nadie se entere, Diputación Provincial, Soria, 1989.

RAFAEL RAMÍREZ ESCOTO (Cádiz, 1961)
La noche transferida, Cádiz, 1985.
Tóxico, Anthropos, Barcelona, 1989.

MANUEL RICO (Madrid, 1952)
Poco importa dormir con las alondras, 1980.
El vuelo liberado, Ayuso, Madrid, 1986.
Papeles inciertos, Caja Guipúzcoa, San Sebastián, 1990.

JORGE RIECHMANN (Madrid, 1962)
Cántico de la erosión, Hiperión, Madrid, 1987.
Cuaderno de Berlín, Hiperión, Madrid, 1989.

JOSÉ RAMÓN RIPOLL (Cádiz, 1952)
La tarde en sus oficios, Padilla, Sevilla, 1978.
Esta música, Pandero, Rota, 1979.
La tauromaquia, Ayuso, Madrid, 1980.

Sermón de la barbarie, Rota, 1981.
El humo de los barcos, Visor, Madrid, 1984.
Música y pretexto. Antología, Diputación Provincial, Granada, 1990.
Las sílabas ocultas, Renacimiento, Sevilla, 1990.

ANTONIO RODRÍGUEZ JIMÉNEZ (Córdoba, 1956)
Vértigo de la infancia, Aeda, Gijón, 1980.
El sueño de los cuerpos, Puerta del Sol, Madrid, 1982.
Ciudad de lunas muertas, Rialp, Madrid, 1987.
Un verano de los 80, Fundación Cultura y Progreso, Córdoba, 1991.

ILDEFONSO RODRÍGUEZ (León, 1952)
Mantras de Lisboa, Ediciones Portuguesas, Valladolid, 1986.
Libre volador, Libros de la Peonza, Arenas de San Pedro, 1988.
La triste estación de las vendimias, Provincia, León, 1988.

JOSÉ LUIS RODRÍGUEZ (León, 1949)
Tan sólo infiernos sobre la hierba, Provincia, León, 1981.
El unicornio en el jardín, Pórtico, Zaragoza, 1984.
Los ojos verdes del búho, Poemas, Zaragoza, 1986.
Elogio de la melancolía, Ayuso, Madrid, 1986.

MIGUEL ROMAGUERA (Picassent, Valencia, 1955)
Síntesis, Valencia, 1977.
Mirada del silencio, Quervo, Valencia, 1983.
El jardín de Ida, Fernando Torres, Valencia, 1984.

ROSA ROMOJARO (Algeciras, Cádiz, 1948)
Secreta escala, Universidad de Málaga, Málaga, 1983.
Funambulares mar, Librería Anticuaria El Gualdalhorce, Málaga, 1985.
Agua de luna, Diputación Provincial, Málaga, 1986.
La ciudad fronteriza, ed. de Ángel Caffarena, Nuevos Cuadernos de María
   Cristina, Málaga, 1987.
La ciudad fronteriza, Don Quijote, Granada, 1988.

JOSÉ CARLOS ROSALES (Granada, 1952)
Casi dunas, Ciudad-Diseño, Granada, 1984.
El buzo incorregible, Corimbo de poesía, Granada, 1988.
Mínimas manías, Caja General de Ahorros de Granada, Granada, 1991.

ISABEL ROSSELLÓ (Santiago de Compostela, 1950)
La noche fragmentada, Hiperión, Madrid, 1987.

ANA ROSSETTI (Cádiz, 1950)
Los devaneos de Erato, Prometeo, Valencia, 1980.
Dióscuros, Jarazmín, Valencia, 1982.
Indicios vehementes, Hiperión, Madrid, 1985.
Devocionario, Visor, Madrid, 1986.

Yesterday, Torremozas, Madrid, 1989.
Apuntes de ciudades, Torre de la Marina, Málaga, 1990.

MARÍA DEL VALLE RUBIO MONGE (Chucena, Huelva, 1939)
  Residencia de olvido, Barro, Sevilla, 1983.
  Clamor de travesía, Aldebarán, Sevilla, 1986.
  Derrota de una reflexión, Rialp, Madrid, 1987.
  El tiempo insobornable, Bahía, Algeciras, 1989.

ENRIQUE ANDRÉS RUIZ (Soria, 1961)
  La línea española, Fundación Colegio del Rey, Alcalá de Henares, 1991.

FRANCISCO RUIZ NOGUERA (Frigiliana, Málaga, 1951)
  Campo de pluma, Ánade, Granada, 1984.
  Laberinto, Jardín cerrado, Málaga, 1985.
  La manzana de Tántalo, Diputación Provincial, Málaga, 1986.
  Pentagrama, Caffarena, Málaga, 1987.
  La luz grabada, Ayuntamiento de Córdoba, Córdoba, 1990.

JOSÉ LUIS RUIZ OLIVARES (Tetuán, 1953)
  Gong, Universidad de Málaga, Málaga, 1981.
  Aparecida, Newman/Poesía, Málaga, 1985.
  La fronda, Cuadernos de Parasol, Málaga, 1987.

VICENTE SABIDO (Mérida, Badajoz, 1953)
  Aria, Universidad de Granada, Granada, 1975.
  Décadas y mitos, Universidad de Granada, Granada, 1977.
  Sylva, Genil, Granada, 1981.
  Adagio para una diosa muerta, Editora Regional de Extremadura, Mérida, 1988.
  Antología poética, Ayuntamiento de Mérida, Mérida, 1990.

JOSÉ ANTONIO SÁEZ (Albox, Almería, 1957)
  Vulnerado arcángel, Orihuela, 1983.
  La visión de arena, Corona del Sur, Málaga, 1988.
  Árbol de iluminados, Batarro, Almería, 1991.

FLORINDA SALINAS
  Este sueño presuroso, Diputación Provincial, Granada, 1982.

TOMÁS SALVADOR GONZÁLEZ (Zamora, 1952)
  Reunida estación de las ciudades, Valladolid, 1975.
  La entrada en la cabeza, Ayuso, Madrid, 1986.

JAVIER SALVAGO (Paradas, Sevilla, 1950)
  Canciones del amor amargo y otros poemas, Angaro, Sevilla, 1977.
  La destrucción o el humor, Calle del Aire, Sevilla, 1980.
  En la perfecta edad, Ayuntamiento de Sevilla, Sevilla, 1982.
  Variaciones y reincidencias, Visor, Madrid, 1985.

Antología (1977-1985), Diputación Provincial, Granada, 1986.
Volverlo a intentar, Renacimiento, Sevilla, 1989.
Los mejores años, Renacimiento, Sevilla, 1991.

BASILIO SÁNCHEZ (Cáceres, 1958)
A este lado del alba, Rialp, Madrid, 1984.

MANUEL SÁNCHEZ CHAMORRO (San Nicolás del Puerto, Sevilla, 1954)
Como en la tierra el árbol, Barcelona, 1982.
Tres poemas, Grupo Ahora, Barcelona, 1983.
Poemas/Epigramas, El toro de barro, Cuenca, 1983.
El pétalo invisible, Corona del Sur, Málaga, 1986.
Far-West, Per/versiones poéticas, Avilés, 1990.

MIGUEL SÁNCHEZ-OSTIZ (Pamplona, 1950)
Pórtico de la fuga, Ámbito Literario, Barcelona, 1979.
Los reinos imaginarios, Caja de Ahorros, Pamplona, 1980.
De un paseante solitario, Pamiela, Pamplona, 1985.

ANDRÉS SÁNCHEZ ROBAYNA (Las Palmas de Gran Canaria, 1952)
Clima (1972-1976), Llibres del Mall, Barcelona, 1979.
Tinta, Llibres del Mall, Barcelona, 1981.
La roca, Llibres del Mall, Barcelona, 1984.
Poemas 1970-1985, Llibres del Mall, Barcelona, 1987.
Palmas sobre la losa fría, Cátedra, Madrid, 1989.

ELOY SÁNCHEZ ROSILLO (Murcia, 1948)
Maneras de estar solo, Rialp, Madrid, 1978.
Páginas de un diario, El Bardo, Barcelona, 1981.
Elegías, Trieste, Madrid, 1984.
Autorretratos, Península, Barcelona, 1989.
Las cosas como fueron (Poesía, 1974-1988), La Veleta-Comares, Granada, en prensa.

TOMÁS SÁNCHEZ SANTIAGO (Zamora, 1957)
Amenaza en la fiesta, Salamanca, 1979.
La secreta labor de cinco inviernos, Universidad Pontificia, Salamanca, 1985.

LEOPOLDO SÁNCHEZ TORRE (El Entrego, Asturias, 1963)
Los días perdidos, Cuadernos de Cristal, Avilés, 1985.
Lugares comunes, Renacimiento, Sevilla, 1991.

JOAQUÍN SÁNCHEZ VALLÉS (Huesca, 1953)
Los signos en el agua, Galería S'Art, Huesca, 1976.
Moradas y regiones, Puyal, Zaragoza, 1979.
De un amor, Sevilla, 1983.
Ruina del aire, Angaro, Sevilla, 1983.
La invisible memoria del invierno, Rialp, Madrid, 1988.

Cuaderno de ejercicios, Esquío, El Ferrol, 1989.
A la puerta del mar, Siddharth Mehta Ediciones, Madrid, 1991.

MARÍA SANZ (Sevilla, 1956)
Tierra difícil, Dante, Madrid, 1981.
Variaciones en vísperas de olvido, Barro, Sevilla, 1984.
Cenáculo vinciano y otros escorzos, Ayuntamiento de Córdoba, Córdoba, 1985.
Aquí quema la niebla, Torremozas, Madrid, 1986.
Contemplaciones, Taifa, Barcelona, 1988.
Jardines de Murillo, Editora Regional de Extremadura, Mérida, 1989.
Trasluz, Junta de Comunidades de Castilla-La Mancha, Toledo, 1989.
Aves de paso, Diputación Provincial, Soria, 1991.
Los aparecidos, Diputación Provincial, Guadalajara, 1991.
El pétalo impar, Rialp, Madrid, 1991.

SERAFÍN SENOSIÁIN (Pamplona, 1956)
El sur, Barcelona, 1979; 2.ª ed., Alcrudo, Zaragoza, 1980.
La sangre, Cátedra, Madrid, 1983.

EMILIO SOLA (Asturias, 1945)
La isla, Rialp, Madrid, 1975.
La soledad, los viajes..., La Banda de Moebius, Madrid, 1976.
Más al Sur de este Sur del mar, Molinos de Agua, Madrid, 1979.

LLORENÇ SOLER (Valencia)
Manual para reinventar lo cotidiano, Esquío, El Ferrol, 1989.

MARIAM SUÁREZ (Avilés, Asturias, 1942)
Escribo los silencios, Jueves Literarios, Avilés, 1985.
Tú, la compasión humana de los dioses, Angaro, Sevilla, 1989.

JUAN CARLOS SUÑÉN (Madrid, 1956)
Para nunca ser vistos, Libertarias, Madrid, 1988.
Un ángel menos, Libertarias, Madrid, 1989.
Por fortuna peores, Cátedra, Madrid, 1991.

JUAN JOSÉ TÉLLEZ RUBIO (Algeciras, Cádiz, 1958)
Crónicas urbanas, Algeciras, 1979.
Medina y otras memorias, Valencia, 1981.
Ciudad sumergida, Diputación Provincial, Málaga, 1985.
Bambú, Cuadernos de Al-Andalus, Algeciras, 1988.
Daiquiri, Caja de Guipúzcoa, San Sebastián, 1989.

RAFAEL ADOLFO TÉLLEZ (Córdoba, 1957)
Si no regresas junto al portón oscuro, Sevilla, 1984; 2.ª ed. aumentada, Ayuso, Madrid, 1988.

ALBERTO TORÉS (París, 1959)
La ventana de Lázaro, Canente, Málaga, 1988.
La entrega de los vientos, Devenir, Madrid, 1990.

VICENTE TORTAJADA (Sevilla, 1952)
Catálogo, exposición y recuerdos de Daniel Pozuelo, Sevilla, 1979.
Sílaba moral, Compás, Sevilla, 1983.
La respuesta inelegante, Rota, 1986.
Pabellones, Renacimiento, Sevilla, 1990.

ANDRÉS TRAPIELLO (Manzaneda de Torío, León, 1953)
Junto al agua, Libros de la Ventura, Madrid, 1980.
Las tradiciones, Trieste, Madrid, 1982.
La vida fácil, Trieste, Madrid, 1985.
El mismo libro, Renacimiento, Sevilla, 1989.
Las tradiciones (poesía reunida), La Veleta, Granada, 1991.

IVÁN TUBAU (Barcelona, 1937)
Domicilios transitorios, Laertes, Barcelona, 1984.
Vendrán meses con erre, Hiperión, Madrid, 1991.

PEDRO UGARTE (Bilbao, 1963)
Incendios y amenazas, Soc. El Sitio, Bilbao, 1989.
El falso fugitivo, Los Libros de la Pérgola, Bilbao, 1991.

ANA URÍA (Madrid, 1945)
Del paraíso, Ayuso, Madrid, 1987.

VICENTE VALERO (Ibiza, 1963)
Jardín de la noche, Ed. del Serbal, Barcelona, 1986.
Herencia y fábula, Rialp, Madrid, 1989.

ÁLVARO VALVERDE (Plasencia, Cáceres, 1959)
Territorio, Diputación Provincial, Badajoz, 1985.
Sombra de la memoria, separata de *Zarza Rosa*, Valencia, 1986.
Lugar del elogio, Editora Regional de Extremadura, Mérida, 1987.
Aeróvoro, Scriptum, Santander, 1989.
Las aguas detenidas, Hiperión, Madrid, 1989.
Una oculta razón, Visor, Madrid, 1991.

JUAN CARLOS VALLE (Orense, 1949)
Todos los jueves, salvo la luna, Balneario escrito, Valladolid, 1983.

ALBERTO VEGA (Langreo, 1956)
Brisas ligeras, Langreo, 1980.
Memoria de la noche, Plenilunio, Langreo, 1981.
Cuaderno de la ciudad, Luna de Abajo, Langreo, 1984.

Para matar el tiempo, Luna de Abajo, Langreo, 1986.
La luz usada, Ateneo Obrero, Gijón, 1988.

ALFONSO SÁNCHEZ FERRAJÓN (Madrid)
El libro de los presentimientos, Hiperión, Madrid, 1989.

LOLA VELASCO (Madrid, 1961)
La frente de la mujer oblicua, Hiperión, Madrid, 1987.

ÁNGEL LUIS VIGARAY (Madrid, 1951)
Grama, Fuente de Cibeles, Madrid, 1989.

MANUEL VILAS (Barbastro, Huesca, 1962)
El sauce, Zaragoza, 1982.
Osario de los tristes, Universidad de Zaragoza, Zaragoza, 1988.
Los días antiguos, Cave Canem, Zaragoza, 1990.
El rumor de las llamas, Olifante, Zaragoza, 1990.

JAVIER VILLÁN (Torre de los Molinos, Palencia)
La frente contra el muro, La Encina, Cáceres, 1975.
Parábolas palestinas, Vox, Madrid, 1977.
El rostro en el espejo, Colectivo, Madrid, 1978.
Nocturno amor y mar, La Banda de Moebius, Madrid, 1980.
Esplendor de la ruina, Ayuso, Madrid, 1982.
Deshora incierta, Ayuso, Madrid, 1985.

FIDEL VILLAR RIBOT (Granada, 1953)
Los signos del mar, Caffarena, Málaga, 1975.
El corazón cautivo, Caffarena, Málaga, 1980.
Suite del Turia, Zarzarrosa, Valencia, 1984.
Figuras para un cuerpo, Universidad de Granada, Granada, 1985.
Dulce pasión, Caffarena, Málaga, 1987.
Memoria del deseo, Devenir, Barcelona, 1989.

FERNANDO DE VILLENA (Granada, 1956)
Pensil de rimas celestes, Ámbito Literario, Barcelona, 1980.
Soledades tercera y cuarta, Genil, Granada, 1981.
En el orbe de un claro desengaño, Ánade, Granada, 1984.
El libro de la esfinge, Caffarena, Málaga, 1985.
La tristeza de Orfeo, Ánade, Granada, 1986.
Acuarelas, Doralice, Granada, 1987.
Los retales del infierno, Málaga, 1988.
Vos o la muerte, Ánade, Granada, 1991.

ISABEL VIÑUELA (León, 1942)
Entre dos luces, Oliver, Oviedo, 1986.

José Antonio Vitoria (Pamplona, 1962)
Adiós al Beagle, Caja de Ahorros, Pamplona, 1984.

Roger Wolfe (Westerham, Inglaterra, 1962)
Diecisiete poemas, Caffarena, Málaga, 1986.
La máquina de los sueños, Ateneo Obrero, Gijón, 1991.

Germán Yanke (Bilbao, 1955)
Furor de Bilbao, Bilbao, 1987.
Álbum de agujeros, Seuba, Barcelona, 1988.
Estación del norte, Laida, Bilbao, 1990.

José Antonio Zambrano (Fuente del Maestre, Badajoz, 1946)
Canciones y otros recuerdos, Universitas Editorial, Badajoz, 1980.
Sonetos, Junta de Extremadura, Badajoz, 1983.
El libro de las murmuraciones, Provincia, León, 1984.
Pavana para una voz y musas, Editora Regional de Extremadura, Mérida, 1985.
Coplas de la bella Edinda, Kylix, Badajoz, 1987.
El rostro conocido, Editoriales Andaluzas Unidas, Sevilla, 1987.
La noche de los lirios, Diputación Provincial, Badajoz, 1989.

Juan Pablo Zapater (Valencia, 1958)
La coleccionista, Visor, Madrid, 1990.

BIBLIOGRAFÍA

Antologías generales: AA.VV. [1987 c], Barella [1987], Coco [1986], García Martín [1980, 1983, 1988 b], García Moral [1979], John Rossel [1982], López [1982], Piquero [1991], Pozanco [1980], Rubio [1981 b], Villena [1986].

Antologías regionales: AA.VV. [1986 a, 1987 a], Ballester Añón [1986], Barroso [1991], Bejarano [1991], Campos Pámpano [1984], Casado [1985], Falcó [1985], Gallego Roca [1990], Guinda [1987], Jiménez Millán [1982], Labra [1989], Salvador González [1986], Sánchez Menéndez [1987], Villaverde Gil [1986].

Literatura femenina: Buenaventura [1985], Saval [1986], Ugalde [1991 a y b], Wilcox [1991].

Repertorios bibliográficos: AA.VV. [1987 c], Gallego Roca [1990], García Martín [1988], Lanz [1991 b], Ors [1989], Palomero [1987], Rubio [1981 b].

AA.VV., *Antología de poesía en La Rioja (1960-1986)*, Gobierno de La Rioja, Logroño, 1986.
AA.VV., *El estado de las poesías*, monografía de *Los Cuadernos del Norte*, 3 (Oviedo, 1986).
AA.VV., *Inventario. Poesía en Valencia. Últimas propuestas*, Mestral Libros, Valencia, 1987.

AA.VV., *Aníbal Núñez, Pliegos de Poesía Hiperión*, Hiperión, Madrid, 1987.

AA.VV., «Poesía última», *El Urogallo*, 12 (abril de 1987).

AA.VV., *1917 versos*, Vanguardia Obrera, Madrid, 1987.

AA.VV., «De estética novísima y "novísimos"», I, *Ínsula*, 504 (diciembre de 1988); II, *Ínsula*, 508 (abril de 1989).

AA.VV., *Antonio Colinas. Armonía órfica, una poética de la fusión*, Anthropos, 105 (Barcelona, 1990).

AA.VV., «Poesía española 1989», *Ínsula*, 517 (enero de 1990).

AA.VV., «Poesía española 1990-1991», *Ínsula*, 534 (junio de 1991).

Alfaro, Rafael, «Poesía postnovísima», en *Doce años de cultura española (1976-1987)*, Encuentro Ediciones, Madrid, 1988.

Almagro, A., y J. A. Pérez-Montero, «Hoy, siete poëtas», *Poesía*, 26 (1986).

Amorós, A., «La retórica del silencio», *Los Cuadernos del Norte*, 16 (noviembre-diciembre de 1982).

—, ed., *Palabra, mundo, ser: La poesía de Jaime Siles*, Litoral, Málaga, 1986.

—, «¡Los novísimos y cierra España! Reflexión crítica sobre algunos fenómenos estéticos que configuran la poesía de los años ochenta», *Ínsula*, 512-513 (agosto-septiembre de 1989).

—, «Dos tendencias características de la poesía contemporánea: la crítica del lenguaje y la poética del silencio», *Zurgai* (Bilbao, diciembre de 1989).

Ballester Añón, R., C. G. González y P. J. De la Peña, *La poesía valenciana en castellano*, Víctor Orenga, Valencia, 1986.

Barella, Julia, *Después de la modernidad*, Anthropos, Barcelona, 1987.

—, «Hacia la poesía de los 90», *Zurgai* (Bilbao, diciembre de 1989).

Barnatán, Marcos Ricardo, «Joven última poesía española», *Barcarola*, 19 (Albacete, 1985).

Barroso, Elena, *Poesía andaluza de hoy (1950-1990)*, Editoriales Andaluzas Unidas, Sevilla, 1991.

Bejarano, Francisco, *La poesía más joven. Antología de la nueva poesía andaluza*, Qüásyeditorial, Sevilla, 1991.

Beltrán, F., «Perdimos la palabra», *El País* (Madrid, 7 de febrero de 1987).

Bousoño, C., *Poesía postcontemporánea. Cuatro estudios y una introducción*, Júcar, Madrid, 1984.

Buenaventura, Ramón, *Las diosas blancas. Antología de la joven poesía española escrita por mujeres*, Hiperión, Madrid, 1985.

Campos Pámpano, A., y A. Valverde, *Abierto al aire 1971-1984. Antología consultada de poetas extremeños*, Editora Regional de Extremadura, Mérida, 1984.

Cava, S. F., *Antonio Colinas*, Revista *Quervo* (Valencia, diciembre de 1981).

Carnero, G., «La corte de los poetas: los últimos veinte años de poesía española en castellano», *Revista de Occidente*, 23 (1983).

Casado, Miguel, *Esto era y no era. Lectura de poetas de Castilla y León*, Ámbito, Valladolid, 1985.

Coco, Emilio, *Abanico. Antologia della poesia spagnola d'oggi*, Levante Editori, Bari, 1986.

Colinas, Antonio, «La poesía», en *Letras españolas 1987*, Castalia, Madrid, 1988.

—, «La rosa de los vientos (Notas para otra teoría de la poesía novísima)», en *El sentido primero de la palabra poética*, FCE, Madrid, 1989.

—, *et al.*, «Encuesta sobre joven poesía española», *Ínsula*, 454 (septiembre de 1984).

Cuenca, L. A. de, «La generación del lenguaje», *Poesía*, 5-6 (invierno de 1979-1980).

Díaz-González, E., y A. García, «Diecisiete poetas nacidos entre 1960 y 1967», *Día uno*, 1 (Málaga, 1986).

Duque Amusco, Alejandro, «El valor de la palabra», en *Novísimos, postnovísimos, clásicos: La poesía de los 80 en España*, ed. B. Ciplijauskaité, Orígenes, Madrid, 1991.

Egea, J., A. Salvador, y L. García Montero, *La otra sentimentalidad*, Don Quijote, Granada, 1983.

Falcó, J. L., «La poesía: vanguardia y tradición», *Revista de Occidente*, 122-123 (julio-agosto de 1991).

—, y J. V. Selma, *Última poesía en Valencia 1970-1983*, Institución Alfonso El Magnánimo, Valencia, 1985.

Galanes, M., «Ética y estética en las últimas tendencias de la joven poesía española», *Arrecife*, 8-9 (Murcia, diciembre de 1983).

Gallego Roca, M., *Antología de la joven poesía granadina*, Caja General de Ahorros, Granada, 1990.

García de la Concha, V., «La poesía española actual», *Boletín informativo de la Fundación Juan March*, 131 (Madrid, noviembre de 1983).

—, y A. Sánchez Zamarreño, «La poesía», en *Letras españolas 1976-1986*, Castalia, Madrid, 1987.

García Martín, José Luis, *Las voces y los ecos*, Júcar, Madrid, 1980.

—, «Nuevo viaje del Parnaso o la sucesión de los novísimos», *Camp de l'Arpa*, 86 (Barcelona, abril de 1981).

—, *Poesía española 1982-1983. Crítica y antología*, Hiperión, Madrid, 1983.

—, «¿Qué hay de nuevo en la poesía española?», *Quimera*, 45 (1985).

—, «Tendencias de la poesía última», *Los Cuadernos del Norte*, 50 (Oviedo, julio-septiembre de 1988).

—, *La generación de los ochenta*, Mestral, Valencia, 1988.

—, «Última y penúltima poesía española», *República de las Letras*, 24 (Madrid, abril de 1989).

—, «El año de la muerte de Jaime Gil de Biedma (La poesía en 1990)» *Cuadernos del Sur*, suplemento de *Diario Córdoba*, Córdoba, 27 de diciembre de 1990.

—, «Poesía española de los ochenta», *As escadas nao tem degraus*, 4 (Lisboa, enero de 1991).

—, «La poesía figurativa (Crónica parcial de quince años de poesía española)», *Espacio/Espaço Escrito*, Badajoz, n.º 8 (en prensa).

García Moral, C., y R. M. Pereda, *Joven poesía española*, Cátedra, Madrid, 1979.

García Ortega, A., «Poesía española actual», *El País* (Madrid, 12 de marzo de 1987).

García Román, Fernando, «Poesía española. Deshojar la margarita», *Delibros*, 38 (Madrid, octubre de 1991).

García Sánchez, J., ed., *Luis Antonio de Villena. Sobre un pujante deseo*, Litoral, Málaga, 1990.

Gómez Segade, M. A., *et al.*, «Rumbos de la poesía española en los ochenta», *Anales de la literatura española contemporánea*, 9, 1-3 (Santiago de Compostela, 1984).

González, A., «Poesía española contemporánea», *Los Cuadernos del Norte*, 3 (Oviedo, agosto-septiembre de 1980).

Grande, F., «La poesía española desde 1970», *El viejo topo*, 30 (marzo de 1979).

Guinda, Ángel, *Los placeres permitidos. Joven poesía aragonesa*, Olifante, Zaragoza, 1987.

Hernández, T., ed., *José María Álvarez*, Revista *Quervo* (Valencia, mayo de 1984).

Jauralde Pou, P., «Crónica bibliográfica», *Libros* (Madrid, 1983).

—, «Crónica bibliográfica: poesía española hoy», *Libros*, 23 (Madrid, 1984).

Jiménez, J. O., «Reafirmación, proximidad, continuidad: notas hacia la poesía española última (1975-1985)», *Las Nuevas Letras*, 3-4 (Almería, 1985).

—, «Reflexiones sobre los *Postnovísimos* de Luis Antonio de Villena», *Ínsula*, 492 (1987).

Jiménez Martos, L., «Una década de poesía española (1974-1984)», *Cuenta y Razón*, 19 (Madrid, enero-abril de 1985).

Jiménez Millán, A., A. Salvador, y J. Soto, *Antología de la joven poesía andaluza*, Litoral, Málaga, 1982.

John Rossel, Elena de, *Florilegium. Poesía última española*, Espasa-Calpe, Madrid, 1982.

Labra, Ricardo, *Muestra corregida y aumentada de la poesía en Asturias*, Servicio de Publicaciones del Principado de Asturias, Oviedo, 1989.

Lanz, J. J., «La poesía española ante la feria», *El Urogallo*, 52-53 (septiembre-octubre de 1990).

—, «La poesía española: ¿hacia un nuevo romanticismo?», *El Urogallo*, 60 (mayo de 1991).

—, «Apuntes sobre poesía», *El Urogallo*, 64-65 (septiembre-octubre de 1991).

—, «Datos para una historia de la poesía experimental en España», *Zurgai* (Bilbao, junio de 1991).

—, *La poesía de Luis Alberto de Cuenca*, Suplementos de Antorcha de Paja, Córdoba, 1991.

Linares, Abelardo, «Afirmación y negación de la actual poesía española (I)», *Citas* (suplemento cultural del *Diario de Jerez*), 12 de octubre de 1991; «Afirmación y negación de la actual poesía española (II)», *idem*, 19 de octubre de 1991.

López, Julio, *Poesía épica española (1950-1980)*, Ediciones Libertarias, Madrid, 1982.

Luna Borge, J., «Postnovísimos o el sutil juego de un seductor», *Ínsula*, 479 (octubre de 1986).

—, «Sobre la generación del setenta o el irresistible encanto de una escuela clásica», *Zurgai* (Bilbao, diciembre de 1989).

Marco, J., «La poesía», en *El año literario español 1974-1978*, Castalia, Madrid, 1975-1979.

—, «La poesía», en *El año cultural español 1979*, Castalia, Madrid, 1979.

Martín Pardo, Enrique, *Nueva poesía española (1970), Antología consolidada (1990)*, Hiperión, Madrid, 1990.

Mas, M., y J. L. Ramos, *Jenaro Talens*, Revista *Quervo*, 8 (Valencia, abril-mayo de 1986).

Mateos, José, «Una conversación con Francisco Bejarano», *Diario de Jerez* (Jerez de la Frontera, 15 de abril de 1989).

Miró, E., «La poesía desde 1936», en *Historia de la literatura española*, vol. IV, Taurus, Madrid, 1980.

Molina Foix, Vicente, «5 poetas del 62», *Poesía*, 15 (1982).

Morales Villena, G., «Lírica de los años ochenta. Una poesía narrativa», *Leer*, 9 (julio-septiembre de 1987).

Murcia, C., «Fortuna de Cavafis en la poesía española contemporánea», *Postdata*, 3 (Murcia, 1987).

Navarro, J., «La poesía», en *Letras españolas 1988*, Castalia, Madrid, 1989.

Nicolás, C., «Parábola del ruiseñor», *Diario 16* (28 de junio de 1987).

Ors, Miguel d', «La metapoesía de Víctor Botas», en *Homenaje al profesor Antonio Gallego Morell*, I, Universidad de Granada, 1989.

Palenzuela, N., «Joven poesía en Canarias», *Ínsula*, 454 (septiembre de 1984).

Palomero, Mari Pepa, *Poetas de los 70*, Hiperión, Madrid, 1987.

Palomo, M. del P., *La poesía en el siglo xx (desde 1939)*, Taurus, Madrid, 1988.

Parreño, J. M., «Poesía joven en Madrid» *Ínsula*, 454 (septiembre de 1984).

Peña, P. J. de la, «Tendencias actuales de la poesía española», *Nueva Estafeta*, 43-44 (Madrid, junio-julio de 1982).

—, «Últimas formas de la poesía española», *Equivalencias*, 1 (Madrid, invierno de 1982).

Piquero, José Luis, *Poetas de los 90*, *Escrito en el agua*, 4 (Oviedo, 1991).

Pozanco, Víctor, *Nueve poetas del Resurgimiento*, Ámbito Literario, Barcelona, 1976. Epílogo de Santos Sanz Villanueva.

—, *Segunda antología del Resurgimiento*, Ámbito Literario, Barcelona, 1980. Epílogo de Juan Carlos Molero.

Prado, B., «Poesía última: los dulces ochenta» *El Urogallo*, 12 (abril de 1987).

Provencio, P., *Poéticas españolas contemporáneas, II, La generación del 70*, Hiperión, Madrid, 1988.

Quintana, E., «Apuntes sobre novísimos y postnovísimos», *Zurgai* (Bilbao, diciembre de 1989).

R. de la Flor, F., «Neo-neo-neoclasicismo en la poesía española última», *Los Cuadernos del Norte*, 20 (Oviedo, julio-agosto de 1983).

Reig, R., *Panorama poético andaluz en el umbral de los años noventa*, Guadalmena, Sevilla, 1991.

Reyzabal, M. V., «Poetas de hoy. Sin ninguna estética dominante», *Reseña*, 177 (Madrid, septiembre-octubre de 1987).

Roso, Pedro, *Quince años de (joven) poesía en Córdoba (1968-1982)*, Diputación Provincial, Córdoba, 1984.

Rozas, J. M., «Los novísimos a la cátedra», *El País* (Madrid, 25 de noviembre de 1979).

Rubio, F., «La poesía», en *El año literario español 1980*, Castalia, Madrid, 1981.

—, y J. L. Falcó, *Poesía española contemporánea (1939-1980)*, Alhambra, Madrid, 1981.

—, «Un alto en la poesía actual», *Camp de l'Arpa*, 101-102 (julio-agosto de 1982).

Ruiz Casanova, J. F., ed., «Nueve novísimos: veinte años de euforia», I, *Anthropos*, 110-111 (Barcelona, julio-agosto de 1990); II, 112 (septiembre de 1990); y III, 113 (noviembre de 1990).

Salvador González, T., *Todos de etiqueta. Antología de inéditos*, Barrio de Maravillas, Valladolid, 1986.

Sánchez Menéndez, J., *Poesía contemporánea en Sevilla (Estudio y antología)*, Pasarela, Sevilla, 1987.

Sánchez Torre, L., «Metapoesía y conocimiento: la práctica novísima», *Zurgai* (Bilbao, diciembre de 1989).

Sánchez Zamarreño, A., «Claves de la actual rehumanización poética», *Ínsula*, 512-513 (agosto-septiembre de 1989).

Sanz Villanueva, S., «La poesía desde 1975», en *Historia de la literatura española. Siglo xx: Literatura actual*, vol. 6/2, Ariel, Barcelona, 1984.

Sarmiento, J. A., *La otra escritura. La poesía experimental española*, Ediciones de la Universidad Castilla-La Mancha, Cuenca, 1990.

Saval, L., y J. García Gallego, *Litoral femenino. Literatura escrita por mujeres en la España contemporánea*, Litoral, Málaga, 1986.

Siles, J., «Dinámica poética de la última década», *Revista de Occidente*, 122-123 (julio-agosto de 1991).

—, «Ultimísima poesía escrita en castellano: rasgos distintivos de un discurso en proceso y ensayo de una posible sistematización», ed. B. Ciplijauskaité, *Novísimos, postnovísimos, clásicos: La poesía de los 80 en España*, Orígenes, Madrid, 1991.

Simón, C., y V. Salvador, «Joven poesía en el País Valenciano», *Ínsula*, 454 (septiembre de 1984).

Suñén, J. C., «Vanguardia y surrealismo en la poesía española actual», *Ínsula*, 512-513 (agosto-septiembre de 1989).

Talens, J., «Prólogo» a Antonio Martínez Sarrión, *El centro inaccesible*, Hiperión, Madrid, 1981.

Uceda, J., «Reflexiones sobre poesía andaluza actual», I y II, *Ínsula*, 454 y 455 (septiembre-octubre de 1984).

Ugalde, Sharon Keefe, «Subversión y revisionismo en la poesía de Ana Rossetti, Concha García, Juana Castro y Andrea Luca», en *Novísimos, postnovísimos, clásicos: La poesía de los 80 en España*, ed. B. Ciplijauskaité, Orígenes, Madrid, 1991.

—, *Conversaciones y poemas. La nueva poesía femenina española en castellano*, Siglo XXI, Madrid, 1991.

Urrutia, A., *Antología de la poesía navarra actual*, Diputación Foral-Institución Príncipe de Viana, Pamplona, 1982.

Vignola, B., «La manía de Venecia y las letras españolas», *Camp de l'Arpa*, 86 (abril de 1981).

Vilas, M., ed., *Felipe Benítez Reyes*, Universidad de Zaragoza, *Poesía en el Campus*, 16 (Zaragoza, 1991).

Vilumara, M., «Notas para un estudio de la poesía española de posguerra», *Camp de l'Arpa*, 86 (abril de 1981).

Villaverde Gil, Alfredo, *Cien poetas en Castilla-La Mancha (1939-1985)*, Ayuntamiento de Guadalajara, Guadalajara, 1986.

Villena, L. A. de, «Lapitas y centauros», *Quimera*, 12 (octubre de 1981).

—, «¿Qué ocurre con la ultimísima poesía?», *Diario 16* (19 de agosto de 1984).

—, «Barras situacionales a una década de nuestra poesía», *Las Nuevas Letras*, 3-4 (Almería, invierno de 1985).

—, *Postnovísimos*, Visor, Madrid, 1986.

Wilcox, John C., «Visión y revisión de algunas poetas contemporáneas: Amparo Amorós, Blanca Andreu, Luisa Castro y Almudena Guzmán», en *Novísimos, postnovísimos, clásicos: La poesía de los 80 en España*, ed. B. Ciplijauskaité, Orígenes, Madrid, 1991.

LUIS ANTONIO DE VILLENA Y OTROS

LOS POSTNOVÍSIMOS

I. La generación *postnovísima* se inaugura *de facto* entre 1975 y 1976, pero no comienza a despertar atención (fuera de las estrictas capillitas literarias o mentideros poéticos) sino en 1980.

El primer nombre *postnovísimo* que tuvo resonancia general, más allá de los reducidos medios profesionales (resonancia, por cierto, no escasa en polémica y dicterios) fue el de Blanca Andreu, con su libro *De una niña de provincias que se vino a vivir en un Chagall* (1981). Puede ser cierto que a ese éxito contribuyesen factores extraliterarios: Blanca era una muchacha joven, de aire *moderno*, que se expresaba con modismos *pasotas* y hablaba de drogas..., o sea, la *imagen* (cara a los medios de comunicación de masas) de un *poeta* joven coincidiendo con la de un joven (una joven) *del día*. Lo que la hacía, en momento tal, evidentemente potenciable y *vendible*. Pero hubo factores *literarios*, claro es, entre los cuales uno me parece muy destacable: Blanca Andreu escribía una poesía bastante más lejana a los *novísimos* de entonces (es decir, ya en el *segundo movimiento* generacional) que la de sus compañeros de promoción precursores. Blanca no seguía ni la *tradición clásica* ni la línea *minimalista*. A sus características de *modernidad* juvenil, unía un *corte* (no expreso ni agresivo, mas corte al fin) con la trayectoria *novísima*. Lo que hacía a la poetisa (de cara, sobre todo, a los menos avezados al tema, a los no seguidores o iniciados) la más *destacada* y casi —*falsamente*— *primera* representante de una generación juvenil: los *postnovísimos*.

I. Luis Antonio de Villena, *Postnovísimos*, Visor, Madrid, 1986, pp. 25-30.

II. Jaime Siles, «Ultimísima poesía española escrita en castellano...», *Iberoromania*, núm. 34 (1991), pp. 8-31 (8-9, 16-17, 19, 20, 24-26).

III. Gregorio Morales Villena, «Una poesía narrativa», *Leer*, núm. 9 (verano de 1987), pp. 84-86.

De una niña de provincias que se vino a vivir en un Chagall, es un libro que parece volver a conectar (desde una visión singular e ingenuista) con la *tradición del surrealismo*. Es cierto que tal modo de escritura (poema en prosa, imágenes oníricas, fluir de conciencia) había sido brevemente —y no de manera absoluta— seguido por algún *novísimo* de la primera hora (pienso en textos de Martínez Sarrión), pero para quedar, en lo fundamental, postergado en seguida. Así es que al recalar, con nitidez, en esa *tradición*, y unirla a ciertos toques de *vida presente* juvenil, Blanca Andreu pudo representar, más que otros, el *inicio*, o la *verdadera voz*— ya digo que con leve espejismo—, de la generación *postnovísima*.

Otra de las *tradiciones* asumida por los *postnovísimos* (personalizada por ellos), y que sólo en escasa medida practicaron sus antecesores, es la que pudiéramos llamar *tradición del versículo*. Una lírica con atisbos de épica, que alcanzó cotas muy notables en la poesía francesa de la primera mitad de nuestro siglo —con otros precedentes, por supuesto— en obras como las *Cinq grandes odes* de Paul Claudel, y en los libros, más singularmente, de Saint-John Perse. En esta línea, en España, hay poemas del primer Juan Bernier y está buena parte de la labor de un solitario, Manuel Álvarez Ortega. Pues bien, no otra es la *tradición* que ha sabido usar, personal y atinadamente (sobre todo en su segundo libro, *Memoria de la nieve),* Julio Llamazares, creando la imaginería de una personal vivencia unida al Norte. Claro, que en esa labor confluye asimismo la tradición bárdica o chamánica, y en menor medida, también el surrealismo (lo apunto solamente para hacer ver cómo incluso fuera de las líneas mayoritarias en la realización poética de esta generación, el asumir una —o varias— tradiciones, es una opción y una manera *decisivas).*

Otra *tradición* —de raíces más breves, ciertamente— en la que quiero hacer especial hincapié es la que aventuro como *sensibilidad del rock*. Entendiendo por tal, no sólo la estricta música rockera, sino todo el ámbito vital y cultural que rodea a su manifestación. La *sensibilidad del rock* conecta —en cierto aspecto visionario— con el surrealismo de nuevo, pero también con la poesía de la *beat generation* norteamericana y con las propias letras del *rock'n roll*. Un precedente a los *postnovísimos* que preciso mencionar dentro de esta *sensibilidad* es Eduardo Haro Ibars, poeta un tanto marginado dentro de la *generación del 70*, cuyos libros de versos, desde *Pérdidas blancas* (1978) hasta *Sex Fiction* (1981) navegan absolutamente en tal dirección. La *sensibilidad del rock* no consistiría, tan sólo, en incorporar al poema elementos de la *vida juvenil* moderna (discos, baile, experiencias con alucinógenos, etc.), pues ello se encuentra ya en poemas —experienciales— que estética y estilísticamente están cerca de lo que he denominado *tradición clásica*. No me estoy refiriendo, únicamente, a la mención o constatación de un género de vida —privativo de la actual juventud—, sino además a la creación de un poema y una escritura que reflejan la visión del mundo que vida tal comporta. Son textos, pues, con gran influencia del clima y de la música *rock* —y, como he dicho, de sus letras—, dándose el caso no infrecuente de que algunos de los poetas que siguen esta andadura hayan estado vinculados —aunque de forma efímera— a esos grupos musicales. Esta trayectoria (que, repito, implica una *visión del mundo*) es seguida, muy fundamentalmente, por poetas de entre los más jóvenes de la generación, aunque el *seguimiento* no suponga siempre la adscripción total a esa estética (de carácter visionario, realista y parasurrealista a la par), mas sí un claro contacto con ella. En tal línea pueden decirse —aunque sólo parcialmente— poetas como Ángel Muñoz Petisme y, en ciertos caracteres vitales, textos de Leopoldo Alas. Ocasionalmente la tange asimismo algún poema de Blanca Andreu.

He pretendido señalar varias direcciones, no todas. Pero en cualquier caso, una de las más nítidas señas *postnovísimas* resulta el *cajón de sastre*, la mezcla tolerada, que hace de imposible existencia ninguna *estética dominante*, y que, al tiempo, entrecruza muchas de las líneas que he mostrado. No sólo porque de libro a libro cambien en algunos poetas, sino porque puedan mezclarse en un mismo poema. E incluso —en Leopoldo Alas— las que pudieran semejar, engañosamente, más discordantes: la utilización personalizada de la *tradición clásica*, amalgamada con *la sensibilidad del rock*. Es obvio, por lo demás, que el poeta se nutre —también— de su vivir, y que la experiencia de una vida ligada a un tipo de música y a los locales, ambiente y parroquianos que todo ello exige, ha de marcar y notarse en la poesía más joven: y no sólo como experiencia, sino básicamente como estilo.

Cuantos rasgos he venido delineando hasta aquí como característicos de la *generación postnovísima* la configuran como *abierta*, en varios sentidos de la palabra, [y] caracterizada, pues, por una amplia y generosa *disponibilidad estética*. Tal *disponibilidad* afecta negativamente a la generación en cuanto a su *conciencia de cuerpo*, y por tanto, en cuanto su cohesión (leve) de cara al exterior. Más positivamente, por cuanto destruye *de facto* el concepto exclusivista de los *estilos* y de las *vanguardias (algo* superando a *algo)* para imponer, sin mayores cortapisas, la primacía del «yo» del escritor y su dominio de la cadena literaria. El tener que llegar a ser una *generación de yoes* (de individualidades resueltas) es un gran reto, y asimismo una alta esperanza: otra *novedad* como conjunto. [...] La misma *debilidad* (o mejor *apertura*) de la generación puede ser vista como meta en sí. Entonces, los *postnovísimos* serían el inicio de una nueva actitud ante el fenómeno de la poesía, menos dogmática y más reflexiva... (El mal del epigonismo resultaría, consecuentemente, la necesaria escoria que ha de quedar, justificante del arranque y buena marcha de la locomotora.)

Se trata también de una generación que ha superado muchos viejos conflictos morales de la literatura. Frente a *disimulos* y *velaturas*, muy perceptibles aún en promociones próximas, los *postnovísimos* afrontan claramente una escritura sin antiguos tabúes (sexo, droga, experiencias personales) mas sin esgrimir tampoco esta actitud como emblema de victoria.

Es, por todo, una generación *postmoderna* y *transvanguardista* (no importa utilizar entonces el prefijo *post* para denominarla), pero, ello sí, en el sentido más sólido del término. Es decir, no en lo que la *postmodernidad* tiene de *movida* (de efímero, de superficial moda, de caduco), sino en lo que conlleva de cambio de actitud, de modo nuevo y menos *crispado* de enfrentar la literatura.

Pero es también —esta generación joven— la de la *modernidad* en el sentido práctico y vital —no teórico— de la palabra. Quiero decir que es la generación —en poesía— que hará (y está haciendo) notar más la cotidianeidad de una vida distinta: desde la influencia aludida de la música *rock* hasta el ritmo de la frase y de la métrica, contaminado —en algunos— por el lenguaje sincopado de lo audiovisual, mezclado a la más estricta tradición literaria. No pretendo que sean los primeros en sufrir o encarar tales influencias, pero sí los primeros —grupalmente— en darles *cuerpo*. (Y sin embargo, junto al extremo rompimiento de lo literario, se da en ellos, y a veces a la par, el máximo respeto y aun mímesis del *tradicionalismo* estricto: ofrenda purísima en varios a la métrica y a las estrofas archiclásicas.)

Así viene a resultar que esta generación, inicialmente *continuista*, se configura —avanzando— como una generación de actitudes *nuevas*, sobre todo en el fondo de su práctica literaria. Y siendo, por lo mismo, una generación casi sin teorías fijadas (sin teorías creadas por el propio grupo), puede resultar —en el fondo, asimismo— una promoción absolutamente teorética. Se trata, en definitiva, de una generación aún en marcha, cuyo lento despegue no ha concluido —a mi juicio— de dar sorpresas. Una generación donde lo tradicional se hace nuevo y donde la más radical novedad parece venir de la aceptación compleja de la realidad misma (que incluye

la literatura) y no de una previa teoría sobre lo novedoso en sí. Luis
Antonio de Villena.

II. La dinámica poética de la última década describe, más o
menos, el siguiente proceso:
1. declive de la estética novísima;
2. recuperación de los poetas del 50;
3. relectura de la tradición y revisión de las nóminas generacionales;
4. importancia de la poesía escrita por mujeres, que son quienes modifican el sistema referencial; y
5. acuñación de un nuevo paradigma que, pese a su pluralidad,
se polariza, y cuyos rasgos distintivos más visibles son:
   a)   la vuelta a la métrica, a la rima y a la estrofa;
   b)   el uso del lenguaje coloquial y el empleo de términos del
ámbito cotidiano;
   c)   la readaptación de la épica;
   d)   el interés por la elegía;
   e)   la reintroducción del humor, el pastiche y la parodia;
   f)   la temática urbana;
   g)   el sentimiento de lo íntimo y lo individual;
   h)   un énfasis mayor en el sistema perceptivo que en el representativo;
   i)   la presencia, casi como denominador común en las poéticas,
de tres palabras-clave que imantan el núcleo generador de los distintos discursos: *emoción*, *percepción* y *experiencia*; y
   j)   un cambio en el sistema referencial.
Todos esos elementos conforman —en mayor o menor grado y
ya sea de modo sucesivo o simultáneo— el horizonte de la nueva
creación. [...]
La relectura de la tradición que se hace en los ochenta varía
bastante de aquella que hicieron los novísimos: pone su énfasis en
la experiencia, en la emoción, en la percepción y en la inteligibilidad del texto; en la temática urbana y la cotidianeidad; rechaza lo
oscuro, lo frío y lo abstracto; abomina de lo conceptual; y opta por
un discurso que no deriva del lenguaje sino que libera su sentido en
él. Y, de acuerdo con ese imperativo de su norma, revisa todas las
creaciones anteriores con el objeto (común a todas las generaciones)
de descubrir sus propios precedentes y de encontrar y aquilatar, en

ellos y sobre ellos, las líneas maestras de su escritura y de su tradición.

[La atención prestada, por ejemplo, a Manuel Machado o autores como López Velarde, Lugones, Tomás Morales, Agustín de Foxá y Rafael Sánchez Mazas nos lleva a un ámbito muy distinto del modernismo que explotaron los novísimos] y explica uno de los rasgos distintivos del discurso que, en los años ochenta y como noción casi dominante, se instaura: fundir impresionismo y simbolismo: «Hacer, con impresiones pasajeras, un poema. Un poema cuya forma, precisa e imprecisa a un tiempo —y son palabras de Juan Manuel Bonet— esté al servicio de la impresión fugitiva, del tiempo que huyó». Por eso se escribe «como si nada fuera». Y escribir es —como en el poema, de igual título, de Bonet: «Escribir —como si nada fuera importante— / el sencillo irse de las horas / sentado en la terraza de un café / de una provincia española. / Escribir, como si estuviera escrito / que el ruido de esas tazas sobre el mármol / tuviera que pasar el arroyo claro / de unos versos. / Escribir, como si nada fuera».

Este interés por el impresionismo, el simbolismo y los postmodernistas —visible, también, en la poesía de Andrés Trapiello (sobre todo, en «Museo Romántico» y «Casinos») y que se manifiesta en la atención que estos poetas prestan a los grabados del siglo XIX— se corresponde, y por entero: 1) con el papel que se asigna a la *emoción*, «piedra de toque de un poema», como enuncia Trapiello; 2) con el sentimiento del tiempo, en el que vuelven a coincidir con los del 50; 3) con su interés por la elegía —en el que coinciden con Borges, con el 50 y con el 36; y 4) con su predilección por el lenguaje coloquial y la temática urbana —otro rasgo distintivo de los poetas más jóvenes, que les lleva a conectar con las escenas de la vida diaria y la expresión que aquella tuvo en la poesía y el arte finisecular. [...]

Los clásicos, como siempre, son leídos. Pero son leídos *de otra manera*: se leen, no como los leyó el 27, sino como los ha leído el 50 y la postmodernidad, esto es «despojando a las imágenes» —como de su propia poesía dice Juan Lamillar— de «toda sorpresa gratuita», de «todo ingenio inútil». También en ellos, en los clásicos, se busca la emoción y la experiencia, y no sólo el gusto de la forma. También con ellos es posible una ironía que —articulada por relación a su intertexto— permita establecer con respecto a su fuente una proximidad que sea, a la vez, también distanciamiento y que, con el guiño hecho a un lector cómplice, convierta el texto —con el asentimiento y complicidad de ese lector— en parodia o pastiche de cuño postmoderno. [La intertextualidad fue para el culturalismo una magia de propiciación: ahora es una magia de participación.]

Esta magia de participación —y la tendencia a combinar, más que a aproximar, campos semánticos distintos y términos de esferas diferentes— ha hecho que los poemas se llenen de cotidianeidad; que —como en el Barroco posterior a Trento— la cotidianeidad se informe de cultura; y que el lenguaje de la poesía se amplíe —en contra de la tesis III de Praga, en la que los novísimos creyeron— con *composita* y neologismos como *marjadín, lunalágrima, astrocanoas, piel-satélite*, acuñados por Fortuny y Vicente Valero; que la terminología farmacéutica sirva —¿y por qué no?— para formar símiles y metáforas, como en estos dos versos de Aurora Luque: «Se disolvió la luna para siempre / como un optalidón contra molestias»; que aparezcan en los poemas palabras como *supositorio, amígdalas* y *resfriado*; y que el léxico poético se enriquezca con términos tomados de las diversas hablas: *a)* de la jerga y el argot de los marginales (*driblar, crack, fumados*); *b)* de los anuncios y *spots* publicitarios (*Kodak Instamatic, camisas Truman, valijas Samsonite, pernod, chewing*); *c)* del vocabulario urbano (*aceras, calles, coches, esquinas, automóviles, escaleras, antro, pisos, periódicos, escaparates, salas de cine, botellas, ascensores, asfalto, autopista, ladrones, policías, gánsgsteres, bullicio, vocería, tranvías, camareros, farolas, barras de bar, pensiones, monedas, cervecerías, tabernas, servilletas de papel, moteles, cafeterías, teléfonos, letrinas, mingitorios, timbres, tómbolas, ferias, puestos de sardina, trenes, aviones, autobuses, burdeles, salas de billar, mesas de juego, bodegas, arrabales*); *d)* de fórmulas afécticas propias del lenguaje coloquial; y *e)* del conjunto de términos que constituyen el mundo cotidiano: desde el *cepillo de dientes* —que también hay quien lo usa y no sólo, por lo que se lee, para limpiarse los dientes— hasta *camas, sábanas, almohadas, mesas, sillas, sillones, toldos, visillos, contraventanas, percheros, butacas, papeleras, tumbonas, pomo, chimenea, alcoba*; electrodomésticos como *nevera* y *tocadiscos*; útiles diarios como *mechero, gafas, papel de fumar, tabaco, cigarrillos*; prendas de vestir como *abrigo, bufanda, braga, gabardina, zapatos, calcetines, medias, faldas, camisetas, pijamas, pantalones, trenca, pullóver*; animales domésticos (*gatos, perros*); accesorios como *pendientes, collares, cremalleras*; productos higiénicos como *talco, crema*; cosméticos como *maquillaje, lápiz de labios, rimmel*, que funcionan en el texto literario no sólo como correlatos objetivos de ese contexto cotidiano que, en ellos y con ellos, se quiere percibir y representar, sino también como signos inscritos en este carácter agresivo —y sugestivo— usado por el lenguaje de la moda y que ha sido sistematizado y retorizado como técnica por el discurso semiótico del anuncio, del *spot* y de los diversos códigos explotados por la publicidad.

Este inventario de términos —tomados tanto de los elementos que componen el espacio urbano, como de los diversos usos del habla y la lengua coloquial de la ciudad, de las técnicas publicitarias y de los medios de comunicación— incluye, también y además de los acuñados por el intimismo, los de aquella parte de la realidad, determinada y conformada por los bienes de uso, la balanza comercial y la sociedad de consumo. El influjo de la sociedad de consumo es tan profundo —y su presencia tan fuerte y tan creciente en los últimos años en España— que la poesía de los 80 no duda ni en asimilar a su propio sistema referencial diversos componentes de la misma, ni, tampoco, en imitar sus técnicas de representación, mercado y publicidad. Como prueba de ello puede verse un poema de Pedro Casariego —un muy valioso vanguardista dentro de una generación casi conservadora— en el que, como parodia del amor de ahora mismo, se dice: «Te quiero / te quiero porque tu corazón es barato». La emoción que genera tanta intimidad —y tan cotidiana— parece derivar hasta de la calderilla. Y, si lo primero —el uso de la lengua coloquial, de las hablas de grupo, de la emoción de lo íntimo y de la temática del espacio urbano— aproxima a estos poetas a los del 50, este diálogo con la sociedad de consumo los aparta. Y los aparta, porque los del 50 —y no digamos los novísimos que hasta tuvieron que crearse y creerse su propio espacio de ficción, en el que «la única realidad era la del poema, pero sin renunciar a seguir siendo ficción» (Julia Barella)— mantuvieron con respecto a la sociedad, en general, y a la suya propia, en particular, una actitud *crítica* disidente, de rechazo y/o de enfrentamiento. Los del 80, en cambio, no se sienten incómodos en ella y con ella, sino integrados, complacientes y complacidos. Por eso, la de los 80 vuelve a ser *una poesía integrada* en su mundo y arraigada en su situación: como lo fue la de Panero, la de Vivanco, la de Rosales; y como lo fue, en el primer estadio de su constitución, la de Salinas y la de Guillén. JAIME SILES.

III.   Después de consultar o leer un buen número de poemarios —elegidos, téngase en cuenta, al azar— publicados en los tres o cuatro últimos años, es imposible negar que existe en gran parte de ellos un importante rasgo común. Ese rasgo es el de la narrativa. Es decir, la poesía se ha hecho comprensible, referencial, se ha *prosificado* (conste que en ningún momento empleo este término peyorativamente). Los poetas actuales han abandonado lo surreal y otros artificios en la construcción del poema. Ya no importa tanto el mundo onírico como el mundo de la vigilia. Lo interior da paso a lo exterior. Por otra parte, la metáfora languidece. [Pero] si el resultado lógico de lo anterior podría ser el empobrecimiento y la banalidad, tal cosa milagrosamente no se produce, y, a pesar de todo, la emoción y el lirismo persisten. El halo de belleza no nos abandona. He aquí la difícil cuadratura del círculo de la poesía actual: ser casi prosaica en la expresión y en la forma y, sin embargo, comunicar sentimiento.

Es lo que ocurre en *Los vanos mundos* (1985), de Felipe Benítez Reyes, un libro sobre el hombre y el tiempo, que penetra en la médula de los huesos sin necesidad alguna de artificio. Hay aquí un poeta completo, profundo, cabal, que sabe comunicar armónica y fascinantemente la esencia de lo humano. Con la misma llaneza, de idéntica forma descarnada, se expresa Javier Salvago en *Variaciones y reincidencias* (1985). Él mismo lo dice en uno de sus poemas: «No hago juegos de magia. / No deslumbro. / Hablo sin vanidad de mis asuntos». Su narratividad llega a ser total en poemas como «Fábula» y «La novela de un literato». [Algo semejante, en catalán, encontramos en Àlex Susanna y en Francesc Parcerisas.]

Otras veces, estos poetas incorporan en sus versos palabras o expresiones frecuentes en el uso coloquial o en el lenguaje normal de cada día. Así, Manuel Rico en *El vuelo liberado* (1986), donde evoca la niñez de la posguerra, la adolescencia y juventud. En sus poemas el lenguaje es simplemente enunciativo. Escribe como habla. Adolfo García Ortega, en *La mirada que dura* (1986), se acerca también al lenguaje cotidiano. Su poesía está caracterizada por el recuerdo, por el afán de fijar los momentos fugaces, por la presencia de los amigos, por los viajes... Titula un poema «Para hacer reír a Eduardo» o emplea en otros expresiones coloquiales como «digamos», todo ello sin merma de la efectividad poética. Hay en la sencillez de sus versos, en su desplegarse naturalmente y sin retórica, un latido poético, una especie de temblor que llega a nosotros y nos conmueve sutilmente.

Inmersos ya en esta línea, otros poetas llegan a la simplificación, a la concisión totales. Es lo que le ocurre a Salvador López Becerra que, siguiendo la tendencia de su producción anterior, alcanza en *Riente azar* (1986) y *Proesía* (1987) una especie de laconismo, de palabra desnuda o de lenguaje ausente. Como un don de los dioses difícilmente prodigado, sus poemas se atisban para inmediatamente desaparecer, dejándonos con la dicha de una repentina intuición.

Hay poetas que emplean minuciosas técnicas descriptivas, propias de la narración más exigente. Así, César Antonio Molina en *Gobierno de un jardín* (1986) donde, aparte de hacer gala de una fluida narratividad, describe objetos tan detalladamente como una «Manzana»; o Ángel Rupérez, con excelentes descripciones de la naturaleza en *Las hojas secas* (1985). Recuérdese «El valle». Él mismo afirma en uno de sus poemas que lo retrata todo «con precisión de escritor de costumbres», lo cual es sumamente indicativo de lo que venimos diciendo. En algunos casos, los autores recrean mundos perdidos con una verdadera habilidad de cuentista. Es lo que le sucede a Andrés Trapiello y a su obra *La vida fácil* (1985), en cuyos poemas nos introduce en el siglo XIX, reconstruido como unas antiguas ruinas por medio de sus despojos. [...]

La unidad poética ha cambiado igualmente. Hasta el 27, fue siempre el verso. Desde el 27, el poema. Recordemos el término «lenguaje de poema», que acuñó Salinas para indicar cómo en la generación del 27 todos los elementos se subordinaban, se engarzaban de manera estructural en la unidad superior del poema, concebido y creado como un todo. Ahora, sin embargo, lo que se concibe y se crea como un todo es en la mayoría de las ocasiones el libro, mientras que los demás elementos se subordinan a él. La mayor parte de los poemarios se han confeccionado siempre agrupando poemas variopintos. En la actualidad, muchos poetas discurren ante la idea general del libro, y a ella amoldan los distintos poemas. El resultado son libros con total unidad estructural, lo que hasta ahora había sido sólo patrimonio de la moderna novela del siglo XX.

Tal unidad se observa por ejemplo en *Así nació Tiresias* (1983), de José Carlón, un libro concebido y nacido de la fusión entre lo mítico y el paisaje real circundante del poeta. Los poetas conforman una suerte de intensa narración sagrada, donde lo real se hace mito y el mito realidad, y donde no hay un solo elemento que alegre el esquema primigenio. Aparte de todo esto, existe en *Así nació Tiresias* una riqueza lingüística, una rotundidad y estilización del verso, una tal construcción de nuevos sentidos, que ponen a José Carlón en el umbral de lo que estamos llamando *poesía narrativa*. [...] Miguel Sánchez-Ostiz subordina igualmente sus poemas a la unidad superior de *Reinos imaginarios* (1986), donde un viajero camina a través del mundo de la fábula, allá donde «la memoria es noche». Cada poema representa un nuevo jalón, un nuevo reino, una nueva fantasía. Resulta claro que el libro ha sido concebido desde una idea rectora.

Quizá todas estas características no sean, en suma, sino la consecuencia de una actitud más general y compartida por los poetas actuales: la de asumir plenamente la cotidianidad, escarmentados de lo extraordinario y de un falso exotismo. Y esa asunción se hace tanto en el doble plano del contenido —la vida normal, el recuerdo, el amor sin grandilocuencias— como en la forma —utilización de la expresión y del lenguaje cotidianos.

Así lo vemos en Luis García Montero que, alejado de todo barroquismo, nos muestra la vida urbana, teñida de nostalgia y recuerdos, en sus poemas. Por otra parte, no duda en incluir en *Diario cómplice* (1987) unos «fragmentos» de cartas. En uno de ellos leemos quizá la mejor definición de la poesía de hoy: «... Te dejo esta carta sin héroes ... No hay intención en ella: ni demanda moral ni instinto atormentado; es simplemente un gesto literario, la representación privada, el despedazado anfiteatro de nuestros ojos». Benjamín Prado, en *Un caso sencillo* (1986), integra también elementos urbanos en su poemario que es, como todos los que estamos citando aquí, plenamente narrativo (una de sus partes se llama justamente «Historia de Isabel»). Lo cotidiano, junto a los sentimientos y amores de cada día, están igualmente en Javier Egea; cada uno de los poemas de *Paseo de los tristes* (1982), son como una pequeña historia de amor, siempre teñida de melancolía. Finalmente, encontramos en José Lupiáñez una introspección sin oscuridades ni piruetas. Sus *Arcanos* (1984) están llenos de justeza y precisión, plasmando de forma magnífica la nueva poética de que hablamos. GREGORIO MORALES VILLENA.

VARIOS AUTORES

EL RETORNO DE LOS ROMÁNTICOS

I. En los escritos más recientes de Amusco, la poesía parece buscar un punto afirmativo a base precisamente de negar el inicial momento negador (valga la redundancia) que contenía la poesía novísima. Veamos el siguiente ejemplo:

POMPEYA

Nunca bogué por los canales verdes de Venecia
entre la loca algarabía de una ciudad perlada por la muerte.
Vine hasta ti, altar del tiempo, cicatriz solar,

I. Ignacio Javier López, «Noticia del fuego: la poesía sustantiva de Alejandro Duque Amusco», *Zurgai* (Bilbao, 1989), pp. 116-119 (118-119).

II. Felipe Benítez Reyes, prólogo a Francisco Bejarano, *Antología (1967-1987)*, Diputación Provincial, Granada, 1990.

III. Bernardo Delgado (José Luis García Martín), en *Jugar con fuego*, VIII-IX (Avilés, 1979).

IV. Florencio Martínez Ruiz, «*Las reglas del fuego* de José María Parreño», *ABC* (20 de junio de 1987).

para escuchar el plácido hormigueo
5   de la vida ascendiendo entre yedras, viñedos y lagartos,
por grietas que forman un rostro
en su dibujo: Villa de los Misterios, susurro
recamado de secretos, címbalos,
velos, imperceptible danza...
10   ¿Oís los pasos?
Por la ladera del áspero gigante aún desciende
el ladrido furioso (*cave canem*) de los días que ardieron
bajo la roja pérgola del cielo.
Oh teas del antiguo verano, rompiente entraña.
15   Gime la piedra, habla en voz baja,
el silencio en Pompeya es el deshilachado estruendo de los siglos,
y los amantes que tregua pedían a los miembros exhaustos
escuchan y comprenden al pie de los cipreses la apurada verdad:
un fuego, sólo un fuego sepulta; lo llamamos olvido.
20   Blanca ciudad solar de la memoria,
vine hasta ti mientras otros huían en la noche gangrenada
de góndolas y rasos, de jardines
simétricos, buscando vida en esta eternidad,
amor en estos cuerpos arrasados,
25   la lengua de la luz en el lodo indeleble.
Todo está en ti, y vibra su existencia.
¿No oís los pasos fértiles del tiempo?

En principio, resultan obvias, desde el primer verso, las referencias a los momentos iniciales de la poesía novísima, siendo desde luego evidente la alusión al «venecianismo», término inicialmente usado por la crítica para describir la poesía española de los setenta. Venecia, ha dicho Marcos Ricardo Barnatán, fue para los poetas cultos de los setenta una metáfora múltiple, que servía de escenario plural a la ensoñación romántica, a la morbosidad modernista, a la ficción decadente o a la efusión religiosa. Venecia fue así escenario predilecto de la primera poesía novísima, y poemas como «Oda a Venecia en el mar de los teatros», de Gimferrer; «Muerte en Venecia», de Carnero; los poemas de *Sepulcro en Tarquinia* de Antonio Colinas; u «Oración en Venecia» de Barnatán, serían algunos de los ejemplos o, si se prefiere, algunas de las distintas variantes del tema. Cabe añadir, en fin, que Venecia, a la que Amusco se refiere como «la ciudad perlada por la muerte», aparece también entre los novísimos —como la Ávila de Carnero— como emblema de la destrucción de lo anterior, que resulta irrecuperable y está, consiguientemente, condenado al silencio.

Se insiste todavía en la relación con la primera poesía novísima en los versos 22-23, los cuales admiten igualmente —de hecho, precisan— una lectura cifrada que explique de qué modo el poeta se separa del inicial momento de silencio. Ahora bien, con esta lectura cifrada el poema hace manifiesto ese carácter de afirmación en la negación descrito al comienzo, esto es, hace manifiesto su carácter relacional. No obstante, por paradójico que esto pueda parecer, es precisamente en esta exhibición del carácter relacional del poema donde este hace manifiesta su voluntad sustantiva, esto es, su deseo de encontrar fundamento a base de superar todo posible momento inicialmente negador. Y es mediante este acto de voluntad sustantiva como el poema supera toda contextualización limitadora y mediante el cual se alcanza ese lenguaje total al que se refiere Cohen como característico de la poesía. O, de no alcanzarse, queda en el horizonte como anhelo, como deseo perseguido una vez y otra. A ello se refiere A. D. A. en un verso del poema «Círculos en la piedra». En él el poeta ya nos advertía de la unidad última de la poesía: «Un solo pensamiento incendia el mundo».

Para concluir, Pompeya aparece aquí —como ocurriera con la Venecia novísima— como emblema del poema mismo, entendido este como el vehículo de un saber antiguo y enigmático: «Villa de los Misterios, susurro recamado de secretos».

Pero, a diferencia de lo que ocurre con la Venecia renacentista que aparece en la poesía novísima, Pompeya —la ciudad enterrada y más tarde resucitada, el «altar del tiempo»— aparece en el poema de A. D. A. como encarnación del espíritu resurrecto que trasciende la muerte. Tornamos así a la imagen del Fénix hegeliano, como imagen que implica la superación de la muerte física mediante su elevación a un principio trascendente, como emblema del «triunfo del espíritu». Y, con ello, observamos de qué modo el silencio que mediaba inicialmente en la poesía de los setenta entre el nuevo poema y lo ya dicho, deja paso a un entendimiento de la relación entre el nuevo poema y la tradición como resonancia. Destaca, por tanto, el vocabulario que sirve de indicio de una voz —e, incluso, de una vida, «plácido hormigueo / de la vida»— soterrada, pero activa, que invierte el silencio inicial de la piedra al entender que esta encarna el espíritu de la tradición: «Gime la piedra, habla en voz baja, / el silencio en Pompeya es el deshilachado estruendo de los siglos».

En función de esta resonancia, en fin, adquiere sentido la imagen del verso 10, «¿Oís los pasos?», reiterada más tarde en el verso final del poema, y que podemos emparentar con el conocido poema de Valéry, «Les pas», y, por extensión, con la noción valeriniana de lo que el poema supone: el entendimiento de este, y de la actividad literaria en general, como un don que no puede limitarse a lo escrito sino que, trascendiéndolo, se entiende como obra del espíritu e incluso llega a confundirse con este en un acto definitivo de comunicación ideal. Y el entendimiento, por consiguiente, de la palabra poética como indicio, o resonancia, de una biografía —«Douceur d'être et de n'être pas, ... j'ai vécu de vous attendre»—, germen por ello de nueva vida. Ignacio Javier López.

II. *Transparencia indebida* (1977), de Francisco Bejarano, es el libro de alguien que concibe la poesía como una necesaria fatalidad: un libro de *confesiones*. Es, también, el libro propio de alguien a quien parece preocupar menos la originalidad que la verdad, una verdad encontrada en las voces de unos cuantos maestros.

A modo de anécdota, habría que señalar que, por aquellos años, los reseñistas literarios recurrían continuamente a la calificación de *cernudiano*, que cumplía una función de tabú: la condición homosexual asumida vital y literariamente. Parecía, realmente, que la sociedad poética se había puesto de acuerdo para elegir a Luis Cernuda como paradigma de tales efectos. *Transparencia indebida*, naturalmente, fue calificado de *cernudiano*. Lo más curioso es que se trata de un libro mínimamente cernudiano en una apreciación estrictamente literaria y sí se trata, por el contrario, de un libro fidelísimamente aleixandrino. F. B. no sigue al Aleixandre desbordado y pletórico de *La destrucción o el amor* o de *Sombra del paraíso*, sino al Aleixandre contenido y elíptico de *Poemas de la consumación* y de *Diálogos del conocimiento*: su obra crepuscular, tal vez un tanto faramallera. Ocasiones hay en que la cercanía de F. B. a Aleixandre —a quien dedica, por lo demás, el libro— es demasiado fiel, demasiado aplicada. F. B., en sus inicios, hereda de Aleixandre una serie de amaneramientos estilísticos y una cierta tendencia a la vaguedad conceptual. Otra sombra magistral que se proyecta sobre *Transparencia indebida* —y con más nitidez sobre los «Primeros poemas»— es la de un autor prácticamente olvidado: Julio Mariscal (poeta aislado y solitario, de obra desigual aunque estimable), con el que Bejarano mantuvo amistad y del que obtuvo asesoramiento en sus inicios como escritor. Cuando Bejarano, en fin, daba forma a *Transparencia indebida* no había llegado aún a plantearse el alcance de sus facultades: la posibilidad de su propia voz. El problema no consistía en una falta de cualidades sino en un desconocimiento de cualidades, como ha quedado demostrado en sus posteriores entregas.

En *Recinto murado* (1981) el lenguaje de F. B. se hace más exacto, sus imágenes más nítidas; los aires de difusa nostalgia se ven sustituidos por un tono elegíaco. Surgen nuevos temas y se tratan de forma distinta los ya expuestos. Las claras influencias que ensombrecían algunos poemas de *Transparencia indebida* se diluyen ahora en la voz propia, ya encontrada y afirmada, del poeta. Una voz con ecos evidentes, pero una voz que no resulta suplantada por los ecos. El título del libro aspira, como casi todos los títulos, a un rango simbólico: *Recinto murado*. El mundo poético de F. B. es un mundo de interiores, acotado: un espacio claustral.

La ciudad de provincias y la casa adquieren en esta poesía características de símbolo: las fronteras de un destino. La ciudad real y ensoñada que aparece en los poemas de F. B. resulta una representación de la fatalidad: «Hecho estoy a vivir entre las ruinas / de esta ciudad. No tengo escapatoria». Por lo demás, el libro registra una faceta culturalista con la que F. B. rinde cuentas a uno de los rasgos más definitorios de la poesía de su generación. Se trata, con todo, de un culturalismo que no consiente lo suntuario ni la ironía, sino que, más elementalmente, se basa en la expresión de una experiencia engarzada emocionalmente a un dato cultural. Con *Recinto murado*, en definitiva, F. B. traza el dibujo esencial de su mundo, regido por las ideas en torno a la soledad, al amor y al desencanto. El último verso del libro resulta revelador: «No es posible vivir sin lamentarlo». Este *clima moral* de fatalidad y de altiva decadencia acabará siendo una de las características más fieles de toda la poesía de este autor.

Al poco de publicarse *Recinto murado* aparece *Elogio de la piedra*, un breve cuaderno de breves poemas dedicados a elementos artísticos de Jerez de la Frontera. Constituye *Elogio de la piedra* un aspecto un tanto marginal en la obra de F. B. Se trata de poemas queridamente circunstanciales, con algo de *pie de foto*, pero reforzados por una trama elegíaca: los monumentos de los cuales se nos habla pretenden constituirse en símbolos del estrago del tiempo. La cita con que se abre la entrega es un verso de Pablo García Baena: «Porque las piedras que amabas a la tarde han sido derribadas». En estos poemas, F. B. continúa la tradición de la meditación ante las ruinas; cada poema invita a una reflexión moral: el tiempo abate la grandeza y la gloria humanas.

El título del último libro de F. B. (1988) es sencillo y es simbólico (aparte de *simbolista*): *Las tardes*. En toda la poesía de F. B. existe una atmósfera crepuscular, que a fin de cuentas es la atmósfera que propicia la poesía de concepción meditativa. Y este libro es, esencialmente, una meditación sobre el paso del tiempo, sin duda la meditación literaria que resulta clásica por excelencia y por ello, tal vez, la más comprometida a la hora de ser abordada, por el riesgo de la banalidad y de la ganga que conlleva, y que F. B. esquiva lúcidamente.

Las tardes, en gran medida, es un libro que resume y decanta las distintas facetas abordadas por el autor en libros precedentes, con un complemento inusual: el de unos poemas de inspiración satírica. *Las tardes* está dividido en cinco secciones, cada una de las cuales responde a un tono, a un estilo y a una intencionalidad diversos. En cada uno de tales registros —desde el poema jocoso hasta el que recoge impresiones de viajes— aplica F. B. la que parece constituir su consigna literaria: decir con emoción, con belleza y con mesura. La poesía de F. B. ofrece dos condiciones que bastan para que el acercamiento a ella no constituya una vana anécdota de lectura, y esas condiciones son *verdad* y *belleza*. Apostar por ellas es apostar de alguna manera por la intemporalidad. Felipe Benítez Reyes.

III.   Formula *Mitos* de manera explícita —según es nota característica de gran parte de la poesía contemporánea— la concepción poética que le sirve de fundamento. «Un joven poeta compone versos hacia 1965», se titula el poema final. La poética que en él se expresa no sólo es válida para Abelardo Linares. También Fernando Ortiz, Antonio Colinas, Luis Antonio de Villena o incluso el primer Gimferrer participan de ella, aunque aportándole cada uno su modulación propia. Pedro Gimferrer parece además ser el modelo real de ese joven poeta de que nos habla A. L. «Julio de 1965» se titula uno de los poemas de *Arde el mar*, obra que para muchos simboliza el inicio de la nueva estética, y el mes de julio se menciona expresamente al comienzo de «Un joven poeta...». La poesía se plantea aquí como un intento de objetivación «tras los ecos amados de otras voces». Se busca la originalidad, no la vana novedad, originalidad sólo posible insertándose en una determinada tradición.

La tradición en la que A. L. pretende insertarse es la tradición del modernismo —Rubén Darío, Manuel Machado—, la de cierta intimista poesía sevillana —Joaquín Romero Murube—, la que marcan los nombres capitales de Luis Cernuda, Juan Gil-Albert, Francisco Brines... A todos estos autores —y a otros no menos significativos de una manera de entender la poesía: Borges, Gimferrer— se dedican los poemas que componen las secciones segunda y cuarta de *Mitos*, tituladas ambas «Dedicatorias y homenajes». La huella modernista, patente, por otra parte, en la variedad métrica del libro, se manifiesta sobre todo en los poemas mitológicos de la sección tercera, algunos —es el caso de «Diana sorprendida por un fauno»— de una perfección casi parnasiana que, sin embargo, no suena a anacronismo ni a pastiche. La sección quinta del libro, «Galería de espejos», recoge la herencia de Borges, la del Cernuda de los poemas históricos y, en primer lugar, la de Cavafis, a quien no se le dedica un poema en el libro, pero la cita de unos versos suyos —al frente de la sección tercera— nos recuerda su presencia. A estos poemas históricos se alude en «Un joven poeta...»: «Como un pequeño dios así podrías, / ser todos y ninguno, confundirte / en cualquier personaje hasta el olvido / de ti mismo, ser tan sólo una sombra». [...]

Con alusiones a Pessoa —«O poeta é um fingidor»— y a Keats —«Beauty is truth, truth beauty»— resume A. L. en «Un joven poeta...» su concepción de la poesía, en las antípodas del realismo y la eficacia que propugnaba la poesía social: «El arte es fingimiento. No te importe / mentir en lo que ves o en lo que sientes / pues verdad vale menos que belleza / y no es la realidad sino el ensueño / quien sustenta tu mundo de palabras». [...]

Mitos constituye, en resumen, un libro bello, meditado, denso. Con poemas prescindibles —«Propósitos cobardes», «Pórtico», «Anacreóntica...»—, como no podía ser menos en una primera obra, pero con otros que nos parece quedarán como maduras y definitivas muestras de una manera de entender la poesía.[1] J. L. García Martín.

1. [«En *Sombras* se ha ido borrando la línea esteticista para realzar la romántica, el "yo" objetivizado es ahora un "yo" plenamente subjetivo, la belleza universal del arte está sustituida ahora por la belleza de una mujer concreta. Pero ya los títulos señalan una voluntad de relación entre ambos libros, como si unidos formasen el haz y el envés, el mito y la sombra de un mismo poema y, desde luego, de una misma concepción poética. De este modo, en *Sombras* tampoco el elemento decorativo desaparece del todo, y un poema como "El caballero" se convierte en el punto de enlace, como el poeta que sirve de enlace podría ser Cavafis. *Sombras* está dividido en siete secciones. La primera, "¿Cómo hablar de mí mismo?", tiene carácter de prólogo y de "poética", e insinúa en cierto modo la relación con *Mitos*. La poesía está concebida como una paradoja y el poema se puebla de una serie de interrogaciones que reaparecerán a lo largo del libro. Las preocupaciones son las mismas que en *Mitos*: la verdad, el rechazo de las grandes palabras, el misterio, la comunicación, la belleza, la exaltación de los sentidos, pero ahora se subraya el yo subjetivo, la voz interior que exprese "mi verdad". La última sección, "La poesía", tiene carácter de epílogo y subraya de forma explícita la evolución y aun la

IV. *Instrucciones para blindar un corazón*, el primer libro de José María Parreño, contenía la intimidad de un poeta, trascendiéndola de la propia existencia. Su destino era combatir a la muerte en todos los frentes y, sobre todo, en el campo de batalla de la piel —el poeta nace con el sentimiento amoroso— allí donde los vencedores no usan palabras. El espacio poético parreñiano se definía en aquel libro claramente. «Hay momentos —escribía— en que nos quedamos ausentes a mitad de una caricia, un paso en medio de una línea sosegada, y tal vez el sueño y la muerte sean recuerdos aún más fuertes de otro.» Nos encontramos ante un «fingidor» al modo pessoano que hace de su poesía un intento de definición. Y se sirve de nuevas perspectivas, de estrategias no usuales y aun de elementos referenciales de un ámbito ajeno a la cotidianeidad. Pero esto apenas le impedía mostrar un calado expresivo atrayente, fresco e imaginativo, sin duda arrancando de la realidad, aunque conectado con la presencia del cosmos.

[Por otra parte,] en sus dos libros posteriores surge no tanto el poeta físico cuanto el que ha imaginado: *Libro de las sombras* y *Las reglas del fuego*. Ser en sí mismo, pero también ser en otros, puede ser una forma de su destino. En *Libro de las sombras*, una amplia bibliografía donde se cita a Abenarabi o a Mircea Eliade, a Carlyle o a Menéndez y Pelayo, Sosel Yorizane o Peter Tilley, quiere arrancar los signos de una escritura-palimpsesto, con capacidad de traslación personal. La conexión de J. M. P. con el «humanismo» culturalista de hoy, no por indirecto, menos cierto. Los ángeles que telefonean en su idioma desde aeropuertos lejanos —como decía en su primer libro— pertenecen a ese canon de evidencias de quien también sabe que ya nunca será Rilke, ni Keats ni Neruda—, como precisa en este su último libro *Las reglas del fuego*.

Avanza J. M. P. en su exploración metafísica —algo hay en ella que nos hace vislumbrarla— sirviéndose de esas anotaciones realistas e imaginativas, por un camino lleno de dudas y premoniciones, de presagios e incertidumbres. Pero en cada libro afina más en su

---

ruptura: si antes "creíste tu tarea perseguir la belleza / de lo que huye y pasa, y fueron la medida / de lo real tus sueños y equivocadamente simulaste otras vidas, alzando vanas sombras, / galerías de espejos tras de las que ocultarte», «ahora que los años pasaron entregándote / su ingrata diadema de certeza y ceniza, / sabes que la hermosura de un verso es su temblor, / su viva magia oculta hiriendo tus sentidos"» (J. A. Masoliver Ródenas, en *La Vanguardia*, 29 de enero de 1987, p. 31).]

poder de comunicación. En *Las reglas del fuego* empalma más directamente con *Instrucciones para blindar un corazón*, aunque no más claramente. El poeta sobrevive por su capacidad para soportar la biografía de un desconocido, saqueado por el tiempo, mirándose dentro de sí con el esqueleto intacto y el alma dividida, sólo atento a un inmóvil paisaje en su interior. Creemos que la vuelta a una normalidad expresiva —sin mediaciones cultas— en la que los elementos referenciales son porosos, punzantes, realistas, toques imprevistos, favorece la «egototropía» del poeta. Mas también las «reglas del fuego» de su desdoblamiento en busca de identidad.

Precisamente *Las reglas del fuego* retoma e intensifica el sentimiento amoroso como su principal punto de amarre. Si para el poeta es importante estar fijo en la memoria de alguien, mucho más lo es en la memoria de la mujer amada. No es un cuaderno el alma ni una esfera. Ni los números pueden explicar el mundo, puesto que embalsaman la realidad misma. En cuatro partes —la tercera incluye un puñado de haikus, absolutamente epigramáticos— y una sola manera de nombrar, J. M. P. configura un libro más allá de una «constelación de palabras» en «un cielo infinito de letras», donde la tinta arde en antorchas. No es lírico narcisista que bate su corazón por una querencia, sino un hombre que ama la vida, feliz o desolada. En «Egotropos» encontramos una latitud notable en los poemas, que extraen de la memoria ancestral y personal vivencias trasminadas.

Y es que, por encima de todo, J. M. P., aun sin tocar el existencialismo puro, se aproxima a atmósferas de Pavese o Pessoa. Pocos poetas de tan sensible epidermis como la suya para hacer resbalar una lágrima sobre la piel del mundo, como deja patente en «Imago mundi»: «Le acariciamos el lomo siempre con palabras —las manos enguantadas o alhajadas de cifras—, ahí está, se le siente temblar esas mañanas —tan raras— en que despertamos un instante antes que él». Pues la belleza de ese mundo no es sino una cantidad —sea el *Ulysses* o una sonata—, ya que su mesura devora toda forma. Es evidente que en la cansada dulzura de existir la soledad es una caja única y vacía. De ahí que el poeta atisbe siempre la presencia del otro, o al menos su identidad extrañada.

Sin embargo, no sólo la línea de sus planteamientos poéticos, sino también la exacta nitidez de su lírica, se encuentra en «Giralunas» o «Carnivolarios». El amor es la única filosofía del poeta. El tiempo circular y platoniano, en el que abreva tanto el vino de la vida como el sabor de la sed. «Hay tardes en que todo —conduce hasta tu cuerpo: me encuentro la tibieza de tu codo en la pipa—, al borde un perfume como el que tú llevabas...» Todo un perfume de excelente poesía, con poemas del calibre de «La tarde de febrero muerde como un escualo», «Cuando de madrugada», o «Tus piernas son delgadas como la tinta china»... FLORENCIO MARTÍNEZ RUIZ.

Varios autores

DON DE LA IRONÍA

I. Las relaciones entre la vida —generalmente emblematizada en la experiencia amorosa— y la literatura son uno de los temas más recurrentes en los versos metapoéticos de Botas. O varios de los temas más recurrentes, porque los planteamientos del autor de *Historia antigua* son no sólo conceptualmente incongruentes sino incluso contradictorios. Por un lado, el producto artístico aparece en algunas de sus páginas como un pobre sucedáneo de la vida. «Cerrar también el libro yo quisiera / y ver el mundo abrirse ante mis ojos», dice, recordando a Unamuno, en *Las cosas que me acechan* (*LC*): «Nada espera / quien, dócil, se conforma a los despojos / de la ajena aventura». Frente al vivir, que nos pone en contacto directo con la realidad, el arte ofrece solamente unos reflejos de lo que fue el vivir de otros. El poema «Venus de Cnido», de *Prosopon* (*P*) resulta muy elocuente a este respecto: «Las manos de la diosa / no prodigan / calor. / Vale mil veces / más la humilde ternura de esas otras, / comunes y encontradas / en la noche del puerto, / que toda la destreza de Praxíteles». Sólo cuando la propia existencia presenta alguna carencia de orden vital adquiere sentido y justificación la literatura: «Tu mirada / me falta», escribe V. B. en *LC*. Únicamente en tales circunstancias deficitarias deja de ser superflua y absurda la obra artística: «de otro modo / toda literatura sería inútil». [...]

Pero, frente a estos pasajes que postulan tan rotundamente la prioridad de la vida sobre el arte, encontramos otros en los que es precisamente el arte el que puede dignificar la vida, bien por enri-

---

I.   Miguel d'Ors, «La metapoesía de Víctor Botas», en *Homenaje al profesor Antonio Gallego Morell*, I, Universidad de Granada, 1989, pp. 425-444 (430-439).

II.   Juan Lamillar, «El don de la ironía en la poesía de Javier Salvago», *Cuadernos del Sur* (15 de febrero de 1990), p. 29.

III.   Miguel García-Posada, «*Vieja amiga* de Fernando Ortiz», *ABC* (10 de noviembre de 1984).

IV.   José Luna Borge, «Las rimas de Jon», *Huelva Información* (24 de junio de 1989), p. 36.

quecerla —el ajeno—, bien por salvarla de la temporalidad y de la muerte, en la que aquella desemboca ineluctablemente. Las «Variaciones sobre un tema de Miguel d'Ors» de *Historia antigua* (*HA*) son elocuentes en este sentido. El texto que V. B. toma como punto de partida —«Nocturno (frustrado)», del libro *Chronica* (1982)— intentaba expresar, mediante el símbolo de la luna, la incapacidad del contemporáneo letrado para, saturado de interpretaciones literarias del universo, establecer un contacto inmediato, libre, inocente y revelador con la realidad. «Maldito Baudelaire, malditos Goethe y Borges, / que ahora que contemplo / la luna no me dejan ver / la luna.» El poeta ovetense, en su variación, invierte absolutamente este pensamiento. Ahora son las lecturas las que, lejos de obstaculizarla o viciarla, enriquecen la experiencia de la luna, valga decir del mundo real, proporcionando al contemplador datos que superan los de la mera observación empírica: «Bendito Baudelaire, benditos Goethe y Borges, / que ahora que contemplo / la luna, me permiten ver / en ella / cosas que no verá ningún astrónomo». La literatura, pues, no estorba la vida sino que ayuda a vivirla de una forma más plena. [...]

¿Vida o poesía? La opción, para V. B., es imposible. Pero la vista no es la única contradicción que se percibe en la metapoesía del autor de *Prosopon*, ya que el poeta asturiano también afirma insistentemente —nueva coincidencia con Bécquer— la incapacidad del lenguaje para apresar (y, por consiguiente, eternizar) las realidades vitales. Si en la página 16 de *LC* decía simplemente: «Es tan difícil eso / de transformar en símbolos las cosas, / en magia los momentos», en el poema que inaugura el mismo libro llega bastante más lejos: «eso» no es meramente difícil: es imposible: «A cada paso / se bifurca el camino y aparecen / otros nunca pensados; sólo uno, / que no sabré encontrar, es el preciso. / Escribo, pues, errando las ideas / y sus vanas palabras». Todo poema, por tanto, es un error y un fracaso. No obstante —y aquí tenemos una contradicción más—, en «Sine qua non» (*HA*) esa impotencia del lenguaje no es algo negativo: para llamar a las cosas por su nombre exacto, dice V. B., «es necesario haberlas conseguido / comprender en su esencia / más profunda». «¿Y quién tiene / (afortunadamente) los arrestos / precisos y la mente / capaz que le permitan / llegar a situación tan lamentable?» [...]

Cuando leemos en *LC* «Yo dialogo / en voz baja, y mi verso es tan pobre / como un trozo de pan», se pone de manifiesto el fundamento dialogal que caracteriza la metapoesía —y en general toda la lírica— de V. B. Detengámonos ahora en la segunda de las frases citadas, una observación autocrítica muy atinada. Ciertamente, la contención expresiva, los elementos conversacionales, las frases hechas, la escasez y discreción de las figuras y hasta las voluntarias transgresiones de la métrica imprimen a la dicción de V. B. una tonalidad sobria y apagada sumamente peculiar (y creciente desde *LC* hasta *HA*). No puede resultar extraño a ningún lector de la poesía del asturiano el que este haya dedicado en *HA* un poema, «In memoriam», a Horacio y fray Luis de León, reunidos (precisamente por el poder de la palabra poética) más allá del tiempo y de la muerte. El horacianismo es uno de los *topoi* de la bibliografía dedicada a la obra de V. B., y con razón, pues esta constituye sin duda uno de los capítulos principales que el siglo XX puede agregar al *Horacio en España* de Menéndez Pelayo.

HA nos ofrece dos textos muy reveladores a este propósito. Uno, «El poema», se subtitula «Variación sobre un tema de JRJ». Su punto de partida es la archiconocida composición de igual título recogida por el poeta de Moguer en la primera página de *Piedra y cielo* (1919): «¡No le toques ya más, / que así es la rosa!»

El *contrafactum* de V. B. difiere muy poco, en el plano de los significantes, de su original: añade una *p* a la última palabra de Juan Ramón y elimina los signos de admiración. Pero estas dos levísimas manipulaciones son suficientes para alterar esencialmente el significado de la pieza: la *rosa* juanramoniana, símbolo de Belleza, símbolo del poema puro, queda rebajada a *prosa*: «No le toques ya más, / que así es la prosa».

Como el título sigue siendo «El poema», nos hallamos ante una declaración de principios estéticos: el lenguaje de la poesía ha de ser el de la prosa, no ha de elevarse sobre este. La supresión de los signos de exclamación en la variación de Botas obedece precisamente a este desdén del énfasis supuestamente «poético». MIGUEL D'ORS.

II.　　Afirmaba Eugenio d'Ors, en frase que goza de justa celebridad, que todo lo que no es tradición es plagio. Javier Salvago ha sabido evitar ese delito artístico insertándose, por temperamento y visión de mundo, en una importante y poco transitada tradición poética: la que reivindica la vida cotidiana como tema, no desdeña lo coloquial como forma de expresión, y tiene como fondo una visión irónica de la realidad. Manuel Machado y Jaime Gil de Biedma son miembros destacados de ese club atemporal, prosaico y distinguido.

Entiende J. S. la poesía como actitud vital: «Escribir versos no es el fin sino el resultado de ser poeta. La poesía no es sólo una estética. Es una ética personal de la que la estética es reflejo». [...]

Tiene la poesía de J. S. apariencia de sencillez, pero una lectura detenida permite apreciar sus estudiados mecanismos: técnica rigurosa, extenso uso de la asonancia en distintas combinaciones, variedad de formas métricas, desde el pareado al máximo artificio de la sextina, sin olvidar la lira o el acercamiento a formas exóticas como los haikus o los tankas.

También el lector atento advertirá todo lo que de tradición y bagaje literario hay en estos versos: citas textuales de otros autores integradas en el desarrollo del poema («Sí, tu niñez, ya fábula de fuentes», verso guilleniano en un poema de *La destrucción o el humor*), y otras citas usadas generalmente al final del poema, para lograr un anticlimax eficaz («—Es el amor que pasa. / Pues que llame a otra puerta»).

«Sólo el humor me salva», se podía leer, casi como un lema heráldico, en *La destrucción o el humor*, título paródico que alude a uno de los libros clave de la generación del 27. Esa visión humorística de la realidad, de las situaciones, aliada muchas veces con la ternura, alcanza a gran parte de los temas que aparecen en esta poesía.

Suele haber en todos sus libros bastantes poemas que tratan del paso del tiempo («Hasta que el tiempo nos deja a oscuras / en una larga noche sin luna»). El tiempo, más que como elemento metafísico, como factor que nos arrebata territorios de felicidad: la infancia, la juventud.

Varios poemas tratan del sentimiento de la pérdida de la infancia, y en algunos esta se recobra con un trazo que es un acierto intuitivo: «Zapatos / mojados: / infancia».

La juventud, su pérdida, se contemplan con una leve variación: desde el hoy, «ahora que soy vieja ola», y con una revisión entre nostálgica y crítica de los mitos que la acompañaron (véase, como ejemplo, «Al dorso de una vieja fotografía» en *Volverlo a intentar*).

El amor es un tema fundamental en la obra de J. S., pero está contemplado tanto en sus aspectos sublimes, como desde los pormenores de la cotidianeidad: sus lados de ternura, sus dosis de erotismo, sus fases de incomprensión. (En la serie «Esa chica se ha enamorado de ti», de *En la perfecta edad*, aparecen todas estas vivencias.) A veces asistimos a un proceso desmitificador: «El amor, como todo, cuando deja / de ser una palabra, / un tema socorrido y vago, pierde / la ceguera y las alas».

El personaje poético que nos dibuja J. S. es un solitario, pero esa soledad es buscada y tiene mucho de deseos de independencia: «Prefiero verme solo, y vivir a mi aire...». En «Cuadros de una exposición», penúltimo poema de *Volverlo a intentar*, el sentido de la soledad se radicaliza: «Insoportable, a veces. / Acogedora y dulce, otras. / Amorosa o terrible, / agria, muda o sonora, siempre tú, / inevitablemente / —dentro de mí— conmigo, / soledad». Otras veces, se llega, sin perder la posesión de la soledad, a un acuerdo con la realidad: «Un solitario que vive / con una mujer y un niño».

Poeta urbano y coloquial, con la convicción de que la poesía debe dar testimonio del tiempo que le ha tocado vivir, no es extraño encontrar en sus versos referencias irónicas al culturalismo externo y exagerado de sus «colegas»: dinastías chinas, Pisa, Venecia..., nómina novísima de la que tan alejado está J. S., a pesar de que en sus libros aparezcan de vez en cuando autores admirados (Bécquer, por ejemplo), pero como asumida experiencia, no sólo como referencia; y citas adecuadas de Arguijo, Pound o de alguien tan insospechado como Alfred de Vigny.

J. S. ve como una estampa romántica la concepción del poeta como un elegido de los dioses, y prefiere a las coronaciones principescas, la consideración del poeta «como hijo de vecino», atento a la experiencia, a los hechos biográficos, a los distintos matices de ironía que la realidad le ofrece. Él sabe como pocos trasladarlos a una poesía de meditada sencillez, a unos versos que seguirán, sin duda, ofreciéndonos la grata novedad de sus variaciones, el delito feliz de sus reincidencias. JUAN LAMILLAR.

III. Es el de Fernando Ortiz un universo poético en el que la *experiencia de Andalucía* ocupa un puesto primordial. Al subrayar estos términos lo que hago es definir la circunstancia con la que se liga el yo poético e insertar al autor es esa tradición que, en cierto modo, anuncia Bécquer, madura en el primer Juan Ramón y nutre grandes momentos de la poesía de Lorca y de Cernuda. Andalucía profunda, bien lejana de todo exotismo, de todo color local. [...]

El mismo título del libro, *Vieja amiga*, aunque encierra un significado plural, designa también a la ciudad tan imposible como amada, hecha carne con la infancia y la adolescencia perdida en los romances de «El parque» y «La azotea». Son significativos los versos que cierran el primero de los poemas: «Y en el final del paseo / había unas verdes barcas / que me llevaban despacio / hacia el sol sobre las aguas». La trascendencia mítica resulta evidente, y de este modo, el dato real —el parque de María Luisa de la ciudad andaluza— es rebasado para convertirse en cimiento y sostén de la plenitud absoluta que en su infancia el poeta alcanzaba.

De hecho, *Vieja amiga* es la expresión poética de una trayectoria personal, individualizada. La voz del poeta da salida a todo un conjunto de sensaciones y vivencias que se enfocan desde el ángulo preciso de la juventud en declive («... eso que tienes / es lo que llaman madurez los necios»), y desde un inequívoco talante de escepticismo y desaliento. La conjunción de ambos elementos conforma el tono dominante en el libro: «Tan sólo somos sombras / que se esfuerzan en vano para huir de la angustia, / de la rutina, el sueño».

En este tono poético —es decir, en la actitud con que el poeta aborda la materia poetizada— resultan visibles las huellas de Cernuda. Huellas no sólo patentes para el lector, sino asumidas en términos explícitos por F. O., hasta el punto de que en el homenaje al autor de *La realidad y el deseo* —«Albanio en el Edén»— se calcan los esquemas y diseños imaginativos del gran poema cernudiano «Góngora»: «Gracias demos a Dios por la paz de Cernuda vencido: gracias demos a Dios por la paz de Cernuda exaltado...».

De este tono deriva uno de los mayores atractivos de *Vieja amiga*: su profunda verdad, su hondura existencial. Aquí, la retórica no ahoga u oculta la voz del hombre.

En la ironía que más de una vez modula el tono poético de F. O. me parece percibir la huella de uno de los poetas españoles que mejor han sabido emplearla: Jaime Gil de Biedma. Su presencia, por lo demás, es congruente con la poética de F. O.: se integra en su concepción del mundo, en ese talante desengañado, pero sereno, que impulsa y alienta muchos de estos versos. Léase, por ejemplo, «Sesión de noche».

La ironía, signo de defensa frente a los acosos del vivir, se escora a veces hacia el humor y la burla, por ejemplo, en «Autorretrato» («No quise ser torero, ni militar, ni abogado»), especie de homenaje indirecto a Manuel Machado. Aunque también el humor se quiebra y la gravedad se impone: «Ahora ya no espero, ni pienso, ni creo en nada sino en esa oscura ave que ha de venir al alba». Con esta perspectiva y los supuestos ya mencionados resultaba casi inevitable la adopción de elementos típicos del pensamiento estoico, y en este sentido ha de considerarse significativa la cita de la *Epístola moral a Fabio* que preside uno de los mejores poemas del libro «Pasado en claro». MIGUEL GARCÍA-POSADA.

IV. Los lectores de poesía descubrirían en los años 1986-1988 a un poeta que si bien llegaba tarde a la poesía (publicaba su primer libro de poemas en 1985, a los 34 años), lo hacía con una voz personal y diferenciada: sobria y sarcástica unas veces, irónica y plena de lirismo otras. Conviene apuntar que Juaristi es vasco de Bilbao y que si bien este país no es pródigo en vates, sin embargo dos al menos han dejado buena obra y mejor nombre en nuestra historia literaria: don Miguel de Unamuno y don Blas de Otero. Ambos, junto con la poesía tradicional, cierto Eliot y el más cercano Gil de Biedma —como veremos más adelante—, configuran el catálogo de influencias de nuestro autor. Las referencias son tan ricas que bien podríamos hablar también de la prosa didáctica del siglo XVI, de los pre-cervantistas, etc.

Lo primero que llama la atención en las obras de J. J. (me refiero a las poéticas), es el título: elige títulos de la tradición literaria, próxima o remota, hispana cambiando a veces uno o varios vocablos con el consiguiente cambio del significado total. El *Diario de un poeta recién cansado*, título de su primer libro, lo toma de Juan Ramón. *Suma de varia Intención* de *Silva de varia lección* (1540), del humanista sevillano Pedro Mexía (1499-1551). En cuanto a *Arte de marear*, lo coge, tal cual, del franciscano fray Antonio de Guevara (1480-1545), predicador y cronista de Carlos V. Javier Salvago, poeta de otras latitudes con el que J. J. guarda cierta similitud, usó en su día este mismo artificio en *La destrucción o el humor*, con el consiguiente enfado de don Vicente.

Arte de marear sigue la línea coloquialista de los dos libros anteriores del autor. Como estos se trata de un libro diferente a los que ofrece el panorama poético actual. ¿En qué consiste esta diferencia?: en la opción y en la ejecución. J. J. opta por una poesía que en lo formal se caracteriza por una vuelta al estrofismo —soneto, silva, décima, etc. Usa un lenguaje coloquial suelto y recio a veces. Se sabe crear un microcosmos o referente urbano —«Vinogrado»—, sobre el que descarga su crítica, en ocasiones, ácida y sarcástica. Utiliza la sátira y el humor para poner en solfa los mitos de la sociedad vasca (en «Epístola a los vascos», por ejemplo). En cuanto a la ejecución, observamos una sutil ironía que le viene del mejor Gil de Biedma, una cuidada elección de vocablos y lugares que le llegan de Unamuno y, en general, del 98 todo lo tocante a imaginería —ciudades, paisajes, topónimos, etc.—, y la mezcla de lo existencial con lo social así como el juego de palabras que lo toma de Blas de Otero. Todo ello configura una de las voces más singulares del panorama poético de los últimos quince años.

En «En torno al Casticismo», poema en alejandrinos arromanzados, nos expone su particular postura ante la lengua y la elección que de ella hace. Desdeña la belleza por la belleza inclinando sus preferencias por la lengua que utiliza el pueblo: «cabreros y ladrones no monjes cluniacenses, / forjaron sus palabras sin brillo ni eufonía» (vv. 5-6). Mezcla la ironía y el humor con la crítica como elemento distanciador. Hay una alusión a Gil de Biedma, a quien denomina «Nuestro maestro en estro, Jaume el Conqueridor», del que dice «es catalán, inglés y un poco filipino» (vv. 27-28). Echando mano de un símil operístico podemos decir que Juaristi es más dado al «verismo» que al «belcantismo».

En «Epístola a los vascos», poema formado por cinco estrofas endecasilábicas y heptasilábicas de extensión y rima variadas, el humor, la crítica y el sarcasmo hacen de ella una obra maestra. Pone la epístola en boca de un tal «Arnaldo de Oyenarte» para conseguir el requerido distanciamiento y hablar de cosas graves a la hora de vapulear a un pueblo que es el suyo. Poemas satíricos también lo son «Por qué la quieres tango», «La montana» y «Ayer», donde atmósfera, tono y descripción respectivamente le acercan una vez más a los maestros arriba mencionados.

«Los tristes campos de Troya» es un curioso poema —57 estrofas de 4 versos cada una (228 versos en total), en heptasílabos, endecasílabos y alejandrinos asonantados—, en el que se hace una sátira humorística a la vida castrense. Las estrofas 19, 20 y 30 son para mí las más conseguidas humorísticamente. Para dar un mayor lustre literario al tema hay una leve mezcla de Fabrizio del Dongo, protagonista de la *Cartuja de Parma* que vivió Waterloo, con el protagonista poemático. El poema resulta excesivo y en algunos tramos la intensidad decae.

J. J. apuesta por una poesía coloquialista, contenida en lo tocante a expresión, lejos de todo decadentismo esteticista, atenta a las formas métricas tradicionales si bien agilizando su encorsetamiento (ver los sonetos «A Vinogrado, Avinogrado (Salmo o salmón, según se mire)» y «Carta en noviembre»), irónica y a veces sarcástica. Es una poesía que tiene a gala hacer crítica social —aspecto este que en los últimos 15 años casi ha estado proscrito—, y a la vez tiene momentos de elevado lirismo. Esta manera de concebir la poesía está ganando adeptos y presumiblemente se convierta en moda (como sucedió con el decadentismo novísimo), cosa no deseable. Si pensamos en poetas como Víctor Botas, Miguel Sánchez-Ostiz, Miguel d'Ors y el propio J. J., todos ellos de la misma cuerda con ligeros matices, hemos de concluir —como ha apuntado un buen crítico—, que está naciendo la, por él denominada, «Escuela del norte» frente a lo que tópicamente se entiende por poesía andaluza o «Escuela del sur». Asistiríamos, continuando con el símil operístico, al surgimiento de una escuela «verista» frente a otra «belcantista». JOSÉ LUNA BORGE.

J. A. Masoliver Ródenas y otros

SÁNCHEZ ROBAYNA Y EL NEOPURISMO

I.   La poesía de Andrés Sánchez Robayna viene a representar el final de un proceso iniciado por Gimferrer a finales de los años sesenta y consolidado por Carnero en la década de los setenta. Hay que señalar la ruptura con la tradición romántica, el rechazo o ignorancia de las distintas tradiciones españolas dominantes (Machado, algunos poetas de la generación del 27), el acercamiento al simbolismo como punto de partida para llegar a la poesía europea y norteamericana contemporáneas, la concepción de la poesía como una rigurosa disciplina, la despersonalización del poeta y por lo tanto la eliminación del sentimiento o la emoción de carácter subjetivo, el énfasis en la imagen y en la superposición de imágenes y, sobre todo, la concepción del poema como una experiencia de lenguaje. [...]

En la extraña antología de Elena de Jongh, con el extraño título de *Florilegium. Poesía última española*, escribe A. S. R.: «el poema es, en mi trabajo, un espacio de lenguaje hacia el metalenguaje, espacio en que tiene lugar el diálogo entre la imaginación fonológica y la indagación metafísica». Y, en el prólogo a *Tinta*, el poeta brasileño Haroldo de Campos, tras integrar a A. S. R. en esta poesía contemporánea que se niega a lo fácil, habla de la poesía como «creación de libertad a través del lenguaje».

Clima, Tinta y *La roca*, una palabra que se va adelgazando hasta llegar a la pura esencia del lenguaje, allí donde vuelve a ser imagen, origen, mineral, delicada artesanía, callada intensidad luminosa, mirada absorta en el instante de la percepción, planos o geometría de la percepción en los que se va recreando el objeto. Estamos ya lejísimos de cualquier resonancia modernista. A. S. R. representa el extremo de un camino (el iniciado por Gimferrer o Carnero), pero también es una puerta que se abre para llevarnos a un paisaje totalmente nuevo, donde apenas si se oyen las resonancias

---

I.   J. A. Masoliver Ródenas, «La poesía de Andrés Sánchez Robayna: en el éxtasis de la materia», *Hora de poesía*, 37 (1985), pp. 77-80.

II.   Jaime Siles, «La poesía como conceptualización: *Ludia*, de Amparo Amorós», *Ínsula*, 444-445 (1983), p. 19.

III.   Miguel García-Posada, «Actos. Miguel Martinón», *ABC literario* (1 de octubre de 1988).

de lo que quedó atrás. *La roca*, su último libro de poemas, es el ejemplo extremo de una rigurosa depuración que se acerca al silencio, al dominio absoluto de la imagen contemplada. Los ecos son lejanísimos. Se ha hablado de Juan Ramón Jiménez, con quien coincide en la exigencia de sencillez que Jiménez expresa en su *Segunda antolojía poética*: «lo neto, lo apuntado, lo sintético, lo justo». La piedra y el cielo, la roca, la luz y lo negro. Pero en el poeta de Moguer la belleza y la emoción de la materia se exalta, se nombra, en una jubilosa efusión de carácter panteísta («Tu forma se deshizo»), en un afán de totalidad. Hay, asimismo, dispersión temática y cierta complacencia por cantar una materia que pertenece a la tradición poética o que quiere crear una nueva tradición. Puede hablarse también de Jorge Guillén: «Dependo de las cosas. / Sin mí son y ya están / Proponiendo un volumen». Pero también aquí, en estas «Maravillas concretas, / Material jubiloso», en la «Gozosa / Materia en relación» hay un hedonismo panteísta en el que la emoción subjetiva del poeta busca la plenitud.

En la poesía de A. S. R. estas intromisiones efusivas que atentan contra un lenguaje concebido como materia, como objeto, son en todo caso fisuras que revelan la dificultad de este proceso de depuración para llegar a una poesía en que las cosas se revelan por sí mismas, en el simple acto de la contemplación. Fisuras tal vez de carácter voluntario, para no borrar completamente el carácter *sensible* de la contemplación, para no caer en una peligrosa abstracción. Pero el tono invocativo de «La ventana: estrellas» («alcánzame / alcánzame») y, sobre todo, de «La retama», o el carácter reflexivo de «Cita» o «La barca» hay que considerarlos como extrañas estridencias dentro de la aspiración al *vértigo fijo*. En efecto, para extremar la impersonalización, para eliminar la presencia emocional de la primera persona en la que se basa toda la tradición lírica, el poeta intensifica la concepción del poema como percepción, hasta el punto de que muchas veces el lector tiene la sensación de que no es simplemente el poeta contemplando el objeto, sino nosotros que contemplamos al poeta contemplar dicho objeto. De esta forma puede decirse que hay tres voces poéticas: la poco frecuente voz emotiva o meditativa, típica de la tradición lírica; esta es, en realidad, la única «voz» propiamente dicha. El poeta contemplando el objeto en un acto de contemplación dinámica, ya que se realiza desde distintas perspectivas (espacio) y desde distintas tonalidades condicionadas por la luz, las sombras, la oscuridad (tiempo); el contemplador se convierte en un creador, en el sentido de que descubre la totalidad del objeto como lo puede hacer la pintura cubista o el *nouveau roman*; por eso asistimos a un verdadero acto de creación artística donde la contemplación del objeto se identifica con la escritura, con el ideograma o con el dibujo del poema. Finalmente, nuestro acto de contemplación inmoviliza al poema: del objeto sin alma de la poesía tradicional (el alma está solamente en el propio poeta) pasamos al objeto dinámico percibido (en actitud activa opuesta a la contemplación, que es pasiva) por el poeta para revelarnos su esencia, para culminar en la inmovilidad del instante de la experiencia mística: la luz, el sentido de la luz, la luz última de «La barca».

Toda la poesía de *La roca* se mueve entre dos espacios: el interior, desde donde observa el poeta (cuarto o estancia con escasos detalles: mesa, lámpara, vaso, jarrón) y el espacio abierto que se ve desde la ventana: terraza, jardín, piscina, grava, árboles, montaña, lava, valle, pizarra, rocas, guijarros, mar, cielo, estrellas, luna, sol, etc. La flora y la fauna son las del paisaje canario familiar al poeta: camellos, cernícalos, cactos, retama, plataneras, palmeras, etc., un paisaje dominado por la luz y la materia: minerales, fósiles, pizarra, lava, lapilli, cristal, fósforo, cal. Los objetos están inmovilizados o flotan en la luz, desprenden luz, viven en la intensidad del mediodía o en la oscuridad de las tormentas y de la noche, la luz y la sombra los desplaza, ellos crean luz y sombra. El blanco y el negro son, pues, los colores dominantes, los más cercanos al silencio y a la música. Luz y colores que subrayan además la *forma* de los objetos, su geometría: ángulos, planos, elipses, paralelogramos, aristas, romboides, hexágonos, rectángulos, «teoremas de aves fijas». Se subrayan por lo tanto la materialidad de los objetos y del lenguaje, sus perspectivas, su plasticidad. Entre el poeta que observa y el objeto observado está el lenguaje como está la luz: como parte de ellos. El poema se convierte así en un dibujo, en un bodegón, en un ideograma, en una cerámica. Es una poesía que ha superado todo el lenguaje subjetivo de la tradición lírica, el culturalismo, el conceptualismo y la abstracción de tanta poesía contemporánea y, finalmente, el esteticismo, esta belleza decorativa que se convierte casi en un valor moral. Estamos, simplemente, ante y en la plenitud del objeto, de su materia, de su luz y de su forma.

Que impone, naturalmente, la forma del poema, libre ya de las leyes externas y convencionales de la métrica, con un desarrollo que coincide con el acto de la percepción que es al mismo tiempo el acto de la creación, el movimiento hacia el éxtasis y el instante del éxtasis. Poemas de versos breves, cercanos a la desnudez del silencio, hechos simplemente de verbos o en la inmovilidad absoluta donde no existe el verbo. Poesía que rechaza toda decoración y que sin embargo encuentra la intensidad de su esencia en el adjetivo: luz negra, luz caliza, luz de mica, sol lento, sol blanco, ruido blanco, ápice blanco. Poesía que, alimentada por los imagistas o por la materia última de Octavio Paz, nos lleva al instante, al origen, al centro. Lamentablemente, nos rodean los poetas, los críticos y los lectores de la periferia. J. A. MASOLIVER RÓDENAS.

II. La poesía de Amparo Amorós ejemplifica una poética que, por no haber sido todavía definida, suele ser también mal interpretada. Esta poética, sin embargo, describe una de las líneas de la modernidad; parte de Mallarmé, pasa por Rilke y Valéry, roza a Jorge Guillén, tienta a Paz, atrae a Lezama, entronca con Celan y, en nuestro contexto más próximo, con Eugenio Padorno, el último Valente, Luis Suñén, Sánchez Robayna y otros, entre quienes me cuento. Su teorizador me parece, más que Steiner, al que tanto se cita como poco se lee, Ramón Xirau y su libro *Palabra y Silencio*. Y su tradición, una, que, para entendernos, puede ser la del *trobar clus*, la mística, el conceptismo barroco, determinadas áreas de la poesía pura y el conceptualismo contemporáneo, y una sabia mezcla de *fenomenología estructural*. Esta poética —que renuncio a definir, pero no a explicar— ha sido la cara oculta del venecianismo y su otro lado del espejo; ha participado del mismo renovado interés por el lenguaje que tienen los novísimos, pero, a diferencia de estos, opera por reducciones, no por arborescencia metafórica. Su mérito mayor (sobre todo, si se tiene en cuenta que su formación entre nosotros data de 1970, y que, por tanto, coincide, en su génesis, con la ilusión feliz, pero falaz, de lo que fue la etapa del desarrollismo) ha sido y es la *reducción del lenguaje* a sus más mínimos elementos: de ahí que *diga*, si no dice, y dibuje más que establezca. Su principal componente es la imagen profunda (la *ideia*) a que reduce la realidad. Por eso, es *ácrona*, pero también *histórica*: porque «La imagen es la causa secreta de la historia». Esta poética transcribe un palimpsesto: lo transcribe y lo es. Los signos aparecen en la página por obra del silencio, y no por el lenguaje: velan, pero revelan; eluden, pero aluden. Y son, sobre todo *son*, la expresión (o la impresión) de una transparencia: la del cuerpo textual que aquí, desde sí mismo, emerge. Su tensión surge no de las *doxas*, sino de la *episteme*. Por lo que es —y así puede decirse— una poética del conocimiento. Y de un conocer que es tanto olvido como hallazgo, inteligencia como pasión y tan pasión como inteligencia. Porque concentrar y condensar un cosmos en un mundo exige tanto —o más— esfuerzo que expander un cosmos desde un mundo. Y aquí la poesía es sometida a un proceso de condensación, en el que la máxima amplitud conceptual debe ser comprimida en el más mínimo de los significantes. Lo que confiere a esta poética —que es tan variada como los intérpretes que de la misma y en la misma se dan— un riesgo de identidad común: su precisión y economía de lenguaje, rasgo este que destaca por encima de cualquier posible variabilidad formal. [...]

La relación entre vacío y universo configura la poesía de Amparo Amorós, cuyo libro *Ludia*, inscrito en la línea que hemos venido describiendo, incorpora —aparte de elementos de otra tradición: cf. «Fachada modernista», algunos de cuyos versos remiten al primer Carnero (p. e., «enramadas cautivas descritas por la piedra, / balconada herrumbrosa de forjas vegetales, / un remate carnal encrespando la altura...») y a la obsesión de este, más neoclásica que barroca, por las naturalezas muertas («Naturaleza muerta la añoranza / de lo que fue / y un ámbito reclama. / Gesto de una exquisita decadencia / esta evocada entrega a los sentidos / en las vitrinas de los miradores»)—, un interés por el desnudamiento del proceso, visible en el primer poema del libro, «función» («No la menor distancia. / Aquí se tiende la bahía / con su arco de arena que / impreciso / titubea intentando / su fusión / con el mar. ... / Nada cuenta alcanzar el otro margen: / sólo el trayecto azul bajo el acaso»); una capacidad definitoria, evidente en «vitral» («El lugar del vacío / es la revelación de su forma absoluta. / Su relación más cierta, / el envés de una sombra. / Así nosotros mismos»), que aproxima ciertas partes del texto a la *gnomé* de la poesía órfica y pitagórica («El secreto es la voz / de lo ya dicho. / El misterio, la clave / del enigma»); un cuidado riguroso por el ritmo —en el poema— y por la cláusula y el período —en la prosa— (cf. «Pensaba con los ojos»), unido todo ello a una singularidad en el nombrar. JAIME SILES.

III. Con *Sitio* (1986), el poeta canario Miguel Martinón (1945) se situó en la avanzadilla de la lírica española. El poemario recogía textos de su libro anterior, *Estancias* (1977), y agregaba otros versos. Miembro del grupo de poetas «neopuristas» u «objetivistas» (son denominaciones ambas cuestionables: preferibles en todo caso a la de «minimalistas») que ha encabezado, desde Canarias, Andrés Sánchez Robayna, M. M. oficiaba en *Sitio* la celebración del paisaje insular —la isla sitiada por el mar— y, a su través, de la realidad toda. *Actos* (1988) pertenece al mismo ciclo, aunque ofrece perspectivas y módulos diferenciados.

La obra se presenta dividida, con rigor simétrico, conforme a las pautas de la escuela, en cinco secciones —cinco es el gran número de la armonía; por eso, Jorge Guillén organizó *Cántico* en cinco partes—: «Noche sobre blanco», «Leyenda», «Señales», «Estación» y «Decurso». Las secciones se corresponden también simétricamente: de siete poemas constan la primera y la última, y de doce la segunda y la cuarta —es decir, de siete más cinco—; la sección central presenta una sola y extensa composición. A su vez, cada parte es métricamente distinta, aunque con la base común del verso blanco. Los poemas de «Noche sobre blanco» se dividen en tres estrofillas de cuatro versos de arte menor, con predominio de trisílabos y tetrasílabos; los de «Leyenda» son dísticos, en hexasílabos, de ocho versos cada uno; estrofas de tres, de arte menor, integran «Estación», mientras «Decurso» vuelve a ofrecer una estructura estrófica ternaria, si bien las composiciones incluyen metros de arte mayor.

La organización general y los diseños compositivos distan de ser meros recursos «formales» en este tipo de poesía: cimentan una visión del mundo, basada en la objetividad de lo real y en su epifanía. Eso último significa que *Actos*, al igual que *Sitio*, es también una celebración. A la plenitud de la realidad, nítida, objetiva, corresponde la autosuficiencia de la palabra poética. La lírica europea, desde Góngora, la ha alcanzado de modos diversos. La tradición mallarmeana, tan gongorina, postula la elaboración máxima del tejido verbal y de los esquemas constructivos. En esto, M. M. y los poetas de su grupo han dado una lección de radicalidad; *Actos* es otro ejemplo. Sobre el discurso se proyectan rimas extramétricas, equivalencias acentuales, aliteraciones, paronomasias y rimas internas; tampoco faltan los arcaísmos («fogaje») o el término insólito («ocaleda»), y es frecuente la frase nominal. La utilización de estos procedimientos es más fluida que en *Sitio* y, en general, carece del manierismo que lastraba algunos pasajes de este libro. Pero cuando el verso metrificado cede el paso al versículo, como ocurre en «Señales», decae la tensión expresiva. Ese sistema formal, fuertemente centrípeto, por seguir la terminología de Frye, sirve de modo ajustado a la epifanía insular que el poeta presenta.

Actos es menos solar que *Sitio*, pero igualmente afirmativo. Abre el libro un canto nocturno («Noche sobre blanco»), vertebrado sobre una oposición canónica de color: las gaviotas, la sal o el cuerpo de la amada entre las sábanas expresan lo blanco. La mujer es «intercambiable» con el mar, lo es su «aliento» y el «respirar» de la noche marina, según la hermosa ideación del poeta. La noche no consigue imponer su negación, pues la palabra acude a rellenar el hueco del mundo, despojado sin la presencia solar: «Espacio / vacío / entre palabra / y palabra». La sección segunda, «Leyenda», introduce el tema de la niñez, presente ya en algún pasaje de *Sitio*. Esta dimensión intimista singulariza a M. M. entre los poetas de su grupo. Pero el autor habla en tercera persona: objetiva al niño que fue; rehúye también el contraste entre la edad adulta y la infancia, peligroso para una poética clasicista. Colores, olores, silencios, lluvias, vuelven a los versos. La alusión literaria («El tesoro de la isla») perfila el espacio del mito. La gracilidad de los hexasílabos es un vehículo adecuado para el retorno que se canta.

Es «Señales» el poema más extenso del libro, su sección tercera. Con el uso del versículo, el autor lo ha singularizado en el conjunto. Se trata de una especie de síntesis del poemario. No marca, con todo, su plenitud, como antes sugerí. El nivel poético sube en «Estación». Mundo ya solar, estival, pleno: por eso, la mujer de la sección primera se hace presencia recurrente, incitación erótica, con su cuerpo («el relieve / reluciente / de tus muslos»), o con sus prendas, imágenes metonímicas del deseo («tus shorts tu sweater / a rayas / el aire que te envuelve»). El tema de la plenitud —«la plenitud del planeta» de la que habló Guillén— domina la última sección, «Decurso»: «El mediodía se mira en sí mismo: / la joven edad arde continua / en la celebración de la luz». La mujer sigue estando presente, aunque ya transfigurada en el mito gongorino de Galatea: «El habitante de la noche / el sueño-vela de la ninfa». Se alcanza también la plenitud del amor. Pero una sombra gravita sobre este universo: el tiempo. Con firmeza, se opone el poeta a toda disolución de lo real: «Aún brilla el sol». Es el famoso «Todavía» machadiano («Tu musa es la más noble: se llama...»), que Guillén enmarcó entre signos jubilosos en su poema «El cuento de nunca acabar» («Yo vivo. ¡Todavía!»).

Actos confirma la trayectoria de un poeta y el rigor de una poética. Libro de luz, infancia, amor y realidad, se define en la propia objetividad de su escritura: los actos existenciales se han transferido al poema, a los poemas, que son otros tantos actos en sí mismos. Una suave melancolía vetea el libro y le confiere mayor entidad al hacer más inclusiva su visión. MIGUEL GARCÍA-POSADA.

VARIOS AUTORES

SÁNCHEZ ROSILLO Y LA ELEGÍA

I. Tras *Maneras de estar solo* (1978) y *Páginas de un diario* (1981), aparece el tercer libro de Eloy Sánchez Rosillo, que, con el título de *Elegías* frente a los anteriores, presenta una nueva dimensión estética de su poesía, desprovista ahora del inquietante sentido de la soledad y de la notable fuerza narrativa de sus libros anteriores. Permanece, sin embargo, el personalísimo sentido de la claridad como forma de expresión poética, y, prescindiendo totalmente de la poderosa evocación poético-histórica, se centra ahora en una interpretación en clave de elegía de la naturaleza, la vida, el tiempo y la poesía. [...]

Un tema central constituye el trasfondo desasosegado de todos estos poemas: el paso del tiempo que, con su fluir, es capaz de transformar las cosas que están a nuestro alrededor y nuestras propias vidas. Parece que todavía está presente la frase de Horacio que encabezaba *Maneras de estar solo*: «Pero huye entre tanto, irreparable huye el tiempo...». Aunque hay algunas de esas cosas que permanecen triunfadoras superando el inexorable designio que marca el ritmo de la existencia. Sólo el recuerdo, los recuerdos más bien, y la poesía, como quería Walt Whitman, triunfan más allá del tiempo y de la muerte.

La obsesión por el tiempo y la perdurabilidad acongojante de las cosas está revelada, en el mundo poético de este poemario elegíaco, en el constante aludir a parámetros temporales: horas del día, meses del año, estaciones, siempre presentes en los espacios recordados avisando con su indefectible presencia de que las cosas tienen —o han tenido— un tiempo a la vez

---

I.   Francisco Javier Díez de Revenga, «La poesía elegíaca de Eloy Sánchez Rosillo», *Monteagudo*, Secretariado de Publicaciones de la Universidad de Murcia, segunda época, 1 (1985), pp. 25-27.

II.   Juana Castro, «El poso de los días», *Sur Cultural* (16 de febrero de 1991).

III.   Antonio Muñoz Molina, «Tras el silencio de José Gutiérrez», prólogo a José Gutiérrez, *De la renuncia*, Trieste, Madrid, 1989.

IV.   Fidel Villar Ribot, «Noticia de instantes», *Campus cultural*, 17 (Universidad de Granada, noviembre de 1987).

que se contaminan, a través de adjetivos y locuciones apelativas de escasa complejidad expresiva, de matices anímicos reveladores de sensaciones reales: la noche muy hermosa de julio, la lenta madrugada, la mañana de verano, el sol de junio, la mañana soleada y tibia de enero, la hora del alba y el rápido amanecer, la plácida tarde, el tibio sol de invierno, el clamor del verano, el sol de febrero que acaricia, el crepúsculo y el anochecer paulatino, la primavera nostálgica y cambiante, el otoño...

Si la expresión del tiempo constituye en el libro algo permanente y, como decíamos, indefectible, no menos inevitable resulta al poeta la noción del espacio, que se constituye en un espacio abierto, preferentemente centrado en dos escenarios: «el cuarto» y el campo. [...] Todos los recintos de este intenso poemario están conectados con el exterior a través de la ventana, del balcón, por medio de los cuales se siente el constante mudar de la naturaleza: la madrugada, la mañana, la tarde, la noche, los árboles, el mar, la calle, la ciudad, la lluvia. Otro motivo insistido, el del viaje —nuevo y repetido símbolo del constante cambio y de la mutación humana— y en concreto el del viaje en tren, se verá también matizado por la imagen de la ventana que anunciará, por ejemplo, la llegada a la ciudad.

Un tercer aspecto completa el triángulo tempo-espacial de este compacto libro: la luz. La variable luz de la naturaleza que avisa nuevamente del lento-rápido fluir de las horas. La luz crepuscular va dejando apagar el sol y descubriendo la noche y las estrellas. La luna mítica-infantil ejerce su poderoso y luminoso atractivo. Pero sobre todo son las luces del día las que enriquecen el poemario hasta límites sobresalientes. A veces, suaves contrastes (parva sombra/fuego canicular) llenan la retina de variados efectos luminosos que recuerdan las figuraciones plásticas de Monet, Cézanne, Gauguin o Pissarro. En ocasiones, la luz, la luz del alba puede llegar a adquirir definitivos valores simbólicos frente a la noche, la oscuridad y el sueño de muerte.

Con tales amplios límites el poeta dedica su extensa elegía a las bellas cosas del mundo que van mudándose y desapareciendo. Porque hay en el libro una gran riqueza de sensaciones basada muchas veces en el mundo de los recuerdos. El lento y uniforme fluir de los días puede verse interrumpido súbitamente por esos que el poeta llama días únicos, momentos irrepetibles que perduran sobre el tiempo. Días en que se llega a una ciudad, en que el destino, trágico y hermoso, los hace irrepetibles, días que quedan prendidos al recuerdo de una lluvia inesperada en un indeleble momento. Los recuerdos perduran sobre el tiempo y el poeta, como un nuevo Jorge Manrique, se pregunta por los objetos que desaparecieron, en un emocionado, renovado y vital *ubi sunt*. [...]

El sentido mágico de la creación poética, relacionable desde luego con el simbolismo del momento único e irrepetible (único e irrepetible es cada poema), la sorpresa y el milagro de la inspiración y finalmente su permanencia más allá del tiempo y de la muerte son los grandes motivos de esta poética. [...] Se constituye *Elegías* así en un libro unitario concebido como tal y presidido por una fuerte cohesión entre todos sus poemas, que se conforman como variaciones sobre un mismo tema central a que nos hemos referido. Hasta tal punto es notable esa cohesión que la variedad formal contante en la obra apenas se percibe debido a la insistencia en algunas unidades permanentes como el noble y suave endecasílabo. Incluso, cuando llega este verso a cristalizar en perfectas octavas reales («Hortus rhetoricae») no se interrumpe la tan personal andadura del inconfundible estilo de E. S. R. Del mismo modo, la extensión o longitud de los poemas, que van desde breves evocaciones (que no gráciles poemillas) hasta extensas reflexiones, responde a una misma permanente adecuación de la frase al verso sosegado y natural. Todo, claro está, muy apropiado para expresar la poesía de quien, como se lee en «Epitafio», «amara mucho la hermosura del mundo: los árboles, los libros, la música, el verano, las muchachas». F. J. Díez de Revenga.

II. Aunque en alguna entrevista Dionisia García ha dicho que su poesía podría ser considerada elegíaca, ese aspecto sólo se percibe en cuanto a la vivencia de la soledad —tan amada— y la memoria del pasado. ¿Cómo es posible que amando se esté solo?, se pregunta en «Interiores». Pero la dulzura se impone a todo, en esa justa expresión que extrae el zumo con objetividad y concreción azorinianas, por casi elemental y descriptiva. No se permite ni un desborde ni un latido de más, dejándole al lector la adivinación del sentimiento escondido en la palabra. La contención filtra alegría y filtra gozos, adelgaza la tristeza y depura el lenguaje hasta sus límites (el poema «Horas siena» es un ejemplo).

La ciudad, que para tantos es un infierno, se expande en ella como ámbito posible para la observación, la duda existencial y la meditación. Se dulcifica, purificada por trazos que son pinceladas escuetas y certeras: «En la ciudad / la lluvia es un olvido». Vive y pasa por la vida con los sentidos abiertos, abierta igual que el adjetivo que da título al *Diario*. Vista, oído, olfato, tacto y gusto de par en par dispuestos y presentes, ahondando en la vida y en las cosas, en su oculta belleza en desamparo.

Cuando recuerda no añora, rememora. Vive, superpone y revive hasta convertir en eternos, casi divinos, los instantes, los ámbitos, los seres y las cosas. Así en «Aromas de secano», el escenario marino deviene, por contraste, otros escenarios ya vividos y tal vez lejanos.

Pero la meditación existencial está en las cosas, parte de los objetos. Objetos que aún viven y que, sin vivir, guardan dentro de sí mismos tanta vida: una caja, la despensa, fotografías, un guardarropas o una taza son dianas a las que lanzar la flecha de la percepción que aúna a la memoria del pasado. D. G., sin renunciar a la estática contemplación del objeto, avanza aún más. Recapacita, goza, se pregunta, espera o sufre: «Alquilad esta casa / y sus enseres. / Todo puede servir para otras vidas. / Quizá la pasión nueva transforme lo cansado, / y recoja la cuna del naranjo / infantes de otra casta de mundo...».

El encanto de esta poesía parte de la vitalidad de la memoria —línea poética que inauguró con *Mnemosine*—, en su ir y venir del presente al pasado y viceversa: Mientras el tiempo, esa levedad, dice. Pocas veces se detiene en la mera evocación (véase «Lavanderas»), pues cada mirada es, sin interrupciones, punto de partida para el memorial viaje: «Regreso al patio», «Aquella muchacha en sus telas», «Tempestad», «Despedida»... En los últimos versos de «Inmenso cielo» pueden apreciarse los mencionados espacios, juntos con otros elementos señalados, como son la yuxtaposición de los tiempos, la actitud contemplativa o la reflexión.

Pero todos estos temas, de tanta tradición al fin en la poesía universal, no aportarían nada nuevo si no hubieran sido levantados con esa elegante levedad de medios expresivos, candidez conseguida por un largo camino, en el empleo de un lenguaje despojado de todo barroquismo, tendente hacia una novísima parquedad sin fisuras, pero honda y entrañablemente poético: Una especial mística que vuelve por sus fueros, hallada en su forma más precisa y directa. JUANA CASTRO.

III. Lo que revelan ante todo los primeros libros de José Gutiérrez es una conciencia casi precoz del orgullo de escribir, una muestra de esa audacia con que cometemos todos el pecado juvenil de la literatura. Son, sí, libros extremadamente culturalistas, según pedía la época en la que se escribieron, pero lo que los salva de los fríos lugares comunes del esteticismo es la generosidad y la verdad con que sus símbolos son exaltados por la vida. Noto en ellos una prematura y arriesgada voluntad de alcanzar la plenitud de la literatura, de una sabiduría de la que a veces nos dan noticia los libros pero que no podemos aprender del todo en los libros. Con una lucidez que de antemano lo destinará al desengaño, el poeta nos habla desde el final o desde el otro lado de la experiencia, desde ese punto desolado del tiempo en el que, nos auguran, sólo nos quedará el consuelo pálido de contar sílabas y recuerdos. Él mismo nos explica esa dimensión vaticinadora de la literatura: «Nostalgia —escribe— de lo desconocido, acaso de lo inexistente».

Nada de esto indica presunción: en el aprendizaje de todo escritor es necesario ese período de desmedido amor a la literatura y a las palabras evidentes, esa soberbia de fingir que son el privilegio más alto y que no hay nada más allá de ellas. Pues sólo cuando hemos leído todos los libros y agotado todas las voces estamos en condiciones de descubrir nuestra propia voz y de escribir contra nosotros mismos y contra la literatura, como si ya no nos importara su prestigio ni nos bastara su deleite. Tal vez por eso *La armadura de sal* concluye con una invitación al silencio: «Este silencio espeso sumergido / enciende su verdad bajo la noche / lo que resta después de la tormenta / la calma submarina de las algas».

Pero aún quedaban cosas que decir. J. G. empezó a decirlas en una breve colección de poemas que apareció en 1981. Esa sí fue la víspera del verdadero silencio. El libro, el primero de los suyos que yo conocí, se llamaba, reveladoramente, *El don de la derrota*, y sus poemas constituyen el núcleo o la anticipación de este que ahora llega a las manos del lector. En él J. G. habla de las mismas cosas que lo estremecieron siempre: de la pasión entregada e inútil, de la belleza, del inevitable foso tendido entre la realidad y el deseo. Pero en los mejores versos de *El don de la derrota* y luego en *De la renuncia* es la propia pasión quien habla, es el dolor lo que sucede, con tal intensidad que a veces no advertimos la mediación de la literatura. En un poema de *Espejo y laberinto*, «Narciso», J. G. había escrito: «Así la muerte es precio a la belleza», pero esas palabras, que sin duda son verdad, parecían menos un arrebato que un axioma. Ahora, en los poemas de este último libro, el fervor y la angustia y las mismas certezas que antes se nos explicaban con el recurso (legítimo, pero también limitado) a las fábulas de la literatura, aparecen encarnadas en una voz con metal propio y en el perfil de alguien que no frecuenta el aire cálido de las bibliotecas, sino las calles sin consuelo de una ciudad que le niega el rostro apetecido por su deseo: «Hasta las altas luces en donde muere el día / he bajado por verte, por sentir el peligro / más dulce que la vida cuando llegas ausente / y tomas posesión del aire que respiro».

En otro tiempo, el poeta había aprendido en los libros que la felicidad imposible y la ingratitud de la belleza conducen a la resignación. Ahora, como si lo hubiera olvidado, se alza en rebeldía: «... una noche de invierno / cuando supe de tanta soledad / y decidí buscarte / por encima de todo y contra todos». No es extraño que tras una sublevación y una desgarradura literaria y vital como las que atestiguan estos últimos poemas sobreviniera el silencio, esa conciencia de que escribir no es necesario, de que no basta escribir. Durante unos años que ahora terminan, el poeta se ha recluido en una soledad que tiene mucho de excesivo y aceptado destierro, de esa condena o esa medicina a la que él mismo llama *la renuncia*. Ahora, cuando estos poemas durante tanto tiempo guardados y corregidos aparecen al fin, sus palabras se afirmarán en un presente que les otorga su sentido, lejano ya para quien los escribió, ajeno a él, tal vez, y por eso más verdadero y más lúcido. Durante algunos años de su adolescencia J. G. se consagró al aprendizaje de las palabras. Un tiempo casi igual ha dedicado a aprender el silencio. Ojalá este libro sea un punto de partida y podamos conocer muy pronto los versos que está escribiendo mañana. ANTONIO MUÑOZ MOLINA.

IV. Ya en el primer libro de Juan Lamillar, *Muro contra la muerte* (1982), se pudo observar cómo la huida hacia el poema que el recuerdo ejercitaba se detenía en la evocación de momentos de amor, contemplación y escritura. Era entonces una palabra elegíaca que ansiaba eternizar lo perdido por medio de la revitalización de la vivencia; lo cual podría haber conducido al escepticismo y al silencio.

Pero el poeta, frente al espejo esencial de la página en blanco, consentirá en plasmar los fragmentos de su ruptura, recuperando aquello de más breve duración. De este modo los instantes se harán la pura evidencia del tiempo, la alegoría innúmera de las horas. Y antes de ceder al abismo que conduce a la desustancialización del ser —hastío que subrayara la renuncia—, la palabra captará lo fugaz como celebración de un espacio propio que conforma toda ausencia de temporalidad. Dicho espacio es lo mínimo cotidiano, la inmediatez de lo pequeño que se asume como único y da sentido a un destino que se precia de coherente entre vida y poesía. [...]

De esta captación de los instantes surgirán los poemas posteriores que configuran *Interiores*. La poesía se ocasiona ahora más profundamente vitalista, dominada por una pasión que purifica la cotidianidad con el impulso de la sencillez. Y ello desde el trágico secreto de la lid contra el tiempo, con inherencia originaria del poema. En el texto titulado «Instante fugaz», J. L. reconoce el vuelo de la amenaza: «Puede el tiempo vencer la llamarada / de este instante fugaz, de tanta ausencia / escrita en estos muros de luz que se consumen».

Pues bien, antes que la derrota convierta aquello en olvido, el poeta descubre en «Para vencer al tiempo» la magia que convoca el rito de la palabra: «Para vencer al Tiempo, este poema». He aquí el hallazgo que el poeta ofrenda en la admiración de lo cotidiano. El tiempo rescatado por el instante vivido que se hace para siempre memoria nueva y distinta en el poema.

[Por otra parte,] los versos se le figuran al autor, en ocasiones, como una ficción de imposible dicha: «Mis manos, un deseo de escarcha, y el fuego de tu voz / desentierran el júbilo. No importa. Todo / será mentira en el poema». Porque, y siguiendo en esta concepción, «un poema puede perfectamente / disfrazarse de olvido, de tiempo y de memoria». Esta facultad de ocultación es un tema expresivamente reiterativo en toda la poesía de J. L.: la máscara y el disfraz son símbolos de la soledad más intrigante del ser y, a la postre, límites de una realidad y origen de un discurso. Y así, mientras, por un lado, «las falsas geometrías / otra vez te devuelven la máscara y el rictus», por otro, «El imposible amor se ha disfrazado / con laureles de invierno, y se despide».   FIDEL VILLAR RIBOT.

JOSÉ LUNA BORGE Y OTROS

LAS IMÁGENES DEL EROTISMO

I. *Indicios vehementes (Poesía 1979-1984)* reúne la obra poética completa y publicada hasta el momento de la gaditana Ana Rossetti. Su último libro, *Devocionario*, obtuvo el premio Juan Carlos I de poesía 1985. Tres títulos y unos poemas inéditos componen este

I. José Luna Borge, «Las desobediencias de Ana», *Ínsula*, núm. 470-471 (enero-febrero de 1986), p. 17.
II. Pedro Ruiz Pérez, epílogo a Juana Castro, *Inanna* (Cuadernos de la Posada, núm. 3), Córdoba, 1992, pp. 13-14.
III. Antonio Enrique, «*Usted*, por ejemplo (y con perdón)», *Sur* (Málaga), 2 de agosto de 1986.

volumen: *Los devaneos de Erato* (Premio Gules, Valencia, 1980), *Dióscuros* (Málaga, 1982) e *Indicios vehementes*, inédito, publicado por vez primera en esta edición.

Desde el punto de vista temático, el núcleo central de estas obras —menos evidente en la última— es una profunda reflexión sobre el mundo de la infancia pero con un importante matiz que es el que dota de señas de identidad a esta poesía: cuando la autora evoca la infancia elige casi siempre aspectos concretos con una más que notable carga sexual, como son los juegos eróticos de la niñez, el nacimiento a la sexualidad, el enfrentamiento entre infancia-inocencia y adolescencia-voluptuosidad, etc.

Los devaneos de Erato sorprende como primer libro por su audacia, frescura y sensualidad. En esta obra consigue A. R. evocar pasajes de la infancia con verdadera emoción y transmitirla. La delicadeza y la ternura con que trata los aspectos sexuales y eróticos dan un cierto tono de nobleza y de candor a temas tan delicados que generalmente son abordados desde otros ángulos más exhibicionistas. La originalidad de A. R. reside precisamente en este tono propio, exquisitamente cuidado. Dispone de un mundo personal donde las referencias culturales se mezclan con nombres evocadores y sugerentes y con toda una galería de imágenes y símbolos bellos —el mundo de la mitología, las telas, bordados y lencerías antiguas; por ejemplo en el hermoso poema «Advertencias de abuela a Carlota y a Ana» o el titulado «Nueve», de *Dióscuros*—, que la acercan al mundo barroco o al preciosismo renacentista. No cae nunca en la vacua palabrería de los primeros novísimos, uno de los más graves riesgos de esta poesía, sino que se mantiene en el peligroso límite existente entre un preciosismo empalagoso y la pura linealidad clásica, sin caer en ninguna de las dos tendencias. La musicalidad y la sabia construcción presiden esta poesía. La tensión a que somete su quehacer trae como resultado un poema fresco, jugoso y sorprendente.

En ocasiones encontramos vestigios místicos, garcilasianos y gongorinos si bien más en lo constructivo y estructural que en lo puramente temático (por ejemplo los versos: «Me fui de aquel lugar, / tu imagen mis visiones presidiendo», del poema «A la puerta del cabaret». El verso: «Pero si tu atención de mi dedal se desviaba», de «Con motivo de un cojín a petit point». O los versos: «El surco de sus uñas mi hombro enhuella / mientras que, de su oreja, el ascua diminuta / se convida en mi boca, incitante», del poema «Cinco» en *Dióscuros*). A. R. ha ido atesorando con amor momentos del pasado y nos los va ofreciendo en la pureza del primer momento.

Desde el plano puramente constructivo y estructural podemos apuntar algunas notas características que nos han llamado la atención: la abundancia de poemas que se inician con la conjunción *y* como método cohesionante e indicativo de que los poemas no comienzan *ex novo* sino que pertenecen a una unidad estructural más amplia, la formada por el *corpus* poemático total. Otra nota es la repetición a modo de estribillo o cantilena del primero o de los dos primeros versos a lo largo del poema; por ejemplo en los poemas de las páginas 25, 36, 39 y 60 (titulado este último «Isolda», uno de los más bellos del libro). Las imágenes más usadas son la metáfora, la repetición en sus gamas y el hipérbaton. En cuanto al metro utilizado oscila entre el endecasílabo y el alejandrino.

Dióscuros es una pequeña obra compuesta por 9 poemas y una «Incitación». En la entrevista que abre el libro, la autora confiesa a Jesús Fernández Palacios que *Dióscuros* fue concebido como obra entera y completa desde un primer momento y como tal sometida a «premeditación y norma» en contraposición a *Los devaneos de Erato* que se «formó por el sencillo procedimiento de buscar por carpetas y cuadernos...» (p. 14). Sin embargo el peligro de la «norma que corrige la emoción» suele ser la consiguiente merma de frescura y espontaneidad en la obra de arte. El tema de *Dióscuros* es la huida al mundo de la niñez y su reivindicación. Podemos decir que se trata de un único poema fragmentado en 9 partes con dos protagonistas poemáticos que son hermanos: Anna y Louis, que vienen a ser la personificación de la infancia, verdadera protagonista de los 10 poemas. La trabazón estructural es perfecta. Tenemos:

Título de los poemas	Número de versos	Tema
«Incitación»	16 versos	Invitación a la huida
«Uno»-«Dos»	16 versos	Despertar al sexo
«Tres»-«Cuatro»	10 versos	Juegos eróticos
«Cinco»-«Seis»	16 versos	Crueldad del mundo de la infancia
«Siete»-«Ocho»	16 versos	Intercambio-usurpación del sexo opuesto
«Nueve»	22 versos	Venganza de la hermana (Infancia) ante la irrupción de la adolescencia

Donde el primer y el último poemas funcionan como apertura y cierre de un proceso y el resto, por parejas, constituyen el grueso de la trama. La estructura es idéntica a la de una novela.

Indicios vehementes es la natural evolución de los dos libros anteriores sólo que aquí se han producido algunas novedades, tales como el predominio del poema de larga andadura, la pérdida irrecuperable del mundo de la infancia y acceso al estadio de la adolescencia o el abandono del tema erótico, capital en los anteriores, con el consiguiente paso a temas más «profundos» como el del paso del tiempo, la noche o el de la muerte que predomina sobre los otros. El poema que mejor ilustra esto es el titulado «Invitatorio» (vocablo tomado del lenguaje litúrgico; en la misa de Difuntos hay una parte así titulada. Los ritos eclesiásticos y sus oropeles ejercen una particular fascinación sobre nuestra autora). Se trataría de la muerte y despedida, con esta palabra termina el último poema, de la infancia que viene a ser sustituida por el mundo tangible de la adolescencia y primera juventud.

A. R. nos ofrece en *Indicios vehementes* una poesía decantada y personal donde encontramos referencias culturales, experiencias y un mundo rico en imágenes apoyadas en una larga tradición y elevadas a la categoría de alta poesía. José Luna Borge.

II. Desde la imagen que surgía de la concavidad inicial, la poesía de Juana Castro ha girado en torno a la mujer, menos como una mera afirmación de la condición femenina o la búsqueda de un lenguaje específico y diferenciador que como una indagación en la vivencia compleja de una mujer múltiple, pero esencialmente una, protagonista, objeto y referencia constante de su escritura. En *Cóncava mujer* es la situación de la mujer, su condición social, la que mueve sus versos, de resonancias arquetípicas y tono airado, cercano al sarcasmo, pero contenido por un lenguaje en cuya tensión se unen ecos del esteticismo del grupo *Cántico* y el legado de una cierta renovación de la poesía social. La concreción se produce en los dos libros posteriores: el descenso a los infiernos del dolor, coronado con la autoaceptación, proyecta en la individualidad la esencia de la condición femenina, librada ya del peligro del cliché y del estereotipo.

A partir de estos textos la autora puede avanzar en la objetivación de la propia experiencia, proyectada en imágenes míticas, que, atravesando el espacio de la imaginería culturalista, desembocan en la creación del mito femenino de *Narcisia*. La recreación de la imagen mítica de la mujer, acompañada de la aceptación gozosa de la propia condición, con una afirmación desprovista de beligerancia o rencor, viene acompañada en el lenguaje por la recuperación de un punto del esteticismo inicial, que encuentra un registro personal, no exento de vinculaciones generacionales.

El encuentro de la condición femenina en la escritura le lleva a profundizar en su *Arte de cetrería* en la tradición de una poesía donde el erotismo se trasciende en experiencia carnal y espiritual recreada en el lenguaje, tensamente creativo desde su reconocida insuficiencia. La recuperación del mundo de la caza con aves de presa, como fuente de imágenes expresivas de la experiencia amorosa, trae a los versos de este libro la resonancia de poetas de nuestra remota historia literaria, lo que produce un efecto de intemporalidad, que es el marco adecuado para el acendramiento espiritual de la vivencia erótica. El refinamiento del erotismo se hace también partícipe de un lenguaje con algo de suntuario y mucho de sensual, al tiempo que cargado de resonancias poéticas, de ecos que cargan la voz personal de matices armónicos.

En su escritura más reciente, la ruptura con su manera anterior se produce por la vía del humor. Antes de agotar los caminos ya recorridos, la recuperación de ciertos elementos ya apuntados permite una notable renovación, al introducir entre la escritura y su objeto un distanciamiento, que se apoya en la ironía con algo de sarcasmo y en la burla amarga. El toque de parodia que aúna estas composiciones se manifiesta en el título de *La Bámbola*, síntesis de los elementos populares y hasta *pop* que se conjugan en estos textos, desde sus motivos hasta su lenguaje.

En el conjunto de la obra de J. C. los diferentes registros no ocultan la voz que modula, con armonías diferenciadas, una melodía única. Los recursos lingüísticos desarrollados por la autora le permiten responder a su riqueza argumental y tonal con variedad y agilidad, pero siempre dentro de unas constantes, cuyo perfil se dibuja con unos rasgos en los que no faltan las huellas de *Cántico* y sus renacimientos posteriores en la poesía de los setenta, junto a la contención expresiva de una poesía que proyecta la experiencia, todos ellos más o menos filtrados y matizados, a través de una trayectoria creativa en busca de una voz personal. PEDRO RUIZ PÉREZ.

III. Hay, en la poesía española actual, un retorno al antiquísimo y humanista axioma del «escribe como hablas». Esta tendencia

viene desarrollada preferentemente por los autores nacidos en la
década de los sesenta [como es el caso de Almudena Guzmán].
Usted (1986) es libro sugerente, sincero, amable, bien escrito. Presenta —a mi modo de ver— dos aportaciones y un motivo de
meditación. Aportación primera: describe una anécdota, a «tempo»
de «humo dormido» es cierto, pero perfectamente evidenciado en
su decurso. Aportación segunda: su lenguaje es —¿se nos permitirá
el símil?— como el color de su portada: claro, directo, agradable.
Y un motivo de meditación: ¿basta esto? No hay aquí transgresión,
fundamentalidad, trascendencia: se queda en anécdota baladí, casi
de consumo. No hay transgresión porque es todo exquisitamente
real, sin resonancia. Y bien pudiera haber sido, porque en este libro
el mito de Pigmalión —sentido desde la «otra orilla»— anda cerca.
Esta parece ser la apuesta de su autora: negarse a cualquier tipo de
trascendencia. Las cosas son así, da la impresión que nos dijera. La
hondura cansa. Por lo demás el libro cautiva.

Un libro así denota un propósito claro de huir de la literatura, concebida como un témpano. Esta huida le beneficia en eficacia expresiva, pero
le lastra en delimitación personal, en semblanza literariamente identificado-
ra. Por este camino se llega al mester, en tanto que se deja atrás la figura
denostada del escritor como hacedor, como heresiarca, como príncipe.

Por tanto se impone considerar *Usted* desde dentro, desde la zanja de
su propia coherencia. Y en este sentido es un buen libro. Hecho con tesón,
con ensimismamiento, con independencia. Un libro deliciosamente femenino, muy sincero —decíamos—, muy novedoso en el tono y en la ejecución.
Queda, de él, un buen recuerdo (un grato sabor ¿a menta?).

De A. G. se decía en *Las diosas blancas* que «es, entre todas las componentes de la antología, la que tiene en derredor más terreno que ocupar»; y,
también, que «nos transmite la adolescencia de la literatura con un candor
que, para mí (para el antólogo), apenas si tiene precedentes». Creo que sí.
Pero hay más: personalmente, lo que de esta escritora me ha encantado es su
inteligencia. Como suena. Inteligencia para hacerse adorar (por ese escueto
humor, por ese saber ponerse nerviosa y hacer de cabeza hueca un arte), pero
también por el modo de enfocar la experiencia amorosa o lo que sea, de
situarse ante el amante (todo un señor profesor, perplejo en el fondo, al que
conviene dar tratamiento); inteligencia por sus magníficas imágenes, que pese
a lo rupturistas suenan a verdaderas; inteligencia para comunicarse con el
lector y lograr con él una complicidad maravillosa.

He aquí un *trailer* (arduo escoger: casi todos eran dignos de
celebrarse): «Al final de todos, / con una carpeta mustia que me

impedía subirme los calcetines, / siempre me recordaré muy pequeña, muy poca cosa, / cuando usted, todo entrecejo fruncido, / hizo
pasar al siguiente / y cerró la puerta de aquel despacho tras mi
coleta». Y este otro, casi un epigrama: «Señor, / si usted sabe /
que yo ahora estoy celosa / por lo que me ha dicho, / tenga al
menos el detalle de no hacérmelo notar durante la cena. / (Nunca
en mi vida enrollé espaguetis con tanto odio)». Almudena Guzmán,
nacida en los madriles. Marabunta. Tifón de las Azores (¡!). ¿Cómo
pudo ese señor profesor dejarte escapar? ¡Malhaya el turco! Inteligente, hasta la ternura. Como tú, tu libro. ANTONIO ENRIQUE.

VARIOS AUTORES

GARCÍA MONTERO Y LA RECUPERACIÓN
DEL REALISMO

I. Parte de la propuesta denominada «la nueva sentimentalidad» continúa los planteamientos estéticos de algunos de los principales nombres del cincuenta, particularmente aquellos que cultivan
un tipo de poesía que podría calificarse como de la «experiencia».

Tres parecen ser las principales cuestiones recogidas por Luis
García Montero de la lectura de estos autores, entre los que Gil de
Biedma resulta el caso más destacado. Primero, que la poesía es,
en tanto que literatura, un género de ficción más. Motivo por el
que el poeta debe asumir, como paso siguiente y necesario, la creación de un personaje que se convierta en el protagonista de los

I. José Andújar Almansa, «La construcción de los sentimientos en la poesía de
Luis García Montero», *Trivium*, 2 (Jerez de la Frontera, 1990), pp. 147-160 (147-150
y 155-158).

II. Juan Carlos Rodríguez, prólogo a Álvaro Salvador, *Las cortezas del fruto*,
Endymión, Madrid, 1980, pp. 15-25 (21-25).

III. Enrique Molina Campos, «Sobre una primera antología de Antonio Jiménez Millán», prólogo a Antonio Jiménez Millán, *La mirada infiel (Antología poética
1975-1985)*, Maillot Amarillo, Diputación de Granada, 1987, pp. 9-15.

IV. José Luis del Castillo, «Noticias del más acá», *Ínsula*, 527 (1990).

poemas, alejando así al discurso de su pretendido carácter de acta o documento íntimo. Como para ello es imprescindible que el personaje poético adquiera una identidad propia y definida, este se nos irá caracterizando a través de los versos como un individuo concreto, sujeto de un tiempo y un espacio histórico precisos. La aceptación del hecho poético desde esa perspectiva implica, por último, el asentimiento de un nuevo tipo de lector de poesía, consciente de antemano del juego literario al que por su parte se presta. Lector además que viene, en última instancia, prefigurado de manera cómplice por la propia textura de los poemas. A partir de tales circunstancias toma cuerpo la poesía de L. G. M., sobre todo en lo que resulta hasta ahora su libro más logrado, y uno de los mejores de su promoción: *Diario cómplice* (*DC*). [...]

Una poesía de estas características implica antes que nada la revisión del concepto mismo de sentimentalidad. Son varias las ocasiones en que el joven poeta granadino se ha pronunciado al respecto. Concretamente citando aquellas palabras que Antonio Machado hace decir a Mairena: «Los sentimientos cambian a través de la historia, y aun durante la vida individual del hombre. En cuanto resonancias cordiales de los valores en boga, los sentimientos varían cuando estos valores se desdoran, enmohecen o son sustituidos por otros». A lo que Machado apunta es a la idea de los sentimientos como el producto de una práctica social y unos valores eternos. A partir de aquí es posible una conciencia literaria cuyos resultados no nos son desconocidos. Los sentimientos pierden su condición de intocables, dejan de ser esas realidades trascendentes para convertirse en precisas realidades históricas, susceptibles de ser analizadas o modificadas críticamente según las conveniencias. Despojados de su halo mítico, no se pretenderá que por el mero hecho de aparecer en un poema deba este entenderse como el testimonio sincero de una verdad profunda, en vez de como la representación simulada de esa verdad. Por eso es posible la invención de una historia sentimental al modo que se hace en *Diario cómplice*, reconociendo el acento íntimo que se aposta detrás de cada verso, pero también el punto de partida o de llegada donde se entrecruzan otros afectos, unos y otros respirados a través de un mismo pecho bajo el que palpita el corazón de la historia.

Dejar al descubierto el artificio de la literatura no equivale a despojarla de toda justificación. Al contrario, para poetas como L. G. M. sigue resultando un escenario válido donde, a pesar de lo majestuoso del decorado impuesto, poder edificar en parte un futuro distinto. Construir otra sentimentalidad, alejada de muchos de los presupuestos burgueses heredados, ideas y valores asumidos, algo que sólo parece al alcance de una poesía consciente del pantanoso terreno en que le toca desenvolverse. [...]

El mundo de la ciudad, a cuyos elementos característicos constantemente se recurre, alcanza en esta poesía una presencia mayor que la que se desprendería de su condición de mero escenario. Sucede que el paisaje urbano se muestra muchas veces en íntima conexión con el sentir del protagonista poemático, actúa como el correlato sentimental de las experiencias transcritas en el diario. Por eso queda anotado allí como aquel lugar «donde tiritan todos los semáforos», donde existen barrios cuya luz oculta brillantes ojeras y hay «bares abiertos igual que las heridas». Por eso y porque a veces se agradece también su compañía. Conviene que no olvidemos cómo, desde Baudelaire, la poesía contemporánea ha hecho de las ciudades la fábrica de ensueños del poeta, pero también un terreno propicio para su propia soledad y marginación. De ahí la importancia que adquiere para la escritura de un diario, que tanto sabe de soledades, esa presencia multiforme e inquietante que a menudo nos envuelve y donde tantas veces resulta posible lo inesperado de algún encuentro: «Junto los coches muertos a un lado de la calle / hay un lugar sin nadie que se convierte en lágrima / y yo / desesperadamente lo recorro, / porque también mis ojos / vagan por la ciudad buscando aparcamiento / en las últimas horas de este lunes sin fin, / lejano y solo».

El empleo de viejos asuntos poéticos en un libro como *Diario cómplice* obedece a una doble intención por parte de su autor. Por un lado, hacer evidente el artificio del texto mostrando cuánto existe de literario. En tal caso no cuenta sólo el uso de ciertos tópicos, sino la manera en que se incluyen además, en el propio mecanismo de la escritura del diario, alusiones y citas intertextuales de obras y autores bien conocidos. Valgan un par de ejemplos. En los versos donde queda anotado el encuentro inicial de los amantes, justo al comienzo del nuevo año, hallamos la resonancia de un célebre texto de *Sobre los Ángeles*, se trata de «Tres recuerdos del cielo». El eco de Alberti en el poema de L. G. M. retoma aquella idea surrealista del sujeto escindido para quien el amor significa el regreso a una plenitud original perdida: «Y sin embargo, a veces, yo recuerdo..., / antes de conocerte comprendía / la sensación de estar frente a tus ojos, / porque habías llegado / anterior a ti misma». En otra ocasión se nos conduce hasta una de las más famosas composiciones de Gutierre de Cetina, inequívoco referente para un madrigal como el que leemos en *DC*: «ojos míos cargados / que me miráis. Con ira / al terminar la fiesta».

Como segunda estrategia queda la posibilidad de construir desde los poemas un nudo de sentimientos alejado de lo que son los presupuestos de vida burgueses. Para ello nada más instructivo que partir de esos mismos usos abonados por toda una tradición de literatura sentimental, aunque confiriéndoles en el poema un sentido y un valor bien distintos. Y es que no se trata de hacer del viejo edificio de la literatura un solar para de nuevo construir entre sus ruinas, empresa ya intentada por un vanguardismo de resultados dudosos, sino de ir habitando sus distintas estancias según nuevos gustos y comodidades. Conservar intactos los cuadros de los antepasados prescindiendo de sus sordas y lejanas disposiciones. Las ventajas que aporta un método así se aprecian en el uso que hace L. G. M. de un vocabulario convencionalmente lírico: *corazón, amor, viejo, cansado, triste, soledad, sueño*; o de ciertas situaciones preferidas: hablo de un invierno de tonos enfermizos, de calles pobladas por hojas en otoño o un verano junto al mar. La inclusión de dichos temas en *DC* aclara, sin embargo, el modo en que son saldadas posibles deudas literarias, apuntando a intereses y motivaciones de un orden distinto. Así, junto a aquellos mismos términos que denotan un empleo poético secular, hallamos expresiones tan novedosas como: «*corazón municipal* y amigo»; «Si tuve *acorazado* / el *corazón* que tengo, / la *fábrica de olvidos* que conmigo trabaja»; «Tu *corazón, cerrado por reformas*»; «Tu *soledad*, tan *mal documentada*».

Los ejemplos podrían ser numerosos. Aquella conocida imagen de los amantes frente al mundo se convierte en determinado momento del libro en una persecución casi policíaca. El mar, como escenario del verano amoroso de los protagonistas, adquiere resonancias de una singular metáfora erótica: «El mar / que se cierra y se abre / como un libro con páginas de espuma, / nos sorprende en tu boca, / bajo tu cabellera dispersa entre mis muslos».

Todo esto no significa, por último, que el autor haya de recurrir siempre a temas o palabras clave de una poética heredada, con los que logra transcribir pese a todo ideas originales. No escasean en *DC* los momentos de indudable hallazgo expresivo, aquellos que denotan ya una valiosa maestría. Desde versos afortunados con que abrir o cerrar un poema: «Como un gato tendido / nos vigila tu ropa / al final de la cama»; El horizonte / como la barra sucia de un bar desconocido / en la que nunca me podré apoyar».

Aciertos que marcan un tono de intensidad en el decir poético, y que (junto con la inclusión de un vasto repertorio literario) evitan cualquier posible caída en el prosaísmo. Riesgo, el del prosaísmo, que siempre está más cerca de correr un estilo marcadamente convencional, pero del que *Diario cómplice* se mantiene a salvo gracias a versos como: «Se descalzan los días / para pasar de largo sin que nos demos cuenta»; «Tal vez no envejecemos. O es que acaso el tiempo / se quitó los tacones para no molestarnos. / O es acaso el deseo / que camina en los labios todavía descalzo». JOSÉ ANDÚJAR ALMANSA.

II. Considero que lo fundamental en Álvaro Salvador es su tremendo esfuerzo, a partir de *Y...*, por tomarse en serio la poesía, o sea, por hacerse técnica y profesionalmente *poeta*, [en el sentido de asumir la práctica poética como un instrumento más de la lucha ideológica, como una relación poeta/poema similar a la del psicoanalista freudiano respecto al sueño. O sea, una relación a la vez de interpretación subjetiva y de producción objetiva, ya que en el texto se trata de algo propio y ajeno.] Por lo tanto he considerado conveniente utilizar aquí el siguiente procedimiento para abordar directamente su práctica poética: comenzar planteando en bloque cuál es la problemática actual (y cuál ha sido siempre el eje decisivo) de su poesía: *la reflexión poética sobre la poesía misma*. De nuevo con una observación al respecto: esto no significa, en absoluto, que haga sólo poesía teoricista y/o racionalista, sino que Á. S. asume el problema crucial para cualquier poeta materialista: ¿qué significa la poesía hoy?, ¿cómo transformarla, utilizándola sin embargo?, ¿para qué, o quién, o cómo escribir?

La razón para abordarlo así está clara: se trata de ver cómo la preocupación por la propia poética ha sido continua en Á. S. a partir del *impasse* producido por su primer libro. Más otra cuestión fundamental: cómo su preocupación por el propio lenguaje poético —por materializarlo— ha ido siempre unida a la preocupación por el *lenguaje erótico* (en especial en torno al cuerpo de la mujer: «Desnudo el pecho tu pezón resuelve...»).

Poética, en suma, como materia: como cuerpo histórico (Marx), como cuerpo erótico (Freud). Creo que estos son, en efecto, los dos polos básicos alrededor de los que gira la «escritura» de Á. S., su reflexión sobre la propia poesía y su intento por superar todas las dicotomías pequeñoburguesas en torno a mitos abstractos del tipo de «El Amor», «La Muerte», «La Moral», «La Política», «El Lenguaje», «La Forma», etc. (Todos ellos, por supuesto, con mayúsculas.)

A partir de esta problemática central, trazaré a continuación, para una mayor información del lector, una mínima genealogía de las distintas etapas evolutivas que la poesía de Á. S. ha ido atravesando.

Una primera etapa podría titularse: *La poesía rebelde y su aniquilación.* Pues, en efecto, se trata de una etapa, cubierta básicamente por el libro *La mala crianza,* donde se mezclan todas las temáticas típicas del *révolté,* más o menos ingenuo y provinciano, forjadas en torno a ese horizonte del 68 y los *beats* (y no se trata en absoluto de una fórmula retórica). Poemas perfectamente contextuales, a veces tremendamente ingenuos vistos desde la perspectiva de hoy: como la rebeldía inscrita en dejarse «surgir la barba» (pero también con todo lo que «surgía» con ella). «Pensándolo bien... no sé» (primera parte del texto titulado *Souvenirs pour un amour d'adolescence*) y «Llenándome de ti...» son hermosos poemas eróticos donde la búsqueda de un lenguaje nuevo se desliza entre el destrozo y/o la reutilización de los metros clásicos, la nueva temática *beat,* continuamente inserta a través de citas e imágenes, y, sobre todo, el intento de reestructurar el cuerpo femenino, su relación espesa con él, a través de una nueva relación lingüística que llega a ser desgarrada, paródica, en la burla/asunción «sentimental» del poema-tango «Uno» —para mí, la obra maestra de este libro, precisamente por su sobriedad, incluso rítmica: «uno/no se quita de amar/ni de fumar/uno descansa ...»

Una segunda etapa podría denominarse: *De la raíz a la corteza* (y obviamente, con estos títulos me refiero siempre a obras de Á. S.). La raíz (o las raíces) sería la época abarcada por el libro *Los cantos de Iliberis*), que constituye una curiosa mezcla: por una parte, una poesía elaborada sobre poesía (ahora sí), a partir por ejemplo de Ezra Pound y de todo su culturalismo legendario. Y, por otra, la continua alusión a otro tipo de raíz, no ya a la cultural-literaria, sino, más en concreto, la realidad española de la época, e incluso la directamente granadina o andaluza en general. Con todo, no nos engañemos: lo que se pretende es volver a la literatura no para *hacer literatura* —sic—, sino para perfeccionar, pulir, trabajar su instrumento: el verso. Así, el intento conceptual, condensado, tan artificioso (por ejemplo en el uso de los verbos: sobre todo, del imperfecto de subjuntivo, en su forma *-ara,* como presente activo; o en la elección de las temáticas medievales o míticas: Roldán, Ulises...) y, sin embargo, la continua alusión al mismo tiempo a ese otro tipo de raíz: el granadinismo concreto simbolizado en la mítica Iliberis, la Granada de «Sierra Elvira». Libro tremendamente indeciso y, desde luego, no conseguido plenamente, del que habría que destacar los cantos IV y XI (ambos de la segunda parte del texto), como síntomas evidentes de ese retorno a las raíces (literario-culturales y político-ciudadanas) que Á. S. intenta para salir del *impasse* producido por su anterior libro *De la palabra y otras alucinaciones* (en donde la reflexión sobre la poesía y sobre la emoción eran predominantes). O, como él dice: «escribir algo sobre mi ciudad, pero desde la escritura misma». Y así lo hace: «El claustro de los templos / INVADIDO / sabios las gentes bosques / regocijara fiestas / entre dos abedules y un remanso de espuma ...».

Y finalmente llegamos a *Las cortezas del fruto*, libro de una muy larga e intensa elaboración y del que habían aparecido algunos adelantos en forma de *plaquettes* que después han sido profundamente revisados. De hecho, sólo aquí, en esta «corteza» última, encontrará el lector la auténtica voz personal de Á. S., su auténtica plenitud técnico-ideológica (pero ¿acaso es posible separarlas?) del verso. Desde «Rancio lugar común» («y muda ya la piel, sin estridencias ...») o «La Gaya Ciencia» («con qué torpe mentira: premeditado engaño»), o la ya citada «Improvisada erótica» («Desnudo el pecho tu pezón resuelve...) hasta los más perfeccionados: «Marcha fúnebre en la muerte de un héroe» (o *funeral march*, pues la presencia de Beethoven es evidente en este poema): «... de quien dejó su vida a cambio de la vida?») o el espléndido «Felicidad y Luis...» («Segura estés / de aquel paseo por el parque, / de vuestro instante quieto entre la niebla / como un tesoro efímero y enorme.») Poemas que merecerían, por supuesto, un análisis mucho más detenido, pero que hoy nos limitamos a presentar al lector.

En fin, creo que Á. S. ha iniciado ya hoy unos nuevos caminos poéticos, pero ¿cuáles? Así como Althusser habla de *la nueva práctica* de la filosofía (¿sabe alguien lo que eso es?) o Balibar habla de una *nueva práctica* de la política (¿sabe alguien lo que eso es?), así también hoy múltiples intelectuales y poetas hablan de (y luchan por) una *nueva práctica materialista de la poesía* o de la literatura en general (pero ¿sabe alguien lo que eso es?). Esperemos, entre todos, llegar a encontrar la solución justa a tanta pregunta. O, mejor dicho, y parafraseando a Brecht, alcanzar algún día, a fuerza de preguntarnos, la capacidad colectiva y personal de poder dar una respuesta. La poesía... ¿una guarida inútil? Á. S., ¡qué gran poeta! Pero no le preguntéis sobre la poesía. Suele decir: «Vino a buscarme a mí. Yo no lo hice». JUAN CARLOS RODRÍGUEZ.

III. Cabe hablar de vitalidad y de reflexión, a propósito de Antonio Jiménez Millán; apliquense ambos términos a su poesía. Y añádaseles el de «vitalismo»: convicción y talante que, habiendo empezado por erigir la vida en realidad-valor absoluta e inmanente, acaban por rodearse e impregnarse de la muerte, sentida y *sabida*, de modo obsesivo, como irrefragable final y negación de todas las fuerzas y gracias que el vivir entraña sin apenas límites. [...]

Los tres primeros libros de A. J. M. (*Predestinados para sabios*, 1976; *Último recurso*, 1977; *Poemas del desempleo*, 1985, escrito en 1976-1978) componen un *corpus* poético de adolescencia-juventud que, envuelto en esa circunstancia histórica y literaria, se halla entre el compromiso político —entendido y servido de modo muy otro que el usual en la literatura de la *resistencia*— y la difusa, indolente, desgarrada y a menudo contradictoria confesión personal cuyas referencias e incitaciones son un surrealismo bastante racionalizado, el cine y la música *pop*. [...]

De uno a otro de los libros del ciclo inicial, la atención del poeta y la intensidad del poema se van desplazando desde el compromiso hacia la intimidad, conectados aquel y esta en la consideración o la evocación del vivir cotidiano, sobre el cual pesan, en diversa proporción, la circunstancia histórica y la peripecia personal, ambas asumidas con un talante típica y estrictamente generacional (valga el adjetivo, con las pertinentes reservas) y, por lo mismo, veteado de contradicciones y de un jactancioso malditismo. En *Poemas del desempleo* se impone la evocación de lo cotidiano pretérito —infancia y, sobre todo, adolescencia—, no sin nostalgia; entonces, como elemento corrector y distanciador, surge la ironía, que sustituye al desgarro de antes. Por otra parte, de un libro a otro, la estructura del verso se va acomodando a los módulos clásicos, y el bagaje cultural de toda índole, a medida que se consustancia con el poeta, se muestra no en las alusiones sino en la materia conceptual y expresiva de cada poema.

Con *De iconografía* (1982) comienza la adultez poética de A. J. M. El compromiso, ya no explícito, se ha convertido en cosmovisión subyacente. La confidencia ha dejado el sitio a la experiencia. Lo cotidiano no trasciende evocado, porque, celada e irremisiblemente constitutivo de la vida, no es pretérito sino presente, un presente continuo y poblado de concomitancias abstrusas pero racionales hasta la desolación, de suerte que descubrir tales relaciones, y no entenderlas, es, ahora, recordar. El amor, única intensidad con la que parece posible prevalecer sobre la inabarcable extensión de la vida y la ininteligibilidad de la memoria sucesiva, ya no es aquel alegre y apresurado remedo de *amour fou* que mantuvo encendidas la adolescencia y la primera juventud. El amor es ahora deseo consciente de sus propios alcances y frenesí fugaz, tras los cuales esperan la conciencia del fracaso, la tristeza y la soledad; y también otra manera de nostalgia, que A. J. M. expresa, como lo demás, en términos de redomada y displicente parsimonia a cuyo través se deja ver la lectura de Gil de Biedma, si bien el poeta granadino nunca carga la nota de expeditivo *charme* que caracteriza al autor de *Las personas del verbo*. En *De iconografía* hay otra novedad destacable: la del poema puesto en boca de un «personaje» literario que la cita de cabecera revela; poema «objetivo» u «objetivado» que participa, juntamente, del homenaje y la reasunción de la experiencia o situación del «personaje», y que en ningún caso empaña de prurito culturalista la revivida y pungente autenticidad de la materia poética.

En el libro siguiente, *Restos de niebla* (1983), y en los poemas hasta hoy no recogidos en libro, la madurez asoma en notables incorporaciones. Por primera vez el paisaje urbano y suburbano aparece concretado, nombrado, y así convertido en tema poemático suficiente. [...] Yo diría que, en *Restos de niebla*, A. J. M. se ha hecho poeta mediterráneo, y que en esto han sido determinantes no sólo la vida y el ambiente malagueños sino también las lecturas, y precisamente unas lecturas muy particulares: las de poesía catalana de nuestro siglo, a partir de Josep Carner. De la mano de Gil de Biedma, creo yo, le han llegado, además, las lecturas de ingleses contemporáneos —Auden sobre todo— y sus frutos de contención meditativa y análisis metapoético. Por otra parte, el desenfado y el coloquialismo han desaparecido, y el verso se moldea, sin rigideces métrico-rítmicas ni sonsonetes, en la combinación libérrima de alejandrinos, endecasílabos y heptasílabos sin rima. ENRIQUE MOLINA CAMPOS.

IV.   *Gran Vía* de Fernando Beltrán es síntesis de los logros, pero también de las vacilaciones y errores de una poesía escrita desde la experiencia del naufragio de todo sistema cerrado de ideas y creencias y de la sensibilidad que dio origen al [«sensismo», movimiento encuadrado a su vez en la denominada «poesía de la cotidianidad»].

Esta *Gran Vía* del libro —para que quede claro su contenido desde un principio— no es la conocida y céntrica avenida madrileña, aunque tal lugar pueda aparecer como su referente inmediato. Tampoco la ciudad es la capital de España, aunque, de la misma forma, sobre ella se proyecte de forma precisa el eco del alucinado viaje desde uno mismo a ningún sitio que nos cuenta la obra. Esta *Gran Vía* es, sencillamente, el dilatado camino abierto ante el individuo de hoy «hacia todos los mundos que aquí giran», el preciso lugar desde donde asistir al espectáculo de lo colectivo, incluso de lo multitudinario, que da contenido humano a este preciso final del siglo xx en que vivimos.

Hay en este lugar un aluvión desarraigado de «peatones a miles y sin rostro», hay desmesura y desolación, «paredes, vallas, paraísos / de brocha gorda» adonde conducen «aviones ... con las alas rotas / y buques que naufragan». Se trata del espacio donde sucede sin posible freno el acontecer temporal del vivir. Ese transcurrir incesante es, justamente, lo que priva de rostro a la realidad y lo que la convierte en un enorme, agitado y desconocido fantasma que exuda violencia, degradación, sinsentido y tedio. Pero, a veces, la gente se precisa en ojos y personajes «a espaldas de Gran Vía», a veces se rescatan «tres miradas perdidas en el vagón del metro» que permiten sentirse «acompañado a solas» y decidir «... que vuelves / a vivir porque sabes / que alguien más que los tuyos / aún te está esperando». [...]

El empleo recurrente de lugares comunes constituye una de las características más marcadas del libro. Estamos ante lo que podría considerarse una estética del lugar común, cuya validez reside en el hecho de que lo que importa en ella no es el tópico en sí, sino la visión personal, singular, que del mismo ofrece el poeta. El lugar común, de este modo, se convierte en símbolo último de «este mundo en minúscula» habitado por «seres en dirección contraria / y pasos sin espejo / retrovisor ni marcha / atrás que los auxilie». Así pues, lo que importa es el punto de vista y el estilo. Como siempre.

Es el punto de vista empleado lo que diferencia con toda nitidez el libro de F. B. de cualquier manifestación del realismo llamado garbancero. Los elementos espaciales del contenido, de especial relevancia en la obra, son el lugar donde transcurre la experiencia vital. Pues bien, esta es la de un yo literario, ficticio, la de un yo que, como anunciaba Rimbaud, es el otro. Este personaje narrativo, novelesco, cuenta su historia banal, insignificante, casi siempre en tercera o segunda persona. Es alguien que, como el turista japonés de la cámara, «dispara, dispara, dispara / hasta caer agotado / por la bala incesante de sus víctimas»; alguien a quien la única actividad y aventura que le está reservada es la de contemplar al otro desde la distancia y el silencio. Este alguien es un peatón, un ser urbano de «ojos como hoteles» definido por el estar, un ser perdido en el fondo de sí mismo que, como decía el autor en otro lugar, «rastrea sus ambiciones a ras del suelo, útiles y posibles». Es un individuo, en definitiva, que se sabe miembro de una «especie en extinción / perpetua de un incendio / que nace sofocado ...», que reconoce la ciudad como un preciso reflejo o imitación de sí mismo y que encuentra en la ternura «la única razón para seguir / en pie y amaneciendo», mientras aguarda el futuro imprevisible de los sueños.

Importa, en segundo lugar, el estilo, marcado por un violento y permanente contraste entre lo espontáneo y lo artificial. De un lado, un acusado fragmentarismo de carácter impresionista; de otro, una construcción, tanto del poema como del libro en su conjunto, fuertemente estructurada e incluso cerrada. En efecto, los miles de detalles contrapuestos y dispersos que constituyen el paisaje urbano que el sujeto recorre, las múltiples y mínimas historias que involuntaria e irremisiblemente presencia se suceden, entremezclan y superponen en largas series de versos libres y con frecuencia cortos; el ritmo sintáctico aparece una y otra vez quebrado por constantes encabalgamientos abruptos, los términos empleados invierten o duplican su sentido de forma reiterada por medio de paronomasias y juegos de palabras diversos. Como si estuviésemos escuchando una rápida composición de jazz en un local oscuro y recogido, pero abierto a todo tipo de sorpresas y complicidades, a cada momento surge lo inesperado; sin cesar, las cosas se presentan de forma diferente a lo previsto. [...] Junto a esta frenética sucesión de acontecimientos, preside el libro y el poema una estructuración rigurosa y equilibrada. Gracias a ella, la ciudad es vista desde el centro —confluencia de todas las vías— al sur de los sueños y al exánime norte sin salidas; para cruzar de un ámbito a otro, el autor utiliza pasajes de transición, que denomina «transbordos», en los cuales el sujeto se adentra en íntima reclusión o se mezcla con el paisaje del metro o acude al oscuro rincón del bar donde el viaje y el libro concluyen. La estructuración, por tanto, es una vía expresiva para mostrar de forma unitaria bien un fragmento complejo de la realidad que se vive, bien los límites cerrados de la experiencia desde la que se escribe. JOSÉ LUIS DEL CASTILLO.

MIGUEL SÁNCHEZ-OSTIZ Y OTROS

POETAS DE *TRIESTE*: ANDRÉS TRAPIELLO
Y JUAN MANUEL BONET

I.1.   Es *La vida fácil* de Andrés Trapiello un raro libro de
poesía. Es esta inusual, no está de moda, no es moderna, como
muchos de los temas recogidos en el libro. [Nos hallamos ante una
obra que transmite una sensación muy similar a la que producen
algunos pequeños museos románticos de provincias, de una extraña
quietud que puede llegar a ser desasosegante, angustiosa incluso, en
su evocación del tiempo ido;] con la diferencia de que en *La vida
fácil* hay una rara serenidad y la desazón queda exorcizada.

Vetustos caserones llenos de ecos y de aromas, vitrinas que
guardan los pequeños fastos del pasado, vidas al margen, paseantes
solitarios, viajeros del rumbo incierto, paisajes serenos y crepuscu-
lares, desiertas ciudades de provincia, tiempo quieto, tiempo ido,
cosas marchitas, libros viejos, jardines escondidos... estas son las
estancias de *La vida fácil*. Estancias en las que uno cree escuchar
tenuemente viejas romanzas, un lieder de Schubert o una sonata de
Brahms. La voz que nombra este mundo crepuscular y melancólico
no siempre es esperanzada, aunque sin darle importancia hable de
algunas pequeñas cosas en las que merece perder la vida. Imposible
no ver en este libro de A. T. una actitud ética.

Es la escritura de *La vida fácil* extremadamente cuidadosa, exacta, rica en matices, en detalles, en iluminaciones. Podrá decirse que
ese es un mundo crepuscular e incluso mortecino: pero esos poemas
están iluminados por una rara luz que a veces lo es todo. Muy lejos
de la chacinería de la poesía confesional, de la que por poco nombrar no nombra nada y que lo mismo da que diga lo que dice que lo
contrario, y del exotismo más al uso, la de A. T., autor de otros dos
libros excelentes: *Junto al agua* (1980) y *Las tradiciones* (1982), acaso

---

I.1.   Miguel Sánchez-Ostiz, «Una mirada encantada», *Navarra hoy*, 20 de abril
de 1985. 2.   Víctor García de la Concha, «Hermosos versos de caducada rima: *El
mismo libro* de Andrés Trapiello», *Ínsula*, 522 (1990), pp. 29-30.

II.   Juan Perucho, «Juan Manuel Bonet, o los frutos del tiempo», *ABC*, 21 de
mayo de 1991, p. 3.

sea una de las más valiosas de la última poesía española. MIGUEL SÁNCHEZ-OSTIZ.

2. No engaña Andrés Trapiello con el título, *El mismo libro*, porque la continuidad de voz y temas es en él patente. Releo *Las tradiciones* y hallo, sin forzar, poemas —«Otoño inmortal», «Mañana de domingo», «Jardines en noviembre», «Corto recorrido», «La inspección», «Fuga»— que podrían inscribirse en el discurso de este que él llama, en una dedicatoria también repetida, «libro nuevo: nuevo o el mismo». Fidelidad se llama esta figura: a la propia voz y a la propia alma. Juan Ramón se desnudaba: «mi alma es hermana del cielo gris y de las hojas secas». Era un *topos* de larga tradición. A. T. ama igualmente el otoño y el azul de la noche. El poema introductorio del libro, «Más amargo que el vino», define el marco ambiental —tiempo, espacio y atmósfera— en que se va a desarrollar el discurso poético: «Para que escriba versos de caducada rima / me he quedado solo /... / Las más hermosas hojas / se pudren en el suelo / y nuestros sueños son / como el amargo vino / que al año se ha hecho viejo».

Al fondo está fray Luis en la «Oda a Grial»: «Recoge ya en el seno / el campo en hermosura /... / El tiempo nos convida / a los estudios nobles ...». Otoño, apartamiento del mundo y reflexión. Y una cosa más: regusto por lo añejo. El declarado amor por «los versos de caduca rima» emparenta con la actitud que Azorín señalaba como propia de su generación y que se concretaba en el esfuerzo por desarticular el lenguaje aportando a él «viejas palabras, plásticas palabras a fin de aprisionar menuda y fuertemente la realidad». La declaración de A. T. trasluce una conciencia un tanto desafiante: «... Yo busco / entre tanto estas rimas / que deploro no sean / algo menos antiguas».

Las tres secciones en que el libro se divide —«La lejana claridad del mundo» (22 poemas), «A quien conmigo va» (25 poemas) y «Lejos de todo esto» (10 poemas), títulos cuyo alcance de connotación en la línea apuntada no es preciso explicar— responden a una nueva actitud de contemplación sobre las dos grandes oposiciones tópicas del simbolismo: Tiempo e Historia, Sueño y Realidad. El alejamiento del mundo y el refugio en el espacio, también tópico, del regazo de la naturaleza o el *hortus conclusus* propician la superación de los esquemas racionales y la proyección del «pensamiento libre». La hora preferida es, como en el simbolismo, la de la caída de la tarde o la noche. A la hora del crepúsculo el poeta se retira hacia cualquier rincón del campo «sin ningún otro ánimo / que ver morir la tarde / y percibir el claro / pensamiento que mira / con los ojos cerrados». [...]

La raíz de este proceso de búsqueda contemplativa no es otra que la crisis de identidad que viene marcando, de manera casi ininterrumpida, la poesía hispánica desde la modernidad alumbrada en el romanticismo, y que se hace especialmente aguda en tres momentos: el inicial del simbolismo, la poesía de los años cincuenta, y la de la etapa de los llamados novísimos. [...] Insistiendo sobre ese gran motivo tradicional, A. T. prefiere las sendas del simbolismo primero. No tiene el menor interés en borrar huellas. Al contrario. En cualquier página nos aguarda un *contrafactum* significativo de puro obvio. Vamos con don Antonio Machado en «¡Aquellos trenes de entonces / entre León y Palencia! / ¡Dorados atardeceres! / Bardas. Carrizos. Iglesias. / La triste monotonía / se miraba en la meseta. / Yo leía y contemplaba / alguna lejana hilera / de los chopos en silencio / o las verdes sementeras». [...] También Juan Ramón nos espera con referencia expresa en «A dos violetas secas» y, más sutilmente, escondido en el recodo de cualquier verso. Pero debo aclarar de inmediato que esa senda trillada y el vehículo del *contrafactum* llevan al poeta a un espacio de clara referencia real histórica: las tierras leonesas de la infancia. Resultaría fácil elaborar aquí el catálogo de la tópica de *El mismo libro*: olor de manzano, ruido de ratones en el desván, pueblos rodeados de viñas y ríos con cangrejos. Es posible que la insistencia en ellos resulte, en el conjunto del libro, excesivamente reiterativa, con peligro de conferirle un aire de ejercicio manierista. Es un riesgo que acecha a los poemarios simbolistas: uno a uno, cada poema nos seduce; el conjunto, si no se mide, puede resultar tedioso. También aquí, «menos es más». Comprendo, sin embargo, que esa insistencia responde en el caso de A. T. al planteamiento musical de variaciones sobre un mismo tema. Se advierte claro en el afán por estrujar la sustancia simbólica de cada uno de los elementos. Todos son potencialmente simbólicos. Todos «aguardan a que venga a rescatarlos / de la oscura caverna / la misteriosa mano».

El rescate se hace, como ya he apuntado, con el apoyo de la memoria sensitiva y un bordón de pensamiento. Valdría aquí como esquema de referencia crítica el postulado de Unamuno: «piensa el sentimiento, siente el pensamiento». Difícil propósito. Comenzando por el bordón y por lo más negativo, a mí me parecen desafortunadas las inclusiones de intertextualidad expresa —«Todo al final resulta un *es cansado* / como escribió Quevedo»— y de sentencias ideológicas que, en función explicitadora de lo que el poema canta, devienen redundantes. Juzgo, en cambio, mucho más acertados —y debo decir, por justicia, que el acierto predomina con mucho— los poemas que muestran en todos sus estratos de significación ese *ser cansado* de la vida.

Especialmente logrados y fecundos me parecen, en esta línea, aquellos que, hilvanados por una tenue alegoría, fijan una figura simbólica. Es el caso de dos excelentes piezas —«Hablando de cualquiera» y «Visión de un buscador de libros»— en los que se aboceta en visión la contrafigura del propio escritor convertido en «un viejo huraño, amargo, / que decidió hace tiempo no contar con el mundo» y deambula por una vieja casona leyendo sus propios ruinosos versos. Se aprecia, por igual, el buen oficio de A. T. en la construcción de símbolos, tanto en aquellos que se alzan sobre la base de los «primores de lo vulgar» —así en el ya citado «A dos violetas secas», las cuales se convierten en una mariposa y una mosca, que, a su vez, se trasfiguran en dos aves de cetrería—, como en los que aprovechan lo que Carlos Bousoño, a propósito de Antonio Machado, ha llamado esquema bisémico. Entre los muchos de este segundo grupo destacaría «La casa de la vida».

Creo, con todo, que donde A. T. logra sus mejores páginas es en la creación de estampas —género específicamente simbolista— que sirven de soporte al libre pensamiento contemplativo. «El Doncel» me parece en este punto todo un logro paradigmático y cifra, en buena parte, de El mismo libro. Es verano y el poeta visita la catedral de Sigüenza. La memoria sensitiva —la campana que suena, las cornejas y el olor a cera— va preparando el encuentro con el Doncel-doncella: «Leer, soñar, dejar que el tiempo pase / y el pensamiento corra igual que el agua. / Esa es la eternidad. Vivir no estando vivo. // Morir no estando muerto y escuchar / a lo lejos, como temblor del tiempo, / sonajas de los álamos sombríos / y un arroyo entre juncos». VÍCTOR GARCÍA DE LA CONCHA.

II. Al salir a la calle respiré el aire de un temprano día de primavera. Sentí una felicidad tranquila, como si se tratara de algo conocido y, sin embargo, imprevisto. La noche anterior me había dedicado a la lectura de La ronda de los días, libro de Juan Manuel Bonet, dietario de viajes, sensaciones, recuerdos de extraordinaria pureza, coincidentemente primaverales, tonificantes. Había sido una buena lectura, esperada desde la aparición de sus dos libros de poemas anteriores, La patria oscura y Café des exilés, y que descubría como una espléndida prolongación de los mismos.

Conocí a J. M. B. en Pamplona, hace ya unos años, formando parte de un grupo de jóvenes escritores, en ocasión de unos premios literarios de los cuales se me había hablado y en los que finalmente accedí a intervenir como miembro de uno de los jurados. Me reuní con ellos por las tardes en casa de Miguel Sánchez-Ostiz, con Mercedes Monmany, César Antonio Molina y no sé si con Andrés Trapiello. Todos ellos tenían unos gustos afines y una sensibilidad distinta a la general de aquellos momentos. Es decir, rehuían lo trivial, lo que era moda llevarse entre los intelectuales, y se reconocían amantes de las lecturas rescatadas del pasado y del olvido.

Uno de los que parecían más jóvenes era J. M. B., con reputación de crítico de arte y de quien conocía yo a su padre. Acababa de publicar *La patria oscura*, que contenía unos versos breves, desnudos, esbeltos. Habíamos coincidido en valoraciones de artistas que nos gustaban y su criterio aparecía dicho con limpidez y una claridad impropia del lenguaje habitual de la crítica. Me encontraba ante el caso del poeta íntimamente confundido con el crítico, en la tradición que inaugurara Baudelaire y actualizaran Cocteau y Éluard. En Cataluña teníamos un precedente en José María Junoy, crítico de aguda, casi enfermiza sensibilidad, autor de versos leves, estremecidos, inasibles, como, por ejemplo, cuando nos hablaba de una «mano blanca de leche / apoyada en la mejilla de la luna / sombreada por sus propias pestañas». Así nos dice también J. M. B. sus versos, a veces más esquemáticos todavía, como «olvidar todo lo que no ven / el acceso al silencio», o el más comprimido «afuera la ciudad, el oro de su bruma».

Estos versos del *Café des exilés* son para ser sorbidos lentamente, como si de un granizado de menta se tratara. Ácidos, aunque maduros (como los de «la sorbière des oiseaux») y un mucho de quintaesencias. El sino de J. M. B. es, desde luego, la concentración, lo huidizo de la vida y el arte, el recuerdo de una ventana ante la niebla, el paso de los buques en la lontananza, los oros desvaídos de Cracovia y el Danubio, París, los gritos portuarios y los fados del barrio alto de Lisboa, el encendido palacio de la noche en Klee y también los pañuelos perfumados y decadentes de Samain («O sombre fleur du sexe, éparse en l'air nocturne...»). Estos versos son todavía más apretados, más seguros que en *La patria oscura*, y más destilados de nostalgias que en las palabras de sus prólogos a los libros de Rafael Cansinos-Asséns, Rafael Lasso de la Vega y Saulo Torón. [...]

Esperaba con impaciencia *La ronda de los días*, dietario errante de impresiones y nostalgias («Provenza: paisaje después de la batalla») más que de sucesos y criterios. Es, en realidad, una prolongación de su poesía, quizá un poco más ajustada a la realidad aparente de las cosas, pero con el secreto anhelo de desentrañar su esencia, que es, en definitiva, la intención de su poesía en verso (no digo en poema, porque muchas de estas informaciones o reflexiones son verdaderos poemas, eso que solemos llamar «poemas en prosa», para entendernos). Hay ciertamente afanes opcionales (no en vano se es crítico de arte) o descripción de circunstancias singulares, como cuando suena el piano del vecino del segundo; pero aun así el aire se vuelve lírico al asomarse al balcón y ver un mar de tejados perdiéndose en la lejanía. La vocación viajera (más bien errabunda) de J. M. B. es larga y con el deseo de apurar los elixires de los días y las horas (los breves momentos). Se trata de un ajetreo constante de ir y venir, sin solución de continuidad. Se observa el centenario de Vuillard en la Orangerie y los *sprays* que escriben «Plus jamais Claudel!». Luego Schnitzler, Max Ophuls, Cadaqués, Charing Cross Road, «Zum Amker», la Ciudad de México. Al final se intenta la versión del último borrador de un poema de Paul Jean Toulet: «No tiene gracia morir / y amar tantas cosas: / la noche azul y el alba rosa, / las frutas que maduran lentas».

Me detengo ante estos versos. Considero que por algo los ha preferido el poeta. Entrañan, por supuesto, la eterna filosofía de las cosas, de la fugacidad de las cosas. Perduran casi siempre mientras vivimos, y perdura casi todo en nuestros recuerdos. Más allá del recuerdo no hay nada, se ha desvanecido del mundo al desvanecerse nuestra mente. Naturalmente, esto es lo que, desde siglos, late en el fondo de toda poesía. Pero no siempre se suelen formular tales juicios, sobre todo cuando todavía se es joven. JUAN PERUCHO.

BERNARDO DELGADO Y JUAN JOSÉ LANZ

LA «NUEVA ÉPICA»

I. Quizá estemos equivocados, pero nos parece que el primer libro de Julio Llamazares (León, 1954) no habría sido posible sin la existencia previa de *Descripción de la mentira*, la obra de Antonio

---

I. Bernardo Delgado, «Julio Llamazares: *La lentitud de los bueyes*», *Jugar con fuego*, VIII-IX (Avilés, 1979), pp. 117-119.

II. Juan José Lanz, «Julio Martínez Mesanza», *El Urogallo*, 64-65 (1991), p. 95.

Gamoneda publicada dos años antes en la misma colección. En ambos casos se trata de una reflexión alucinada, de aparente incoherencia, válida sobre todo por la creación de un clima unitario y obsesivo. Pero *La lentitud de los bueyes* (1979) es un libro más abstracto y metafísico, sin las referencias político-sociales que caracterizan a *Descripción de la mentira*, recapitulación poética de la vida del autor motivada por el fin del franquismo. Hay *leitmotivs* concretos —el olvido, el silencio, la lentitud— que pasan de un libro a otro. No queremos decir con ello que la obra de J. Ll. sea una pura consecuencia mimética. Todo lo contrario: nos parece un espléndido primer libro, y el haber sabido aprovechar de personal manera la lección de uno de los libros más sugestivos publicados en los últimos años no resulta acaso la menor de sus virtudes.

Con una imaginería tomada del ambiente campesino, patente ya en el título, desarrolla *La lentitud de los bueyes* una meditación sobre el tiempo y la soledad, sobre el sentido de la vida y de la muerte. La estructura musical y envolvente, el frecuente onirismo, contribuyen a evitar la caída en el tópico, al que tan proclives podían parecer en principio la índole del tema y la juventud del autor.

La estructura general del libro —un poema unitario dividido en veinte fragmentos— es la siguiente. En la especial quietud de una tarde en la que el tiempo parece haberse detenido —fragmentos 1 y 3— se inicia la meditación. Cada uno de estos fragmentos iniciales es seguido de una reflexión sobre el origen, en un caso sobre la historia general del hombre (fragmento 2) y en el otro (fragmento 4) sobre la historia personal («Yo vengo de una raza de pastores que perdió su libertad cuando perdió sus ganados y sus pastos»). Los fragmentos siguientes hasta terminar la mitad del libro constituyen breves variaciones sobre las características del vivir humano ya apuntadas en los textos anteriores: el miedo y el silencio, la soledad y el olvido. El amor y la muerte son los núcleos temáticos que peculiarizan a la segunda mitad del libro. El amor no es una respuesta («Si apoyase mis preguntas en tus hombros, te desmoronarías como una estatua de sal») y el deseo es una gruta helada, según se nos indica, respectivamente, en los fragmentos 11 y 15. La muerte —fragmento 19— constituye quizás la única posibilidad de respuesta. Sobre la tristeza que sigue al fracaso del amor, sobre la duda como el más constante sabor de la existencia y sobre la irrisoria promesa de la inmortalidad versan los otros fragmentos. Termina el libro con una constatación de la inutilidad de la vida y del recuerdo: «Miro hacia atrás, hacia el árbol podrido que repentinamente se quedó sin sombra, y encuentro solamente un charco ensangrentado de silencio y una vía muerta por donde nunca pasó nadie».

El ritmo lento, reiterativo, tan acorde con el tono pausado de la meditación, constituye uno de los aciertos del libro. Se trata de una obra obsesiva y monótona que más que reflejar la experiencia del autor parece reflejar la memoria de la especie, como si fuera producto de una sabiduría heredada. El aparente hermetismo del libro desaparece considerándolo en su conjunto, ya que unos símbolos explican a otros. Así, el misterioso «pájaro de aceite» de que se nos habla en el fragmento inicial aclara su sentido comparándolo con la siguiente estrofilla del fragmento 17: «Los dioses han colgado sus lámparas de aceite en las higueras grises que ocultan la trastienda de la muerte». En ambos casos nos encontramos en presencia de un símbolo del conocimiento. El texto que acabamos de copiar, por otra parte, puede servirnos de ejemplo de cómo la prosa de *La lentitud de los bueyes* no es a menudo sino un disfraz tipográfico de los versos más frecuentemente usados dentro de nuestra tradición para este tipo de poesía meditativa: el lector habrá reconocido en él sin dificultad a un alejandrino, un heptasílabo y un endecasílabo. Otro ejemplo de cómo el libro establece sus propias claves: «Miro hacia atrás y sólo encuentro un lejano y dolorido olor a brezo», termina el último fragmento. El sentido de ese «olor a brezo» se nos aclarará si recordamos lo que se nos dice en el fragmento 15: «Te llevará en silencio hasta un lugar de brezos». Es la lejana y dolorida memoria del amor lo que el olor a brezos simboliza. BERNARDO DELGADO.

II.   Con un período de redacción que dura ya más de diez años, *Europa* es el poemario más elaborado y el proyecto poético más ambicioso de la última generación española. Nace la poesía de Julio Martínez Mesanza de una concepción básicamente moral. De esta manera, los referentes históricos, que repetidamente aparecen en los poemas de J. M. M., deben entenderse como símbolos de actitudes morales y no en un sentido culturalista puro.

La épica ocupa un lugar fundamental dentro de *Europa* en dos sentidos: por un lado, en cuanto a mundo de referencias y de valores morales añorados; y en cuanto género, opuesto a la lírica, que determina el tono narrativo de los poemas de J. M. M. Más difícil resulta señalar al completo los soportes referenciales medievales de la cosmovisión moral de J. M. M. En primer lugar, quisiera señalar que esta particular cosmovisión moral, halla su campo de acción en la intimidad del personaje poético, en la lucha interior de contrarios, y no en un planteamiento social o político frente al mundo actual, como habitualmente se ha interpretado. Los poemas de *Europa* no exponen la crónica moral de Occidente ni proponen una nueva moral que se materialice en posiciones políticas determinadas, sino que exponen la crónica moral del personaje poético y las soluciones propuestas no se refieren sino a soluciones íntimas.

En su última edición, *Europa* está integrado por siete libros distintos que agrupan los textos según el tratamiento temático. El primero de estos libros, *Varia*, está dividido en tres apartados de los que tan sólo el primero tiene el carácter de variedad que indica el título general. El segundo apartado trata principalmente los temas tradicionales de amistad y del amor, de un modo original y novedoso. La última parte de *Varia*, que lleva por título *Tartaria*, se ocupa de la debilidad que habita en el interior de los fuertes, que corroe el valor y el poder, que mina la voluntad del hombre. El tercer libro, *Nínive*, es el canto al poder, simbolizado en la figura de la torre, en sus diversas formas, justa o injustamente establecido, pero también es el canto a la corrosión y decadencia de dicho poder. *Libro de las batallas* es, por un lado, el canto al «combate que no vivo» y por otro, el canto a la lucha, expresión de la lucha interna entre valores morales contrarios, y a su capacidad renovadora. En *Nostoi*, quinto libro de *Europa*, el tema de la juventud perdida se mezcla con personajes simbólicos como el derrotado, el desertor, el usurpador, etc., en una configuración negativa. Si en *Nínive* comenzaban a hacer acto de presencia las fuerzas negativas, y en *Libro de las batallas* junto al canto de la victoria aparecía ya la derrota y la muerte, en *Nostoi* estos van a ser temas dominantes. *Trento*, expone, en esta degeneración progresiva, la derrota total, la pérdida de esperanza en el poder regenerador y ennoblecedor de la lucha, además de añadir un cambio cualitativo en *Europa*: el tratamiento de modo más directo de la realidad circundante. Aparece en *Trento* una temática, la religiosa, que aunque no había estado ausente en los libros anteriores, cobrará verdadero relieve en la última parte, titulada *Laudes Virgini*, en la que el canto a la Virgen, desarrollado dentro del tópico medieval, abre una nueva esperanza de salvación en la poesía de J. M. M. a través de la religión. *Europa* establece así tres pasos en su evolución temática: de un primer canto a la fuerza y al valor y a los presupuestos morales que de ellos se derivan, evoluciona al canto de la derrota, a la negación de lo establecido en la primera etapa, y sólo al final se abre una esperanza verdadera en la religión. JUAN JOSÉ LANZ.

VARIOS AUTORES

BLANCA ANDREU Y LOS SURREALISMOS

I.1.   Yo no sé si cuando Blanca Andreu nombra en *De una niña de provincias que se vino a vivir en un Chagall* (1980) a Rimbaud, o a Rilke, o a Villon, o al propio Garcilaso, está haciendo ejercicio de homenaje a sus demonios familiares. Pero lo que es evidente es que tales nombres funcionan al tiempo como claves, como referencias de engarce entre las distintas imágenes y entre los diferentes latidos de cada poema. Y así, desde el propio Chagall, que se asoma al título del libro, hasta Virginia Woolf, pasando por los ya citados, más Ray Bradbury («la tormenta somos nosotros»), Mozart, Bach, Saint-John Perse y Juan Ramón, los nombres y los datos se reordenan por sí solos dentro de un alucinado paisaje de arterias y mercurio. No se trata, por supuesto, de buscarle fantasmas o cordones umbilicales a B. A. Ya digo que ella misma nos lo sirve en bandeja para tejer la lectura y de ese modo ha de utilizárseles. Porque aquí los nombres y las citas no tienen otro valor distinto al de las imágenes puramente poéticas. Al menos a mí me resulta imposible hallar la diferencia entre el «Rainer María que ya no es tan joven como en la página 38» y «la campana vegetal que ya no suena y llora un zumo epílogo». En último término, y regresamos al principio de nuestras palabras, la imagen como espiral o enredadera es la más importante, tal vez la única fuente generadora de energía poética.

Dos cosas más. Primera: el lenguaje. Yo recuerdo haber leído en alguna parte que la poesía ha de conmover no sólo por su carga sentimental a secas, sino por la forma que esta tiene de convertirse en palabra *esculturalmente* intensificada, es decir, en superlenguaje. Creo que el de B. A. es un

I.1.   Julio Llamazares, «*De una niña de provincias que se vino a vivir en un Chagall*», *Pueblo* (4 de abril de 1981). 2.   J. E. Ayala-Dip, «La lengua de lo propio», *El País*, 12 de marzo de 1989.

II.   César Augusto Ayuso, «Amalia Iglesias: fulgor y seducción de la palabra», *El norte de Castilla* (17 de junio de 1989).

III.   Adolfo Castaño, «*Los versos del eunuco*. Odio y malditismo», *Reseña de literatura, arte y espectáculo*, 167 (1986).

buen ejemplo. En *De una niña de provincias...*, las palabras olvidan constantemente su significado original, incluso de un verso o de un poema para otro: no es el mismo el caballo esbelto, griego y mítico del poema que abre el libro que «el último caballo, oro, sobre asfalto celeste», ni «la cigüeña boba que pone sus huevos encima de mis heridas» se reconoce en «la cigüeña loca con alones de estricnina dorada». Asistimos, pues, a una esculturización del lenguaje, a la construcción de un *superlenguaje* que nada tiene que ver con el lenguaje inicial del que se toman los significantes. Ahí radica posiblemente la fuerza principal de la poesía de B. A.

La segunda cuestión es la del discurso, la de los contenidos de este lenguaje esculturado. Como de costumbre, el amor y la muerte. ¿Qué otro discurso cabe que no se solidifique en estos dos conceptos? Pero aquí hay algo más, excepcional por lo novedoso, pese a que muchas veces unos y otros se hayan acercado, casi siempre con mirada de púlpito, religioso o profano, pero púlpito, al tema de la droga. Yo me atrevería a decir, aun a riesgo de que se me observe con la sonrisa compasiva de quienes creen estar de regreso y aún no conocen las aceras de su calle, que este de B. A. es el primer libro de poesía española en el que se aborda con innegable coherencia el tema de la droga. Hasta ahora, hemos asistido a numerosos devaneos, por frívolos e insulsos, descalificados en sí mismos. Pero cuando leemos la tristeza de «esa niña con la vena extendida», cuando nos asomamos a ese paisaje de «agujas levantadas por nieve increíble», por «amarillo de palomas persas», tenemos la sensación inequívoca de asistir al preámbulo de esa inabarcable «eternidad de tiza» que B. A. parece entrever o presentir. Las imágenes se suceden interminablemente en dirección al sueño, a los «confines del sur», donde se acumulan los patíbulos, el veronal y las ocas coronadas de alcohol. Y cuando uno termina la lectura de ese discurso trepidante, de esa monodia arrítmica y anfetamínica, tiene la sensación de haber finalizado un largo viaje a la grupa del «potro que se tendió a tus pies despertando la espuma». Después, sólo queda la lejana sonrisa de una niña que llora por sus anchas caderas y que repite incansable su frase inacabada: «dile a la vida que la recuerdo, que la recuerdo».
JULIO LLAMAZARES.

2. En *De una niña de provincias que se vino a vivir en un Chagall*, B. A. formalizaba su discurso con un tono que ya nunca abandonará en sus libros posteriores: una suerte de solemnidad verbal que mucho, y lúcidamente, nos recordaba a Saint-John Perse, una inequívoca intensidad que personalizaba esa mecánica surrealista con que concebía la frase poética. No obstante, su autora se demoraba en el efecto multiplicador que toda imagen posee en lugar de compartirla con la idea que apuntala el poema. Y, sin embargo, la lectura de sus poemas nos dejaba el sabor gratificante de alguien que está fundando su propio reino. Con *Báculo de Babel* (1983),

B. A. nos reintrodujo en su lengua. Su sentido de la voluptuosidad verbal se comprime en función de un propósito más urgente y personal. Y siendo también un libro sobre el amor, se cuestiona su propia materia. Y lo hace con un fervor casi religioso. De ahí su gravedad. Y la sospecha iluminadora de que el libro por venir tiene forzosamente que ser *otro*.

En *Elphistone* asistimos a un proceso de reordenación de los elementos gramaticales de los dos libros anteriores. El período sintáctico se repliega dejando al descubierto un paisaje más concreto: «Cuando callaron los vencejos, / un ladrón volvió al cruce de calles dirigiendo a la luna / inéditas súplicas ...». La imagen ahora —siempre límpida y sonora—, aun valiéndose por sí misma, se nos presenta amparando a los objetos del poema, como si de esta manera ella se sintiera también más amparada. Objetos sensibles, anunciados desde el comienzo del primer poema como los seres y las cosas que hallaremos en el viaje que B. A. nos traza: un navegante («el oscuro capitán Elphistone»), la sombra de un caballo, lágrimas, belleza, imperios, etcétera. Aun cuando el poema se sigue concibiendo como un problema de estilo —que diría Guillermo Carnero—, B. A., en *Elphistone*, resuelve con contundente belleza esa inoperante dicotomía entre comunicación y expresión.

Todo libro de poemas es una exhortación. El que ahora presentamos lo es para que compartamos una aventura. Se apela a nuestra consideración o piedad porque el triste héroe (elegante «en la piratería») de esta peripecia no la exige. Como tampoco la exigían las criaturas que pueblan el poema «Exilio», de Saint-John Perse; como no la exigía el guerrero vencido de *Las lanzas*, de Velázquez. El arte del poema deviene entonces arte de la conmiseración. Y aquí radica una de las mayores dignidades de este libro. Y también en ese encuentro crucial entre la palabra que narra y el poder de encantamiento poético de lo narrado.

No falta luego en *Elphistone* el disimulado automatismo de su primera época, disfrazado por tenues solecismos. Tampoco las incrustaciones fragmentarias, como *Cinerarias*, cediendo al hermetismo de estirpe ungarettiana. Y el tono exclamativo, hímnico, que nos conduce a los mares de Hölderlin y al ritmo lejano y transfigurado de Píndaro. B. A. ya es dueña de un sistema poético. Su poesía nos reclama para que entremos en ella como si lo hiciéramos —para decirlo con palabras de Lezama Lima— en otra era imaginaria. Aglutina varios orígenes; con algunos de estos hemos viajado ahora, siguiendo la ruta que ese maldito *flâneur* marítimo que es el capitán Elphistone nos ha fraguado. Invitémonos entonces con esta alta poesía. J. E. AYALA-DIP.

II. Al concedérsele el Premio Adonais en 1984 por *Un lugar para el fuego*, de inmediato la crítica comenzó a alinearla a la sombra de Blanca Andreu, que con su libro *De una niña de provincias que se vino a vivir en un Chagall* marcó un nuevo hito en los estilos poéticos de la posguerra liberando en él un surrealismo particular, exótico y brillante. Es evidente que el lenguaje imaginativo y extenso de Amalia Iglesias, un mundo onírico y alucinado, la convierten en oficiante de un nuevo surrealismo; no obstante, a pesar de que algunos de sus temas recurrentes: el amor, la infancia, la muerte..., o el uso evocativo de ciertos nombres propios de la cultura y el arte, se encuentran también en su predecesora Blanca Andreu, la poeta palentina —nació en el pueblecito de Menaza en 1962—, residente en Bilbao desde los catorce años, canta con voz propia y recrea un universo lírico que nace de veneros más íntimos. El neosurrealismo de A. I. fecunda un mundo intimista y se goza reinventando en un lenguaje de insólitas y fúlgidas imágenes una realidad que anida en la sorpresa, en la ensoñación y en el éxtasis.

Entre la constelación de temas y obsesiones que figuran en *Un lugar para el fuego*, acaso sea la infancia el eje de su canto. Se adivina en esta primera obra un deseo de vivir, y es por ello, en ciertos poemas, una invitación al gozo de la existencia, entendida como vivencia de los sentidos o como recinto para el sueño. Las palabras que van creando los poemas sirven igual para paladear una realidad ya gozada cuanto se abren a un mundo nuevo, divisado, anhelado. «Te buscaré para decirte / que estoy enamorada de la vida», así arranca el libro. Y la vida es el gozo más puro, «la puerta / siempre abierta / al alba», sólo en la infancia, en el umbral donde la memoria se inaugura. Como Rilke, es la infancia el reino del hombre y siente el poeta su paso. Le duele, por lo tanto, el no poder fijarla, ver cómo, tras ella, todo se desvanece: «Sobre la arena / un niño rosa olvida nuestros nombres, / un niño circular, / con el estigma de los astros inútiles, / ordena el ritmo de las olas, / inventa sonrisas para musas estériles, / abre hipocampos y puentes con ausencia». [...]

Memorial de Amauta (1988) es un segundo libro que, si bien mantiene pautas estilísticas y temáticas iniciadas en el anterior, traduce principalmente el desasosiego de la llama amorosa, la ceniza que va dejando en la conciencia poética, algo que en aquel estaba aún poco pronunciado.

En muchos de sus poemas lo que se trasluce es una auténtica pasión amorosa, un súbito rapto erótico que infunde en el léxico y en las imágenes un dinamismo exasperado, un anhelo de violencia, de insatisfacción. Recuerda por ello, con las debidas distancias, los ámbitos amorosos de la poesía de Miguel Hernández o Pablo Neruda. Y, no pocas veces, se sumerge en la paradoja, en la tensión de contrarios tan propia del mundo barroco, con el aporte añadido de una expresión brillante, conceptual o derramada, según modos. «Amor humano» o «Hacia la deshabitud» ejemplifican bien lo dicho. En ellos pueden observarse algunas de las imágenes más recurrentes y personales con las que esta autora refleja la entrega amorosa, la pasión y la magia de los cuerpos encontrados: un léxico y un paisaje marinos que no cesan de renovarse. Por ejemplo, «Cuando habito tu cuerpo se estremecen las islas, / un mar que desconozco / como la sangre de las invocaciones». La luz, la noche, los espejos... son otras claves emotivas, otras palabras imantadas de sugerencias y emociones inasibles. Sin embargo, es un prodigio de riqueza y variedad la imaginería del agua, «la lujuria del agua», que dice en un poema tan significativo como el que lleva por título «De luna acuática y ballenas». El oscuro poder simbólico del agua y sus derivaciones semánticas expanden a través del libro profundas resonancias míticas, llamadas ancestrales, signos freudianos donde anclar lo indecible.

También pudiera tildarse esta obra de entonación romántica, pues el amor es vivido, o revivido, como abismo, como vértigo, como éxtasis, como totalidad e infinito, a pesar de que la fugacidad, el instante efímero, marca la experiencia de la posesión del cuerpo y el reino del ser amado. Refleja igualmente un mundo exclusivo entre los dos protagonistas y entre el tú y el yo de los amantes, la naturaleza, lo circundante, se plega a su vivencia: «Los astros, igual que los guijarros, doblegan sus rodillas / y caen hacia la locura desde tu rostro acantilado».

Todo es testigo de un amor suicida, de un vértigo sin retorno, como afirmación de lo imposible, como algo definitivo e insostenible, imborrable y autodestructor. Tan bellamente lo expresa en este apenas apunte de tres versos: «Después de tus ojos, / mi corazón se arrastra hacia la orilla / como un enorme cachalote suicida». Fruto de esta impotencia es la soledad, testimoniada frecuentemente en fulgurantes imágenes como recuerdo de lo perdido, en poemas como «Monólogo de la isla», «Certidumbre de la ausencia» o «Teléfono muerto». De ello se desprende la obsesión del tiempo, la vuelta al pasado, la desazón del fracaso. Se borran los instantes porque no volverán. CÉSAR AUGUSTO AYUSO.

III. La actitud humana que le llega al lector a través del nuevo libro de poemas de Luisa Castro, *Los versos del Eunuco*, sigue siendo, como en su entrega anterior, *Odisea definitiva*, literariamente airada.

El espacio imaginario; los datos reales que sustentan la transformación en signos poéticos; la dicción persistente, continua, que enfrenta lo vivo, «nieve», lo que no cae dentro de nuestro mundo urbano, con lo que los hombres hemos fabricado, «paredes», converge en una palabra terrible, abarcadora, desoladora: Odio. No hemos cuantificado la recurrencia de su aparición a lo largo de las páginas del libro, pero damos fe de que aparece con la frecuencia suficiente para no estar escrita al azar.

[¿Cómo procede L. C., cómo organiza su odio?] Consideremos la secuencia de citas: Tíbulo, Terencio, Ezra Pound, Tristan Corbière, Artaud, Leopoldo María Panero. Nos encontramos con una serie de poetas «malditos» que acentúan su parentesco entre sí y con la poeta que los cita. «Será mi alma un buen alimento para perros», dice Leopoldo María Panero. «Se mató por ardor o murió por pereza», dice Tristan Corbière. «Han traído rameras para Eleusis. Cadáveres se aprestan al banquete por orden de la usura», dice Ezra Pound. Semejante ceremonia de apoyo a la propia actitud, nos hace pensar en la necesidad de ser alentada por seres de idénticas características que siente L. C., por seres pertenecientes claramente a la estirpe de los «transgresores». (Queremos marcar la importancia de las citas latinas. L. C. en tres ocasiones utiliza, sin traducirlo, un lenguaje culto y mágico, lenguaje que la aísla más del contexto «normal», y con el cual ella juega un juego de aceptación y ataque, semejante al de las otras citas, pero con un sentido distorsionador, puesto que Tíbulo y Terencio, dándole pie para el uso de sus sugerencias, la encadenan y la mutilan, la atan a una cultura sacralizada.)

Es apasionante ver cómo los movimientos del lenguaje de L. C. se organizan con imaginación móvil para liberarse de la estructura: «Era la primera ceremonia y nos queríamos con savia en la garganta porque el amor sobrevenía con un lujo de ola que no cae». «Versos como incendiarse en lechos, hundir / la espuela y dame / la trinidad oscura de tu alma, / el cajón extraño de tu cuerpo, y alta / parábola de ti / y / yo / que vivo al otro lado del incendio / ausente y silenciada / y cantando cosas tristes ...» Y cómo estos movimientos del lenguaje son cercados por «Multitudes de enemigos como desbocadas hembras sin pelo / nos arrastraban al puerto oscurecido / de la ciudad / a ver zarpar / el último barco».

¿Quién es el Eunuco? Personaje multiforme, cercano y lejano, mutilado y capaz. Nos recuerda, en su presencia, al cadáver de Amadeo o cómo desembarazarse de Ionesco, amenaza creciente de potencial insólito. L. C. dice de él: «Me amamanta con sencillez.

Recoge su lengua, / olfatea mis víveres y se va. / Vértigo y parto».
«Si el eunuco se enfría en mis rodillas / le digo que sí y nos
queremos con las espadas altas». «Y así fue que cada día llegaba
más amarillo, con aliento amarillo de vaca y los ojos colgándole
sobre un fondo amarillo... Lo desnudaron con evidente rubor pues
su cuerpo en los últimos tiempos había ido cobrando un aspecto de
doncella virginal apetecible hasta para un gendarme... Sus dimensiones habían empequeñecido adaptándose a las formas femeninas
con la sinuosa cadera, con los pechos oscilantes.»
   L. C. combate para que el Eunuco no adopte formas que no le
corresponden. «Quise explicarles que venías de muchas guerras, quise
contarles la verdad de lo del muñón. Pero los gendarmes se apresura-
ron a enseñar en la plaza sus heridas a las gentes que se apiñaban y
me llamaban devoradora de ángeles, pecadora de la guadaña en alto.»
El rol femenino y el masculino entran en colisión para situarse en un
terreno estrictamente humano, con atributos que no marquen un destino. El adjetivo que viene de fuera, que no nace en la persona,
incide en este orden nuevo como un cuchillo. ¿Está justificado el
odio? ¿La palabra, puede actuar de salvadora? L. C. termina su libro
con este verso: «Cuánto tiempo he de esperar». ADOLFO CASTAÑO.

VARIOS AUTORES

MÁS ALLÁ DE LAS PALABRAS

   I. En *Los nadadores* y *Un aviador prevé su muerte* de Justo
Navarro, surge para la nueva poesía un mundo poético insólito y
prodigioso: la perfección está en la factura, la originalidad en la

   I. Rosa Romojaro, «De perfección y misterio», *Puerta oscura*, 5 (1987), pp. 54-55.
   II. Justo Navarro, «Lectura de Rosa Romojaro», *Sur Cultural*, 110 (4 de julio
de 1987).
   III. José Luis García Martín, «Nombrar el Misterio», *Diario de Jerez* (30 de
abril de 1989).
   IV. Vicente Gallego, «*La noche junto al álbum*, de Álvaro García», *Ínsula*,
517 (1990), p. 20.
   V. Juan José Lanz, «Diego Doncel», *El Urogallo*, 64-65 (septiembre-octubre
de 1991), p. 89.

materia poetizada, el prodigio en el resultado. Vemos en estos libros cómo lo «propio» de la obra de arte, lo que le da carácter de monumento, de residuo, es justamente la potenciación del ornamento, de los recursos institucionalizados (Heidegger-Vattimo). Nos asombra, en primer lugar, la fusión entre el férreo cuidado formal de los textos y su liviandad: rimas y estrofas rigurosamente dispuestas que diluyen su impacto mediante el sabio uso de los encabalgamientos. Si en *Los nadadores* predominaba el esquema métrico del soneto inglés, en *Un aviador prevé su muerte* abundarán, bajo patrones modernistas, combinaciones fijas de alejandrinos, heptasílabos y endecasílabos. Existen, pues, modelos formales como existe voluntad de exteriorizar modelos de sentido.

La intertextualidad (Kristeva-Barthes) es consciente en estos libros de J. N. y no sólo intertextualidad literaria: la relación con el cine, con el pospop (Brian Ferry, Lou Reed, David Bowie), incluso con la pintura (E. Hopper, D. Hockney) también es patente. Rastreamos en *Los nadadores* conexiones con Gimferrer («Escapada»), Domenchina («Melodrama»), Baudelaire (el poeta como nadador), Juan Ramón Jiménez («El pasado es un muelle»), T. S. Eliot («Una vez»), Ungaretti («Fox-trot»), W. Stevens («Domingo»), Scott Fitzgerald (*Los nadadores*), con la novela y el cine de la serie negra americana, como el fundido de la ahogada en la piscina («Piscina Astoria, 1965»), con el ahogado de *Sunset Boulevard (El crepúsculo de los dioses)*; en *Un aviador*, los mismos títulos de los poemas marcan la conciencia de intertextualidad del poeta. [...] El propio nombre del libro está tomado de un poema de W. B. Yeats («An Irish airman foresees his death») que le confiere tono. Homenajes, pues, culturales en la creación de este mundo personalísimo que nos ofrece J. N.

Tanto la atención puesta en los modelos, en la tradición como el extremo cuidado con el que se enfrenta el poeta a la página en blanco constituyen rasgos que se pueden considerar manieristas. Diríamos que la *maniera* se desarrolla en estos libros a partir del refinamiento de la clasicidad y de la estilización de las formas, la estudiada artificialidad conduce a la sencillez y a la pulcritud (a la asepsia). Rasgos manieristas serán también la preferencia por lo concreto, la singularidad de las metáforas (especialmente eólicas y acuáticas), el clima gélido de las representaciones de objetos (superficie fría), el intento de captar lo fugaz y evanescente, y el juego sinecdótico de las imágenes.

Frente al procedimiento más usual en la poesía basado en la metáfora, estos poemas funcionan por contigüidad, por metonimia, como en la narración o en el cine: se parte de la historia de un momento preciso y se enfocan diversos ángulos de visión, planos o partes (intervención de la sinécdoque) desarrollados mediante imágenes que se encadenan unas a otras. De aquí el carácter de novela que Antonio Muñoz Molina (*Olvidos de Granada*, 12) atribuía a *Los nadadores*, observable también en *Un aviador prevé su muerte*. Si allí el clima de misterio producía la tensión de la trama, en estos últimos poemas el misterio se verá teñido de indolencia. Libros ambos inquietantes donde la muerte jugará un papel decisivo, en uno, muerte intempestiva y sorprendente, en otro, muerte asumida casi como un personaje más de la fábula.

El clima de suspense se consigue en *Los nadadores* mediante distintos recursos: los planos captados en la toma-poema son instantáneas diferidas hasta la irrupción de un elemento que rompe la secuencia (la llamada desde algún sanatorio, el cadáver del extranjero), antítesis e interrogaciones que cortan el discurso («son suaves / como espinas», «¿Te acuerdas de la ahogada en la piscina?»), o paréntesis que hacen demorar el razonamiento detenido de improviso («Te entrega ... de madrugada a sus merodeadores»); a veces son las mismas palabras las que infunden inquietud a la narración («Hay días de sigilo como panteras negras», «es un cuchillo», «rumores», «tiembla», «nictación»), los espacios elegidos (piscinas, gimnasios semivacíos, estadios, dormitorios asépticos), o la presencia personificada del pasado, la memoria, la culpa, y los objetos vigilantes en la luz (luz nítida, lisa, limadora), o los secretos visos de luces y sombras. [...]

Parece que J. N. partiera del principio de que el poeta ha de traducir los hechos en imágenes, ha de pensar la realidad en imágenes, como lo hiciera Proust. Todo es un continuo engarce de metáforas y de símiles inesperados y exactos en los que los términos que se comparan pertenecen a campos muy lejanos. El ángulo de la imagen es muy amplio y anómalo. Son verdaderos hallazgos que provocan el placer de la lectura, el espacio del goce. En *Los nadadores*, el día es una pompa de aire en una vena; serán dos frutos fríos los aros de los ojos, y su clamor, sigiloso como un guante amarillo o como una libélula suspendida. [...] En *Un aviador prevé su muerte*, junto a las imágenes de la luz y del agua que dominan el texto, se introduce el tema de la caída imaginaria (Bachelard) ya desde su título: planeadores que pierden vuelo, parálisis de aeroplano caído, el ángel caído, el azul arabesco de un pájaro-avión. Paraíso de las palabras en estos dos libros de J. N. donde el prodigio es la norma. Dirección nueva en el panorama poético español en la que se combina la originalidad con la perfección más absoluta. ROSA ROMOJARO.

II. Rosa Romojaro ha reunido su poesía del período 1983-1986 (*Secreta escala, Funambulares mar, Adverbios, Desde los miradores, Papel japonés 2*) bajo el título transparente *Agua de luna*, y le confía a T. S. Eliot la explicación de tal empresa de inventario. La memoria, dice Eliot en la cita inaugural de *Agua de luna*, cumple el oficio de la liberación: no le extrañará, pues, al lector el proceso de depuración que parece seguir la obra de R. R. De la serie de cuatro textos que arman *Secreta escala* (1983) al conjunto final de diecisiete haikus de *Papel japonés 2* (1986), la trama de los signos sufre un doble efecto de condensación y disolución: la tensión extrema de «Cámara lenta» —los cinco haikus que cierran el volumen— ejemplifica de qué modo el discurso de R. R. se desenvuelve a partir de esta paradoja.

Secreta escala se despliega, desde su mismo nombre, como homenaje a la tradición manierista-barroca de la poesía en castellano: una imaginería de guerra asume la representación del teatro amoroso. Las relaciones de R. R. con la tradición son también evidentes en la serie *Funambulares mar*, en la que se revela además la clave de lectura con que la autora empleaba los utillajes del barroco: intercalando a Rimbaud y a Mallarmé en su texto, R. R. subraya la filiación simbolista de sus poemas. La maquinaria poética funciona aquí como anunciadora de una realidad sólo factible en tanto que ruptura con la apariencia de realidad: la estilización lingüística marca la escisión entre el mundo del discurso y el discurso del mundo. La ironía reticente con que R. R. afronta sus mejores textos (pienso, por ejemplo, en «A lecturas de Ovidio, infiernos particulares») muestra, sin embargo, el revés del tapiz: el proceso de apropiación de la singularidad de los objetos y del propio sujeto exige que se acepte la multiplicidad de las tradiciones. La voz inscrita en la página blanca debe ser una encrucijada de voces.

Así, la sección *Adverbios* franquea una barrera: R. R. explora, en la construcción del poema, la materialidad de su lenguaje. El rigor del ritmo de heptasílabos y endecasílabos que, hasta este capítulo, dominaba en *Agua de luna* se deshace engañosamente: con engaño, pues las frases de *Adverbios* desarticulan, en una operación de distanciamiento, heptasílabos meticulosamente medidos. [...]

Las líneas que abren *Desde los miradores* resultan emblemáticas: «Sin voz, / con la imagen huida que atraviesa el espejo» («Retina»). La página en blanco y la posibilidad de la escritura (es decir, de la identidad) se han instaurado como único lugar del poema, tal como sucede en toda poética de raíces simbolistas que se desarrolle hasta sus consecuencias últimas. El folio virgen se averigua espejo, agua de luna, lago de Ofelia. [Por otra parte, en *La ciudad fronteriza*

—anticipo del nuevo libro de la autora—,] el espejismo de las tradiciones y de los monumentos literarios queda como metáfora de la fugacidad, figura límite —como señala certero en su «nota a la edición» Enrique Baena— de la conciencia «en su advenimiento o su frágil huida». Justo Navarro.

III. De entre las varias líneas que constituyen el entramado de la más joven poesía española, Álvaro Valverde ha escogido la menos accesible para el lector común, la que, desdeñando fáciles ironías y nuevas o viejas sentimentalidades, convierte al verso en una lúcida herramienta de indagación en el misterio de lo real.

Ya el primer libro de Á. V., *Territorio* (1985), mostraba una decidida vocación de estilo, un deseo de violentar la sintaxis, de multiplicar las referencias intelectuales, de enrarecer la anécdota y ensordinar el canto, que lo apartaba de buena parte de sus compañeros de generación, más partidarios de referirse a «lo que pasa en la calle», de cultivar una poesía urbana y de la experiencia, que de aludir crípticamente a «los eventos consuetudinarios que acontecen en la rúa» o de internarse en metafísicos laberintos.

En un segundo momento, prescinde Á. V. de los barroquismos experimentales de *Territorio*, a veces un tanto gratuitos, y adelgaza su poesía hasta convertirla en emblemática representación de la corriente minimalista. Los cuadernos *Sombra de la memoria* (1986), *Lugar del elogio* (1987) y *Variaciones* (1989) ejemplifican una poesía que se aproxima peligrosamente, para decirlo con uno de sus versos, a «un vacío poblado de ecos», pero que, en ocasiones, consigue la nitidez y la capacidad de sugerencia de la lírica de oriente, de los maestros del haiku.

Fruto del cansancio de la insistencia en el poema breve, según ha declarado el propio Á. V., son los textos de *Las aguas detenidas*, que constituyen claramente una nueva etapa en la evolución poética del autor. No es que los poemas resulten ahora de gran extensión —en torno a los treinta versos—, pero el contraste con el despojamiento anterior resulta notable. El período sintáctico puede demorarse, desarrollarse, perderse en complejidades que incluso a veces, si bien raras veces, escapan al dominio del autor. [...]

Comienza el libro con una cita de María Zambrano, madre y maestra de los poetas que bucean en las lindes donde se entrecruzan poesía y metafísica: «Y lo que apenas entrevisto o presentido». Del sentido oculto de las cosas que se nos revela, o creemos que se nos revela en fugaces instantes hablan los poemas de *Las aguas detenidas*; de ahí su dificultad, lo que de inasibles tienen para el lector: la experiencia a comunicar resulta, en última instancia, como en la mística, inefable; el poeta sólo puede aludir a ella, bordear sus huellas con circunloquios, dejar que adivinemos.

Las notas finales concretan temáticamente dos de los textos, homenajes a otros tantos poetas. Como una lectura de Aníbal Núñez, uno de los evidentes maestros de Á. V., se nos presenta el poema XVII, imprecisa evocación del entorno salmantino que tanta importancia tuvo en la vida y en la obra del autor de *Alzado de la ruina*.

Del poema que viene a continuación se nos dice que «recrea, siquiera levemente, una anécdota contada por Dámaso Alonso a propósito de una visita a Pedro Salinas durante su estancia en Baltimore». La comparación entre la anécdota que cuenta Dámaso Alonso y lo que de ella ha recogido el poema de Á. V. resulta sumamente ilustrativa de su manera de hacer: tan leve es la recreación que sólo mínimos rasgos descriptivos han pasado del artículo a los versos, [porque] la manera que Á. V. tiene de recrear una anécdota consiste en difuminarla de tal manera que acabe por desaparecer.

El gusto por lo rural, el rechazo de la escenografía urbana tan característica de buena parte de la poesía joven, es otro de los rasgos distintivos de *Las aguas detenidas*. Se nos habla de cerezos y de acequias, de norias y almiares, de la fruta caída y «del rumor de los árboles / cuando el ábrego acecha», pero no hay ninguna sensualidad en esta evocación de la naturaleza: el paisaje —entrevisto como a través de un vidrio esmerilado— es sólo el escenario en que se aguarda el instante de la revelación, cierta inefable e imprecisa trascendencia.

La trayectoria literaria de Á. V., su radicalidad en la búsqueda de un lenguaje y de un mundo propio, resulta ciertamente ejemplar. Otra cosa es que los resultados pueden dejar a menudo insatisfecho al lector, que a veces llega a tener la impresión de que, bajo la tersura del verso —siempre melodioso—, se esconde el vacío o, lo que quizá sea peor, superfluas vaguedades. Pero ese es el riesgo a que se ve abocado quien no desea limitarse —como tantos— a las florituras del modernismo menor, al epigonismo de Gil de Biedma, a poner en verso triviales anécdotas biográficas con la excusa de la «poesía de la experiencia». La renovación de la adocenada poesía actual vendrá, sin duda, de la mano de autores como Á. V.   JOSÉ LUIS GARCÍA MARTÍN.

IV.   La obra de Álvaro García supone más un reflejo de atmósferas y sensaciones que de grandes sentimientos o arrebatos pasionales. Los poemas de *La noche junto al álbum* (1989) son pretendi-

damente contenidos, intentan turbar al lector a través de la sutili-
dad, del detalle. No le interesa al poeta agarrarnos por las solapas,
ni imponernos el peso de un desastre moral, y mucho menos desnu-
dar sus heridas ante nosotros para obtener así nuestra solidaridad.
Á. G. busca lo más difícil, y no por rizar el rizo, sino porque así es
su personalidad. Intenta hacernos partícipes de lo que es a veces tan
etéreo que el poema sólo puede insinuarlo, y eso es lo que consigue
en los mejores casos.

Es natural que en una poesía tan basada en el misterio cotidiano de las
cosas, la infancia cobre un gran protagonismo, porque es en ese período
cuando el mundo se nos presenta más desconocido y más intenso. En el
poema titulado «A Gabriela» leemos: «el domingo en el campo solía termi-
narse / inseguro y oscuro como la carretera / de vuelta a la ciudad», y en ese
instante tan común, y ya casi olvidado, nos devuelve el poeta la magia que
un día nos embargó, la intensidad de un episodio de apariencia banal. En
«Noche en esta ciudad» encontramos los siguientes versos: «esta misma visión
lo lleva hoy / a la primera vez que vio el quiosco / cerrado, a la impresión
de extraña muerte / que le produjo ver una ciudad / distinta a la del día».
De nuevo la insistencia en un universo sorprendente por cuanto tiene aún de
continuo descubrimiento en los hechos más vulgares y repetidos, pero que
vuelven a estremecernos gracias al poder de la palabra, una palabra justa,
sugerente, que puede parecernos fácil, pero que está completamente calculada.

«La vida se hace digna y objetiva / y uno termina siendo lo que otros»,
escribe el autor, y es esa conciencia sosegada y personal de la «simplicidad»
de todo lo que otorga al libro voz propia, porque en esa aparente igualdad
reside la diferencia del que se mueve en un mismo universo que los demás
pero sabe percibirlo y transmitirlo en toda su magia complicada y oculta. No
se descarta, para conseguir este propósito, la utilización frecuente, aunque
muy sutil, de la ironía: «Este último otoño de Facultad de Letras, / mira el
ocio sensato de los *gentlemen* / y, al final de la copa, imagina la vida de su
lado. / Todos tienen carrera y todos están tristes».

Á. G. ha sabido reunir para nosotros esos instantes desapercibi-
dos que luego solemos olvidar y a los que, sin embargo, no podemos negarles una alquimia especial, un estremecimiento verdadero,
y esto por medio de un verso cuidado y limpio, medido y contenido, que acostumbra a ser el heptasílabo, el endecasílabo o el alejandrino, pero manejado con una soltura y un sello especial que nos
hacen reconocerlos como suyos, sin descartar la curiosidad de la
sextina «Tren de vuelta», una de las estrofas más complicadas de
la prosodia castellana, de la que sale sorprendentemente airoso.

Una poesía difícil y a la vez sencilla, dicha a media voz, que no pretende sorprender, aunque sí encantar, seducir discretamente, porque como en esas grandes pasiones que el tiempo va mudando en cariño y cortesía, su única ley, la que no se extingue y ata de verdad, es la ternura. VICENTE GALLEGO.

v. Con *El único umbral* conseguía Diego Doncel el Premio Adonais 1990 y relanzaba una línea poética muy olvidada en los jóvenes autores: una poesía de enlace con la mística. Como muy bien ha señalado Miguel Casado, *El único umbral* se inscribe dentro de una tradición literaria española que se vincula, por un lado y en su forma primera, con los debates dialogados de la Edad Media y, por otra parte, con la tradición mística, estableciéndose como abstracción y comentario del espacio místico y no como mera continuación. Es decir, *El único umbral* se establece como reflexión sobre la experiencia mística y, por lo tanto, se desarrolla en un plano ironizado.

El único umbral refleja un viaje hacia la unidad ansiada, hacia la unión entre el Ser Supremo y el hombre, un viaje a través de la muerte, vista como unidad y como tránsito. Como en la más pura tradición mística este viaje espiritual hacia la unión y con Dios pasa en *El único umbral* por tres fases distintas o vías: una vía purgativa, una vía iluminativa y una vía unitiva. Las tres partes centrales del libro representan la experiencia de cada una de estas vías, mientras que la primera parte, «Voces», es una iniciativa al camino místico y la última, «Punto de fuga», sirve de reflexión epilogal. «Voces» se estructura en tres poemas que tienen su eco, como ha quedado indicado, en la tradición del debate dialogado medieval, pero que también recuerdan al diálogo con interlocutor ausente del *Cántico espiritual* de san Juan de la Cruz. Los dos primeros poemas son una presentación de la muerte al alma, donde aquella es definida como otro modo de vida más verdadera. El tercer poema es una «Oración del alma», donde esta se prepara para iniciar el viaje hacia la unión con lo absoluto a través de la muerte.

Una vez iniciado el viaje, la muerte será el «único umbral» que habrá que atravesar para lograr la unidad ansiada. De esta manera, la segunda parte del poemario, *El único umbral*, desarrolla en sus dos apartados la «vía purgativa» de los místicos. El primer apartado, «El demonio presente», expone en sus dos poemas la desposesión necesaria del cuerpo, como símbolo de toda la realidad terrena, para así poder alcanzar la unidad con lo absoluto. Por el contrario, en el segundo apartado «El otro revelado» la muerte física del cuerpo, la eliminación de lo terrenal, da origen a otra vida más pura en la misma muerte. Esta vida en/después de la muerte hace que se intuya ya la presencia de lo absoluto.

«Sub especie mortis», tercera parte del poemario, ilustra la «vía iluminativa» mística, por la cual el Ser Supremo, el Absoluto, muestra un saber especial, completamente distinto al humano, que en esta fase se «ilumina». Si el alma, desposeída ya de todo lo terrenal, se concreta en la meditación de lo absoluto e intuye un conocimiento nuevo, resulta evidente así que esta parte lleve como subtítulo «Una visión del alma». Los poemas de «Coros, plegaria y desposorio», como del título puede desprenderse, exponen la «vía unitiva» de los místicos, en la cual el hombre se une a lo Absoluto. Una vez unidos, se percibe un cierto panteísmo, la conciencia de que todo forma parte de lo Absoluto. El éxtasis místico hace que el hombre se anule para confundirse con el Ser Supremo. El último poema, «Punto de fuga», inspirado en el paisaje que rodea el cementerio de Deià (Mallorca), donde se halla enterrado Robert Graves, es un canto epilogal al triunfo del alma sobre la muerte. Así *El único umbral*, que se había iniciado con un diálogo entre el alma y la muerte, se cierra ahora con la proclamación de la supervivencia del alma sobre la muerte.

Con un lenguaje seco, abstracto y preciso, que atiende más al intelecto que a los sentidos, dado su nivel de reflexión, y que no hace ninguna concesión a lo superfluo, consigue D. D. un libro cuya filiación no resulta extraña en la tradición de los premios Adonais. JUAN JOSÉ LANZ.

LEOPOLDO ALAS Y OTROS

LAS TRADICIONES

I. *Orphénica lyra* —sinfonía para soneto y haiku—, de Luis Martínez de Merlo, está organizado en una estructura acabada, en una secuencia de poemas que bien puede decirse circular (pues el principio contiene el fin) y simétrica. *Orphénica lyra* es una visita al

I. Leopoldo Alas, prólogo a Luis Martínez de Merlo, *Orphénica lyra*, Colegio del Rey, Alcalá de Henares, 1985, pp. 7-10.
II. José Antonio Sáez, «La plenitud gozosa», *Ideal* (Granada), 4 de octubre de 1991, p. 35.
III. Celia Fernández, «El amor como escritura de una pasión que da el conocimiento», *Ínsula*, núm. 541 (enero de 1992), p. 16.

Olimpo: en el primer poema la diosa se levanta el velo y ofrece ser contemplada a cambio de que el poeta muera «un poco más» por ella; en el poema final Ganimedes (Luis Martínez de Merlo) ha vuelto a la tierra y duda de sus recuerdos: «Pasan sombras de nubes / la copa, ¿era de oro?». ¿Qué nos han mostrado los dioses a L. M. de M. y a nosotros sino el universo entero, en definitiva: el «niño absorto» que no vuelve, pero que siempre permanece, los disfraces de una naturaleza obsesivamente presente y móvil, noches, transatlánticos, bosques y fuentes, la luna en el mar y en el asfalto, jadeos, claveles y almendros, Narciso, Tiziano, el jardín del Pincio, las cúpulas de Roma, Canaletto, el Tasso y los palacios de Nara?

.En los sonetos trata el poeta, distribuyéndolos en secciones, de temas variados, mitológicos, dantescos y de la juventud y la adolescencia. A esto se suma la presencia del Oriente, que es, en sus versos, el mundo esperado, la proyección de los deseos más nobles —nunca culpables— y también los perfiles limpios de la perdida Arcadia; los anhelos y las añoranzas funden así sus matices en la estatua de Siva (destructor y fecundador), en el Tokio imaginado, en Matsuo Basho, sus haikai y su amor a la naturaleza... Pero Oriente es, sobre todo, un posible punto de partida del pensamiento más libre y desprejuiciado (L. M. de M. no oculta su pasión por el taoísmo, por la realidad primera, la fusión del *yin* y el *yang* y los paraísos de inmortalidad).

Las referencias que van dando cuerpo a este libro son, valga el símil, como los cambios de clima o las épocas distintas de una ciudad; no son las armas retóricas con que suele la poesía académica ocultar su banalidad, ni son un síntoma de la irritante esterilidad que asuela el panorama actual de las letras; se trata más bien de un entramado sutil de sugerencias, un juego que nunca olvida la relación entre las palabras y la realidad. Es decir, las piruetas de la imaginación son también las formas cambiantes de una revelación poética: el transcurso del tiempo queda concebido como un viaje que la memoria vertebra; y la memoria del poeta se identifica con todas las voces de una suerte de memoria colectiva y ancestral que reclama a los hombres: «Más como a mí me empuja la memoria hasta allí / también a ti unas voces muy antiguas, muy dulces, mágicas allí te reclamaban». Asistimos a una peregrinación que en los momentos más intensos es urbana y en los más serenos onírica y vaga como las metáforas; peregrinación que es el propio libro y que está animada por un deseo de claridad moral. [...] Detrás de los cambios del paisaje, en cada mutación, en la variedad de registros poéticos hay una espera común, el deseo obsesivo de un náufrago o de una gheisa —como Ariadna— abandonada: «Y verás cómo un día se levanta / bello, un hilo de humo en los confines / extremos de la mar ¡un barco, un barco!» [...]

En esta poesía de opuestos, animada por dos ausencias fundamentales que son lo pasado y lo por venir, el amor es una constante, y como tal se salva del juego atormentado del tiempo, sus frustraciones y sus remordimientos: no es el amor concebido, sino el amor vivido; no el artificio y la derrota del dandy —que busca lo imposible—, sino el amor que sólo es amor si es posible, si existe. Pero en *Orphénica lyra* el amor es, sobre todo, una *sintaxis*, un pulso especial en la escritura que la hace sincera, consciente y apasionada: las fórmulas poéticas que toma L. M. de M. de la tradición nunca están vacías; los clisés verbales no encierran en sus versos clisés mentales; la palabra coexiste con la idea y toda referencia sugiere un referente. LEOPOLDO ALAS.

II.   Parece obvia, y va siendo ya mayoritariamente admitida, la influencia que, desde su cátedra de la universidad, ejerciera Emilio Orozco Díaz sobre el grupo de poetas granadinos en que Fernando de Villena se inserta junto a un Antonio Enríquez o José Lupiáñez. Quienes tuvimos el privilegio irrepetible de asistir a las clases de Orozco sabemos del magnetismo con el que impregnaba sus lecciones sobre los más sobresalientes autores de la literatura de los Siglos de Oro. Semejante maestro no podía sino despertar el entusiasmo por nuestros clásicos en sus entonces jóvenes alumnos, deslumbrados ante esos mundos mágicos de la literatura renacentista o barroca de los que él hablaba. No es de extrañar, pues, que F. de V. se iniciase manierista y barroco para ir decantándose hacia posiciones más intimistas y emotivas; proceso semejante al que parecen seguir otras poéticas de su ámbito.

Vos o la muerte (1991) es, ante todo, un poemario amoroso que canta la dicha de vivir, la plenitud gozosa de la existencia en aras del amor. El aire medieval del título, cuyo posible enigma queda abiertamente desvelado por el propio autor en el Prólogo, tiene una clara destinataria: María Teresa, su esposa. Lo barroco es aquí un tenue visillo, una ligera atmósfera que, aun dejándose notar, apenas si se materializa. Pues, efectivamente, el lenguaje ha sufrido un proceso de *simplificación*, de depuración de elementos en aras de una mayor efectividad comunicativa que parece propiciar la sencillez. Para ello, el poeta ha cedido, obviamente, en sus posiciones culturalistas.

Muchos de los poemas nacen de la simple contemplación de una fotografía, como ocurre, por ejemplo, en los titulados «María Teresa a los diez años, con el uniforme del colegio Santo Domingo», «Yo (María Teresa) con ocho años, en Barcelona durante la celebración de una boda», «María Teresa fotografiada por unos amigos en el Campo del Príncipe», etc. Y si en ellos la protagonista es la mujer amada, en otros es la ternura, la dicha pletórica y radiante por el alumbramiento de una nueva vida en los hijos, lo que motiva los textos. Así ocurre en «Nana para nuestro hijo» o en «Glosando una frase de Calixto, en aplicación a mi hija recién llegada al mundo»: «Es pequeña, minúscula, callada, / pero en ella se escucha, / a poco que te acerques, / la música infinita de las constelaciones; / en ella veo la grandeza de Dios».

Pero hay algo más en este *Vos o la muerte*, junto a ese gozo de vivir, a esa plenitud gozosa en el amor que necesita ser compartida y comunicada. Se trata, sencillamente, de una actitud agradecida, de un simple dar gracias por la vida, por el amor, por los momentos felices que la existencia depara. Ese optimismo vital y positivo apenas queda enturbiado por algunos «Temores» y oscuros presentimientos de ausencia o pérdida de los seres queridos que convertirían en insufrible la continuidad en el mundo. Pero esos negros presagios se ven pronto vencidos por la palpitante realidad presente que circunda al poeta.

Puede que sea esa actitud de sincero agradecimiento por el don de la vida, por la oportunidad gozosa que el amor brinda, la que conduzca al poeta a la dimensión religiosa por una íntima necesidad de conservar y proteger lo amado. La presencia de Dios aletea delicadamente a través de este poemario singular que es *Vos o la muerte* y, en ocasiones, un leve tono de oración o súplica agradecida se suma a esa plenitud dichosa que el poeta goza y canta. En esa línea de disfrute de los momentos íntimos o familiares, de los paseos, la contemplación o el contacto con la naturaleza aún no contaminada, caminan muchos de los poemas del libro.

En contadas ocasiones un lector de poesía actual tiene la oportunidad de asistir a una lectura tan gratificante como esta, de una temática tan gozosa, entrañable y positiva como en esta. En tiempos en los que todo parece caminar a la deriva, en los que todo está tan desvirtuado, confuso y agonizante, uno no puede sino respirar profundamente y con alivio al leer estos versos. JOSÉ ANTONIO SÁEZ.

III.   Una de las características definitorias del hacer poético de Francisco Castaño consiste en la consciencia de que escribir es en gran medida reescribir, recorrer el territorio de la escritura anterior, nutrirse de ella y retener fragmentos, versos, imágenes, metáforas, ritmos, que, al integrarse en un contexto nuevo, muestran su vitalidad y su versatilidad semánticas para dar expresión a una sensibilidad lírica contemporánea. Es decir, se trata de una escritura que se declara explícitamente deudora de lecturas, que se presenta en gran medida como glosa de otros textos anteriores, y que se dirige a un lector «aplicado», capaz de captar los guiños, los juegos, las alusiones, los préstamos. [...] *Fragmentos de un discurso enamorado* (1990) se abre significativamente con una cita de Garcilaso: «Escrito está en mi alma vuestro gesto». En efecto, el libro se inserta en la tradición poética del lenguaje amoroso, afirmando de paso cómo la experiencia del amor está inevitablemente contaminada de la imaginería poética destilada a través de los siglos (y es que quizá es aquí donde la vida más le ha copiado a la literatura). Por las páginas de este texto resuenan voces y ecos de poetas que dieron forma artística al sentir amoroso hasta el punto de hacer inseparables una cosa de la otra: Garcilaso, san Juan de la Cruz, Quevedo, Góngora, Bécquer, Rubén Darío, un poco de Antonio Machado, bastante de Guillén, Salinas, Cernuda y Blas de Otero, y sobre todo Gil de Biedma, Ángel González y José Ángel Valente. Este ámbito de resonancias culturales se completa y se amplía con las que proceden de la poesía francesa (Baudelaire, Mallarmé, Rimbaud, Valéry) e inglesa (Emily Dickinson, T. S. Eliot, etc.).

[La teoría del amor que se va perfilando a lo largo del texto se construye sobre estos dos ejes: el amor como proceso en el que el tiempo actúa, y el amor como discurso enamorado, como palabra, incluso, si se quiere, como retórica.]

La primera parte, que asume el título general del libro, se centra en el tema del encuentro con la persona amada. Se utilizan imágenes poéticas tradicionales: el amante se describe como náufrago de su propia tempestad, de la noche, de la aurora, náufrago de un naufragio sin historia... El descubrimiento del amor se sitúa en un espacio metafórico, la Venecia de los cuadros de El Canaletto, y en un tiempo que también parece imaginario: febrero y la nieve. Importa destacar el poema «Declaración de principios», en el que se contiene una de las claves interpretativas de todo el poemario: la idea del amor como duración, como crecimiento, como construcción inacabada e inacabable. No es frecuente este tratamiento poético del amor, no tanto como pasión cuanto como «una pasión que da el conocimiento». El encuentro, entonces, se dibuja como inicio de una historia (de una narración) y ese es su sentido. Si no, no es encuentro, sino relámpago, vivencia desgajada, fugaz y momentánea.

No hay, pues, tensión en este discurso poético; no encontramos rupturas bruscas del ritmo, exclamaciones, desbordamiento verbal, o cualquier otro recurso que contribuyera a crear una atmósfera de exaltación pasional o dramática. El tono poético se desenvuelve en poemas de estructura compacta como los sonetos, en la estudiada distribución de los acentos, en versos que alternan los endecasílabos —medida que Castaño domina con soltura y elegancia— con otros de siete o catorce sílabas.

La segunda parte está dedicada a la ausencia de la amada [y la tercera recupera el símbolo de la *luz*,] asociada a los ojos de la mujer amada. Esta temática da pie para componer sonetos de factura barroca («Yo lo tengo por única ventura») o de aires modernistas («Si quejas y lamentos pueden tanto») que, con el violoncelo al fondo, hacen desfilar de nuevo vocablos o sintagmas tan connotados como el azul del corazón, un naufragio de pétalos, y figuras míticas como Ariadna, el Minotauro, Dionisos. No obstante, los mejores poemas son aquellos en los que se intenta captar los matices casi imperceptibles de la luz en las ramas de un árbol tras la lluvia o en el lento avance del crepúsculo, y que se asimilan a las sutiles variaciones de la pupila femenina. Fusión y confusión de la visión del poeta con la visión que advierte en los ojos de la mujer. Todo esto tiene que ver con la reiteración de una fórmula sintáctico-semántica que apunta a un modo de aprehensión de las cosas que respeta su ambigüedad, su falta de delimitación, como si quedaran flotando entre el casi y el apenas: «límite casi cielo, apenas mar»; «en soledad que apenas era nido»; «casi cristal, apenas cárcel»... [...]

Fragmentos de un discurso enamorado contiene una reivindicación poética de la costumbre como ámbito de la sorpresa, como el espacio para la aventura amorosa, porque el amor «es gesto cotidiano» o «hábito de ternura imprevisible». Celia Fernández.

Varios autores

FICCIONES, APÓCRIFOS Y OTROS POETAS

I. *Los vanos mundos*, segundo libro de Felipe Benítez Reyes, ha sido redactado entre 1982 y 1984, esto es, inmediatamente a continuación de *Paraíso manuscrito*. Puede suponerse incluso que

I.   Abelardo Linares, «*Los vanos mundos*», *Olvidos de Granada*, 11 (1985).
II.   José Luis Piquero, «El don de Cilleruelo», *Sur Cultural* (6 de octubre de 1990).
III.   Juan José Lanz, «Carlos Marzal», *El Urogallo*, 64-65 (septiembre-octubre de 1991), p. 96.
IV.   José Luis García Martín, «La versatilidad de Vicente Gallego», *El Ciervo*, núm. 460 (junio de 1989), p. 38.

los poemas de la primera sección —de las siete de que consta— y algún otro más a lo largo del libro fueron los primeros en escribirse tras la anterior entrega y, de algún modo, como reacción contra ella. *Paraíso*... ostentaba una indudable nobleza de tono y cierta desencantada seriedad, seriedad y nobleza que, contra lo que pudiera parecer a primera vista, son verdadero atributo de la juventud, pero que una vez trasmutadas en arte debieron parecer un tanto incómodas al propio poeta, pues tras ellas bien puede acechar el fantasma del acartonamiento formal y la afectación.

La juventud, ese es el tema de la primera parte del libro, es tratada ahora por F. B. R. con una pretendida e ironizante frivolidad que debe ser entendida en el contexto de su obra anterior. A ese querido distanciamiento ayuda también la utilización de técnicas y motivos modernistas: el uso del alejandrino, las imágenes lineales un tanto recargadas, la utilización de elementos decorativos, casi ornamentales, el gusto por los contrastes o cierto impresionismo sensorial que sabe conjugar lo vago con lo preciso para producir un efecto estético. Poemas estos muy *artísticos*, perfectamente trabajados y resueltos pero que pueden desconcertar a más de un lector bienintencionado y despistarle a la hora de ver el libro como una totalidad, pues la voz de estos poemas está muy distante de la de los que le siguen. No quiere eso decir que las seis secciones restantes puedan reducirse a una unidad que en todo caso sería la de la poesía de la experiencia, una poesía de la experiencia muy peculiar y bastante alejada de la que han cultivado y cultivan los poetas del cincuenta o Juan Luis Panero, pongo por caso, pues la *experiencia* de que se trata no incluye sólo lo real sino también lo posible e incluso lo imaginado (buena muestra de ello son poemas como «La desconocida» o «Poema de los seres imaginarios»), pero sí que las demás secciones, incluso la tercera, *Serie menor*, compuesta de breves poemas medio orientales medio andaluces de alada gracia y sensible sutileza, mantienen una comunidad de *escritura* que de algún modo las distancia de la primera.

Esta disparidad de tono y tratamiento entre los primeros poemas y el cuerpo fundamental del libro quizá se vea un tanto atemperado gracias a la sección segunda, la más miscelánea del volumen, en la que podemos encontrar piezas netamente modernistas como «Elogio de la naturaleza», una impecable y borgiana —pero novedosa— versión de «La luna», un tema imaginativo, «La bala de plata», resuelto con muy literaria naturalidad, una evocación de la infancia, «El atlas», que nos trae a la memoria poemas de Foxá y García Baena, y, por último, «El final de la fiesta», una a modo de estampa alegórica del final de la juventud, o mejor, de la adolescencia, especialmente interesante para comprender el desarrollo interno del libro y de los procedimientos expresivos del autor, pues mientras que lo que podríamos llamar material orgánico del poema tiene mucho que ver con la primera sección, el tratamiento al que se le somete se asemeja mucho al que reciben los poemas centrales del libro, los de la sección cuarta. En todo caso merecen citarse por su límpida rotundidad los dos versos finales: «Duró poco la fiesta. De nuevo cae la noche / y la luna se estampa sobre un cielo desnudo».

Las cuatro últimas secciones no son sólo las que guardan una mayor coherencia estilística sino también las más cercanas a la poesía de la experiencia. En ellas se encuentran, para mi gusto, los mejores y más personales poemas del conjunto, aquellos en los que la voz del poeta resuena con un timbre inconfundible: «Poema de los seres imaginarios», «La desconocida», «Al cumplir 23 años», «Panteón familiar», «Sevilla», «Miseria de la poesía», «El joven artista»...

Los temas —el amor, la muerte, el sentimiento ante el paso del tiempo, la conciencia de la fragilidad de nuestros mundos o la insatisfacción del artista ante el arte, que puede evocar o remedar la vida pero no sustituirla— encuentran en F. B. R. formulaciones que siendo de siempre son a la vez muy del momento en que vivimos. Conseguir esto, renovar la tradición desde la fidelidad, no es cosa fácil. [...]

Claro está que no todos los poemas del volumen rayan a una igual altura y que algún que otro poema no añade nada esencial al conjunto. Como queda también la cuestión de las influencias: ciertos poetas posmodernistas, Borges, Gil-Albert, Francisco Brines, perceptibles en momentos muy determinados. Pero esas influencias, aparte de que no suelen atañer a los poemas más significativos, sólo nos indican que el poeta aún no está definitivamente formado, que su voz de ahora no es aún toda su voz y que por tanto el desenvolvimiento de su mundo debe deparar todavía muchas sorpresas, a él mismo y, por suerte, también a nosotros sus lectores. ABELARDO LINARES.

II. [*El don impuro*, recopilación de toda la poesía de José Ángel Cilleruelo publicada hasta el momento, permite constatar dos etapas distintas del autor:] la primera parte, que comprende *Sortilegio* y otros libros, se caracteriza por un tono difuso y cierta ambigüedad narrativa, mientras que en la segunda, *Alfama*, se constata la presencia cada vez más evidente de tradición (Pessoa, las jarchas) junto a una mayor concreción lingüística. Se trata, pues, de dos momentos distintos dentro de un proceso de evolución. [...]

Tres podrían ser las características principales de esta poesía: la fascinación por los ambientes sórdidos y las personalidades atormentadas, el gusto por el relato antes que por la descripción (un tipo de relato muy poco lineal, como veremos) y el continuo desdoblamiento del autor en personajes no siempre identificables con este.

En cuanto a lo primero, J. Á. C. hace de la ciudad un territorio emblemático, una especie de metáfora de la misma vida. Con frecuencia, esos burdeles, esas calles sombrías, no son sino símbolos de los oscuros intersticios del alma humana, que es contemplada por el poeta a través de un nihilismo ciertamente desesperanzador. De igual forma, el amor y el sexo, que están omnipresentes en el libro, se resuelven en términos de dolor, separación, no correspondencia, etc., en consonancia con los escenarios en que esas historias se desarrollan. [...]

Pero quizá lo más apasionante de los poemas de J. Á. C. no sean las historias en sí que nos cuenta, sino el cómo nos las cuenta. Consigue, con muy pocos elementos, construir la anécdota, y deja el camino abierto para que sea el propio lector quien termine de completarla. Antes que narrar, J. Á. C. prefiere sugerir. [...] Un recurso que J. Á. C. ha utilizado es la narración de tipo cinematográfico de alternancia de planos, que enriquece el poema al ofrecernos los puntos de vista de distintos personajes (véase *Diálogo*) o la perspectiva de un doble espacio temporal (*Aquí*). En la primera parte de *El don impuro* se suprimen con frecuencia los signos de puntuación, pero, si bien este recurso parece necesario en algunas ocasiones y puede poseer un valor expresivo, en otras dificulta innecesariamente la inteligibilidad del texto (conviene señalar que no nos encontramos ante un autor fácil, sino ante uno muy exigente con sus destinatarios).

En lo que se refiere al enmascaramiento de la personalidad del autor mediante el uso de diversos protagonistas poemáticos, es un rasgo que abunda en la poesía española reciente y J. Á. C. es un maestro a la hora de desplegar ante nuestros ojos todo un elenco de personajes variopintos, reales o inventados: D. Sebastián, Ardhanari, Clemente Casín, Cha-U-Kao, Pessoa, entre los que ostentan nombres propios; prostitutas, suicidas, jovencitas enamoradas y otros hombres y mujeres anónimos que en su atormentada vida no están exentos de ternura y que son y no son siempre el mismo, que son y no son J. Á. C.

Así pues, nos encontramos ante un poeta que, voluntariamente inserto en la tradición, no deja de ser original; un poeta rico en recursos, con una gran capacidad para conmover al lector a través de unas historias contadas con pasión e inteligencia.   JOSÉ LUIS PIQUERO.

III. Carlos Marzal publica ahora su segundo libro de poemas titulado *La vida de frontera*. Parte en este libro de una concepción barroca y simbolista de la vida, que determinará su contenido. Así, nuestra vida es un pálido reflejo de otra vida más verdadera que sólo en momentos culminantes podemos vislumbrar. De esta manera, los poemas que componen *La vida de frontera* muestran esos momentos culminantes en que el reflejo que es nuestra existencia nos permite ver la vida más verdadera que transcurre por debajo. Estos momentos límite son aquellos en los que el sueño parece igualarse a la vigilia; también son los momentos en que la noche parece descubrirnos la realidad de otra manera; y los momentos de la culminación amorosa también descubren otra vida más real que la que vivimos; así como la literatura descubre otros mundos más plenos, siendo los libros «un muro al mundo para abrir otros mundos».

Otro de los rasgos característicos de la poesía de C. M. es el humor, que desempeña un papel múltiple dentro de su obra. En una primera lectura, el humor tiene un sentido plano, de mera diversión. Pero en segunda instancia adquiere un sentido irónico y, por lo tanto, moral, que es el que el autor quiere dar a sus versos. Los finales rotundos, que tantas veces utiliza C. M. en sus poemas, cobran así un sentido distanciador e irónico, colocando al resto del texto en un plano distinto; el poema se refleja en su final de un modo completamente diferente al que ha transcurrido, teniendo así un doble efecto. Pero el humor en la poesía de C. M. no se queda sólo en el contenido, sino que se refleja en el juego lingüístico. De esta manera resultan frecuentes en sus poemas las aliteraciones, rimas internas y juegos de palabras.

La poesía de C. M. tiene mucho de breve cuento narrado, que puede derivarse, precisamente, del sentido moral que quiere otorgar a sus versos. No obstante, los primeros poemas de *La vida de frontera* intentan ya trascender este narrativismo para intrincarse en un discurso simbólico a veces más oscuro. Del narrativismo y del sentido moral de su poesía se puede derivar una característica de su estilo, la claridad. De esta manera, la rima y el metro medido, de uso frecuente, pasan a desempeñar una doble función en la poesía de C. M.; por un lado, evitan que el poema narrativo caiga en el prosaísmo; por otro lado, añaden un elemento más de juego lingüístico al texto.

Manuelmachadista confesado, e incluso burlado, son varios los rasgos que hereda C. M. del maestro sevillano: el gusto por los ambientes urbanos y nocturnos; la expresión popular y canallesca, que le hace incorporar expresiones del lenguaje coloquial, sin caer en el uso del argot; el gusto por los finales rotundos; el juego de palabras entre conceptista y paradójico, etc. Otras características que definen *La vida de frontera* son el juego conceptual de palabras; la ironía; la expresión realista, descarnada incluso, que acompaña a un intimismo que se salva del romanticismo por el distanciamiento irónico; la conciencia de que la literatura es una falsificación más de la vida, convirtiéndose así en una doble falsificación; una conciencia completamente vitalista fundada en el placer y la felicidad como máximas metas de la vida, etc.

En resumen, *La vida de frontera* se incorpora a esa línea simbolista, intimista y canallesca que, enlazando con el modernismo, se abría en *El último de la fiesta*. Juan José Lanz.

IV. El primer libro de Vicente Gallego, *Santuario* (1986), es un poema unitario que se quiere desenfadado y provocador. Voluntaria e ingenuamente escandaloso, lo que más interesa de *Santuario* [es] su aspecto técnico, la sabia alternativa de registros lingüísticos y el entrecruzamiento de narración y lirismo. La lección de los últimos títulos de Luis Rosales —los que constituyen la serie de *La carta entera*— no resulta ajena a la manera que V. G. tiene de concebir el poema extenso, aunque su mundo (y quizás por eso los críticos no han sabido ver el parentesco) resulta muy otro.

La luz, de otra manera (1988) supone un considerable paso adelante en el proceso de maduración del joven poeta. También se trata de un libro unitario, aunque de otra forma que la obra anterior. En este caso los diferentes poemas se nos presentan como anotaciones de un diario que abarca los tres meses transcurridos entre un 26 de agosto y un 26 de noviembre; las fechas ficticias de cada anotación se convertirán en títulos de los poemas (se añade una «Posdata» sin fecha a manera de epílogo). El autor del diario —el protagonista del libro— es un hombre solo que pasea cada atardecer por un desolado paisaje costero, frecuentado por perros, gatos y furtivas parejas que se aman entre las ruinas de un viejo balneario.

Con muy pocos elementos, sin concesión alguna al lirismo convencional o a la vacua musicalidad del verso, consigue V. G. uno de los libros más originales de la actual poesía española. Los riesgos del prosaísmo y de la monotonía son valientemente asumidos, y aunque no siempre aciertan a ser evitados, constituyen el imprescindible basamento para escapar de lo consabido. Frente a tantos libros bonitos, preciosistas, epígonos de un modernismo menos leído a través de los novísimos, frente a tanto neoclasicismo de cartón piedra, *La luz, de otra manera* propone una estética del despojamiento para concentrarse en lo esencial. Su protagonista, nuevo Robinsón, pasea, sueña, mira, redescubre en la soledad el mundo y también su propio cuerpo: «Contemplo el laberinto de mis brazos», dice uno de los versos, y otro, que constituye el más adecuado compendio del libro: «Mar, tarde, sol, contemplo, duermo. Soy».

El antecedente más directo de la concepción poética que V. G. manifiesta en *La luz, de otra manera* puede encontrarse en otro poeta valenciano, César Simón, que se ha definido a sí mismo de la siguiente manera: «He sido, y creo que soy, un poeta de aledaños, de senderos y de espacios vacíos. Merodeo por los pueblos sin entrar en ellos. El ágora no se ha hecho para mí. Encuentro que mi tema recurrente es el enfrentamiento con el mundo, con el hecho de existir, como una tarea previa y abrumadora que todavía no me he quitado de las manos. Desde esta perspectiva, desde este estado previo, existir ni es ético ni deja de serlo. Ni siquiera una maravilla ni una calamidad; sino un hecho inexplicable e irreductible». Tales palabras podrían aplicarse también al protagonista del libro de V. G., aunque no a su autor, menos monotemático que César Simón y quizás también menos radical.

De la obra en que V. G. trabaja actualmente, *Las mujeres y las armas*, ha ofrecido diversos anticipos en revistas, antologías y cuadernos menores. La más reciente de esas entregas lleva el título de *El desencanto* y está constituida por un único poema de un centenar de versos. Como en otros textos de ese libro inédito, el magisterio de Francisco Brines no se intenta disimular, sino que se subraya con la adopción de algunas de sus fórmulas más características, como el gusto por la yuxtaposición temporal.

El desencanto se inscribe dentro de la línea de la «poesía de la meditación» que José Ángel Valente ha estudiado con tanto acierto en relación con Luis Cernuda. La toma de conciencia de «el sabor a ceniza de los años» constituye el tema de unos versos, menos disonantes que los de los libros anteriores, de una mayor serenidad y belleza, pero también quizás más miméticos.

V. G. ha cambiado de maestro en cada libro, hecho que puede ser interpretado de diversas maneras: como un indicio de falta de personalidad o, por el contrario, como manifestación de una personalidad tan vigorosa que puede asimilar cualquier influencia. En cualquier caso, el espectáculo de este joven poeta tratando de romper en cada nueva entrega los manierismos estilísticos del título anterior resulta fascinante para los lectores que prefieran el riesgo a la reiteración, más o menos virtuosa, de una fórmula. JOSÉ LUIS GARCÍA MARTÍN.

3. LA NOVELA

SANTOS SANZ VILLANUEVA

APROXIMACIONES BIBLIOGRÁFICAS GENERALES. Somos conscientes de la artificiosidad de casi todas las fronteras que alza la historiografía literaria, pero la desaparición de Franco y el proceso de transición desde la dictadura hacia la democracia parecen propiciar una linde definitiva a la llamada literatura de posguerra. Cierto es, sin embargo, que el cambio en las letras se produjo antes que en las instituciones y que, para finales de los sesenta, son muchos los creadores que, con una nueva sensibilidad, han abierto una etapa diferente: es esa sensibilidad que describe bien, para la lírica, la etiqueta de «novísimos» (para el teatro y la narrativa no tenemos un marbete específico, pero el movimiento renovador fue simultáneo en los tres géneros). No obstante, este capítulo respeta el término inicial del resto del presente volumen, 1975, y nos fijaremos, por tanto, tan sólo en los fenómenos que se produzcan a partir de dicha fecha. Por otra parte, tenemos que hacer manifiesta declaración de algo que el lector verá bien pronto: aunque la índole de *HCLE* se orienta más hacia un panorama o un *status questionis* de la crítica, en el fondo predomina aquí una descripción de la propia creación literaria; no se trata de colar esta de matute al hilo de aquella, sino de una cierta imposibilidad de hacerlo de otra manera, ya que, por la proximidad de las fechas que rastreamos, no hay un estado crítico establecido ni la mayor parte de los trabajos superan en propósito la presentación provisional; a veces, además, los propios críticos o estudiosos son conscientes del carácter volandero de sus aportaciones, y más si tienen como escenario el efímero soporte de la prensa periódica. La naturaleza caediza, sin embargo, de la crítica al día —incluso si se estampa con más ambiciones en las páginas de las revistas profesorales— se ve compensada por el insuperable interés de conocer lo que pensaron y dijeron los coetáneos de la obra, libres de las mediaciones que impone la perspectiva histórica.

Parece ser rasgo de estos tiempos modernos una aceleración histórica que convierte los fenómenos de la actualidad en referencia pretérita con toda rapidez. Ello influye, sin duda, en la producción novelesca y en su consumo: opiniones atinadas y abundante documentación al respecto ofrece Acín [1990] y los peligros que entraña esa especie de trabajar sólo para la hora presente han sido apostillados por Llamazares [1991]. Y deja, también, sus huellas en la actividad crítica: esta debe ser la razón de la frecuencia con que se publican panoramas o revisiones generales de la última literatura (en nuestro caso, de la narrativa reciente). Anotemos la reanudación del anuario editado por Castalia que, para iniciar la nueva etapa, ofreció una descripción abarcadora de los diez años que se extienden entre 1976 y 1986 en la que la siempre documentada pluma de Villanueva [1987] presentó la trayectoria de la prosa novelesca (véase AA.VV. [letras86]). Desde entonces, y en tomos que recogen el quehacer de un año, ha sido Galán [1988, 1989] el puntual e informado cronista de las nuevas ficciones. También ha continuado ofreciendo sus análisis periódicos la revista estadounidense *Anales de la novela de posguerra* (con posterioridad denominada *Anales de la narrativa española contemporánea* y *Anales de la literatura española contemporánea*) en la que se han encargado sucesivamente de esa ardua tarea Villanueva [1977, 1978, 1979, 1980 y 1981], Conte [1983] y Martín-Maestro [1984, 1985].

Panoramas generales de la narrativa desde 1975 —además del mencionado de Darío Villanueva— existen varios. Uno de ellos la aborda dentro del conjunto de fenómenos que cercan al hecho literario y puede encontrarse en tres números de *República de las Letras* (véase *RL*18, 19 y 22), que describen las últimas tendencias de la literatura española; en ellos, una nutrida nómina de creadores, profesores y críticos dictaminan desde la condición del lector hasta el empleo de la lengua, sin olvidar (en *RL*22) las formas breves del relato. En otro número de la misma revista, Alonso [1989] describe con trazos sintéticos algunas tendencias posteriores a 1975, asunto al que ya había dedicado, con nutrida mención de títulos, un volumen en [1983]. En el marco globalizador de la cultura del primer decenio posfranquista se enmarca el artículo de Sanz Villanueva [1985] recogido en *Las nuevas letras* (véase *LNL*3/4), aunque esta revista también ha dedicado otro número a la última novela (véase *LNL*5). Igualmente la revista *Ínsula* ha prestado atención a la reciente narrativa por medio de diferentes números de carácter más o menos monográfico dedicados a la literatura próxima: uno de ellos (véase *Í*464-465) aborda aspectos del primer decenio posfranquista, otro (véase *Í*512-513) cuestiones posteriores hasta 1989 y un tercero (véase *Í*525) recoge variadas opiniones sobre el estado de la novela entre 1989 y 1990. Otra publicación periódica, *Leer*, repasa en un número extraordinario la actividad novelística castellana durante el lustro que se inicia en 1985 (véase *LC*). También *Cuenta y Razón* hace un hueco a Gullón [1989] para analizar con brevedad algunos títulos recientes dentro de un monográfico que aborda otras cuestiones literarias. Asimismo, buena parte de un número de los mencionados *Anales de la literatura española contemporánea* (XIII, 1-2, 1988), consagrado a la novela española desde 1930, se ha ocupado de aspectos concretos de algunos jóvenes o nuevos narradores (Martínez de Pisón, Millás, Pombo) (véanse, respectivamente, Spires [1988], López [1988] y Overesch-Maister [1988]).

Otros balances de la narrativa posfranquista son los de Soldevila [1988] (quien ya había recogido opiniones sobre narraciones muy cercanas a la fecha de publicación de su libro de [1980]) y Castillo Puche [1988], ambos incluidos en un colectivo que trata el conjunto de las manifestaciones culturales de ese período (véase Amell y García Castañeda [1988]). También tiene carácter de recapitulación de los años setenta el artículo de Durán [1980] y se refiere a la actualidad más inmediata Conte [1990]. Distintos aspectos, planteados con frecuencia en un tono polémico, sobre la narrativa reciente se encuentran en varios trabajos de Fortes ([1984], [1987 *a*] y [1987 *b*]. Por su parte, Navajas [1987 *b*] propone un sentido de lo posmoderno en nuestra novela y lo examina en diferentes autores, y África Vidal [1990] reflexiona, en un contexto más amplio, sobre la posmodernidad en narrativa.

Obvio es que noticias sueltas sobre la novela a partir de 1975 se hallan también en algunos libros que arrancan su estudio de fechas anteriores; por ejemplo, los de Basanta [1979, 1981 y 1990] o Martínez Cachero [1973]. Existe asimismo un repertorio de narradores de posguerra (véase AA.VV. [1985]) en el que la representación de novelistas del posfranquismo es amplia. En fin, una coda para poner el dedo en la llaga de una lamentable ausencia en nuestra bibliografía: casi nada se sabe —salvo alguna oportuna contribución como la de Navarro [1986]— de una nutrida nómina de narradores, hijos de exilados, que han hecho y difundido su obra más allá de nuestras fronteras.

Los alrededores de 1975 y la generación del 68. En 1975 el género novelístico no parece gozar de una especial buena salud. En los alrededores de esa fecha no hay obras de particular relieve firmadas por las sucesivas promociones surgidas desde la guerra civil y ya bien establecidas en los medios literarios y editoriales. Un entonces reciente intento de lanzar, en 1972, una «nueva novela española» no había hecho otra cosa, en general, que acreditar un estado de crisis. Tampoco los escritores más jóvenes —dados a conocer a finales de los sesenta— habían superado con eficacia el común radicalismo experimental que había presidido sus orígenes. Sin embargo, esa fecha crucial de nuestra historia política iba a coincidir con la publicación de un libro importante en sí mismo —no es habitual una tan consumada primera novela— y destacado por su significación como cabeza de serie de una corriente que no mucho más tarde se convertiría en rasgo distintivo de toda una época. Me refiero a *La verdad sobre el caso Savolta*, de Eduardo Mendoza, que luego volveremos a mencionar. El éxito, muy rápido, de esta obra no cambia la situación, que permaneció estancada en las fechas inmediatas posteriores quizás como consecuencia de varias circunstancias. Por una parte, la desaparición formal de la censura y el clima de libertad de opinión de la etapa de la transición política indujo la falsa esperanza de un resurgimiento literario a cargo de los textos que los mecanismos de control de la dictadura habían impedido publicar. Por otra, deseosa la sociedad de conocer los entresijos del anterior régimen y de conocer los episodios secretos de su historia, volcó su atención no en la ficción sino en libros de vago ensayismo sociológico y hasta de puro cotilleo político. En fin, el desencanto sobre cómo se produjo la transición política acarreó el éxito de unas actitudes irracionalistas que propiciaron la demanda de obras que desarrollaban interpretaciones mágicas de la historia.

De todos modos, en ese contexto se estaba larvando la gestación de narraciones que no mucho después, en la frontera de los ochenta, suscitaron un inusual interés de los lectores y fueron recibidas como el definitivo y esperado resurgimiento. Coincidían esas obras —de muchas de las cuales daremos en seguida noticia— en un dato externo pero significativo: se debían a un grupo de autores de semejante edad —casi todos habían sobrepasado algo la treintena— que eran auténticas nuevas revelaciones.

El mencionado resurgimiento de la novela española a lo largo de los años ochenta o, al menos, la incuestionable aceptación de los escritores nacionales por el público lector ha hecho que la posibilidad de publicar se haya extendido desde los autores mayores —los de la anteguerra o primera posguerra— hasta los más jóvenes, los cuales han irrumpido con gran fuerza en un mercado ansioso de nombres nuevos que han obtenido, en muchos casos, y casi de inmediato a la publicación de su primer libro, un gran éxito y una inhabitual notoriedad (bastará con recordar, a título de muestra, los nombres de Luis Landero, Julio Llamazares o Antonio Muñoz Molina). Han convivido, pues, en el panorama de la narrativa viva desde 1975 varias generaciones. Por un lado, la mencionada de los novelistas de la época de la guerra, tanto los del interior (Cela, Delibes, Torrente) como los del exilio, ya plena y generalmente incorporados a su país (Andújar, Ayala, Chacel...). Por otro, han seguido publicando los autores de lo que se viene llamando generación del medio siglo (la de Caballero Bonald, García Hortelano, los Goytisolo, Marsé...). La obra de ambos grupos tiene momentos sucesivos en sus preocupaciones temáticas y formales, pero en el período que aquí estamos describiendo se halla plenamente asentada en el proceso histórico de la narrativa de posguerra y quienes ocupan el primer plano, en cuanto rasgo distintivo de este período, son unos escritores para quienes yo mismo he propuesto con anterioridad el marbete definidor de «generación del 68» (véase Sanz Villanueva [1988]), también utilizado por Basanta ([1979] y [1981]) y ya empleado para el análisis particular de Ana María Moix por Soufas [1987]. Resumiré con brevedad los planteamientos que he expuesto en otros lugares (en el mencionado Sanz Villanueva [1988], ampliado en 1990) y que, aunque sin duda discutibles, pueden resultar útiles a los efectos de una periodización de la última literatura española.

A lo largo de los años sesenta, un conjunto de nuevas actitudes lleva a desbancar la concepción testimonial del arte, a alejarlo de los supuestos del realismo socialista; esas actitudes terminan por propugnar un relato autónomo de la realidad exterior e, incluso, como propone el narrador de *Recuento*, de Luis Goytisolo, una novela que cree una realidad que pueda ser objeto de una obra literaria. En este empeño participan los narradores del medio siglo pero sus protagonistas son los miembros de una promoción más joven, que comparten una educación sentimental y unos presupuestos éticos y literarios coincidentes. Se trata de autores que han nacido entre el año en que finaliza la guerra y el medio siglo y cuya nómina, provisional, y basada en cierta flexibilidad cronológica, puede estar constituida por los siguientes nombres: Mariano Antolín-Rato (1943), Juan Pedro Aparicio (1941), Félix de Azúa (1944), Juan Cruz (1952), Luis Mateo Díez (1942), José Antonio Gabriel y Galán (1940), José María Guelbenzu (1944), Manuel Longares (1943), Juan Madrid (1947), Javier Marías (1951), Jorge Martínez Reverte (1948), Marina Mayoral (1942), Eduardo Mendoza (1943), José María Merino (1940), Juan José Millás (1946), Vicente Molina Foix (1949), Lourdes Ortiz (1943), Álvaro Pombo (1939), Soledad Puértolas (1947), José María Vaz de Soto (1938), Manuel Vázquez Montalbán (1939). A ellos, y amparándonos en esa inevitable flexibilidad de la cronología, se pueden añadir Raúl Guerra Garrido (1936), Ramón Hernández (1935) y Pedro Antonio Urbina (1935).

Estos escritores, en términos generales, no se sienten herederos de los enfrentamientos ideológicos de sus padres (al contrario de lo que sucede con la generación del medio siglo). Su actitud política es de rechazo al franquismo pero distinguen entre el compromiso cívico y la actitud literaria. Su primera madurez coincide con el auge de los postulados estructuralistas y con el prestigio de los teóricos franceses aglutinados en la revista *Tel quel*. Coincide, también, con el triunfo del llamado «boom» de las letras hispanoamericanas y es reconocible, sobre todo en una primera etapa de su producción, la huella muy señalada de Julio Cortázar. También en esa primera etapa —localizable a finales del decenio de los sesenta— muestran un interés preferente por la experimentación formal. Estamos ante el cambio que Sobejano (en la edición de [1975] de su libro) ha calificado como «novela estructural».

La aparición pública de los escritores del 68 se produce en dos momentos distintos, pero no muy alejados. El primero hay que situarlo a finales de los años sesenta; el segundo, en los recordados alrededores de 1975. Aquel tiene ese marcado acento experimental; el segundo inicia el rescate de un gusto por contar que en seguida veremos y una gran pluralidad de líneas narrativas. Esta diversidad de caracteres literarios y lo que se deduce de un simple vistazo de la nómina antes ofrecida pueden aducirse como serios reparos para la presente consideración generacional. Sin embargo, es esa misma diversidad de caminos un rasgo fundamental de los narradores del 68. Sus realizaciones particulares difieren mucho entre sí e incluso varios de los integrantes de la relación ofrecida han negado cualquier posible vinculación, pero todos ellos desarrollan su obra en esas fechas coincidentes y obedecen a unos semejantes estímulos que pueden englobarse en la idea general de buscar un proceso de modernización de nuestra novela.

LA AFICIÓN A CONTAR Y LA NOVELA NEGRA. La penúltima novela castellana —la de finales de los años sesenta— había cultivado un relato experimental, desintegrador de los componentes fundamentales de la tradición y propicio a un mínimo contenido argumental. Se trataba de una narrativa morosa en la que apenas tenía lugar el desarrollo de una acción. *La verdad sobre el caso Savolta*, sin embargo, trajo unos planteamientos muy distintos. Era evidente que Mendoza, ante todo, ofrecía una historia interesante en sí misma que, incluso, venía reforzada por algunos elementos de suspense. Esa anécdota, además, tenía como referente la constatación de un estado social. Sin embargo, no era una novela por completo al modo tradicional porque incorporaba elementos formales de corte vanguardista que permitían entroncarla con la reciente moda experimental, si bien su experimentalismo era más que comedido. De tal modo, Mendoza había acertado a formular un libro apto para ser recibido con atención por los sectores más inquietos y que, a la vez, ofrecía una historia convencional; un libro, digamos, a la par clásico y moderno. Lo que más importa, con todo, del *Caso Savolta...*, desde la perspectiva histórica que aquí nos concierne, es que su autor intuyó y condensó el tipo de narración que demandaban las letras de aquel momento. Era una vuelta al viejo gusto por contar, al clásico relato cervantino que puede tener otros valores —desde humorísticos hasta morales— pero que se fundamenta en la narración de una historia. Algunos autores especialmente bien dotados en esta línea —por citar un solo nombre, Luis Mateo Díez— apuntalaron esta tendencia pronto triunfante, sin que ello implique deuda sino tan sólo coincidencia de época en el aprecio de este tipo de planteamientos.

Eduardo Mendoza (1943) se ha convertido en una de las revelaciones fundamentales de este período y ha obtenido una crítica bastante positiva. Sobre su primera novela, Alonso [1988] ha redactado un breve pero completo estudio en el que se recogen variadas referencias bibliográficas a las que se puede añadir el análisis técnico de Sweeney [1991]; curiosamente, un buen análisis de la obra se halla en un manual de enseñanza media (cf. Tusón y Lázaro [1985]). Las dos novelas posteriores de Mendoza (*El misterio de la cripta embrujada*, 1979, y *El laberinto de las aceitunas*, 1982) no lograron una opinión tan positiva en la crítica mal llamada de combate (aunque la académica ya ha hecho algún asedio; por ejemplo, Hickey [1990]), pero de nuevo *La ciudad de los prodigios* (1986) ha sido saludada como uno de los títulos mayores de estos tiempos hasta el punto de que Benet [1987] afirma en una reseña que es uno de los pocos textos de la narrativa actual que permanecerá en el futuro. Entre los comentarios publicados a raíz de la aparición del libro, véase el «dossier» que le dedicó la revista *Quimera* (n.ᵒˢ 66-67, s.f. pero 1987). *La isla inaudita* (1989) ha vuelto a confirmar el carácter oscilante de la apreciación del escritor, pues, junto al reconocimiento de su instinto de narrador nato, se ha apreciado una menor ambición del libro, que roza el mero entretenimiento intrascendente, aunque divertido, en *Sin noticias de Gurb* (1990 en folletón; 1991 en volumen).

En esa línea de un patente gusto por contar historias ocupa un lugar destacado Luis Mateo Díez (1942), quien, después de haber promovido la revista *Claraboya* y haber cultivado la poesía, se da a conocer con un libro de relatos (*Memorial de hierbas*, 1973; varios de sus textos se han reeditado junto con otros inéditos en *Brasas de agosto*, 1989) y otro que contiene dos novelas cortas (*Apócrifo del clavel y la espina*, 1977). En *Las estaciones provinciales* (1982) queda bien definida una narrativa centrada en la memoria crítica de la vida provinciana. En este libro funciona una actitud de denuncia más próxima a un realismo tradicional que opera sobre una realidad degradada. Esa misma realidad y aun idéntico espacio reaparecen en *La fuente de la edad* (1986), en la que el escritor consigue sus mejores frutos al añadir una buena dosis de humor y una óptica deformadora, casi valleinclanesca. Su última novela por el momento, *Las horas completas* (1990), se centra en la desventurada excursión de unos sacerdotes —figura muy frecuente en la narrativa de Díez y que tiene una doble carga testimonial y emocional— y refleja el gusto del autor por los elementos inventivos. Destaca en las novelas de Luis Mateo Díez una prosa repleta de variadas y exactas voces y un empleo de la línea argumental para interpolar numerosas historias —algunas incluso bastante autónomas— que evidencian su admirativa vinculación con los relatos de tradición oral. También Díez ha obtenido una crítica positiva y asedios a su obra desde distintas perspectivas (aparte la descripción general de Alonso [1986]) pueden encontrarse en Romero Tobar [1985] o en el cuadernillo monográfico que le dedicó la revista *La página* (véase [*LP*1]).

La narración de una historia es asimismo factor importante en la novelística de José María Merino (1941), quien atraviesa el conjunto de su obra con un acentuado gusto por contar, que se manifiesta en la frecuencia con que sus novelas alojan otras novelas; esa inclinación es resultado no sólo de una influencia de la tradición narrativa libresca sino también de una fuerte fascinación por los relatos de tradición oral que asume como deuda voluntaria. Esa reivindicación de la narratividad sirve, sin embargo, a unos mundos más personales que colectivos en los que se lleva la parte del león un acentuado culturalismo y un intenso cultivo de la pura invención; por ello me referiré de nuevo a él más adelante, aunque aquí sea oportuno recordar una serie juvenil en la que cultiva una narrativa de peripecias, tras la no menos patente huella de los cronistas de Indias: *El oro de los sueños* (1986), *La tierra del tiempo perdido* (1987) y *Las lágrimas del sol* (1989).

El mencionado gusto por el relato es notable también en algunos otros autores. Rubén Caba (1935), aparte un recorrido viajero por los escenarios del *Libro de Buen Amor* (*Salida con Juan Ruiz a probar la sierra*, 1976), muestra su tendencia a la relación de peripecias en la fingida biografía de un biólogo (*Islario*, 1980) y en la variada inventiva de los padecimientos de esa especie de nuevo Quijote de los tiempos actuales que protagoniza *La puerta de marfil* (1988), libro que sobresale por su rica y esmerada prosa. Raúl Guerra Garrido (1936) suma ya un amplio número de títulos (siete antes de 1980 y en este decenio *La costumbre de morir*, 1981; *Escrito en un dólar*, 1982; *El año del wolfram*, 1984; *La mar es mala mujer*, 1987; *La carta*, 1990) que muestran un poderoso instinto novelesco y en los que siempre hay una historia fuertemente anecdótica que remite a acuciantes problemas contemporáneos; varios de sus argumentos se ubican en la conflictiva realidad político-social de Euskadi (sobre Guerra Garrido, véase Ortiz Alfau [1989]). También Javier Marías ha ido acentuando la importancia de la historia narrada, por lo general una indagación de relaciones personales, que desemboca, en sus libros más recientes (*El siglo*, 1983; *El hombre sentimental*, 1986; *Todas las almas*, 1989), en un relato de intenso carácter intimista. En Juan Pedro Aparicio (1941), planteamientos en ocasiones simbólicos sirven a una literatura crítica, a veces incluso de denuncia social y ello tanto en sus cuentos (*El origen del mono y otros relatos*, 1975; edición revisada *Cuentos del origen del mono*, 1989) como en sus novelas (*Lo que es del César*, 1981; *El año del francés*, 1986; *Retratos de ambigú*, 1989) (sobre Aparicio véase Alonso [1986]). En Antonio Hernández (1943) su afición al relato de peripecias humorísticas aunque con frecuencia desencantadas conecta con una reactualización de la neopicaresca (*Nana para dormir francesas*, 1988; *Volverá a reír la primavera*, 1989). El aprecio de la anécdota, por otra parte, ha coincidido con la reivindicación expresa de las formas narrativas tradicionales que cultiva un autor algo mayor, Jesús Pardo (1927), pero que se da a conocer en estos años (*Ahora es preciso morir*, 1982; *Ramas secas del pasado*, 1984; *Cantidades discretas*, 1986).

Una vertiente específica de una narrativa que cuenta historias la constituye la novela policíaca. El rescate para un público culto y con caracteres de prestigio literario de este subgénero constituye uno de los rasgos externos más notables de toda la literatura posfranquista. Puede deberse, en parte, a intereses comerciales deseosos de ampliar el mercado por medio de una vertiente específicamente española de unas formas que, entre nosotros, no habían tenido ni gran desarrollo ni credibilidad (de hecho, a finales de los setenta se inicia la serie «Club del crimen» destinada a publicar novelas policiacas españolas). En su aceptación ha influido, sin duda, la favorable acogida dispensada por los medios de comunicación y ha sido de definitiva importancia el acierto de un escritor, Manuel Vázquez Montalbán, al darle un sello personal.

Este fenómeno de la novela criminal o policíaca habría que deslindarlo en una doble dirección. Por un lado, las novelas que con mayor propiedad pueden encajar dentro de esa etiqueta y, por otra, libros que utilizan el recurso al suspense, la intriga o la investigación como componente destacado del relato. En este último sentido, *La verdad sobre el caso Savolta*, ya citada, se puede considerar como precursora, y en esa línea de utilizar una dosis de intriga en calidad de sustrato de la ficción cabe mencionar *Visión del ahogado* (1977), de Juan José Millás, o *Caronte aguarda* (1981), de Fernando Savater. Son muchas más las obras que plantean su tema por medio de una investigación o del esclarecimiento de una trama de intriga, hasta el punto de convertirse este procedimiento en una especie de característica de época, como puede sospecharse de la sucesión de títulos representativos en un corto espacio de tiempo: *Queda la noche* (1989), de Soledad Puértolas; *Mar de octubre* (1989), de Manuel Rico; *El día intermitente* (1990), de José Antonio Millán; *La isla del viento* (1990), de Juan Luis Cebrián (también relato de investigación es la precedente de este autor, *La rusa*, 1986).

La nómina de cultivadores españoles de la novela negra es muy extensa y en ella ha de citarse a Pedro Casals, Francisco González Ledesma, Juan Madrid, Andreu Martín, Jorge Martínez Reverte, José Luis Muñoz... Las obras de estos narradores, sin embargo, exigen algunas diferenciaciones. En Jorge Martínez Reverte el desarrollo de la investigación apunta a una visión moderna del relato de denuncia social (*Demasiado para Gálvez*, 1979; *Gálvez en Euskadi*, 1983). En Juan Madrid predomina la presentación de una problemática urbana ni mucho menos ajena a una conciencia crítica (*Un beso de amigo*, 1980; *Nada que hacer*, 1984; *Regalo de la casa*, 1986). Algo semejante caracteriza a Andreu Martín (*Aprende y calla*, 1979; *Por amor al arte*, 1987; *Barcelona Connection*, 1988). En Pedro Casals parece interesar más el desvelamiento de la intriga (*Quién venció en febrero*, 1985; *La jeringuilla*, 1986; *El señor de la coca*, 1987; *Hagan juego*, 1988; en *Las hogueras del rey*, 1989, mezcla la novela histórica y la de intriga). También la intriga ocupa buen espacio en Francisco González Ledesma (*Crónica sentimental en rojo*, 1984), aunque en ella aparece con

fuerza la sombría realidad actual. La novela de investigación en un marco
futurista y terrorífico se encuentra en *Barcelona negra* (1987), de José Luis
Muñoz. Carlos Pérez Merinero se distingue por un estilo bronco y por
presentar una realidad degradada (*La mano armada*, 1986). Otros autores
de esta novela policíaca son Julián Ibáñez García (*Mi nombre es Novoa*,
1986; *Tirar al vuelo*, 1986), Mariano Sánchez (*Carne fresca*, 1988), Fernando Martínez Laínez. Como curiosidad, citaremos al hispanista, experto en
medievalismo, Ian Michael que firma con el pseudónimo de David Serafín.
En fin, de manera ocasional ha cultivado también el género Lourdes Ortiz,
quien, en *Picadura mortal* (1979), aporta la singularidad de una mujer
investigadora.

La casi abusiva presencia de este subgénero (que ha propiciado la
edición de una novela inédita aunque redactada en 1951 de Gabriel Ferrater y José María de Martín, *Un cuerpo, o dos*, 1987) parece responder a la
difundida creencia de que constituye uno de los medios adecuados para
desvelar las contradicciones de la vida urbana de esta época del nuevo
desarrollo industrial y tecnológico. Es Manuel Vázquez Montalbán (1939),
según antes se señaló, quien con gran perseverancia ha cultivado esa novela
de criminales o delincuentes y ha contribuido a ella y a su aceptación
mediante una peculiar creación. Una nutrida serie de títulos —más de una
docena de volúmenes entre relatos cortos y novelas— tienen como protagonista a un singular personaje, Pepe Carvalho. Tanteadas sus características
en *Yo maté a Kennedy* (1972), se han perfilado en libros posteriores:
Tatuaje (1974), *La soledad del manager* (1977), *Los mares del Sur* (1979),
Asesinato en el Comité Central (1981), *Los pájaros de Bangkog* (1983), *La
Rosa de Alejandría* (1984), *El balneario* (1986), *El delantero centro fue
asesinado al atardecer* (1988). En principio, estos libros responden al esquema general de la novela de intriga, pero este es sólo un pretexto para lograr
un relato capaz de atraer y mantener la atención del lector, lo cual consigue
muy bien Vázquez Montalbán por sus sobresalientes dotes de narrador.
Las historias nutren la intriga sin que esta sea, en último extremo, sustancial. Lo fundamental es el empleo de esos recursos para incorporar al
relato un agudo y sabroso análisis de la realidad nacional, tanto en sus
conflictos histórico-sociales y políticos como en su dimensión cultural. (Sobre algunos caracteres de este ciclo policíaco, véase Colmeiro [1989] y
Navajas [1987 c]). La serie de Carvalho constituye una especie de variada y
perspicaz crónica barojiana de los tiempos de la democracia, pero el autor
—muy prolífico y disperso en el conjunto de su obra— ha hecho también
otras indagaciones en la España de posguerra (*El pianista*, 1985; *Los ale-
gres muchachos de Atzavara*, 1987; *Cuarteto*, 1988; *Galíndez*, 1990). En
ellas, y como atravesando la realidad social de medio siglo de vida colectiva, ofrece un retrato moral muy duro de este tiempo.

Paralelo al desarrollo de una novela de intriga, negra, policíaca o criminal en las letras castellanas, se ha producido un interés editorial por la publicación de obras referidas a este género. Buena parte de los títulos son traducciones de obras extranjeras que lo abordan desde una perspectiva teórica e histórica sin referencias a creaciones españolas (por tanto, no es oportuno mencionarlas aquí, aunque sí consignar el hecho), pero también estas, muy en los últimos tiempos, han ocupado la atención de los estudiosos. Así, Paredes Núñez [1989] compila un breve volumen de conferencias en el que (aparte análisis generales debidos a Juan Madrid, Andreu Martín, Jorge Martínez Reverte y Julián Ibáñez) destaca la reflexión firmada por Manuel Vázquez Montalbán [1989]. Por su parte, Valles Calatrava (autor de una monografía sobre la novela criminal [1990], que debe añadirse a las obras foráneas aludidas) publica [1988] un sucinto y bien informado ensayo sobre la narrativa española inscribible en este género. Otras aportaciones importantes para la todavía joven historia de la novela policíaca nacional se encuentran en números de revistas dedicados a ella al menos en parte: así por *Camp de l'Arpa* (n.ᵒˢ 60-61, II-III, 1979), *El viejo topo* (42, III, 1980) o *Los Cuadernos del Norte* (19, V-VI, 1983); también puede consultarse el artículo de Tebar [1985] y, en fin, con frecuencia se encuentran análisis literarios de autores españoles en la revista especializada *Gimlet*.

ALGUNAS TENDENCIAS: CULTURALISMO Y NOVELA HISTÓRICA. Con la mención de la novela policíaca nos acaba de surgir una cuestión notable de la narrativa posfranquista. Es opinión comúnmente admitida que caracteriza a este período una enorme multiplicidad de voces y que ha predominado la variedad por encima de cualquier proyecto colectivo. Estos hechos no son incompatibles, sin embargo, con una fuerte formalización de muchos textos que se han sometido a algunos planteamientos temáticos o formales. Este tipo de obras han abundado durante estos años casi hasta el extremo de producir la impresión de que buena parte de nuestra narrativa se ha escrito bajo los dictados de la moda, lo que parece asegurar el interés de los editores y la atención del público. La novela policíaca ha sido, desde un punto de vista cuantitativo, el más importante de estos subgéneros, pero no a la zaga le han ido el relato culturalista o el histórico.

En los años anteriores al posfranquismo se había aceptado el cultivo de la imaginación y la fantasía (recordemos que, por citar un título, en la resaca de *Cien años de soledad* había triunfado en 1972 *La saga/fuga de J. B.*, de Torrente Ballester). Desde ese soporte no fue difícil sustituir la realidad cotidiana y la problemática social por la realidad de la cultura y de la propia literatura. Así se extiende una novela cuyo referente no es la vida cotidiana sino la misma novela y que, con frecuencia, incluye el proceso de novelación; de tal manera, el texto de la novela es el del libro que dentro de ella se escribe. Se trata de un fenómeno que muestra el triunfo de lo que, por utilizar un término muy en boga, se puede denominar ficción metanovelesca. Este gusto, con caracteres más o menos extremados, es compartido por escritores de las promociones mayores y también por los más jóvenes que empiezan en los setenta. De aquellos, podemos recordar *Gramática parda* (1982), de Juan García Hortelano, y, sobre todo, el conjunto de los libros de Luis Goytisolo en estos años. Esta narrativa que proclama la autonomía de la novela respecto de referentes exteriores estaba ya planteada por Luis Goytisolo en su tetralogía *Antagonía* y él mismo la desarrolla hasta sus últimas consecuencias en *Estela del fuego que se aleja* (1984) o en *Investigaciones y conjeturas de Claudio Mendoza* (1985). De todos modos, estas obras metafictivas no son sino ejemplos de un rasgo menos extremado pero bien común en estos años: la frecuencia con que el personaje novelesco es un escritor —creador, ensayista o estudioso, tanto da para el caso— en detrimento de representantes de otras ocupaciones; sobre todo, en la novela española desde la instauración de la democracia ha desaparecido el protagonista obrero, que surge en muy contadas ocasiones y, cuando lo hace, nunca alcanza la categoría de portavoz de una reivindicación salarial, social o de clase, ni de representante de una visión del mundo. Ha ocurrido, pues, que el intelectual o el creador se han convertido no en la única pero sí en la predominante conciencia analítica o crítica de esta época. Y este fenómeno hay que insertarlo en un contexto que ha analizado con amplitud documental y cronológica Gil Casado [1990]: la presencia de una tendencia deshumanizadora en nuestra narrativa que saca la ficción de un entramado histórico preciso.

La metanovela es una actitud especial dentro de una más genérica que puede calificarse, con término también extendido por la moda, metacultural y que afecta sólo a algún título concreto o bien al conjunto de la obra de algunos autores. Esa práctica de la novela en la novela está en José María Merino, cuya *Novela de Andrés Choz*, ya citada, ofrece el relato que alguien escribe en la situación límite de una enfermedad irreversible. Antonio Muñoz Molina relata la historia de un apócrifo poeta de la generación del 27 en su primera obra, *Beatus ille* (1986). Un serio estudio de la literatura galante de los años veinte se ofrece en *La novela del corsé* (1979), de Manuel Longares. Las relaciones entre un escritor y su personaje se desarrollan en *Memoria de aparecidos* (1983), de Antonio Papell (1947). En fin, las relaciones entre vida y literatura son una constante en la obra de un escritor de edad algo más avanzada, Álvaro Pombo (1939), pero que alcanza nombre público en estos años; uno de sus títulos, *El hijo adoptivo* (1984), presenta entre proyectos literarios de los dos protagonistas, madre e hijo, una especie de visión de la vida desde la literatura y la creación (sobre la «conciencia narrativa» de Pombo, véase González Herrán [1985]).

En esa inclinación al cultivo de los subgéneros destaca, según se dijo, la práctica de la novela histórica, que se ha convertido en uno de los más agobiantes y reiterados motivos del decenio de los ochenta, según puede verse en la amplia relación de títulos de este corte que establece Valls [1989 *b*], junto al planteamiento de algunas cuestiones generales. Esta tendencia no es, por otro lado, separable de la anterior, pues con frecuencia suele ser bastante culturalista. El auge de esta corriente probablemente no tiene una única explicación y, en el conjunto de factores que han podido influir, han de anotarse tanto el éxito de algunos escritores extranjeros (de modo señalado Graves, Yourcenar y, sobre todo, Eco) como una actitud evasiva respecto de los más acuciantes problemas de la actualidad. Lo cierto es que, algún año, tanto la obra ganadora como la finalista de algunos de los premios más resonantes han sido novelas históricas (por ejemplo, el Planeta 1987 lo coparon dos ficciones medievales, de Juan Eslava Galán —*En busca del unicornio*— y Fernando Fernán Gómez —*El mal amor*—, ganador y finalista, respectivamente, de esa convocatoria). Indicio, por otra parte, de esa verdadera avalancha de novelas históricas puede ser el considerable número de ellas que toman como pretexto la Edad Media (de «eclosión» califica el fenómeno Gómez Redondo [1990]) o las ya abundantísimas que en muy corto espacio de tiempo han abordado la época de la guerra de la Independencia y del reinado de Fernando VII. Acaso la lista no sea completa, pero ahí están, por lo menos, las novelas de Vallejo Nájera (*Yo, el rey*, 1985, continuada en *Yo, el intruso*), José Esteban (*El himno de Riego*, 1984, y *La España peregrina*, 1988), José Antonio Gabriel y Galán (*El bobo ilustrado*, 1986), Arturo Pérez Reverte (*El húsar*, 1986), Juan van Halen (*Secreta memoria del hermano Leviatán*, 1988); Ricardo de la Cierva (*El triángulo*, 1988; segunda parte *El triángulo II*, 1990, sobre el reinado de Isabel II hasta su destronamiento). Obsérvese, por otro lado, que tanto de los nombres citados como de los que a continuación se mencionan se desprende la práctica del género histórico por los narradores de las diferentes promociones en activo. Toda la última narrativa, por ejemplo, de un Jesús Fernández Santos se decanta por el empleo de variados y alejados marcos temporales, pero esos libros suyos recientes tienen algo de pioneros, en este sentido, y se publican antes de que la historia se convierta en moda. Y obsérvese, también, que la inclinación hacia lo histórico tiene muy desigual importancia en el conjunto de la trayectoria de cada narrador. Puede ser práctica habitual y reiterada, caso de Carlos Pujol (1936), quien suele mover sus personajes por escenarios pretéritos, aunque no mucho, en relatos que se «superponen parcialmente» (según señaló Valls [1986]) y con rasgos comunes que afectan a una labor de cierta amplitud: *La sombra del tiempo* (1981), *Un viaje a España* (1983), *El lugar del aire* (1984), *Es otoño en Crimea* (1985). Sin embargo, puede tratarse también de un recurso ocasional, según sucede en José Antonio Gabriel y Galán, quien en el conjunto de sus obras (*Punto de referencia*, 1972; *La memoria cautiva*, 1981; *A salto de mata*, 1981) se preocupa por cuestiones morales y aun sociales de actualidad que desarrolla mediante variados registros (Rodríguez Puértolas [1990] analiza la narrativa de Gabriel y Galán).

«Novela histórica» es un enunciado demasiado genérico como para que acoja sin inexcusables matizaciones a todas las obras que pueden englobarse dentro de él. Así, es preciso señalar distintas tendencias. Una de ellas se distingue por un análisis crítico del pasado, como sucede con la acertada reconstrucción de la España filipina que lleva a cabo Eduardo Alonso en *El insomnio de una noche de invierno* (1984). El pasado se convierte en la base de una reflexión acerca de algunos peligros del presente y en una defensa de la libertad en los títulos citados de José Esteban; y, en el caso de *Babilonia, la puerta del cielo* (1990), de Andrés Sorel, la concepción de la historia como *magistra vitae* se halla de forma expresa en el texto. El presente rompe los límites del pasado y penetra en él con la flexibilidad propiciada por la invención libre en el «ciclo de Taormina» de Raúl Ruiz (1947-1988), compuesto por una trilogía (*El tirano de Taormina*, 1980; *Sixto VI. Relación inverosímil de un papado infinito*, 1981, y *La peregrina y prestigiosa historia de Arnaldo de Montferrat*, 1984) continuada en *Los papeles de Flavio Alvisi* (1985). Raúl Ruiz, uno de los valores más prometedores de la nueva narrativa, falleció por desgracia en un momento de plena creatividad (sobre su obra, véase el libro colectivo preparado por García Ferrer y Rom [1988] y el número 65 de *Quimera*, s.f. pero 1987). En otras ocasiones predomina la recreación imaginativa como en *Mansura* (1984), de Félix de Azúa, o en *El rapto del Santo Grial* (1984), de Paloma Díaz-Mas; incluso la pura fantasía entra en *Las joyas de la serpiente* (1984) y *La fase del rubí* (1987), de Pilar Pedraza. En fin, a veces el emplazamiento pretérito es la ocasión para discurrir sobre cuestiones genéricas de la naturaleza humana; así ocurre en la variada meditación de *Urraca* (1982), de Lourdes Ortiz, o en el enfrentamiento entre el poder y el amor de *La vieja sirena* (1990), de José Luis Sampedro. La novela de Sampedro tiene también algo de un tipo de relato histórico de menor entidad cuyo sostén se basa en procurar el simple entretenimiento gracias a la recreación de curiosos usos y costumbres de otras épocas. Es lo que parece que persigue Néstor Luján con la mezcla de intrigas, amores y muertes que emplaza en los Siglos de Oro (*Decidnos, ¿quién mató al Conde?*, 1987; *Por ver mi estrella María*, 1988) o en el XVIII (*Casanova o la incapacidad de perversión*, 1989). Es también lo que predomina en las historias de amor de Terenci Moix enmarcadas en tiempos del Imperio romano (*No digas que fue un sueño*, 1986; *El sueño de Alejandría*, 1988). Más difícil de encajar en esta órbita de la novela histórica es *El testimonio de Yarfoz* (1986), el esperado libro de Rafael Sánchez Ferlosio, pues antes que al género histórico pertenece al de las crónicas legendarias de configuración épica.

Por otro lado, en esta sumaria referencia a la novela histórica se hace inevitable una parrafada sobre el tema de nuestra guerra civil, que ha vuelto a surgir en algunos de los más jóvenes novelistas aunque con un tratamiento diferenciador que quizás sea el último estado de los distintos enfoques que se han sucedido. Se trata ahora de un conflicto no atravesado por la ideología sino de una referencia que en lugar de pertenecer al campo de las vivencias o de los enjuiciamientos se sitúa en el de los mitos. De tal manera aparece en *Beatus ille* (1986), de Antonio Muñoz Molina, o en *Luna de lobos* (1985), de Julio Llamazares; ante una simple alusión nos encontramos, también, en *Una historia madrileña* (1988), de Pedro García Montalvo, a pesar de que uno de los personajes sea militar victorioso: e, incluso, *Las aguas esmaltadas* (1990), de Manuel Díaz Luis (1956), se desarrolla en un pueblecito salmantino en el que, según una explícita anotación, no hubo guerra. Por su parte, Juan Benet, que dedicó un breve ensayo a la lucha (*Qué fue la guerra civil*, 1976), pero en cuya obra narrativa es referencia no explicitada, ha dado un salto al presentarla en el centro de la serie de novelas titulada *Herrumbrosas lanzas (Libros I-VI*: 1983; *Libro VII*: 1984; *Libros VIII-XII*: 1986) en las que la contienda se presenta en su vertiente técnica, estratégica, militar. Por el contrario, en los relatos de un autor de más edad que los jóvenes citados unas líneas arriba, Juan Eduardo Zúñiga (*La tierra será un paraíso*, 1989), la guerra vuelve con una postura testimonial y crítica.

EL TESTIMONIO Y LA EXPERIMENTACIÓN. Cuestión señalada por la crítica en varias ocasiones es el papel que representa la problemática social en el conjunto de una narrativa que muestra tanta predilección por la novela histórica o que se recluye en sus formas intimistas. En términos genéricos, puede decirse que los más graves y acuciantes problemas de nuestra sociedad no se han visto reflejados en la novela posfranquista, la cual, por lo común, se ha sentido ajena a la realidad cotidiana. Quizás esta falta de confrontación de la literatura con los problemas candentes de su tiempo no sea otra cosa que el reflejo de una generalizada actitud social y acaso, de hecho, en esa falta de testimonialismo se oculte el testimonio más profundo y auténtico que las letras puedan ofrecer de un momento histórico. De cualquier manera, autores preocupados por esta problemática sí que se han dado, aunque no constituyan la tónica más general. Entre los narradores de más edad, en una actitud de examen crítico, en la frontera de la denuncia de la injusticia, se mueve Gregorio Gallego (1916), con novelas suyas de estos años como *Asalto a la ciudad* (1984) y *Hombres en la cárcel* (1989). De la misma promoción, y entre los autores del exilio, Manuel Andújar (1913) ha continuado durante el período democrático su novelística reflexiva acerca de los valores morales de la sociedad contemporánea y de su más reciente historia en exigentes relatos de acentuado barroquismo y complejidad formal (*Cita de fantasmas*, 1984; *La voz y la sangre*, 1984; *Mágica fecha*, 1989). De entre los narradores de la promoción intermedia, es im-

prescindible recordar el testimonio social y policial de *Pájaro en una tormenta* (1984), o la desilusionada crónica generacional de *Señales de humo*
(1988), ambas de Isaac Montero. También quedan como destacados títulos
mostrativos de distintas parcelas de la realidad las novelas de dos narradores poco prolíficos pero muy interesantes: *La baba del caracol* (1985), de
Ramón Gil Novales, y *La gaznápira* (1984), de Andrés Berlanga. De la
generación protagonista de la época de la transición, el conjunto de la obra
de Luis Mateo Díez, antes mencionada, tiene un indudable arraigamiento
crítico en las pautas de comportamiento del franquismo. Y, de los escritores algo posteriores, Rosa Montero (1951) encarna un permanente compromiso en particular en defensa de la condición femenina (*Crónica del desamor*, 1979; *Te trataré como a una reina*, 1983). (La monografía de Miguel
[1983] analiza lo ficcional y lo reporteril en las dos primeras novelas de
Rosa Montero, y el artículo de Gascón Vera [1987] señala coincidencias
de la escritora con los planteamientos teóricos de las feministas francesas;
la entrevista con Gleen [1990] aporta algunas interesantes opiniones de la
propia autora.) Otros títulos aislados han ido constituyendo los eslabones
sueltos pero inexcusables de una incompleta nómina: la visión muy crítica
y casi en clave de la vida actual de José Catalán Deus (*Marzo de aquel año*,
1986) o de Ignacio Fontes (*Rojo, rosa, negro*, 1983), entre otros que podrían recordarse.

Mención aparte merece una actitud de reflexión generacional sobre los
rasgos humanos, vitales y políticos de las gentes —jóvenes cuya edad coincide con la de los propios escritores que recuperan tales episodios— que
estuvieron comprometidas en la lucha antifranquista a finales de los sesenta. Varios narradores que comparten biológicamente un conocimiento directo de esos hechos los han novelado tratando de encontrar el sentido
actual de aquellos antiguos comportamientos. En esa relación, no completa, deben mencionarse J. J. Armas Marcelo (*Los dioses de sí mismos*,
1989), Félix de Azúa (*Historia de un idiota contada por él mismo*, 1986),
José María Conget (*Gaudeamus*, 1986, y *Todas las mujeres*, 1989), Domingo Luis Hernández (*El ojo vacío*, 1986), Eduardo Mendicutti (*Tiempos
mejores*, 1989), Vicente Molina Foix (*La quincena soviética*, 1988), Antonio Rodríguez Almodóvar (*Variaciones para un saxo*, 1986), Mercedes Soriano (*Historia de no*, 1989), Manuel Rico (*Mar de octubre*, 1989, y *Los
filos de la noche*, 1990). Ha de observarse, no obstante, que parte de estos
títulos se acumulan en los amenes de los ochenta y que otros se suman en
el decenio recién nacido (el cual queda ya fuera de los límites de este
panorama), lo que puede ser una reacción contra la actitud evasiva antes
apuntada.

Si el realismo, por utilizar un término equívoco pero que permite entenderse, y el testimonio crítico no han ocupado un lugar central en la
última novela, orillados por ficciones culturalistas y metaliterarias, tampo-

co la experimentación ha gozado de prestigio. De hecho, estos han sido tiempos antiexperimentales y de un renovado clasicismo, como se señaló al indicar la recuperación del gusto por el relato anecdótico. Prueba bien palpable es la trayectoria de algunos narradores pioneros de la generación del 68, que han abandonado el vanguardismo de sus primeros libros, aquella sistemática destrucción de los componentes tradicionales del relato y han seguido caminos bien distintos, pero, en cualquier caso, alejados de esas posturas. Es lo que ocurre —y los cito como representación del fenómeno para no prolongar una lista que habría de ser muy extensa— con Félix de Azúa o con Vicente Molina Foix, pero, sobre todo, con Mariano Antolín Rato, quien, sin dejar una escritura de gusto renovador, ofrece en *Mar desterrado* (1988) una historia mucho más directa que la que caracteriza a libros suyos precedentes como *Cuando 900 mil mach. aprox.* (1973) o *De vulgari Zyklon B manifestante* (1975). También es de composición más sencilla *Europa* (1988), último título de J. Leyva, uno de los significados y ardorosos experimentadores de los setenta (sobre su narrativa puede verse G. J. Pérez [1985]). Algún autor, entre los más recientes, como Jesús Ferrero que parecía inclinado a contenidos de semblante renovador ha desmentido ese propósito en los libros posteriores. La experimentación, pues, ha tenido un reducido espacio, aunque no menospreciable.

Dentro de las actitudes innovadoras, la obra más notable es la de Miguel Espinosa (1926-1982). La primera y más importante de las ficciones que publica, *Escuela de mandarines* (1974), responde a ese concepto de novela total que abarca tanto la vida como la cultura y presenta un enfoque muy crítico e implacable de la realidad social y de las esferas del poder con particular referencia al mundo murciano, del que era originario el autor (Aranguren [1976, p. 281] señala que el de Espinosa es «un compromiso crítico-político con (contra) la realidad circundante»). Ese duro testimonio lo articula el escritor no a la manera de una crónica realista, sino como una parábola que necesita una lectura de literatura en clave —hoy por hoy impracticable en todos sus detalles— y que se desarrolla con múltiples procedimientos experimentales. En el fondo, sin embargo, la forma, con ser muy llamativa y peculiar, no remite a sí misma, como sucede en la experimentación intrínseca, sino que es la «fermosa cobertura» de un libro en el que resulta patente el gusto por contar historias (por eso, de una manera muy cervantina, el hilo principal de la acción se interrumpe constantemente para dar paso a historias interpoladas y hasta a piezas teatrales). Por ello, y dada esa amalgama de crónica de sucesos y de composición experimental, desde un punto de vista histórico encarna un primer hito de esa renovación que un año más tarde asumió la mencionada primera obra de Eduardo Mendoza. Si no cumplió un papel semejante fue acaso por haber aparecido en una editorial no significativa en la edición de narrativa y por la propia exigencia del texto. En cualquier caso, el reconocimiento, ahora incuestionable, de los méritos del libro ha tardado a producirse, según puede comprobarse por la acumulación de análisis en fechas muy recientes. Lo destacó Soldevila [1980] en su conocido panorama; en Jiménez Madrid [1982] se halla un breve pero completo acercamiento a diversos aspectos del libro, el cual es tratado desde múltiples perspectivas por Escudero [1990]. Variados análisis y valiosas informaciones sobre las obras de Espinosa y acerca de su sugestiva personalidad se hallan en los números en buena medida monográficos que le han dedicado varias revistas: *Quimera* (n.º 64, s.f., pero 1987), *La Página* (n.º 4, octubre de 1990-enero de 1991) y *El Urogallo* (n.º 59, abril de 1991). La prematura desaparición de Espinosa ha hecho que el resto de su producción editada no sea muy amplio. Además de un texto de difícil catalogación (*Asklepios*, 1985), otros dos libros unitarios aunque publicados independientes constituyen el resto de su narrativa: *La Tríbada Falsaria* (1980) y *La Tríbada Confusa* (1984); ambos han sido posteriormente reunidos en *Tríbada. Theologie Tractatus* (1986) con una amplia introducción de Sobejano [1986]. Póstuma ha aparecido una novela, *La fea burguesía* (1990), de carácter muy testimonial y crítico, que avala la pronunciada intencionalidad social del escritor, que en ella se hace casi literatura de denuncia.

En el terreno de la ficción experimental han de recordarse otros textos. Una afición renovadora que cultiva el *collage* caracteriza a José Antonio Fortes (1949) en *¡Oh juventud azul divino tesoro!* (1975). J. Daimiel (1952) practica en *Intolerancia* (1983) un amplio repertorio de técnicas vanguardistas. Un extenso relato en dos volúmenes de un autor joven, Javier Mina, *Mas la ciudad sin ti...* (1986), acoge con entusiasmo y no sin expresividad múltiples recursos de la experimentación (desde el valor significativo de la tipografía hasta el *collage*) y se convierte en uno de los títulos de más neto vanguardismo de todo el período. También por su ambición y por sus logros parciales ha de mencionarse *La armónica montaña* (1986), de Antonio Enrique (1953), compleja y extensísima novela simbólica que, a través de un recorrido por la catedral granadina, lleva a cabo una magna descripción del ser humano y de la propia historia de la ciudad. Con expectación fue acogida la aparición de Julián Ríos (1941), aclamado como una auténtica revelación por algunos críticos y escritores. Con *Larva. Babel de una noche de San Juan* (1983), de la que diferentes revistas habían ofrecido adelantos desde 1973, se inicia una serie de volúmenes de los que, por ahora, sólo se ha publicado *Poundemonium* (1986), de intenso culturalismo y en los que ocupa un lugar preferente el juego lingüístico. El gusto de Ríos por llevar a la ficción la literatura y la cultura da un paso adelante en *Impresiones de Kitaj. La novela pintada* (1989), que participa de la invención y del ensayo sobre arte. En el conjunto de artículos compilados por Sánchez Robayna y Díaz-Migoyo [1985] se encuentran diferentes y elogiosas aproximaciones a *Larva*.

OTRAS TENDENCIAS. Dentro de esa variedad narrativa característica de estos años hay, como se ha dicho antes, una cierta coincidencia en planteamientos que afectan a no pocas obras. Sin los caracteres más marcados de los subgéneros aludidos, también se extienden unos relatos que se inclinan hacia el intimismo o la fragmentación y que pueden considerarse representativos de una narrativa posmoderna. Esto supone un alejamiento de planteamientos sobre la problemática colectiva —a lo que antes hemos dedicado unas líneas— y una preferencia por la intimidad. En un sector de la nueva narrativa el yo aparece con gran fuerza; un yo agónico, dubitante, en una permanente situación límite. Lo llamativo es la abundancia de ficciones en las que se resalta una intimidad desasosegada. Este mundo de la interioridad ha tenido distintas materializaciones. Una de ellas merodea por la angustia interior, por las incertidumbres de la persona. Es lo que ocurre en los libros de Juan José Millás: *Cerbero son las sombras* (1975), *Visión del ahogado* (1977), *El jardín vacío* (1981), *Letra muerta* (1984), *El desorden de tu nombre* (1988) y *La soledad era esto* (1990). Algunas voces contenidas en estos títulos dan buena idea de sus peculiares preocupaciones, que se encarnan en un tipo de personajes característicos del escritor: cavilosos, desconcertados, derrotados. En conjunto, Millás presenta una disección del hombre y de los inestables límites del espíritu a la que, a la vez, y como trasfondo necesario, acompaña datos de formas de vida actuales que suelen encerrar un juicio moral sobre las apetencias de nuestra sociedad (sobre Millás, véase Sobejano [1987]).

Otro enfoque cultiva lo que puede llamarse la «puesta en abismo» que conduce a problemas de identidad, al desarrollo del tema del doble o al planteamiento del clásico motivo de la vida es sueño, que se ha convertido en un rasgo diferenciador de José María Merino. Los relatos cortos de este narrador (*Cuentos del reino secreto*, 1982; *El viajero perdido*, 1990) presentan un compendio de sus preocupaciones más generales, en las que cada vez se asienta con más fuerza el cultivo de la fantasía y la metaficción. Su narrativa extensa comienza con *Novela de Andrés Choz* (1976; 2.ª ed. modificada 1986) y continúa con *El caldero de oro* (1981) y *La orilla oscura* (1985). En ellas se comprueba la unidad de un mundo literario que pivota sobre unos cuantos ejes: la incorporación irreversible de lo fantástico a la vida cotidiana, la incertidumbre de una existencia a caballo entre la vigilia y la realidad de lo onírico, el inquietante desdoblamiento del individuo, los imprecisos límites en que se produce la ósmosis entre vida y literatura, los problemas de la creación. Tanto los relatos como las novelas de Merino destacan por su habilidad constructiva —que engarza novelas en la novela hasta configurar una tupida red de relaciones— y por una prosa de rico y expresivo lenguaje. (Sobre Merino, además de la trayectoria general de su obra trazada por Alonso [1986], véase Gullón ([1987 *a*] y [1987 *b*]) y Larequi García [1988].)

El intimismo es un rasgo, no único, pero sí predominante en el conjunto de la obra de varios de los narradores de la generación del 68. Es ya bien claro en Félix de Azúa (1944), quien ha pasado de unos textos iniciales densos y difíciles (*Las lecciones de Jena*, 1972; *Las lecciones suspendidas*, 1978) a una descripción desencantada del hombre moderno matizada por la ironía y el humor (*Historia de un idiota contada por él mismo*, 1986; *Diario de un hombre humillado*, 1987). También en Juan Cruz (1948), quien presenta en sus primeras publicaciones (*Crónica de la nada hecha pedazos*, 1972; *Naranja*, 1975) un mundo interior denso dentro de planteamientos innovadores y que evoluciona hacia unas formas compositivas más claras y en las que se dan la mano un intenso culturalismo y un intimismo existencialista (*El sueño de Oslo*, 1988; *En la azotea*, 1989). Después de sus inicios experimentales y culturalistas (*El mercurio*, 1968; *Antifaz*, 1969), José María Guelbenzu (1944) recrea cada vez más pasiones de seres solitarios, atormentados o que no encuentran caminos para el diálogo y la comunicación en sus novelas *El pasajero de ultramar*, 1976; *La noche en casa*, 1978; *El río de la luna*, 1981; *El esperado*, 1984; *La mirada*, 1987 (sobre Guelbenzu, véase Gullón [1987 *a*], Herzberger [1987], Perez [1987], Roberts [1987]). Un mundo interior muy denso, conflictivo y torturado, entre la realidad y la alegoría, ha ido construyendo Ramón Hernández (1935) por medio de una obra seria y que crece con regularidad. A los nueve títulos publicados entre 1967 y 1980, añade a lo largo de este decenio otros más (*Bajo palio*, 1983; *Los amantes del sol poniente*, 1983; *El ayer perdido*, 1986; *Sola en el paraíso*, 1987; *Golgothá*, 1989) que evidencian el deseo de hacer una literatura sin concesiones, dramática y en torno a los problemas radicales del hombre, desde el amor hasta la muerte (sobre R. Hernández, véase Cabrera y González del Valle [1978], González del Valle [1987] y Freeman [1989]; también las interesantes entrevistas firmadas por González del Valle [1977] y Ruiz-Avilés [1988]). Inhabituales preocupaciones espiritualistas se hallan en la narrativa, desatendida sin justificación por la crítica, de Pedro Antonio Urbina (1936), a quien hay que recordar en este momento por esa peculiar temática (sobre su obra, véase Schwartz [1987]). Marina Mayoral (1942) no olvida referentes críticos de una realidad exterior, pero el suyo es un orbe de introspecciones en el que además ocupa un espacio lo imaginativo (*Cándida otra vez*, 1979; *Al otro lado*, 1980; *La única libertad*, 1982; *Contra muerte y amor*, 1985) (sobre Mayoral, véase Gullón [1987] y Johnson [1990]). También se va decantando hacia una exploración de las incertidumbres personales la narrativa de Soledad Puértolas. Sus más recientes títulos (*Burdeos*, 1986; *Todos mienten*, 1988; *Queda la noche*, 1989) han ido abandonando el tono objetivista de sus inicios para inclinarse hacia un intimismo que favorece la exploración psicológica. Esta se va transformando en una indagación en el ámbito de unas mujeres insatisfechas pero voluntariosas, solitarias y rebeldes, prácticas en el ejercicio lacerante y lúcido de la introspección, dispuestas a hurgar en su propia condición, tristes y melancólicas pero dispuestas a gozar de la vida. Estas mujeres tan frecuentes en las novelas de Puértolas constituyen un reflejo de unas nuevas actitudes femeninas, aparte el interés psicologista de los relatos (González Arias [en prensa]). El primitivo culturalismo de Vicente Molina Foix (1946) en *Museo provincial de los horrores* (1970) o *Busto* (1973) se convierte en una exploración generacional en *La quincena soviética* (1988), pero destaca un planteamiento que lleva al análisis de una frustración personal. Intimismo y relato vanguardista se alían en *La mansión roja* (1979), solitaria muestra narrativa, que yo sepa, de Juan Oleza (1946), en la que una realidad entre lo mítico y lo subjetivo conduce a una reflexión crítica de los tiempos actuales. Peculiar es la forma de José María Vaz de Soto (1938) de transmitir el mundo interior de sus personajes: un coloquio incesante, que constituye un relato dialogado bastante vivaz y que permite a los protagonistas ahondar en su personalidad y, a la vez, en una realidad más amplia, la de los mitos y problemas de nuestro tiempo (*Diálogos del anochecer*, 1972; *El precursor*, 1975; *Fabián*, 1977; *Fabián y Sabas*, 1982; *Diálogos de la alta noche*, 1982).

Notable asimismo es la frecuencia con que los desequilibrios íntimos tienen como soporte un conflicto en el fondo de escasa entidad pero que se apoya en un yo hipertrofiado. Estos caracteres hacen que esos problemas se aborden sin ahondar en sus raíces ni perseguir sus últimas consecuencias, que se toquen con levedad y discreción y sin vincularlos con un contexto histórico o social preciso. No es extraño, además, entre estos últimos libros, que el relato se adorne con disquisiciones en apariencia sutiles. Entre los nombres que han obtenido resonancia, el de Adelaida García Morales representa esta línea en las dos novelas cortas que contiene *El Sur* (1985). En ella se asientan, con una progresiva acentuación de los elementos misteriosos, *El silencio de las sirenas* (1985) y *La lógica del vampiro* (1990). En *El muerto que fuma* (1988), de Rafael Sender, su brevísimo texto narra la pequeña historia de una persona que, en fragmentos más bien breves, cuenta mínimos sucesos de una vida desasosegada. El personaje, sin raíces ostensibles ni causas claras para su manera de comportarse, llega a entonar el canto de la «épica de la inconstancia». Es una especie de héroe cuya configuración resulta a propósito muy desvaída. Tampoco causas ni consecuencias claras hallamos en el personaje de *La luna* (1988), de Jorge Bonells, cuya angustia se transmite a través de un relato fragmentado. Breves episodios que casi constituyen relatos independientes configuran el sistema constructivo de *Lejos de Marrakech* (1989), de José María Riera de Leyva, relato en primera persona de un hombre desnortado que busca el mítico sur.

Este intimismo parece propiciar también el auge de un relato en el que predomina la invasión de la subjetividad y, en consecuencia, un uso menos funcional de la prosa o, si se quiere, una inclinación al lirismo. Si el mundo es el reflejo de una decantación intimista de la realidad, es normal que el lenguaje se cargue de valores expresivos más comunes en el decir poético que en la prosa narrativa. Este fenómeno ha producido una generalizada preocupación por el estilo que se manifiesta tanto en obras de mayor carácter lírico como en otras bastante narrativas. Se ha resaltado, por otra parte, la frecuencia con que han cultivado la novela autores que proceden del campo de la poesía: José María Álvarez, José Carlos Cataño, Antonio Colinas, Antonio Hernández, Julio Llamazares, Justo Navarro, Ana Rossetti, Andrés Trapiello... El fenómeno, cierto, no tiene, en principio, mayor valor significativo, pues la narrativa que cultivan estos también poetas discurre por cauces distintos en cada caso y, en general, su propósito no es el de hacer novela lírica o relato poemático. Aparte, dentro de los planteamientos intimistas, hay que apuntar el florecimiento de una temática amorosa con algo de un fuerte individualismo neorromántico. Han llamado la atención las historias de amor situadas en escenarios orientales de Jesús Ferrero (*Bélver Yin*, 1981; *Opium*, 1986). Con gran fuerza ha irrumpido Javier García Sánchez con unos argumentos amorosos llenos de pasión y de fuerza (*La dama del Viento Sur*, 1985; *Última carta de amor de Carolina von Günderrode a Bettina Brentano*, 1986). Ambos escritores —bien distintos, sin embargo, entre sí— pueden ejemplificar la vigencia o actualidad de dicha temática sentimental.

Esa visión intimista del mundo no es la única representación de este, sino que, desaparecida una visión más orgánica, también surge un fragmentarismo que tiene incluso su traslación a los niveles formales. *Cuentos de la poca cosa* (1986), de Manuel Morán González (1947) tiene el aspecto externo —tan característico, por otra parte, de este fin de siglo que ha terminado con la dictadura de los géneros— de un texto inclasificable y, de hecho, las prosas que lo integran se han publicado en una colección de poesía. Pues bien, su contenido es una suma de impresiones y observaciones que dan idea de la deliberada dispersión de los materiales que arrojan una idea de la vida. Por su parte, Carlos G. Reigosa (1948) toma como motivo al popular personaje americano en *Los otros disparos de Billy* (1986) y sobre ese punto de partida suma materiales diversos —reflexiones, cartas— que no sirven para organizar una historia unitaria sino que constituyen fragmentos de una trama que el lector acepta en su intencionada dispersión.

En este ambiente artístico en el que parece bien asumida la idea del *todo vale*, una forma marginal en la tradición de nuestras letras, la fantasía, tampoco ha tenido un cultivo abundante. Por supuesto que no faltan ejemplos: algún nuevo título de Juan Perucho, la cada vez más decidida inclinación de José María Merino, la regularidad con que aparece en José María Latorre o Pilar Pedraza. Pero no es, ni mucho menos, rasgo habitual de la ficción posterior a 1975, a pesar de que una nutrida nómina de participantes en un encuentro han dejado el testimonio de su interés por la invención pura (véase AA.VV. [1990]). Por ello mismo llama tanto más la atención el éxito avanzados los ochenta de Javier Tomeo (1931), un narrador ya de edad madura y que desde finales de los sesenta venía publicando con muy escasa resonancia libros de planteamientos en sustancia iguales a los que más tarde han triunfado (*El cazador*, 1967; *Ceguera azul*, 1969; *El unicornio*, 1971; *Los enemigos*, 1974). Hay bastante de moda en esta apreciación reciente que no deja, por otra parte, de reconocer los incuestionables méritos de un narrador que cultiva casi en solitario una inventiva de raíz onírica, de corte experimental y humorística que se plasma en novelas (*El castillo de la carta cifrada*, 1979; *Diálogo en Re mayor*, 1980; *Amado monstruo*, 1985; *El cazador de leones*, 1987; *La ciudad de las palomas*, 1989; *El mayordomo miope*, 1990), en relatos (*Problemas oculares*, 1990) o en curiosos libros inclasificables (*Historias mínimas*, 1988; *Bestiario*, 1988).

Característico, también, de los años ochenta, y en progresivo auge a medida que ha avanzado el decenio, ha sido un tipo de relato que muestra su preferencia por la breve extensión. Se trata de un tipo de narración que se inclina por esa manera discreta y superficial de considerar el mundo y al que se ha aplicado la etiqueta de *light*. El catálogo de la editorial Anagrama, uno de los más representativos de la nueva narrativa de esos ochenta, ha acogido en buena medida este tipo de ficciones y una de ellas, firmada por Enrique Vila-Matas, *Historia abreviada de la literatura portátil* (1985), encarna de modo explícito ese sentir que puede calificarse de posmoderno.

Rasgo destacado, por otra parte, de la novela posterior a 1975 ha sido el del elevado número de periodistas que han cultivado el género. Por supuesto que esta condición profesional de los autores dice poco por sí misma de los caracteres de sus libros y, en efecto, en ellos podemos encontrar desde el lirismo hasta el testimonialismo más extremados. Se trata, pues, y en primer lugar, de una observación de carácter sociológico si bien no desdeñable, a mi parecer. Dicho esto, se advierte la presencia de escritores de prensa diaria que cultivan un periodismo literario. Es el caso de Francisco Umbral (cuya prolífica obra acoge todas las formas, desde las más artísticas hasta el memorialismo cronístico y autobiográfico) o de Manuel Vicent (en cuya novela de este período, *Balada de Caín*, 1987, se advierte el peso de sus peculiares columnas diarias). También hay periodistas de redacción o reporteros y una lista completa de los que simultáneamente han cultivado la novela resultaría muy larga.

Las nuevas formas de comunicación social y el auge de los medios audiovisuales han debido influir, sin duda alguna, en las formas narrativas. También han debido de notarse en nuestro país los postulados del *new journalism* norteamericano, aunque no es discernible con facilidad su particular relación con textos españoles. En el ámbito de una narrativa que sin dejar de ser ficción utiliza técnicas del reportaje o la investigación, destaca

Javier Martínez Reverte (1944), quien, en *Los dioses debajo de la lluvia* (1986) y *El aroma del copal* (1989) habla del ambiente revolucionario u opresivo de unos países hispanoamericanos en un tono que los aproxima a una estremecedora crónica. Esa habilidad narrativa que puede venir del relato más ágil y directo del periodismo la emplea también el autor en libros que son recreaciones de nuestro tiempo (*Lord Paco*, 1985; *Campos de fresa para siempre*, 1987), pero no es obstáculo para que haga asimismo ficciones introspectivas (*La dama del abismo*, 1988). De todas maneras, el peso de los datos de la actualidad que podría presumirse sustancial en un novelista como Juan Luis Cebrián que proviene del periodismo apenas sirve de sustento de la historia (así sucede en los dos títulos que ha publicado, *La rusa*, 1986, y *La isla del viento*, 1990). En *La Fiammetta* (1990), de Javier Figuero, dichos datos constituyen referencias irónicas o humorísticas al servicio de un relato metaliterario cuya materia es la perplejidad de un escritor y el proceso de redacción de una obra.

Asimismo se ha destacado como rasgo sobresaliente de la última novela española la presencia en ella de un elevado número de escritoras. No es que hayan escaseado las narradoras en períodos anteriores y cuando existan documentados estudios al respecto se constatará la frecuencia con la que las mujeres han firmado, sobre todo, relatos (un trabajo en marcha de Joaquín Millán tiene establecida una nómina de cerca de dos centenares y medio de cuentistas en publicaciones periódicas entre 1940 y 1950). Lo novedoso es que la mujer se ha incorporado en un plano de igualdad al hombre como autora de novelas. La relación de escritoras surgidas en estos años —muchas de ellas con notable éxito— es muy amplia y bastantes de sus nombres han ido saliendo en otros lugares de estas páginas. Aparte esta dimensión sociológica del fenómeno —paralelo, por otro lado, a la normal inserción de la mujer en todos los planos de la vida social—, la cuestión literaria más relevante es si esas novelistas aportan en sus escritos algún rasgo distintivo y si existe algún carácter específico de la literatura firmada por mujeres (cuestión que aborda, refiriéndose a este período 1970-1985, Ciplijauskaité [1988] desde la perspectiva del relato autobiográfico y con abundantes referencias a las letras castellanas). Se observa, por ejemplo, en una mirada superficial —aunque el asunto merezca un detenido análisis del que carecemos, que yo sepa— que no es habitual una preocupación por temas específicamente femeninos y ni siquiera abundan reivindicaciones feministas (aspecto que es una constante, si bien no preocupación exclusiva, de la narrativa de Rosa Montero, ya mencionada con anterioridad). La actualidad de estas cuestiones ha hecho que surja una primera bibliografía de interés. Así, *Anales de la literatura española contemporánea* les ha dedicado un número monográfico (XII, 1-2, 1987) en el que, además de algunos planteamientos generales (cf. Ordóñez [1987] y Zatlin [1987]), se analizan desde esta perspectiva algunas obras particulares, entre las de otras autoras, de Rosa Montero (cf. Gascón Vera [1987], ya citado, y Gleen [1987]) o de Esther Tusquets (cf. Gould Levine [1987] y Servovidio [1987]; sobre Tusquets, cf. también Bellver [1984] y Navajas [1987 a]). Por su parte, Valls [1989 a] comenta las características de una nutrida relación de escritoras, Carmen Riera (en Fortes [1984]) se refiere a las notas dominantes de seis novelistas que comienzan a publicar en los setenta y Alborg [1987] observa las diferencias entre cuatro narradoras recientes.

LOS ÚLTIMOS NOVELISTAS. Si los miembros de esa propuesta generación del 68 se han dado a conocer, como tarde, a lo largo de los años setenta y en este decenio o a lo largo del siguiente han visto reconocida su labor y han establecido con firmeza los criterios sustanciales de su proyecto narrativo, una nueva oleada de narradores inicia su obra en el transcurso de los ochenta. En términos generales, son escritores más jóvenes que los precedentes y su fecha de nacimiento se sitúa a partir de 1950. En bastantes casos, la publicación de su primera novela se produce con extraordinaria precocidad, en una inhabitual juventud. A este fenómeno no debe de ser ajeno el interés de la industria editorial, que busca sin sosiego nuevos autores en momentos en que hay una demanda del mercado. Estos nuevos autores no ofrecen entre sí, al menos por ahora, rasgos homogéneos y destaca la perspectiva por completo personal desde la que abordan sus obras. En todo caso, representan con palmaria claridad esa multiplicidad de tendencias, esa variedad de asuntos y formas a la que nos hemos referido en las páginas anteriores. Por ello, no hay posibilidad de presentar un panorama organizado de su actividad (ni la limitada extensión de la obra publicada permite descubrir trayectorias asentadas ya con firmeza) y no queda otro remedio que socorrerse de alguna clase de nómina. Sí debemos recordar, sin embargo, que bastantes nombres han sido citados en otros lugares de este mismo trabajo al referirnos a diversas corrientes, por lo que no repetiremos lo ya dicho. Mencionaré, pues, por un cómodo orden alfabético a esos autores últimos, indicaré la fecha de nacimiento, señalaré algunas de sus obras y haré, en casi todos los casos, mínima referencia a ellas. No hace falta, en fin, decir que la relación no es exhaustiva, sino que menciono a aquellos de algunos de cuyos libros tengo conocimiento directo, ya que la abundancia de autores nuevos hace imposible la lectura de todos ellos y de todas sus obras.

ENRIC BENAVENT (1953) lleva a cabo en *Cáliz de vértigo* (1988) un desnudo y unamuniano relato del proceso de exaltación interior que conduce a un teólogo hasta la apostasía.

RAMÓN BODEGAS (1955) saca en *Jarri* (1988) una pintoresca tropa de tipos marginales, en un Bilbao dislocado y actual, a los que describe desde una actitud de profunda creatividad.

JORGE BONELLS (1951) presenta en *La luna* (1988) la trayectoria de un personaje torturado y conflictivo en busca de un sentido para la vida.

JOSÉ CARLOS CATAÑO (1954) aborda en *Madame* (1989), mediante un relato de personajes desvaídos y de espacio cerrado, un proceso de destrucción por el alcohol, mientras se añora la mítica ciudad de salvación.

JAVIER CERCAS (1962) relata con una eficaz prosa narrativa la historia de un fracasado, entre la verdad y la ensoñación, en *El inquilino* (1989).

VÍCTOR CLAUDÍN (ignoro la fecha de nacimiento) cultiva en *El antro de la Buscontra* (1989) la farsa expresionista para describir la vida externa y las frustraciones íntimas de un amplio número de personajes.

ANTONIO ENRIQUE (1953) ha publicado ese único libro antes citado, ambicioso, extenso y de muy compleja factura, *La armónica montaña* (1986), de intenso culturalismo y con propósito de novela total que encierra desde la historia o el arte hasta la actualidad.

RAMÓN DE ESPAÑA (1956) hace una crónica muy crítica y desenfadada de la historia de ahora mismo, en particular de las actitudes posmodernas en *Nadie es inocente* (1989); antes había publicado *Sol, amor y mar* (1988).

JESÚS FERRERO (1952), después de las mencionadas novelas amorosas sobre escenarios orientales (*Bélver Yin*, 1981; *Opium*, 1986), se ha decantado en las siguientes (*Lady Pepa*, 1988; *Debora Blenn*, 1988; *El efecto Doppler*, 1990) por una temática urbana localizada en espacios y tiempos próximos en la que insiste en un acercamiento bastante desgarrado a las pasiones sustanciales del hombre, las del amor y la muerte. También ha escrito una prosa cuidada y emocional (*La era de la niebla*, 1990) sobre la inconsistencia del mundo.

ALEJANDRO GÁNDARA (1957) aborda en sus dos primeras novelas (*La media distancia*, 1984, y *Punto de fuga*, 1984) unos angustiosos problemas personales. Es autor de otra novela (*La sombra del arquero*, 1990) y de un libro de estampas de actualidad críticas y a veces irónicas (*Sucesos civiles*, 1989).

PEDRO GARCÍA MONTALVO (1951) proyecta un conjunto novelesco (titulado «La primavera en marcha hacia el invierno») que integra variadas historias de la posguerra (*Los amores y las vidas*, 1983) y un par de novelas hasta la fecha (*El intermediario*, 1983, y *Una historia madrileña*, 1988) en las que con desenfado e inventiva hace calas en comportamientos y valores morales de los años cuarenta.

JAVIER GARCÍA SÁNCHEZ (1955) aborda esa temática amorosa antes recordada (*La dama del Viento Sur* y *Última carta...*) de nuevo en los tres relatos de *Los amores secretos* (1987). Proclive a una literatura dramática y seria, sin concesiones en el análisis de las más hondas pasiones humanas, penetra en los límites de la locura en la muy extensa *El mecanógrafo* (1989).

SONIA GARCÍA SOUBRIET (1957) desarrolla en *La otra Sonia* (1987) la autobiografía de un proceso de maduración vital y del peso de la infancia en la edad madura. Otro proceso de maduración y un emocionado intento de rescatar el fallido diálogo con el padre aparecen en las dos novelas cortas de *Bruna* (1990).

ALICIA GIMÉNEZ BARTLETT (1951) mezcla lo cotidiano y la invención en una imaginaria fábula sobre la tercera edad en *Caídos en el Valle* (1989). Con anterioridad ha publicado otras dos novelas.

JOSÉ BENJAMÍN GONZÁLEZ NEBOT (1957) revela una gran personalidad en relatos inventivos, fuertemente culturalistas y de variados registros lingüísticos: *Diálogo del arte de torear* (1986) y *Eran tiempos heroicos y frágiles* (1989).

JOSÉ ÁNGEL GONZÁLEZ SAINZ (1956) es narrador de claro influjo benetiano en *Los encuentros* (1989), descripción de relaciones personales que van del fracaso a la quimera.

ALMUDENA GRANDES (1960) es exitosa autora de una novela erótica, *Las edades de Lulú* (1989).

DOMINGO LUIS HERNÁNDEZ (1954), tras la novela breve *Triángulo* (1984), realiza en *El ojo vacío* (1986) una desencantada crónica generacional en la que predomina la soledad del individuo.

FELIPE HERNÁNDEZ (1960) narra el enfrentamiento entre naturaleza y civilización en *Naturaleza* (1989), novela simbólica e intelectual.

MANUEL HIDALGO (1953) se inicia con una desenfadada pero triste exploración de un peculiar amante (*El pecador impecable*, 1986) y pasa a una descripción del proceso interior de alguien que, ajeno al ideario del honor calderoniano, descubre la infidelidad de su esposa (*Azucena, que juega al tenis*, 1988).

JULIO LLAMAZARES (1955) presenta en sus dos novelas (*Luna de lobos*, 1985, y *La lluvia amarilla*, 1988) y en un libro de viajes (*El río del olvido*, 1990) unos motivos coincidentes aunque se desarrollen en anécdotas bien distintas: la soledad, la persecución o la marginación del hombre; los modos de vida en extinción; la aplastante prepotencia de la civilización tecnológica; en suma, una problemática de hondura humanitaria.

IGNACIO MARTÍNEZ DE PISÓN (1960) recrea sugestivos mundos interiores y roza la frontera en la que los límites de la realidad y la fantasía o invención se desvanecen. A la primera novela, búsqueda por los secretos de la memoria infantil (*La ternura del dragón*, 1984), han seguido dos libros de relatos extensos (*Alguien te observa en secreto*, 1985, y *Antofagasta*, 1987).

JAVIER MEMBA (1959) es impasible cronista de una actualidad miserable en las novelas *Hotel Savoy* (1987) y *Homenaje a Kid Valencia* (1989) o en los relatos de *Textos del desastre* (1988).

JOSÉ ANTONIO MILLÁN (1954), inclinado a una narrativa de ideas, anuncia en los relatos de su primer libro, *Sobre las brasas* (1988), el tema de su única novela, *El día intermitente* (1990): el mundo como conjunto de signos o como esquema que hay que descifrar.

Rosa Montero (1951), sin olvidar la problemática de la mujer ya señalada (*Crónica...*, *Te trataré...*) y en un proceso progresivo de independización de la fábula novelesca respecto de la propia voz de la escritora, ha abordado en otros libros posteriores diferentes aspectos de las relaciones personales, como la dependencia o la búsqueda de la libertad con acentos críticos (*Amado amo*, 1988; *Temblor*, 1990).

Enrique Montiel (1951) presenta al hilo de un desfile procesional de la Semana Santa formas de vida y problemas de los vecinos de la calle gaditana que da título al libro, *Calle Comedias* (1987).

Daniel Múgica (1967) ofrece un panorama bastante desquiciado de la vida urbana actual con una prosa funcional y no muy cuidada en sus dos novelas: *En los hilos del títere* (1988), *Uno se vuelve loco* (1989).

José Luis Muñoz (1951) cultiva una literatura de género: policíaco en *Barcelona negra* (1987) y *El cadáver bajo el jardín* (1987) y erótico en *Pubis de vello rojo* (1990).

Antonio Muñoz Molina (1956) fue muy bien acogido por la crítica por su primera novela (*Beatus ille*, 1986), y en las dos siguientes (*El invierno en Lisboa*, 1987, y *Beltenebros*, 1989) se han ponderado en particular sus dotes para la construcción del relato.

Justo Navarro (1953) es partidario de una literatura artística, de escaso relieve anecdótico y con una prosa llena de metáforas en *El doble del doble* (1988); *Hermana Muerte* (1989) posee mayor contenido novelesco en su relato de un proceso de acceso a la experiencia.

Ernesto Parra (1952) relata con un estilo muy directo la peripecia de un periodista desconcertado en su intento de encontrar un sentido definitivo a su existencia en *Menos da una piedra* (1989).

Pilar Pedraza (1951) ha cultivado, primero, una fantástica narrativa histórica (*Las joyas de la serpiente*, 1984 y 1988; *La fase del rubí*, 1987) y ha pasado, más tarde, a imprecisos escenarios contemporáneos con fuerte presencia del misterio (*La pequeña Pasión*, 1990).

Manuel Praena (1953) recrea en su relato *Náufragos en la ciudad* (1987) cuatro historias emplazadas en las cuatro estaciones astronómicas que hablan de algunas formas de la vida urbana actual con datos testimoniales de los problemas de este momento.

Manuel Rico (1952) reconstruye con actitud de reflexión crítica los comportamientos y frustraciones de una generación en *Mar de octubre* (1989), en la que vida y literatura terminan por fundirse.

Ana Rossetti (1950) se da a conocer como narradora con *Plumas de España* (1988), relato de corte costumbrista y rasgos de humor que recrea unos marginales tipos andaluces.

Clara Sánchez (1953) ofrece en *Piedras preciosas* (1989) una crónica desencantada de relaciones personales inestables en el marco de un mundo moderno poco satisfactorio pero incapaz de la rebelión.

MIGUEL SÁNCHEZ-OSTIZ (1950) recrea, siempre con muy poca importancia de la trama argumental, el ambiente de la provincia y en él sitúa temas como el pasado y su difuminada memoria, el transcurso del tiempo, la falta de ilusiones o el fracaso de las relaciones amistosas (*El pasaje de la luna*, 1984; *Tánger-Bar*, 1987; *La quinta del americano*, 1987; *La gran ilusión*, 1989).

FRANCISCO J. SATUÉ (1961) cuenta ya, a pesar de su edad, con una obra copiosa iniciada en plena juventud: *El desierto de los ojos* (1986), *Las sombras rojas* (1986), *La pasión de los siniestros* (1988), *Desolación del héroe* (1988). Escritor desgarrado y preocupado por temas sustanciales del hombre, sus novelas, densas y llenas de aguda conflictividad, con cierta tendencia a la abstracción generalizadora, muestran una actitud de compromiso radical con el ser humano.

JAVIER SEBASTIÁN (1962) se adentra en el análisis de las relaciones personales y la vivencia de la ruina y la muerte en *La casa del calor* (1990).

JOSÉ VICENTE PASCUAL (1956) ha referido el proceso de una implacable venganza en *La montaña de Taishán* (1990).

Todos los narradores citados han nacido a partir de ese tope convencional de 1950 —y algunos, según puede comprobarse, bien avanzados los años sesenta— para distinguirlos de la promoción del 68, cuyos miembros vinieron al mundo en el decenio anterior. Otros, sin embargo, a pesar de haber nacido en los cuarenta, e incluso antes, han tenido una aparición pública algo más tardía y se dan a conocer en la última etapa de nuestra novela. Esta es la única y discutible razón por la que los enumero aparte, no sin advertir que sus caracteres artísticos —pluralidad de temas y formas— son coincidentes con los mencionados unas páginas atrás.

JUAN CAMPOS REINA (1946) escribe en *Santepar* (1988) una crónica histórica ingeniosa de un apicarado personaje que opta por el retiro a la aldea frente a la degradación de la corte.

JESÚS CARAZO (1944) trata en su única novela, *Los límites del paraíso* (1989), el proceso declinante de una pasión amorosa iniciada con acentos neorrománticos.

JUAN PEDRO CASTAÑEDA (1945) anuncia en *La despedida* (1977) y *Muerte de animales* (1982) una densidad temática que se convierte en el siguiente título, *En el reducto* (1986), en la historia desgarrada de una búsqueda personal entre la lucidez y la inconsciencia que concluye en las lindes del fracaso y la autodestrucción.

ALFONS CERVERA (1947) desarrolla en un relato escueto y denso, *El domador de leones* (1989), un tema metafísico —el sentido contingente de la vida— a través de la memoria de un personaje atribulado.

PEDRO COBOS (1928-1989) presentó en *La vida perdularia* (1988) un extenso y humorístico relato en el que la invención se proyecta con gran libertad sobre la historia para ofrecer una divertida y crítica visión del mundo.

Luis Landero (1948) recrea las vidas imaginarias de un anónimo ciudadano en *Juegos de la edad tardía* (1989), amplia y cervantina novela, sorprendente *opera prima*, repleta de anécdotas y de sugestivos tipos.

José María Latorre (1945) representa el infrecuente cultivo en España de la fantasía y el terror. Un ambiente de descomposición y muerte predomina en *Osario* (1987) y *Las trece campanadas* (1989). Con anterioridad ha publicado otras cuatro novelas.

Manuel de Lope (1949) rastrea al hilo de una autobiografía en *Madrid Continental* (1987) una España de posguerra que bordea lo grotesco y el absurdo. Otros títulos suyos: *Jardines de África* (1987), *El otoño del siglo* (1988), *Octubre en el menú* (1989).

Luis Martín-Santos (1921-1988), filósofo de profesión, lleva a sus novelas unos planteamientos muy especulativos sobre asuntos de pensamiento, de modo que sus libros creativos, sin dejar de poseer esta cualidad, tienen un fuerte tono reflexivo. Ha publicado, aparte estudios especializados, *El combate de Santa Casilda* (1980), *Encuentro en Sils-María* (1986) y *La muerte de Dionisos* (1987).

Vicente Puchol (1932) es uno de los más vigorosos cultivadores en nuestro país de una narrativa de raíz alegórica y tono, a veces, kafkiano. Sus novelas (*Crates emancipa a Crates*, 1982; *El Gran Danés*, 1983; *Germánico*, 1989), densas, simbólicas e inclinadas a la relación de inventivos episodios, contienen una fuerte dimensión crítica de valores morales y sociales de nuestro tiempo.

José María Riera de Leyva (1934) traza en *Lejos de Marrakech* (1989) el retrato evanescente de un personaje que busca un sentido a la vida tras fracasadas relaciones personales.

Carlos Varo (1936) relata en *Rosa Mystica* (1987) la esperpéntica y humorística historia de un travestido que se convierte en la mística fundadora de un convento.

El hispanoargentino Horacio Vázquez Rial (1947) tiene un territorio asiduo, el de la denuncia de la opresión y las vejaciones a que es sometido el ser humano en algunos regímenes dictatoriales (*Segundas personas*, 1983; *La libertad de Italia*, 1987; *Historia del Triste*, 1987; *Territorios vigilados*, 1988). Esa preocupación por la angustia y la muerte tiene en ocasiones acentos líricos (*Oscuras materias de la luz*, 1986) y otras adquiere un aire expresionista (*La reina de oros*, 1989).

Otros autores de esta última narrativa —tanto de novelas como de libros de relatos— han recibido a veces muy positiva acogida por parte de la crítica periodística y, en espera de dedicarles unas líneas en otro momento, mencionaremos sus nombres, así como los de algunos más que, sin haber llamado la atención, han publicado libros meritorios:

MERCEDES ABAD (1961), *Felicidades conyugales* (1989).

JOSÉ LUIS ALEGRE CUDÓS (1951): *Estado de novela* (1978), *Locus amoenus* (1989).

RAFAEL ARGULLOL (1949): *Lampedusa* (1981), *El asalto del cielo* (1986), *Desciende, río invisible* (1989).

MIGUEL BAYÓN (1947): *Plaza de soberanía* (1989), *Trotacuentos* (1990).

ÁLVARO BERMEJO (1959), *La Madonna de la tempestad* (1989).

JOSÉ MARÍA BERMEJO (1947), *Soliloquio* (1981).

AGUSTÍN CEREZALES (1959), *Perros verdes* (1989).

PILAR CIBREIRO (1952), *El cinturón traído de Cuba* (1984).

RAFAEL CHIRBES (1949), *Mimoun* (1988).

CRISTINA FERNÁNDEZ CUBAS (1945): *Mi hermana Elba* (1980), *Los altillos de Brumal* (1983), *El año de Gracia* (1985), *El ángulo del horror* (1990).

JOSÉ FERRER-BERMEJO (1956), *El globo de Trapisonda* (1985).

LAURA FREIXAS (1958), *El asesino en la muñeca* (1988).

ADOLFO GARCÍA ORTEGA (1958), *Los episodios capitales de Osvaldo Mendoza* (1989), *Mampaso* (1990).

JUAN MANUEL GARCÍA RAMOS (1949): *Bumerán* (1974), *Malaquita* (1981).

AVELINO HERNÁNDEZ (1944), *Campodelagua* (1990).

ANTONIO MARTÍNEZ CEREZO, *Odisea blanca* (1986).

PEDRO MENCHÉN (1952): *¿Alguien es capaz de escuchar a un hombre completamente desnudo que entra a medianoche por una ventana de su casa?* (1988), *Buen viaje, muchacho* (1989).

VICENTE MUÑOZ PUELLES (1948), *Sombras paralelas* (1989).

ENRIQUE MURILLO (1944), *El centro del mundo* (1988).

JORGE ORDAZ (1946): *Prima donna* (1986), *Las confesiones de un bibliófago* (1989).

MARCOS ORDÓÑEZ (1957), *El signo de los tiempos* (1988).

PEDRO J. DE LA PEÑA (1944), *Los años del fuego* (1989).

ARTURO PÉREZ REVERTE (1951): *El húsar* (1986), *El maestro de esgrima* (1988).

EMILIO SOLA, *Los hijos del agobio* (1984).

RAFAEL SOLER: (1947), *El grito* (1979), *El corazón del lobo* (1982), *El sueño de Torba* (1983), *Barranco* (1985).

CARLOS TRÍAS (1946), *El encuentro* (1990).

ENRIQUE VILA-MATAS (1948): *La asesina ilustrada* (1977), *Historia abreviada de la literatura portátil* (1985).

PEDRO ZARRALUKI (1954): *Galería de enormidades* (1983 y 1989), *La noche del tramoyista* (1986), *Retrato de familia con catástrofe* (1989), *El responsable de las ranas* (1990).

Obras tan próximas al momento de redacción de este trabajo no han podido obtener otros análisis que las inmediatas reseñas periodísticas. Sin embargo, a algunos de estos autores se les han dedicado ensayos con más voluntad de permanencia y entre los que conocemos podemos recordar el libro de Martín Nogales [1989], que analiza con alguna amplitud a Miguel Sánchez-Ostiz; el breve volumen de Galán [1988 *b*] acerca de tres escritores santanderinos (Pardo, Pombo y Gándara); un artículo de Lee Bretz [1988] sobre Fernández Cubas; el número monográfico de *Monteagudo* (8 de abril de 1990) en homenaje a Pedro Cobos.

BIBLIOGRAFÍA

AA.VV., *100 españoles que cuentan*, Liber'85. 3.er Salón Internacional del Libro, Madrid, 1985.

AA.VV., *Narrativa española actual*, Servicio de Publicaciones de la Universidad de Castilla-La Mancha, Cuenca, 1990.

AA.VV. letras86 = *Letras españolas. 1976-1986*, Castalia-Ministerio de Cultura, Madrid, 1987.

AA.VV. letras87 = *Letras españolas. 1987*, Castalia-Ministerio de Cultura, Madrid, 1988.

AA.VV. letras88 = *Letras españolas. 1988*, Castalia-Ministerio de Cultura, Madrid, 1989.

Acín, Ramón, *Narrativa o consumo literario (1975-1987)*, Prensas Universitarias de Zaragoza, Zaragoza, 1990.

África Vidal, M.ª Carmen, *Hacia una patafísica de la esperanza. Reflexiones sobre la novela posmoderna*, Universidad de Alicante, Alicante, 1990.

Alborg, Concha, «Cuatro narradoras de la transición», en Landeira y González [1987].

ALEC = Anales de la literatura española contemporánea.

Alonso, Santos, *La novela de la transición*, Libros Dante, Madrid, 1983.

—, *Literatura leonesa actual*, Junta de Castilla y León, Valladolid, 1986.

—, «*La verdad sobre el caso Savolta*» *de Eduardo Mendoza*, Alhambra, Madrid, 1988.

—, «Últimos tiempos: la novela», en *RL*25 [julio de 1989].

Amell, Samuel, y Salvador García Castañeda, eds., *La cultura española en el postfranquismo. Diez años de cine, cultura y literatura (1975-1985)*, Playor, Madrid, 1988.

ANEC = Anales de la narrativa española contemporánea.

ANP = Anales de la novela de posguerra.

Aranguren, José Luis L., «El curso de la novela española contemporánea», en *Estudios literarios*, Gredos, Madrid, 1976.

Basanta, Ángel, *40 años de novela en España. Antología 1939-1979*, Cincel-Kapelusz, Madrid, 1979.

—, *Literatura de la postguerra: La narrativa*, Cincel, Madrid, 1981.

—, *La novela española de nuestra época*, Anaya, Madrid, 1990.

Bellver, Catherine G., «The Language of Eroticism in the Novels of Esther Tusquets», *ALEC*, IX, 1-3 (1984).

Benet, Juan, «La novela de los prodigios», *Saber leer*, 1 (enero de 1987).

Cabrera, Vicente, y Luis González del Valle, *Novela española contemporánea. Cela, Delibes, Romero y Hernández*, Sociedad General Española de Librería, Madrid, 1978.

Castillo Puche, José Luis, «Situación de la novela española actual», en Amell y García Castañeda [1988].

Ciplijauskaité, Biruté, *La novela femenina contemporánea (1970-1985). Hacia una tipología de la narración en primera persona*, Anthropos, Barcelona, 1988.

Colmeiro, José F., «La narrativa policiaca postmodernista de Manuel Vázquez Montalbán», *ALEC*, XIV, 1-3 (1989).

Conte, Rafael, «La novela española en 1981», *ALEC*, VIII (1983).

—, «La novela española actual, o los mercaderes en el templo», en *Una cultura portátil. Cultura y sociedad en la España de hoy*, Temas de Hoy, Madrid, 1990.

Durán, Manuel, «"Así que pasen diez años": La novela española de los setenta», *ANEC*, 5 (1980).

Escudero Martínez, Carmen, *La literatura analítica de Miguel Espinosa. (Una aproximación a «Escuela de Mandarines»)*, Consejería de Cultura, Murcia, 1990.

Fortes, José Antonio, *La novela joven de España*, Ediciones del Aula de Narrativa de la Universidad, Granada, 1984.

—, *Novelas para la transición política*, Ediciones Libertarias, Madrid, 1987.

—, *Novelar en Andalucía*, Ediciones Libertarias, Madrid, 1987.

Freeman, Marion F., «Nabokovian Echoes in the works of Ramón Hernández», *ALEC*, XIV, 1-3 (1989).

Galán, Carlos, «La novela», en AA.VV. letras87 [1988].

—, *Tres calas en tres novelistas cántabros*, Bedia, Santander, 1988.

—, «La novela», en AA.VV. letras88 [1989].

García Ferrer, J. M., y Martí Rom, eds., *Raúl Ruiz. Una mirada blava per reinventar el món*, Enginyers Industrials de Catalunya Associació, Barcelona, s.f. pero 1988.

Gascón Vera, Elena, «Rosa Montero ante la escritura femenina», *ALEC*, XII, 1-2 (1987).

Gil Casado, Pablo, *La novela deshumanizada española (1958-1988)*, Anthropos, Barcelona, 1990.

Gleen, Kathleen M., «Victimized by Misreading: Rosa Montero's *Te trataré como a una reina*», *ALEC*, XII, 1-2 (1987).

—, «Conversación con Rosa Montero», en *ALEC*, XV, 1-3 (1990).

Gómez Redondo, Fernando, «Edad Media y narrativa contemporánea. La eclosión de lo medieval en la literatura», *Atlántica*, 3 (1990).

González Arias, Francisca, ed., *Las novelas de Soledad Puértolas*, Saint Anselme College, New Hampshire, en prensa.

González del Valle, Luis [entrevista], «Ramón Hernández: el novelista ante el arte», *ANP*, 2 (1977).

—, «Una visión esquemática de la novelística de Ramón Hernández», en Landeira y González [1987].

González Herrán, José Manuel, «Álvaro Pombo, o la conciencia narrativa», *ALEC*, X, 1-3 (1985).

Gould Levine, Linda, «Reading, Rereading, Misreading and Rewriting the Male Canon: The Narrative Web of Esther Tusquets, Trilogy», *ALEC*, XII, 1-2 (1987).

Gullón, Germán, «El novelista como fabulador de la realidad: Mayoral, Merino, Guelbenzu», en Landeira y González [1987].

—, «El reencantamiento de la realidad: *La orilla oscura*, de José María Merino», en Landeira y González [1987].

Gullón, Ricardo, «Los nuevos narradores», *Cuenta y Razón*, monográfico sobre «La literatura española actual», 48-49 (julio-agosto de 1989).

Herzberger, David K., «The "New" Characterization in José María Guelbenzu's *El río de la luna*», en Landeira y González [1987].

Hickey, Leo, «Deviancy and Deviation in Eduardo Mendoza's Enchanged Crypt», *ALEC*, XV, 1-3 (1990).

*Í*464-465 = *Ínsula*, «Diez años de novela en España (1976-1985)», 464-465 (julio-agosto de 1985).

*Í*512-513 = *Ínsula*, «Novela y poesía de dos mundos. La creación literaria en España e Hispanoamérica, hoy», 512-513 (agosto-septiembre de 1989).

*Í*525 = *Ínsula*, «El estado de la cuestión. Novela española, 1989-1990», 525 (septiembre de 1990).

Jiménez Madrid, Ramón, *Novelistas murcianos actuales*, Academia Alfonso X el Sabio, Murcia, 1982.

Johnson, Roberta, «La narrativa revisionista de Marina Mayoral», *Alaluz*, XXII, 2 (otoño de 1990).

LC = «Cinco años de narrativa española. 1985-1990», *Leer*, Extraordinario C (junio de 1990).

Landeira, Ricardo, y Luis González del Valle, eds., *Nuevos y novísimos. Algunas perspectivas críticas sobre la narrativa española desde la década de los sesenta*, Society of Spanish and Spanish-American Studies, Boulder, Col., 1987.

Larequi García, Eduardo M., «Sueño, imaginación, ficción. Los límites de la realidad en la narrativa de José María Merino», *ALEC*, XIII, 3 (1988).

Lee Bretz, Mary, «Cristina Fernández Cubas and the Recuperation of the Semiotic in *Los altillos de Brumal*», *ALEC*, XIII, 3 (1988).

*LNL*3/4 = *Las nuevas letras*, «Suspiros de España. 1975-1985. Diez años de cultura», 3/4 (invierno de 1985).

*LNL*5 = *Las nuevas letras*, «Última novela española», 5 (verano de 1986).

López, Ignacio-Javier, «Novela y realidad en torno a la estructura de *Visión del ahogado* de Juan José Millás», *ALEC*, XIII, 1-2 (1988).

*LP*1 = *La página*, «Luis Mateo Díez», 1 (1989).

Llamazares, Julio, «La nueva novela española», *El País* (4 de junio de 1991).

Martín-Maestro, Abraham, «La novela española en 1982 y 1983», *ALEC*, IX, 1-3 (1984).

—, «La novela española en 1984», *ALEC*, X, 1-3 (1985).

Martín Nogales, José Luis, *Cincuenta años de novela española (1936-1986). Escritores navarros*, PPU, Barcelona, 1989.

Martínez Cachero, José María, *La novela española entre 1939 y 1969. Historia de una aventura*, Castalia, Madrid, 1973 (2.ª ed. 1979).

Miguel, Emilio de, *La primera narrativa de Rosa Montero*, Universidad de Salamanca, Salamanca, 1983.

Navajas, Gonzalo, «Repetition and the Rhetoric of Love in Esther Tusquets' *El mismo mar de todos los veranos*», en Landeira y González [1987].

—, *Teoría y práctica de la novela española posmoderna*, Edicions del Mall, Barcelona, 1987.

—, «Género y contragénero policíaco en *La Rosa de Alejandría* de Manuel Vázquez Montalbán», en Navajas [1987 *b*].

Navarro, Mariano, «La patria interior. Escritores de la segunda generación del exilio», *El Urogallo*, 6 (octubre de 1986).

Ordóñez, Elizabeth J., «Inscribing Diference: "L'Écriture Fémenine" and New Narrative by Women», *ALEC*, XII, 1-2 (1987).

Ortiz Alfau, Ángel, *Raúl Guerra Garrido*, La primitiva Casa Baroja, San Sebastián, 1989.

Overesch-Maister, Lynne E., «Echoes of Alienation in the Novels of Alvaro Pombo», *ALEC*, XIII, 1-2 (1988).

Paredes Núñez, Juan, ed., *La novela policiaca española*, Universidad de Granada, Granada, 1989.

Pérez, Genaro J., *La novelística de J. Leyva*, José Porrúa Turanzas, Madrid, 1985.

Perez, Janet, «Rhetorical Structures and Narrative Techniques in Recent Fiction of José María Guelbenzu», en Landeira y González [1987].

Riera, Carmen, «La última generación de narradoras», en Fortes [1984].

*RL*18 = *República de las Letras*, «Últimas tendencias de la literatura española (I)», 18 (julio de 1987).

*RL*19 = *República de las Letras*, «Últimas tendencias de la literatura española (II)», 19 (octubre de 1987).

*RL*22 = *República de las Letras*, «La situación de las letras españolas», 22 (julio de 1988).

*RL*25 = *República de las Letras*, «Medio siglo de literatura en España. 1939-1989», 25 (julio de 1989).

Roberts, Gemma, «Amor sexual y frustración en dos novelas de Guelbenzu», en Landeira y González [1987].

Rodríguez Puértolas, Julio, «José Antonio Gabriel y Galán: ilustraciones y referencias», *Suplementos Anthropos*, 10 (1990).

Romero Tobar, Leonardo, «La narrativa de Luis Mateo Díez», *Estudios Humanísticos. Filología*, 7 (1985).

Ruiz-Avilés, Miguel R., [entrevista], «Una entrevista con Ramón Hernández», *ALEC*, XIII, 3 (1988).

—, [entrevista], «Una entrevista con Pedro Antonio Urbina», *ALEC*, XV, 1-3 (1990).

Sánchez Robayna, Andrés, y Gonzalo Díaz-Migoyo, eds., *Palabras para Larva*, Edicions del Mall, Barcelona, 1985.

Sanz Villanueva, Santos, «La novela española desde 1975», *LNL*3/4 (1985).

—, «Generación del 68», *El Urogallo*, 26 (junio de 1988); ampliado en «La generación novelesca del 68», en *Narrativa hispánica*, Universidad Complutense, Madrid, 1990.

Schwartz, Kessel, «Theme, Style and Structure in the Novels of Pedro Antonio Urbina», en Landeira y González [1987].

Servovidio, Mirella, «A Case of Pre-Oedipal and Narrativo Fixation: *El mismo mar de todos los veranos*», *ALEC*, XII, 1-2 (1987).

Sobejano, Gonzalo, *Novela española de nuestro tiempo (en busca del pueblo perdido)*, Prensa Española, Madrid, 1975 (1.ª ed. 1970).

—, «Introducción» a Miguel Espinosa, *Tríbada. Theologiae Tractatus*, Editora Regional, Murcia, 1986.

—, «Juan José Millás, fabulador de la extrañeza», en Landeira y González [1987].

Soldevila, Ignacio, *La novela desde 1936*, Alhambra, Madrid, 1980.

—, «La novela española en lengua castellana desde 1976 hasta 1985», en Amell y García Castañeda [1988].

Soufas, C. Christopher, «Ana María Moix and the "Generation of 1968": Julia as (Anti-)Generational (Anti-)Manifesto», en Landeira y González [1987].

Spires, Robert C., «La estética posmodernista de Ignacio Martínez de Pisón», *ALEC*, XIII, 1-2 (1988).

Sweeney, Cathy, «Nivel y voz en *La verdad sobre el caso Savolta* de Eduardo Mendoza», *Caligrama*, vol. III, s.f. pero 1991.

Tebar, Juan, «Novela criminal española de la transición», *Ínsula*, 464-465 (julio-agosto de 1985).

Tusón, Vicente, y Fernando Lázaro, *Literatura española*, Anaya, Madrid, 1985.

Valles Calatrava, José R., «La Novela Criminal Española en la transición», Separata del Boletín *Letras*, n.º 8, Instituto de Estudios Almerienses, Almería, 1988.

—, *La novela criminal*, Instituto de Estudios Almerienses, Almería, 1990.

Valls, Fernando, «Vida de fugas», *Pasajes*, 4 (1986).

—, «La Literatura femenina en España: 1975-1989», en *Í*512-513 (1989).

—, «Historia y novela actual», *Historia 16*, 163 (noviembre de 1989) (antes, abreviado, en *La Vanguardia*, 9 de junio de 1989).

Vázquez Montalbán, Manuel, «Sobre la inexistencia de la novela policiaca en España», en Paredes Núñez [1989].

Villanueva, Darío, «La novela española en 1976», *ANP*, 2 (1977).

—, «La novela española en 1977», *ANP*, 3 (1978).

—, «La novela española en 1978», *ANEC*, 4 (1979).

—, «La novela española en 1979», *ANEC*, 5 (1980).

—, «La novela española en 1980», *ALEC*, 6 (1981).

—, «La novela», en AA.VV. letras86 [1987].

Zatlin, Phillis, «Women Novelist in Democratic Spain: Freedom to Express the Female Perspective», *ALEC*, XII, 1-2 (1987).

Darío Villanueva y otros

LA «NUEVA NARRATIVA ESPAÑOLA»

I. Con *La saga/fuga de J. B.* (1972) comienza, con toda probabilidad, la verdadera «transición novelística», si se me permite la frase; es decir, un proceso complejo, que trasciende los límites de una novela por influyente que ésta sea y la actividad certera de un solo escritor. [...] Se trataba, simplemente, de recuperar la narratividad, proceso en el que también estaban inmersas por aquel entonces otras novelísticas europeas sobre las que no pesaban los condicionamientos históricos y políticos de la situación española. Así, por ejemplo, en Italia se empieza a detectar este regreso a la narratividad hacia 1965, en la reunión del «Grupo 63», en la que uno de los teóricos del experimentalismo y defensor acérrimo de la estética a lo *nouveau roman*, Renato Barilli, canta su palinodia proclamando la conveniencia de que la novela regrese a la fantasía y la acción. Y es precisamente el mismo año de *La saga/fuga de J. B.* cuando madura esta nueva actitud: el almanaque literario Bompiani aparece clamorosamente dedicado al «Ritorno dell'intreccio».

Umberto Eco ha estudiado recientemente, en las *Postille a «Il nome della rosa»*, este fenómeno, que afecta por igual a la narrativa francesa, italiana o española por razón de una clara analogía de contextos puramente literarios, en los que incide en idéntico sentido la oleada hispanoamericana, que viene a cumplir, en toda Europa,

I.   Darío Villanueva, «La novela», en AA.VV., *Letras españolas*, Castalia, Madrid, 1987, pp. 19-64 (31-42 y 61-62).

II.   Constantino Bértolo, «Introducción a la narrativa española actual», *Revista de Occidente*, 98-99 (1989), pp. 29-60 (29-30, 43-46 y 51-59).

III.   Enrique Murillo, «La actualidad de la narrativa española», *Diario 16* (23 de abril de 1988).

una función lúdica y hedonista que las novelísticas autóctonas habían descuidado. Para Eco, hay un momento en que la vanguardia —la modernidad— no puede ir más allá, «porque ya ha producido un metalenguaje que habla de sus imposibles textos (arte conceptual)», de forma que «la respuesta posmoderna a lo moderno consiste en reconocer que, puesto que el pasado no puede destruirse —su destrucción conduce al silencio—, lo que hay que hacer es volver a visitarlo; con ironía, sin ingenuidad». En el título del capítulo que acabamos de citar Eco identifica lo *posmoderno* con la *ironía* y con lo *ameno*. Bien es cierto que circulan interpretaciones del posmodernismo totalmente opuestas a la suya, coincidente en lo fundamental con la de teóricos norteamericanos como Leslie Fiedler o John Barth. Para este último, en concreto, el ideal de la novela posmoderna debería ser capaz de superar las contradicciones entre realismo e irrealismo, formalismo y «contenidismo», literatura pura y literatura comprometida, narrativa de elite y narrativa de masas. Romper, en una palabra, las barreras entre arte y amenidad. Eco asume, con Barth, que, acaso desde los primeros setenta y hasta hoy mismo, abrirse a un público amplio puede ser la mejor forma de ser vanguardista. Nada de ello es ajeno a la novelística española en castellano de este período, que acusará, como no podría ser de otro modo, el impacto histórico de 1975 pero que obedece en lo fundamental a una trayectoria evolutiva de índole artística gestada entre 1962 y 1972.

[La primera de las líneas encaminadas a la restauración de la narratividad se hallaba ya contenida en *La saga/fuga de J. B.*: la recuperación de la tradición anglocervantina del *romance*,] género complementario de la novela propiamente dicha cuya primera teoría cabal está en un muy citado y, sin embargo, apenas leído diálogo de Clara Reeve, *The Progress of the Romance*, que data de 1785. Para esta autora la diferencia entre las dos modalidades narrativas está en presentar, por una parte, un relato de personas y sucedidos fabulosos, o pintar, por otra, la vida real y las costumbres contemporáneas. Es decir, describir lo que nunca ha ocurrido o es raro que pueda ocurrir, o proporcionar a los lectores un cuadro de acontecimientos comunes.

De la vigencia de este modelo en el período que nos ocupa puede dar razón un artículo o manifiesto de Fernando Sánchez Dragó, autor por lo demás de una novela, *Eldorado* (1984), que responde a pautas bien diferentes. «Contra la villana realidad» es el expresivo título de lo que fue, primero, texto leído en un programa cultural de la televisión y luego ponencia en el primer congreso internacional de escritores en lengua castellana, para ser finalmente publicado en 1979 por la revista barcelonesa *El Viejo Topo* (n.° 35). Con su característica brillantez expresiva Sánchez Dragó dictamina sobre los males de nuestra literatura novelesca, y muchas de sus objeciones son de recibo. Mas, aparte de que sus juicios adolezcan con frecuencia de insuficiente contrastación, al final queda claro que para él la única forma narrativa viable está en el *romance*, es decir, el exotismo, el cosmopolitismo, lo inusual, lejano, fantástico, la novela de aventuras que cultivaron Stevenson, Conrad, Kipling, Melville... Y que hay que luchar contra «la villana realidad». Pero como contraopinó en seguida Fernando Savater, otra gran admirador de *La isla del tesoro* y el modo de narrar que representa —de lo que ha dado buena cuenta en libros como *La infancia recuperada* (1976) y *Criaturas del aire* (1979)—, una cosa es admitir la licitud de que Salgari novelice sobre los piratas de Malasia y otra muy diferente proponerlos a ellos y a sus aventuras como única veta para la novela. Sánchez Dragó pedía, y había razones harto fundadas para hacerlo, una novela que fuese capaz de *divertir, cautivar* y *conmover*, y ello es posible tanto con una historia desarrollada en los mares del Sur como en un pueblo perdido de la meseta castellana. [Esta tendencia se manifiesta claramente en toda la narrativa de Torrente Ballester, no sólo en *La saga/fuga de J. B.*, sino también, por ejemplo,] en *La isla de los jacintos cortados* (1980), perfecta síntesis de novela lírica —el fracaso de una seducción amorosa por medio de la palabra— y *romance* fantástico —el relato de la invención de Napoleón por Metternich, Nelson y Chateaubriand en una isla del Mediterráneo con el propósito de dotar de un líder a la Francia acéfala del Directorio. Ese mismo año Raúl Ruiz (1947) inicia con *El tirano de Taormina* una serie narrativa, luego continuada por *Sixto VI. Relación inverosímil de un Papado infinito* (1981), *La peregrina y prestigiosa historia de Arnaldo de Monferrat* (1984) y *Los papeles de Flavio Alvisi* (1985), muy representativa de lo mejor que esta línea ha dado entre los escritores más jóvenes. Su primer título es una cadena de patrañas en clave mítica, culta y humorística a la vez que el goliardo provenzal Arnaldo de Monferrat teje en calidad de cronista del reinado del tirano de Taormina, cuyo más oculto deseo es acabar con el Papado y poder llamar luego al Mediterráneo «el lago de Schiavón». Arnaldo sostiene que la literatura «se nutre de tres componentes que, por orden de importancia, son: la retórica, la sensibilidad y la inteligencia ... Entiendo por retórica el dominio del lenguaje; por sensibilidad, la capacidad de sorprenderse y fabular; por inteligencia, el saber ordenar lo escrito». He ahí una acertada síntesis de lo que sería la poética del *romance* actual, desigualmente lograda en obras como, por citar algunos ejemplos, *Negro vuelo de cuervo* (1978), de Mariano José Vázquez Alonso; *Narciso* (1979), de Germán Sánchez Espeso; *La décima sinfonía* (1979), de Pedro Zarralugui, o *Astarté* (1980), de Jaime Zulaika. Si el exotismo es componente inexcusable, junto a la fantasía, del mejor *romance*, de su presencia en nuestra narrativa última dan buena prueba, desde la ambientación en la España hebrea y musulmana de *La novia judía* (1978) y *Fátima* (1979) por parte de Leopoldo Azancot (1935) hasta lo que ha sido uno de los descubrimientos más ponderados por la crítica en los últimos años, la narrativa de Jesús Ferrero (1952) quien con *Bélver Yin* (1981) y *Opium* (1986) explota con gran seguridad y brillantez las potencialidades novelescas de la realidad, la cultura y las religiones orientales, en especial la taoísta y el budismo.

El florecimiento de la novela histórica entre nosotros a lo largo de los últimos años tiene que ver a la vez, según creo, con la recuperación de la narratividad y el nuevo crédito concedido al *romance*. Efectivamente, la historia es el verdadero origen del relato en general y de la novela en particular, de forma que la presencia de este componente en un discurso novelesco equivale a una garantía de que el lector no saldrá defraudado en aquella su exigencia tan claramente formulada por Henry James, [según la cual «la única obligación que por anticipado podemos imponer a una novela, sin incurrir en la acusación de arbitrariedad general, es que sea interesante».] Por otra parte, *historia* equivale a un «exotismo temporal», por decirlo de algún modo, complementario del exotismo geográfico o cosmovisionario al que acabamos de referirnos. [...]

Se me dibujan cuatro variantes fundamentales en el cuadro de la última novela histórica en castellano: la reconstrucción y su contraria, la fabulación; la proyección trascendente del pasado sobre nosotros y el aprovechamiento de la distancia temporal de lo narrado como motivo para ejercicios de estilo (algo que, por cierto, no falta en *Extramuros*, 1978, de Jesús Fernández Santos, como tampoco en *Los jardines de Aranjuez*, novela publicada en 1986 por Eduardo Alonso, autor también, dos años antes, de una notable reconstrucción novelesca del encarcelamiento de Quevedo: *El insomnio de una noche de invierno*).

De las dos posibilidades apuntadas primero pueden ilustrarnos las respectivas producciones novelísticas de Carlos Pujol (*La sombra del tiempo*, 1981; *Un viaje a España*, 1982; y *El lugar del aire*, 1984) y Carlos Rojas. Este último, en varios títulos que van desde *Memorias inéditas de José Antonio Primo de Rivera* (1977) hasta *El ingenioso hidalgo y poeta Federico García Lorca asciende a los infiernos* (1980), introduce además un personaje, Sandro Vasari, heterónimo del autor, que manipula los hechos relatados con gran libertad y trata de extraer de ellos una particular filosofía de la historia. Ambas opciones se encuentran también en los escritores más jóvenes. Así, Félix de Azúa en su recreación de una Cruzada catalana de mediados del siglo XIII en *Mansura* (1984) o, por el contrario, Terenci Moix en la decadencia romana que nos pinta en *Nuestra Virgen de los Mártires* (1983).

Acaso el sector más interesante de esta novela histórica sea el que, sin descuidar la fidelidad de la reproducción, acerca el sentido de lo contado a realidades presentes. Así sucede, por ejemplo, en un plano fundamentalmente político con la primera novela de José Esteban, *El himno de Riego* (1984), o en *Las naves quemadas* (1982) de J. J. Armas Marcelo. También Lourdes Ortiz trasciende en *Urraca* (1982) el personaje y la realidad medievales para meditar sobre temas tan de hoy (y de siempre) como la condición de la mujer o el poder [...]

En su perentorio afán por recuperar la confianza perdida de los lectores la novela española en castellano intentará también, junto a la de la imaginación, otras vías más directamente comprometidas con lo que Pío Baroja gustaba llamar «el trampolín de la realidad». Porque aquel objetivo de la narratividad restaurada no es tan sólo cuestión de contenidos, de sustancia narrativa, sino muy especialmente de formas de contar. De ahí la importancia que cobró, desde 1975, el modelo representado por *La verdad sobre el caso Savolta*, la novela de Eduardo Mendoza que aprovechaba los eficaces procedimientos y recursos de captación de la novela policíaca y la llamada subliteratura para relatar las luchas sociales en Barcelona, entre 1917 y 1919, sin incurrir en el esquematismo ideológico ni en la dejadez artística. Desde entonces el esquema narrativo de la intriga, que el propio Mendoza continuó empleando en *El misterio de la cripta embrujada* (1979) y *El laberinto de las aceitunas* (1982), ha sido una de las constantes más claramente perceptibles en nuestra novela; [hasta el punto de que puede decirse que] ese patrón narrativo de la intriga se haya convertido en algo así como el alcaloide de casi todos los proyectos de novela, literariamente ambiciosos y artísticamente exigentes, pero preocupados por el anudamiento posmoderno del pacto con una gran mayoría de lectores, en el sentido antes comentado a propósito de las ideas de Umberto Eco (quien practica un eficaz maridaje de lo histórico y lo policíaco en *Il nome della rosa*).

Entre los novelistas frecuentemente encasillados bajo este epígrafe destaca, como es notorio, Manuel Vázquez Montalbán, cuyo detective Pepe

Carballo ha protagonizado en estos años *La soledad del manager* (1977), *Asesinato en el Comité Central* (1981), *Los pájaros de Bangkok* (1983) y *La rosa de Alejandría* (1984). También centra otra novela del autor, ganadora del premio Planeta, *Los mares del Sur* (1979), donde se puede apreciar con claridad ese sincretismo novelístico al que la estructura narrativa de la intriga tan bien se presta. [...] Serían numerosos, con todo, los ejemplos de lo mismo que podríamos comentar. Desde el mismo Gonzalo Torrente Ballester de *Quizá nos lleve el viento al infinito* (1984) y el Gonzalo Suárez de *La reina roja* (1981) hasta primeras novelas de un filósofo y ensayista como Fernando Savater —*Caronte aguarda* (1981)— y un destacado historiador y crítico literario, Carlos Blanco Aguinaga, en *Ojos de papel volando* (1984), o prácticamente toda la producción de Alfonso Grosso en estos años (*La buena muerte*, 1976; *El correo de Estambul*, 1980, etc.). Algunos de los jóvenes novelistas más acreditados tienen también su lugar en esta relación, puramente indicativa de lo que sin duda es una tendencia clara y constante de la última novelística española en castellano. Pienso, por ejemplo, en *El bandido doblemente armado* (1980) de Soledad Puértolas, o en *Visión del ahogado* (1977), de Juan José Millás.

Incluso Juan Benet aprovecha hábilmente, en *El aire de un crimen* (1980), toda la potencialidad expresiva del ruinoso ámbito regionado para desarrollar un asunto de novela «negra» —el dilucidamiento de un asesinato— junto con todos los ingredientes propios de ese género popular, pero integrando en este nuevo contexto espacios, ambientes y personajes —los Mazón, el doctor Sebastián— de su ya prolija saga que había alcanzado uno de los puntos de máxima complejidad, tras el relativo desahogo de *En el estado* (1977), con *Saúl ante Samuel*. El que esta última novela y *El aire de un crimen* se publicasen el mismo año permitió apreciar meridianamente la incidencia, incluso en Benet, de los nuevos vientos favorables a la pura narratividad que entonces soplaban.[1]

---

1. [Por otra parte, en el contexto de la España de la transición nada extraño fue que empezaran a practicarse técnicas narrativas que, como la *non fiction novel* de Truman Capote y Norman Mailer, y como el *new journalism* de, entre otros, Tom Wolfe, Gay Talese y Hunter Thomson, se hallan a medio camino entre la ficción y el reportaje; «no en vano el periodismo ejerció entonces un notable influjo no sólo en el avance hacia la democracia, sino también en el simple conocimiento por parte de los españoles de cuál era su propia realidad, de todo lo cual ilustra cumplidamente la novela *Las linotipias del miedo* (1977), de Alfonso S. Palomares.

»Novela sin ficción muy lograda es, por ejemplo, *Los invitados* (1978), de Alfonso Grosso, que reconstruye plausiblemente el quíntuple crimen que se produjera tres años atrás en el cortijo «Los Galindos». Muy cerca de los libros de Oscar Lewis sobre la mexicana familia Sánchez están, por su parte, *Antonio B. el Rojo* (1977), redactada por Ramiro Pinilla sobre el testimonio de un marginado social, y *Las cárceles de Soledad Real* (1982), donde Consuelo García reproduce el testimonio

[Existe un hecho cuya trascendencia, desde el punto de vista de la sociología literaria, es digna de la máxima consideración.] Todo parece indicar que hacia 1975 existe una amplia masa de lectores —cierto que quizá ocasionales— para el género novelístico, y ello introduce una poderosa mediación mercantilista en el proceso creador. No cabe cerrar los ojos ante la evidencia de que el escritor, seducido por la posibilidad de que sus obras, en manos de grupos editoriales que funcionan como grandes industrias, lleguen a ser *best-sellers* puede someter la libertad de su talento e inventiva a las conveniencias del mercado, buscando un tema de interés, «con garra», y dándole una forma clara y directa, cuando no pedestre. A esta tentación han sucumbido, en el pasado decenio, novelistas en otro tiempo minoritarios o experimentales, lo cual no quiere decir que incluyamos en el mismo cesto a las obras y autores que responden a esos planteamientos y a aquellos otros que, como hemos venido sosteniendo en páginas anteriores, experimentan con las posibilidades múltiples de la narratividad posmoderna, por seguir con el argumento de Umberto Eco. [...] Para calibrar hasta qué punto este fenómeno mercantil o industrial reviste caracteres de una cierta gravedad, basta con percibir la efímera vida que todos los *best-sellers*, incluso los más rutilantes, tienen. El propio mecanismo editorial impone una constante renovación de títulos; en las librerías

---

de una anciana comunista, testigo y víctima de la historia del país. Salvador Maldonado, por su parte, vuelve a reconstruir las circunstancias y el proceso de *El crimen de Cuenca* (1979), que ya había sido desarrollado como tema por Ramón J. Sender en *El lugar del hombre* (1939, 1958), y por Antonio Ferres en *Con las manos vacías* (1964).

»Ese acercamiento entre literatura narrativa y periodismo de actualidad se produce también por otros conductos menos condicionados por modelos como los anteriormente descritos, y en general produce dos efectos beneficiosos para la novela: el primero es, obviamente, el de garantizar esa narratividad que el lector demanda y los escritores redescubren, y el segundo deriva de un mayor acercamiento de los textos a una realidad compleja y cambiante a ritmo de vértigo, que puede ser así comprendida mejor por los mismos que de un modo u otro la están viviendo. Conocidas firmas de la prensa hacen ahora su aportación a la novelística, como Manuel Leguineche (*La tribu*, 1980), Rosa Montero (*Crónica del desamor*, 1979; *La función delta*, 1981; *Te trataré como a una reina*, 1983) o Ricardo Cid Cañaveral (*M-30*, 1984). Jorge Martínez Reverte inicia en 1979 la publicación de sus novelas testimoniales donde un periodista hace el papel de auténtico investigador detectivesco, con *Demasiado para Gálvez*, título al que seguirán *El mensajero* y *Gálvez en Euskadi*» (pp. 44-45).]

sólo se pueden encontrar las llamadas «novedades», y una novela de máxima popularidad tres o cuatro años atrás resulta más difícil de conseguir que un clásico, pues los propios costes del almacenamiento imponen, si es el caso, la destrucción de los fondos que no hayan tenido salida en el período previamente calculado. He ahí uno de los índices que nos marcan la frontera entre la no-literatura y el verdadero arte literario, que consiste en esencia, y antes que en cualquier otra cosa, en palabras que duran, en un discurso que vence al tiempo, codificado por un hablante de lujo —el escritor— para un destinatario ausente, indeterminado cronológica y espacialmente.

Esta mercantilización se ve favorecida, en el período de la historia española que nos ocupa, por la libertad de prensa recién estrenada, y del maridaje entre la una y la otra nacen novelas, artísticamente irrelevantes (o, incluso, deleznables), de contenido sensacionalista. El éxito más ruidoso de esta novela política degradada es una obra de 1978 que narra la resurrección de Franco, y su autor, Fernando Vizcaíno Casas, la representa arquetípicamente desde su posición ideológica ultramontana.

A medida que nos vamos acercando al presente el panorama se hace, naturalmente, más abigarrado y en cierto modo más confuso. Sigue, no obstante, siendo muy perceptible un marco libérrimo para la creatividad novelística de escritores de muy diferentes edades. [...] Esa libertad de formas y contenidos puede dar cierta sensación de desbarajuste, de que nuestra narrativa va desnortada. Creo, más bien, que se trata de algo sumamente beneficioso, fruto no tanto de la pura arbitrariedad como de una reacción deliberada, aunque acaso inconsciente, a superados corsés que cohartaron no hace mucho la individualidad de nuestros narradores. La recuperación de las otras libertades no habrá sido, a buen seguro, la causa de este estado de cosas, pero resulta el natural complemento del mismo, pues afecta más a la perspectiva de los lectores que a la de los propios creadores. Pero es un hecho que este talante lo domina todo, hoy por hoy, en nuestra narrativa.   DARÍO VILLANUEVA.

II.   Todos y por todas partes hablamos de la nueva narrativa. A la pregunta de si ésta existe o no existe, sólo cabe, en principio, una respuesta afirmativa. Cierto que no es la primera vez que el río de la literatura ha sonado con una cantilena semejante. En el año

1972 también se propuso la llegada de una nueva ola, de una nueva narrativa. En aquella ocasión se trató de una mera y transparente operación de *marketing* editorial, concretamente de Barral y Planeta, que agrupó a unos cuantos autores y títulos que hoy, con excepciones, forman parte del olvido. El fenómeno actual no parece tener un origen tan mecanicista, aunque es indudable que nuestro mundo editorial está apostando fuerte por él.

En estos momentos la narrativa española a secas, ni vieja ni nueva, está conformada por la coexistencia de cuatro hornadas de escritores: los narradores de la posguerra, con Cela y Delibes entre ellos; la generación del realismo, con García Hortelano, Martín Gaite y Juan Marsé; los escritores de la ruptura con el realismo, con Juan Benet a la cabeza, y, por último, los nuevos narradores, con un núcleo estricto, en el que se encuentran Jesús Ferrero, Alejandro Gándara, Ignacio Martínez de Pisón, Javier García Sánchez, Soledad Puértolas, Julio Llamazares y Antonio Muñoz Molina, a los que se han sumado —demostrando la fuerza expansiva de la etiqueta— autores más recientes como Justo Navarro y Mercedes Soriano o escritores que aparecieron mucho antes: Eduardo Mendoza, Juan José Millás, Javier Tomeo. Esta diversidad obstaculiza fuertemente un tratamiento generacional. [...]

En 1975 aparecen dos autores, Eduardo Mendoza y Juan José Millás, con dos novelas, *La verdad sobre el caso Savolta* y *Cerbero son las sombras*, que abren el horizonte de lo que puede o debe considerarse hoy como narrativa española actual. [...]

Escrita desde un aprovechamiento magistral de los registros literarios más populares, desde el folletín a la novela policíaca, pasando por la crónica de sucesos y la novela rosa, *La verdad sobre el caso Savolta* reunía tres características que habrá que tener en cuenta por su peso en la narrativa posterior: la trama como motor de la lectura, la ubicación en un tiempo-espacio histórico reconocible, aunque no cercano, y la unidad dramática. De este modo, el choque con la narrativa inmediatamente anterior era total. La multiplicidad de registros literarios denotaba que Mendoza había asimilado las mejores lecciones de la literatura experimental, al tiempo que el tratamiento de los personajes y ambientes venía a decir que no le era ajena la mitologización de lo histórico ni le estorbaba el aprovechamiento de lo ideológico como material narrativo. La elección de una construcción policiaca más en la línea de lo criminal que de la novela negra (Vázquez Montalbán empezaba a reelaborar con *Tatuaje* esta línea en 1974) y la utilización de la técnica de suspense se equilibraban con el hallazgo de un lenguaje de irónico realismo, una puesta en escena casi detallista y una atención a los personajes como elementos motrices de la visión del mundo que acompañaba a la novela, lo que, de alguna forma, le evitaba caer en el género, aunque todos sus ecos estuvieran presentes. Con estos ingredientes Mendoza parecía indicar que el pacto con el público podía reinaugurarse sobre la base de construir la narración sobre referentes ya homologados: lo policiaco, la historia como *pasado* y el entretenimiento como objetivo, si no suficiente, sí al menos necesario. [...]

Cerbero son las sombras, de Juan José Millás, presentaba o portaba unas novedades muy dispares a las de *El caso Savolta*, salvo en la pretensión de fuerte unicidad que ambas obras encerraban. Escrita en primera persona, la larga carta al padre que conforma la novela de Millás revelaba un sabio equilibrio de tensiones dobles: entre lo exterior y lo interior, entre lo reflexivo y lo narrativo, entre lo enunciado y lo sugerido, entre lo público y lo privado. Si la obra de Mendoza provenía, al menos en su superficie, de los registros de la literatura popular, la de Millás enlazaba con la literatura de Kafka, la narrativa existencialista francesa y la atmósfera moral del realismo italiano. Si su argumento remitía a un pasado histórico concreto —la derrota—, no lo hacía ni desde la voluntad de testimonio ni desde una fácil desideologización del pasado [sobre J. J. Millás, véase, en este mismo volumen, G. Sobejano, «Juan José Millás: fábulas de la extrañeza»]. La apuesta narrativa que suponía *Cerbero son las sombras* presentaba unas exigencias de lectura nada comparables a las de Mendoza y eso, unido a determinados factores extraliterarios, provocó que, a pesar de la atención de la crítica, su novela no tuviese una repercusión literaria explícita. [Tanto la obra de Millás como la de Mendoza son, sin embargo, las que mejor delimitan el marco de nuestra actual narrativa.]

Hacia el año 1985 comienza a hablarse en los medios culturales de la existencia de una nueva narrativa. En sus orígenes estrictos esta rúbrica agrupa a unos cuantos narradores jóvenes que habían logrado despertar la atención de editores y medios de comunicación. Creo no exagerar si sitúo a Jesús Ferrero como signo de este nuevo fenómeno. En 1981 la aparición de su primera novela, *Bélver Yin*, convocó un revuelo de público y crítica como no había tenido lugar desde la publicación de *La verdad sobre el caso Savolta*. Valoraciones literarias aparte, la novela era un síntoma de que nuevos cambios estaban llegando a la narrativa española. Aquella extraña mezcla de cuento chino y novela bizantina revelaba una sensibilidad distinta a la hora de enfrentarse con el hecho literario. En la novela de Ferrero había un aprovechamiento total de las mitologías culturales más populares: desde el cine hasta el cómic, mostrándose, además, no tanto una ignorancia sobre la tradición narrativa anterior como una indiferencia total, un sentido de la cultura que poco o nada tenía que ver con el de los autores precedentes. Se lograba así un producto que recogía los referentes culturales de lo que se estaba llamando el posmodernismo y los guiños que lo acompañaban.

La sensibilidad literaria que en *Bélver Yin* funciona es de una originalidad paradójica: nada en ella es original. Nada nace de la novela. Todo lo que en ella se daba, se presentaba como mera asimilación de otras estéticas ya mencionadas: el cómic a lo Hugo Pratt, el folletín a lo Fu Manchu, el amor idílico a lo *Dafnis y Cloe* en versión erótica y la construcción a modo de guión cinematográfico (los capítulos, por ejemplo, tienen títulos directamente extraídos del cine). No estamos hablando de influencias o tradiciones artísticas presentes, sino de una consideración parasitaria de la novela. No es que Ferrero explore la estética del *collage*. Simplemente utiliza materiales estéticos ya digeridos, y no para recrearlos en el sentido de elaborar a partir de ellos, sino para satisfacer de forma plana las necesidades estéticas del lector. La oportunidad u oportunismo de Ferrero, su único mérito, fue descubrir la existencia de esa demanda estética. El uso del «pastiche» o, mejor, del «cliché estético» —una realidad estetizada previamente—, ha seguido siendo la urdimbre básica de sus novelas posteriores: *Opium, Lady Pepa*, en las que se limita, con peor habilidad, a variar el cliché dominante. El hecho de que la ubicación espacio-temporal de sus novelas nada tuviese que ver con la realidad española actual, ha querido verse como uno de los rasgos que comparte con la nueva narrativa. [...] Pero la ubicación de la trama fuera de la realidad reconocible por el lector no deja de ser una pertinencia secundaria (más significativa es la desubicación ideológica). Lo que tiene valor de común denominador es la presencia de los clichés, el no cuestionamiento de los modos de los *mass media* y la ausencia de cualquier escala de valor —salvo la que de esta ausencia se desprende— estética, ética o social, lo que convierte a la novela en un simple artefacto moldeador de narcisismo. Otro rasgo presente en la narrativa del autor y reconocible también en buena parte de los nuevos narradores es el gusto por la composición tópica del género de aventuras, es decir, una trama que el personaje o los personajes deben resolver o salvar. La aventura como género literario ya dado, «ya estetizado», aparece en la novela española como una solución de recambio a la disolución del argumento —entendido como simple rosario de anécdotas— que los novelistas de la fase experimental habían teorizado y practicado. Una salida fácil que obras como *La infancia recuperada* habían propiciado en defensa de una visión lúdica de lo literario. Al hilo de la aventura se planteó también por entonces el problema de la trama, defendiéndose un concepto burdo de ésta al identificarla con una especie de molde que la novela debería ir llenando, es decir, como unas muletas sobre las que apoyar la creación y la lectura. Se empieza de este modo a hablar de la narratividad y de la narratividad al servicio del lector. Las características señaladas ya estaban presentes en la obra de Mendoza, tanto en *El caso Savolta* como en sus novelas posteriores, y en ese sentido Ferrero lo único que realizó fue un trabajo de depuración. La buena acogida de esta fórmula las reforzaría. El éxito comercial de *Belver Yin*, un verdadero *best-seller* en el ámbito de la edición española, al que acompañó un elogio de la crítica que hoy parece desmesurado, provocó el interés del mundo editorial hacia los escritores más jóvenes. Un interés que se veía confirmado por la buena recepción que recibirían o estaban recibiendo otros autores como los ya citados al hablar de la nueva narrativa. A la atención de las editoriales se sumó pronto el interés de los medios de comunicación, que vieron en estos nuevos narradores un producto atrayente. Se fue así configurando un fenómeno que con relativa prontitud mostró una capacidad expansiva que no se limitaba a engrosar sus filas con la fagocitación de escritores de generaciones o momentos anteriores. Su propio impulso atraería hacia sus supuestos estéticos otras aventuras literarias, coincidiendo en muchos casos su atracción con la propia evolución de autores que hasta aquel momento caminaban por otras sendas. Si pudiera decirse que la nueva narrativa, en su origen, procedía de un hecho ligado al mercado —la constatación de que el público se interesaba por ella—, puede también afirmarse que toda la narrativa, con excepciones, parecía reacomodarse a ese destino. Es más, podría incluso afirmarse que la nueva narrativa normaliza las relaciones entre la literatura y el mercado, lo que nada tiene de extraño si se tiene en cuenta que la evolución socioeconómica y política de nuestra sociedad se ha estado dirigiendo precisamente hacia el asentamiento del sistema de mercado. No quiere esto decir que sea la nueva narrativa la primera que tiene en cuenta ese mercado —piénsese, por ejemplo, en lo que como síntoma de todo esto significó en su momento la presentación de Juan Benet al premio Planeta, o la larga nómina de escritores de *qualité* que han hecho otro tanto—, pero sí fue la primera que no ha tenido que disculparse por ello.

Cuando se habla de la situación de la narrativa española actual suele hacerse hincapié en dos aspectos: la cantidad y la libertad de tendencias. Cuando se cuestiona el trasfondo de esta cantidad de novelas y narradores, se suele contestar que el dato es muy positivo, porque de ella saldrá la calidad. Evidentemente esto pudiera ser así, pero también es preciso reconocer que en estos momentos se está valorando la cantidad por la cantidad misma y no por la posible o esperable calidad. Sucede que la cantidad se ha convertido en un valor en sí mismo, y se le otorga calidad a lo que no deja de ser mero dato cuantitativo. Por otra parte hay que tener en cuenta que aun reconociendo que se están publicando más jóvenes y no tan jóvenes narradores que nunca, también en otros tiempos —cójase cualquier ISBN— se publicaba mucho, con la diferencia de que antes no todo lo publicado, por el mero hecho de serlo, se asimilaba con tanta facilidad. El peligro no reside tanto en que las editoriales hayan bajado el listón de las exigencias para publicar o no publicar como en la tentación de dejar de distinguir entre calidades; es decir, más que bajar el listón lo que se está produciendo o puede producirse es un abaratamiento de los criterios. Por eso no parece mala idea plantear la hipótesis de que, en este elogio de la cantidad, lo que se oculta es una identificación simple de los bienes culturales con los bienes de la industria cultural, pues la fuerte expansión cuantitativa de éstos puede estar ocultando en realidad un posible vacío cultural que sería, ese sí, un claro fenómeno de carácter cualitativo.

La libertad de tendencias es también un hecho aparentemente irrebatible. Al contrario de otros momentos, en que una línea estética determinada, ya fuere el realismo o el experimentalismo, ejercían una cierta coerción sobre los novelistas, en el momento actual puede publicarse todo, es decir, todo lo que acepte el mercado. Si Juan Benet, hablaba de servicio público al definir la novela realista, podría decirse ahora, a tenor de las mentadas dimensiones de cantidad y calidad, que la nueva narrativa se ha convertido en material de hipermercado. En una gran superficie en la que hay de todo: novela histórica, novela de amor, novela erudita, realismo mágico, novela psicológica, novela costumbrista, novela negra, nueva narrativa madrileña, nueva novela andaluza y novelas de los presentadores de Televisión Española. Lo sorprendente es que si uno fuera recorriendo con su carrito cada una de estas posibles secciones, se encontraría, aun no planteándose altas exigencias de calidad, con muy poca cosa, porque la única sección que parece funcionar es la de novedades, con la lista de libros más vendidos en lugar destacado. [...]

Junto al exotismo de los escenarios como rasgo común de una parte considerable de las novelas de los nuevos narradores, destaca también el gusto por el intimismo, por el estudio de una soledad que no se vive como problema, sino como atmósfera grata y adecuada para la lucidez. No hay en nuestra nueva narrativa ningún intento de imbricar la individualidad en un entorno que vaya más lejos de lo familiar y aun en este ámbito los problemas se aluden o simplemente se eluden. La nueva narrativa trabaja la alusión, la ambigüedad y el misterio vacuo. Cuando lo colectivo aparece, a veces incluso en forma de material político —la transición, la guerra o la posguerra—, no pasa de un tratamiento mítico, o, lo que es peor, de un aprovechamiento ideológico del lugar común no cuestionado en el que la política como maldad, como lugar de lo falso, es la visión predominante. En la mayoría de las novelas la privacidad se vive como sabiduría, como único lugar posible frente a la crisis de cualquier otro tipo de valor. Este intimismo a la sombra del sistema se disfraza de falsos conflictos sin que nunca se traspase la frontera de la «vida interior». Lo curioso es que este mundo de valores tenues, misteriosos y un tanto fantasmagóricos coexiste con una precisión detallista casi obsesiva que parece adecuarse a la única función que se concede a la realidad: la de decorado realista de las sensaciones evanescentes. La función que se le suele conceder al narrador es precisamente la de crear en su propia voz los conflictos que en la narración nunca llegan a tener entidad. El narrador es, de este modo, el único personaje de la literatura, mientras que el resto no pasa de marionetas sin cuerpo ni intención. Como consecuencia de esta cosificación de los personajes las relaciones entre ellos provienen de hechos exteriores: de un misterio (muchas veces de carácter policíaco) que lleva a los unos hacia los otros.

La trama entendida como entramado, cuando no como tramoya, se privilegia en la nueva narrativa como motor externo de la acción. La mayoría de las veces incluso parece buscarse que la construcción de la trama sea un elemento reconocible, como si la evidencia del dominio técnico sirviese para ocultar la vaciedad en que se sostiene. Sólo en algunos casos —pienso en las últimas novelas de Millás o en las narraciones de Martínez de Pisón o Javier Tomeo— la presencia transparente de la trama se incorpora con otra función. En esos casos cumple el papel de aislamiento o extrañamiento. Es entonces un registro y no un efecto que sustituya la lectura estética por la lectura técnica de la obra. El tratamiento «bonito» de la frase cumple también un papel semejante: llamar la atención sobre el vehículo y diluir lo vehiculado. Los nuevos narradores, aprendida la lección en Benet, Millás o García Márquez, buscan un tipo de frase redonda, equilibrada y sin aristas que se ajusta bien al mundo plano, sin grietas y acogedor del que dan cuenta. Novelas como *La media distancia*, en las que se explora el espacio posible entre lo individual y lo colectivo, no son las que marcan la tendencia dominante. Se prefiere el estudio de las relaciones entre la vida y el arte (el arte como valor deificado), y el lenguaje se toma más como artefacto final que como posibilidad creativa.

No parece gratuita, por tanto, la sospecha de que la libertad de tendencias sea, en realidad, la hegemonía de una sola tendencia marcada por la asunción de una literatura caracterizada por la representación de un mundo superficial, *light*, que nada pone en entredicho, aunque haya hecho de la duda su refugio privilegiado. CONSTANTINO BÉRTOLO.

III. Como es de todos sabido, la nueva narrativa española no existe. Porque si bien es cierto que de un tiempo a esta parte han ido apareciendo novelas y libros de relatos firmados por autores nuevos, estos mozalbetes, aparte de escribir bonito y ser chistosos, han cometido la indelicadeza de no presentar un frente homogéneo, de ir cada uno por su cuenta, de no pertenecer siquiera a una misma generación —los hay veinteañeros, pero también cincuentones—, haciendo así una demostración de anarquía que impide entenderles como fenómeno unitario. No deja, por lo tanto, de resultar curioso que sí se les atribuyan a los susodichos arrapiezos numerosos defectos comunes, una larga lista que empieza, naturalmente, con la acusación de diversidad o inclasificabilidad, y sigue con las de comercialidad, despreocupación política, traduccionismo, antiexperimentalismo, vacío teórico, superficialidad, difuminación, cosmopolitismo y qué sé yo cuántas cosas más.

En efecto, dicen algunos que la nueva narrativa ignora todo lo referido a los grandes temas de nuestro tiempo, y ni habla de problemas tan graves como el paro ni parece haberse enterado de asuntos tan candentes como la transición o el rodillo socialista. Pero no es sólo eso. Puestos a abandonar la militancia progresista, los nuevos narradores se han alejado incluso de aquel progresismo específico de su oficio que se llamaba, en términos curiosamente militares, vanguardia, o, usando el idiolecto cientifista, experimentalismo. Verlo y no creerlo, oigan. Estos niños ponen puntos y comas, cuentan historias, crean atmósferas, construyen personajes, describen paisajes, y parecen no haber estado muy atentos en clase cuando el profesor daba lecciones sobre Joyce y el *nouveau roman*.

Así las cosas, lo raro es que no haya estallado todavía el escándalo, aunque alguna que otra voz sesuda ha comenzado a dar la alarma preguntando, por ejemplo, qué se hizo de aquel espíritu combativo, de aquel musculoso vigor con el que nuestros novelistas de antaño diseccionaban sin piedad los vicios y las contradicciones, sobre todo eso, las contradicciones, de la burguesía. ¿Ya no hay nadie dispuesto a erigir un sólido monumento a los héroes del proletariado? ¿Por qué no nos hablan los nuevos narradores de las relaciones de producción en el Bajo Bierzo ni de las corrompidas francachelas del Alto Neguri? Podría tolerarse el abandono de tales asuntos de indudable enjundia a condición de que los libros fuesen un poco raros. Por ejemplo, novelas repletas de juegos de palabras más o menos inocentes o maliciosos, y con títulos tales como *Textosterona* o *Detexto el texto*. Pero, quiá, de unos años a esta parte sólo nos encontramos con cosas como *Bélver Yin* (la huida a Oriente), *Mi hermana Elba* (típico intimismo burgués), *La media distancia* (interés fascista por el deporte), o cosas incluso peores, como ese par de guindas que retratan perfectamente la catadura de esta gentuza: *El hombre sentimental* (ahí les duele) o *Historia de un idiota contada por él mismo* (¿alguien da más?). Ahí, ahí: idiotas y sentimentales.

¿De qué le sirven al español medio todas esas historias? ¿Qué se proponen esos niños bonitos al contarnos tantos cuentos? ¿Vivir del cuento? Es probable. No en vano resulta que sus libros se venden, y hasta mucho en algunos casos. ¡Acabáramos! Esto debe de ser ni más ni menos que una operación comercial. Lo cual no hace sino confirmar las peores sospechas, pues todo el mundo sabe que un éxito de ventas sólo se obtiene mimando los más bajos instintos de esa pandilla de orangutanes que pierden el tiempo leyendo libros.

Pero es que no acaba la cosa aquí. Por si todo lo antecedente fuera poco, los nuevos narradores son un atajo de descreídos, y el escepticismo, con su nefasta carga de dudas, es su verdadera ideología. Ninguna realidad les parece a ellos suficientemente real, ninguna verdad suficientemente verdadera. Y se empeñan, con característico oscurantismo reaccionario, en decirnos que esto no hay quien lo entienda, que el hombre escapa una y otra vez a los intentos que desde los más avanzados y comprometidos campos ideológicos se hacen por comprenderle.

Y mira que estaba claro que el marxismo permitía entenderlo todo, desde las relaciones de producción hasta el insoportable fastidio sentido por el individuo que una mañana descubre al levantarse que le ha salido un orzuelo. ¿O no? ¿Quizá para lo del orzuelo no servía, aunque cabía esperar que el desarrollo dialéctico...? A lo mejor es que los tiros van por ahí. Tal vez haya que leer la obra de esos chicos, no fuera a ser que tengan algo que decirnos acerca de lo del orzuelo; no fuera a ser que entre las brumas de Brumal, o allá por el Sur, asome una luna de lobos bajo la que ciertos amados monstruos enamorados de la dama del viento sur vengan a hablarnos de hombres humillados y bandidos doblemente armados que andan en pos de la fuente de la edad. Y que todo esto nos ataña más de lo que creíamos —¿quién no ha tenido un orzuelo? Porque, viendo las cosas desde otro punto de vista, quizá no estemos tan lejos de ese momento presentido hace unos ocho años por Juan Benet, quien, en *La moviola de Eurípides*, se atrevió a profetizar: «Poco a poco la novela en España, como en cualquier otro país, irá a ocupar su específico lugar para cumplir su específica misión: dar testimonio de la poca fortuna y mucha desgracia que el hombre puede esperar lo mismo en 1980 que en 1680».

Desde la muerte de aquel general bajito de voz maricona abundan las almas que andan como perdidas por el mundo, añorando los buenos tiempos en los que sólo se podía estar a favor o en contra, en los que todos sabíamos qué era el bien y qué el mal, aquellos largos cuarenta años en los que la realidad y la verdad eran claras y distintas, cuando la literatura tenía una función social indiscutible: predicar al convencido, pues ya se sabe que franquistas y antifranquistas, malos y buenos, no se solapaban ni siquiera en el terreno de sus lecturas.

La democracia zulú que ahora vivimos (dicho sea sin ánimo racista) tiene, pese a todos sus defectos, la virtud de habernos metido en el ámbito de los matices y los claroscuros, y se acabó la época de las verdades de puño, alzado o no. Por otro lado, hace también bastantes años que esta sociedad dejó de ser medieval y agraria, y abandonó su antiguo sistema simbólico para entrar en el politeísmo postindustrial y en la era de los *mass media*. Y al tiempo que la televisión y la prensa escrita han cerrado campos a la literatura, la relativización moral que vivimos le ha abierto otros. Si no hay mejor forma de relatar un atentado terrorista que el servirlo en directo por televisión, salpicando de sangre y muñecas rotas la sala de estar, si no hay mejor denuncia del asunto de los cementerios atómicos que un buen reportaje de investigación, si el problema del paro nos lo sirven mensualmente los diarios y telediarios con toda clase de estadísticas y contraestadísticas, de modo que no merece perdón de Dios quien a estas alturas ignore toda esa serie de espantosas tragedias cotidianas, ¿qué le queda a la literatura?

La respuesta está en todas las librerías del país: a la literatura le quedan verdaderos océanos. Porque siempre ha servido para mucho más que el simple denunciar maldades e ilustrar verdades: ha servido para investigar, para explorar, para aventurarse por ese territorio sin mapas formado por todo aquello que los *mass media* no cubren ni jamás cubrirán. Repito: la literatura tiene mucho trabajo con lo del orzuelo. Lo que algunos críticos llaman *falta de sustancia* ideológica de la nueva narrativa española se puede entender de otro modo: como un intento de especialización en ese campo que era desde siempre el suyo propio, el de la exploración de todo eso que antes estaba tan claro y ahora ha dejado de estarlo, el intento de averiguar qué cosa sea la realidad y dónde está la verdad. Por cierto, la verdad y la realidad con minúsculas, pues no se trata de mitificarlas sino de problematizarlas.

Con mejor o peor fortuna, los nuevos narradores intentan no tanto dar sentido como explicar el sempiterno sinsentido de este mundo en el que al parecer vivimos. Sólo los rezagados del progresismo fácil siguen negándose a entender que, por ejemplo, Jesús Ferrero no se va a la China para huir de la realidad real del paro en España, sino para averiguar qué relación hay entre el deseo y la ley; que Cristina Fernández Cubas no se pierde con su seminarista en una isla desierta porque no quiera saber nada de la deuda externa latinoamericana, sino porque trata de poner en entredicho cierto concepto de realidad; que Gándara cuenta la historia de un atleta porque, según sus propias palabras, pretende señalar la importancia de «el concepto de lucha de clases como motivación del deseo»; que Álvaro Pombo no cuenta la historia que ocurre tras el fallecimiento de un motorista para soslayar el problema del convenio de la Banca (que tan directamente le afectaba cuando escribió *El parecido*), sino para hacer un comentario sobre un fragmento de Platón; que Martínez de Pisón no ejerce de narrador por matar el tiempo, sino porque quiere saber qué pasa con la crueldad; y que, en general, todos estos nuevos escritores se esfuerzan por comprender por qué, pese a todo, sigue siendo el hombre ininteligible (Juan Benet, *En ciernes*).

Ha habido, sin duda, un deslizamiento desde los temas sociales a los individuales, del nosotros al yo. Pero decir que eso equivale a pasar de literatura progre a literatura *light* supone ignorar que la gran tarea pendiente del marxismo, el tremendo abismo de su sistema, fue el sujeto, y que sólo sobre una nueva teoría del sujeto podrá construirse el nuevo aparato teórico que nos permita seguir a flote en este marasmo en el que ahora nos encontramos. Y dado que el sujeto tiene estructura de ficción (véase Lacan), nada tiene de extraño que la ficción haya abandonado los temas sociales para trabajar los del yo. La literatura sigue en su empecinada búsqueda de la verdad, pero, como diría Savater, de la verdad con minúscula, «no la Verdad, sino tu verdad o la mía». No tanto la Verdad Objetiva como la verdad del sujeto, esa que no para de hablar y que, como la carta robada de Poe, no vemos porque está a la vista (cf., de nuevo, Lacan).

Naturalmente, el sujeto que más a mano tiene cualquier escritor es él mismo, y en este sentido puede decirse que esa literatura supuestamente *light* tiene por condición esencial el riesgo. Véase lo que dice Julio Llamazares de su obra: «Cada novela es una reflexión sobre sí mismo». O léase cuidadosamente el proceso seguido por los personajes de Azúa, cuyo aplomo inicial, resumible en un «yo soy alguien», termina en proposiciones del tipo: «no soy nadie», «sólo soy una sombra». Pues se trata de sembrar la incertidumbre precisamente en los territorios de la certidumbre.

La búsqueda de las señas de identidad escamoteadas por el régimen dictatorial ha dejado paso, una vez superado ese problema, a la puesta en duda de la identidad, de la realidad. Tanto la una como la otra son construcciones mucho más frágiles de lo que solemos creer, y delatar que eso es así constituye el gran proyecto que anima a buena parte de nuestros nuevos narradores. A la vieja pregunta del «¿quién soy yo?», la nueva narrativa nos responde: «soy ficción, soy una historia que me cuento a mí mismo». Planteamiento que conduce, desde un punto de vista ideológico, a revisar la propia historia, pues si las cosas no salen tal como me había propuesto es posible que yo no sea el que me imaginaba, que la historia que de mí mismo me cuento sea un cuento que tengo que corregir. El auténtico vértigo, que tal puesta en entredicho del propio yo produce, es de semejante magnitud que a menudo, a fin de tomar cierta distancia, el humor más disparatado se cuela en la narración, pues solamente gracias a esa maniobra evita el escritor precipitarse en las simas que él mismo ha abierto a sus pies.

Desde el punto de vista literario, este planteamiento ha conducido a leer con renovado interés zonas de la novela que este siglo vanguardista había rechazado por completo: fundamentalmente, la gran tradición narrativa del siglo XIX. Pero cualquier observador sin prejuicios comprenderá de inmediato que la utilización que los nuevos narradores hacen de las estructuras decimonónicas es, cuando menos, peculiar. Porque, de entrada, esas estructuras se utilizan para contar otras historias. Pero también porque, de acuerdo con ese interés por otras historias, los nuevos narradores parodian, ironizan, desmontan y reconvierten esas estructuras hasta hacerlas en buena parte irreconocibles. El suyo es un arte de la variación y, a diferencia de lo que ocurría con los vanguardistas, no pretende ignorar la tradición literaria, sino todo lo contrario; ni se siente tampoco obligado por el mandato de la originalidad, sino que entiende la literatura como una serie que cada época y cada escritor amplía y modifica de acuerdo con sus propios criterios y siguiendo aquella línea o tendencia que más le conviene.

Esto explica la aparente heterogeneidad que tanto desconcierta a nuestra crítica. Restablecidos los lazos con la tradición, pero rota la inercia vanguardista, los nuevos narradores no se han anunciado a golpe de manifiesto ni se mueven como un rebaño, todos a una, como ha venido ocurriendo a lo largo de este siglo, sino que han ido produciendo cada uno su obra por su cuenta, siguiendo diversísimos modelos e interpretándolos cada uno a su modo. Muñoz Molina dice, por ejemplo: «Desde Cervantes hasta Faulkner tengo ochocientos padres». Lo mismo podrían decir los demás. La tendencia a hacer tabla rasa que caracterizó las vanguardias se ha visto reemplazada ahora por esta otra actitud en la que, además, y como puede observarse en la frase de Muñoz Molina, cuenta tanto la tradición de la literatura en castellano como las de todos los demás idiomas.

Situándose, pues, en el punto de vista adecuado, no es tan difícil, me parece a mí, captar los rasgos comunes de esta nueva narrativa tan aparentemente dispar, y creo que nuestros críticos harían bien en ir abandonando poco a poco los criterios que les han servido hasta hace no mucho tiempo, pues es evidente que con ellos no podrán entender lo que ahora está ocurriendo.

No conozco período literario que sólo dé obras maestras, ni tampoco ninguno que no produzca mucha basura. El tiempo dirá qué hay de bueno y qué de malo en la actual proliferación. En momentos de optimismo, y sobre todo si comparo lo que está ocurriendo aquí con la pobreza relativa de la novela actual de otros idiomas —salvando ciertas excepciones—, el momento literario español me parece óptimo, y en algunos casos está dando ya obras maduras y magníficas. Pero incluso cuando me siento menos eufó-rico pienso que, como mínimo, la nueva narrativa es un fenómeno que servirá para desbrozar el camino a los que nos sigan. ENRIQUE MURILLO.

JOSÉ M.ª MARCO Y OTROS

LA VERDAD SOBRE EL CASO MENDOZA

I. *La verdad sobre el caso Savolta* (Seix-Barral, Barcelona, 1975), primera novela de Eduardo Mendoza, es un texto generador, como lo son el *Jean Santeuil* de Proust y el *Murphy* de Beckett. Toda su obra posterior está ahí, en espera de un futuro desarrollo. Estos desarrollos suelen ser sorprendentes. En el caso de E. M., las dos expectativas —la continuidad y la sorpresa— se cumplen. El presente narrativo de *La verdad...* se sitúa en 1928. Un personaje, Javier Miranda, se enfrenta a un proceso cuyo objeto no se conoce-rá hasta el final de la obra. (Mientras tanto, no queda otro remedio que dar crédito al título.) El juicio intenta averiguar lo ocurrido en un asunto denominado «el caso Savolta». Para el rastreo y el esta-blecimiento de esa verdad —es decir, para reconstruir, con un gra-do suficiente de verosimilitud, unos hechos determinados—, se des-pliegan tres estrategias narrativas.

La primera, que va a cobrar mayor importancia a medida que transcurre la novela, consiste en el relato en primera persona de Javier Miranda. Aquí empiezan las complicaciones. Esta narración no forma parte de los documentos alegados o producidos durante el proceso. Parece haber sido generada a partir de este, como si Javier Miranda, al rememorar una etapa de su vida, hubiera cedido

---

I. José M.ª Marco, «El espacio de la libertad», *Quimera*, n.ᵒˢ 66/67, pp. 48-52 (48-51).

II. Maria Vittoria Calvi, «Storia e parodia nei romanzi di Mendoza», *Lingua e Letteratura*, 10 (1988), pp. 138-152 (145-149).

III. Santos Alonso, «Desperdiciada fabulación», *Ínsula*, 516 (diciembre de 1989), p. 21.

a la tentación de contarla de una forma más personal, sin evitar las valoraciones ni la expresión de los sentimientos que la memoria suscita. Un texto privado, por lo tanto, que coloca al lector en posición de privilegio, pero que también le niega la capacidad de juzgar, de la que por un momento pareció gozar. Intercaladas van, justamente, las piezas documentales manejadas en el juicio. Constituye esta la segunda fórmula, bastante más heterodoxa que la anterior. Se compone de cartas, fichas policiales, artículos escritos por algunos de los implicados, transcripciones de las declaraciones del propio Miranda o del comisario encargado del caso. En vez del único punto de vista al que restringía el relato autobiográfico, aquí predomina la variedad de perspectivas. La tercera línea consiste en una nueva narración, esta vez en tercera persona. Un narrador que hace gala de su omnipotencia («Se dijo que no conseguía recordar ...», explica de un personaje) cuenta aquello que Javier Miranda no presenció y que, con buen tino, evita en su relato. Esta voz vendría a revelar la otra cara de la aventura. No es, cabalmente, la poseedora de la única verdad. Más bien, proporciona una coherencia de base al conjunto y establece una trama que permite situar en su correcta perspectiva los hechos descritos en los demás testimonios.

A esta estructura narrativa en tres partes corresponden otros tantos personajes, que se erigen con el protagonismo. Los tres tienen algo del héroe picaresco. El primero, que no es otro que Javier Miranda, ocupa, aparentemente, el centro de la peripecia. Lo picaresco en él es, en primer término, el hecho mismo de escribir un relato autobiográfico. A partir del esclarecimiento del caso Savolta, Javier Miranda intenta arrojar alguna luz sobre su propio «caso», como dice el *Lazarillo de Tormes*: dilucidar cómo ha llegado a la situación en que se encuentra. Con su intervención, la verdad pierde su carácter unívoco: una cosa es la verdad sobre el caso Savolta; otra muy distinta la verdad del «caso» de Javier Miranda. Nacido en Valladolid, llegó a Barcelona en busca de unas oportunidades que no hallaba en su tierra. Encuentra un empleo que no le satisface, pero sólo logra mejorar su estatus a costa de una abyección: el matrimonio con la querida de su jefe, un aventurero llamado Paul-André Lepprince. No anda muy lejos el recuerdo del Lazarillo, casado con la barragana de un clérigo. La diferencia, aparte de la muy dispar ocupación de los protectores, estriba en que Javier Miranda —así lo afirma, y no hay razón alguna para no creerlo—

desconoce la situación que es, por otro lado, de dominio público. Toda Barcelona se siente cómplice, o finge indignarse, de unos cuernos tan rentables. Aquí está la clave del personaje. Javier Miranda es el sujeto pasivo de unos acontecimientos que no comprende, o que ignora. En algún momento se esfuerza por esclarecerlos, pero sin demasiada convicción. En el fondo, prefiere ignorarlos.

El segundo protagonista es un personaje del que Miranda, de forma característica, no ha tenido noticia alguna hasta el día del proceso. Se llama Nemesio Cabra Gómez. El primer apellido alude quizá al licenciado Cabra del *Buscón*. Sin ninguna duda, hace explícito, con una fórmula retórica que gusta mucho a E. M., el desvarío de Nemesio, sujeto a alucinaciones, visitado periódicamente por Jesucristo y, claro está, asiduo del manicomio, las comisarías y las cárceles. Buen conocedor de esa zona de la sociedad donde el poder se exhibe sin asomo de mala conciencia, se ve sometido a una permanente manipulación por parte de las bandas anarquistas, por parte de la policía y por parte de algún poderoso. Todos tratan de sonsacarle una información que el mendigo, con su capacidad de entrar en contacto con ambientes muy heterogéneos, debería estar en condiciones de obtener. Paradójicamente, se afanan por obtener unos datos que Nemesio conoce; pero, como en *La carta robada* de Poe, ninguno es capaz de percibir la verdad que Nemesio anhela transmitirles. Cuando el comisario se percata del malentendido, ya es demasiado tarde. Lepprince, el asesino de Savolta, ha tenido tiempo de hacerse fuerte en su nueva posición.

Es este el tercer gran personaje de la novela. Más que de la picaresca, y más que de la literatura, Lepprince es deudor de los mafiosos cinematográficos. Guapo, refinado, brutal, se casa con una rica heredera tras haber hecho matar al que iba a ser su suegro. Lepprince es el motor de la acción y en él convergen múltiples puntos de vista: un matarife, según unos; un gran hombre, según su esposa; un individuo fascinante, en opinión de Javier Miranda. Pero sobre él, que recibe en su casa a Alfonso XIII y puede matar impunemente, pesa también una sospecha, insinuada por el comisario: la de haber jugado el papel de hombre de paja de alguien mucho mejor situado. Su muerte, por otro lado, queda sin aclarar.

Puede que al final se conozca, por lo menos en parte, la verdad de los hechos. Pero se ha quedado del lado de los fenómenos, de los efectos. Las relaciones siguen ocultas; las causas y las concatenaciones, fuera de campo. Lo que se había iniciado como la búsqueda de la verdad ha ido desplazándola, a medida que iba siendo reconstruida. El proceso sobre el cobro de un seguro de vida suscrito por Lepprince —tal es su motivo— queda sin sentenciar: así como las diversas estrategias narrativas se superponen y avanzan sin cubrir todo el espacio, como un puzzle al que le faltaran piezas, la verdad está siempre más allá de lo expresado. La historia que se cuenta en *La verdad...* queda incompleta, rota. Esa es su esencia, su necesidad. De esos fragmentos surgirán las sucesivas novelas de E. M.

Las dos siguientes son, como es de sobra conocido, dos relatos de aventuras cuyo protagonista denominaré, para simplificar, dado que no tiene nombre, X. (El lector se hará cargo de que llamarle Loquelvientoselleó, como hubiera deseado su madre, resulta barroco en exceso.) Las dos novelas constituyen sendos relatos autobiográficos, como antes lo era el de Javier Miranda. Ahora bien, ni *El misterio de la cripta embrujada* ni *El laberinto de las aceitunas* (Seix-Barral, Barcelona, 1979 y 1982 respectivamente) tratan de colocar en perspectiva al personaje. De estructura circular, se abren y se cierran de la misma manera: el comisario Flores llega al manicomio donde está internado X, lo saca para que le ayude a investigar un determinado caso y, una vez hecho esto, y por métodos más o menos expeditivos, el mismo comisario devuelve a X a su sanatorio. No hay progresión en lo que a la vida o al carácter del protagonista se refiere. O, si la hay, es en forma de sarcasmo. Al final de la segunda aventura, X recibe, a modo de recompensa, una Pepsi-Cola, su bebida favorita, y pan duro. Además, X es ajeno a los casos a los que se ve enfrentado. Javier Miranda podía sentirse al margen, pero el caso Savolta ha determinado su vida. Nada de lo que acontece aquí repercute sustancialmente en la de X. Narrar sus aventuras como lo hace —contar, respetando la cronología, aquello de lo que fue testigo y protagonista— no tiene más fin que la diversión. La invocación de un propósito edificante, al principio de *El laberinto...*, no viene sino a subrayar, *a contrario*, el carácter de puro divertimento.

Más que a Javier Miranda, X recuerda a Nemesio Cabra Gómez. Desvalido e indigente, además de internado en un manicomio, también conoce ese mundo en el que el poder se ejerce por las bravas. El comisario Flores (Nemesio estaba a cargo del doctor Flors) lo trata, efectivamente, sin contemplaciones; pero también necesita de él. Gracias a su insignificancia, goza del privilegio de adentrarse en ambientes en los que otros serían demasiado visibles. Desde su punto de vista, en cambio, esto tiene más inconvenientes que ventajas. X se ve imbricado en lances cuya razón última desconoce. A lo sumo, es capaz de suscitar algunas reacciones sin conocer de antemano su naturaleza ni su intensidad. Unas veces acierta, como en el asunto del maletín que la panda de la agencia La Prótesis le devuelve con el dinero robado, y otras falla estrepitosamente, como cuando toma un satélite por un arma espacial.

Ambas novelas culminan en sendos pasadizos: el que conduce a la cripta, en *El misterio...*, y el que comunica el monasterio con la estación espacial, en *El laberinto...* Hay muchos más, hasta el punto de que el laberinto constituye la figura misma del cuerpo de algún personaje. Cándida, la hermana de X, y uno de los personajes más simpáticos y divertidos de toda la narrativa española contemporánea, posee una anatomía excepcional: «... una serie de cavidades internas que ponían en directa comunicación útero, bazo y colon, haciendo de sus funciones un batiburrillo imprevisible e ingobernable». Una primera característica de lo laberíntico, que presta su forma al desarrollo de la trama, es precisamente esa. Todo en ellos resulta «imprevisible e ingobernable». X vive en un mundo de efectos puros y, como tales, absolutamente sorprendentes. La impresión de fantasía e irrealidad no se debe a la propia naturaleza de los hechos, que no son nunca del orden de lo sobrenatural o lo surreal, sino al total desconocimiento de sus causas, desconocimiento que aqueja por igual a los personajes, al narrador y al lector. X se ve colocado así en una situación de pasividad, de la que es muy consciente. La describe con buen humor. En la escena memorable del rapto con el que se inicia *El laberinto...*, se encuentra tumbado en el suelo de un automóvil. Desde allí percibe «unos zapatos de charol negro, unos calcetines blancos, dos rodajas de pantorrilla pilosa y el arranque de un pantalón de tergal». Todo ello, perteneciente al comisario Flores, permite comprender las relaciones que X mantiene con el poder. Las instancias decisorias siempre están fuera de su alcance. Por mucho que las desafíe, no hacen acto de presencia. En *El laberinto...*, el Consejero Delegado de Aceitunas Rellenas El Fandanguillo le habla a través de una «tostadora». Y, al principio de la misma novela, X se cree «introducido en la trastienda de la máquina estatal». Le engañan: el ministro que tiene delante es un impostor. Pero, como dice el comisario, «qué coño voy a hacer yo».

Esta actitud entre resignada y socarrona ante el poder vuelve al primer plano cuando es X quien lo posee, es decir, cuando escribe su propia historia y tiene en su mano la capacidad de organizar los hechos. De nuevo, la figura del laberinto proporciona la clave. Si X es especialista en transitar por pasadizos y cuevas, es también porque estos ponen en comunicación mundos heterogéneos. Al recorrerlos, X piensa haberlos conectado, y esclarecido así el caso que le ocupa. Nada más lejos de la realidad, pero en eso consisten sus aventuras y, sobre todo, la narración de sus aventuras. La narración hace explícito el caos, y las explicaciones de X, más que proporcionarle alguna coherencia, lo subrayan: «... tanto cabo suelto y tanto punto negro como siempre quedan en los misterios que resuelvo». En vez de construir una explicación global y pormenorizada, X confiesa su impotencia. En *La verdad*... la propia pesquisa desplazaba la verdad por descubrir. Aquí la verdad está, pura y simplemente, escamoteada. Gracias a eso, X queda libre de cualquier responsabilidad. Javier Miranda podía contar, por lo menos en parte, su verdad, porque hasta entonces la había desconocido. Saberla en su momento le habría costado la vida. En lo que concierne a X, su misma posición le obliga a abandonar el asunto, y eso tanto si lo complica aún más como si llega a atisbar algo de lo que se ha tramado entre bambalinas. Quedarse al margen, no penetrar en el ámbito donde se toman las decisiones es, en ambos casos, la condición misma de la narración. También es la condición de la libertad de los personajes. José M.ª Marco.

II.   En *La ciudad de los prodigios* (Seix-Barral, Barcelona, 1986) el autor evoca el período comprendido entre las dos Exposiciones Universales de Barcelona, la de 1898 y la de 1929. El retorno al pasado realizado por E. M. no es, de todas formas, una recuperación de carácter neorromántico, sino una reconstrucción basada ya en la investigación minuciosa de documentos, ya en la invención deliberada, con una sabia dosificación de realidad y fantasía que no por casualidad nos hace pensar en Cervantes: *La ciudad de los prodigios* es un mundo real, pero también un gigantesco *Retablo de las maravillas* en el cual se suceden, como en un vórtice, imágenes sorprendentes y maravillosas que se presentan a los ojos atónitos de la gente, deslumbrada por el mito del progreso (que sustituye aquí al de la pureza de la sangre del entremés cervantino), pero que después resultan ser espejismos ilusorios en un efecto de espejos que refleja una imagen falsa de la realidad. Por ejemplo, cuando el protagonista, ya fuera del túnel de miseria de su llegada a Barcelona, se encuentra frente al fascinante espectáculo, no consigue disociar las imágenes del recuerdo de los días oscuros, y aquel mundo se le aparece tal como es, un disfraz tras el cual se oculta el sufrimiento: «Luego fuera el deslumbrante espectáculo se le antojó una broma siniestra: no podía disociarlo de los sinsabores y la miseria que allí había padecido pocos meses antes; no volvió más a la Exposición ni quiso saber de ella» (p. 126). Su propia existencia es un espejismo: salido de la nada y habiendo alcanzado la cumbre del poder económico, volverá a la nada de la que había partido, en el sentido más literal de la palabra: Onofre Bouvila desaparece en el mar, sin dejar rastro, a bordo de una prodigiosa máquina volante que había hecho contener el aliento a las autoridades y a la multitud congregadas con motivo de la inauguración de la Segunda Exposición Universal, la del 29. Un final fantástico que confiere a la historia un valor metafórico: vano e ilusorio fue el esfuerzo para acumular una fortuna inmensa e igualmente falso resulta ser el espejismo del progreso para la humanidad, a la cual el futuro reserva trágicos acontecimientos, comenzando por el hundimiento de la bolsa de Wall Street que tendría lugar ese mismo año.

Por otra parte, el recurso a la novela histórica no es un mero pretexto para reflexionar sobre la condición humana; E. M. nos ofrece una auténtica reconstrucción de la época: como en la gran novela «panorámica» ochocentista, las pausas del relato se expanden en largas digresiones descriptivas que recrean el ambiente de la época, presentando, de vez en cuando, a personajes reales —desde los grandes protagonistas de la historia como Alfonso XIII y el dictador Primo de Rivera a figuras como Rasputín, Mata-Hari, etc.— o pequeños hechos de la vida cotidiana, espejo de los gustos y de las manías de la gente. Una intrahistoria reconstruida mediante la lectura de la prensa de la época (sobre todo de la de baja categoría, reveladora de las fobias colectivas) y a veces inventada: extractos de periódico, documentos varios, anécdotas insertadas en el texto son reales y apócrifos a partes iguales y no siempre es posible distinguir con certeza entre lo verdadero y lo falso. La novela histórica se convierte así en una parodia de sí misma, una creación ambigua que no se propone como meta una verdad ideal, sino más bien una imagen múltiple de la realidad, vista con los ojos de la gente de aquellos tiempos y siempre envuelta en una sutil ironía que impide la identificación con la materia tratada. Multiplicidad de perspectivas, maliciosa capacidad de mentir y volver a barajar las cartas, aunque respetando los grandes acontecimientos y las fechas principales: la comparación con la literatura del siglo pasado sigue siendo, pues, superficial, a pesar de que no faltan ecos, por ejemplo, de la narrativa de Balzac.

El esquema que compone *La ciudad de los prodigios* es, en conjunto, bastante simple y —como es lógico, tratándose de una novela en la que domina la acción— la estructura actancial puede ser identificada fácilmente: el sujeto es Onofre Bouvila, el objeto, la acumulación de riqueza; los demás personajes giran alrededor de esta pareja fundamental, actuando de cuando en cuando como Ayudantes u Oponentes. Las diversas unidades narrativas se combinan, a nivel macroestructural, según el siguiente esquema:

Carencia inicial   (debida a la situación socioeconómica de la familia)
Partida del héroe   (del campo a la ciudad)
Proceso de mejora   (eliminación de los obstáculos por medios lícitos e ilícitos; mejora obtenida)
Proceso de empeoramiento   (obstáculos no superados; pérdida parcial del objeto)
Desaparición del héroe

Como se ve, la estructura es especular: a una trayectoria ascendente corresponde otra descendente; a la carencia inicial corresponde la situación final que hace inútiles las mejoras obtenidas arrojando un velo de duda sobre su propia existencia: tal vez todo había sido un espejismo (y naturalmente una creación literaria). En resumen, se repite la misma estructura circular de las dos novelas menores en las que, a pesar de cumplir la tarea que le había sido confiada, el protagonista no obtiene la libertad y, por lo tanto, el proceso que había guiado la acción no conduce a ningún resultado.

A lo largo del camino en constante ascenso que lo lleva de la miseria al poder económico, Onofre Bouvila encuentra obstáculos de todo tipo, pero también numerosos Ayudantes que —según los esquemas de la novela de acción o los ya experimentados del *thriller*— aparecen de improviso, creando una divertida sucesión de lances imprevistos. Sobre todo en la primera macrosecuencia de la novela (que concluye con la clausura de la Primera Exposición Universal), la acción procede a menudo con un ritmo apretado: estratagemas, maquinaciones, astucias dignas de la mejor tradición picaresca y no desprovistas de toques melodramáticos, a pesar de que los paréntesis digresivos favorecen, de vez en cuando, la tensión narrativa. Las primeras tentativas de mejorar por parte de Onofre (buscar trabajo) son un fracaso, pero, precisamente cuando el héroe está a punto de hundirse en la desesperación, aparece Delfina, la hija del propietario de la lamentable pensión, ofreciéndole la primera posibilidad de trabajo y salvándole, al menos momentáneamente, del desastre. Onofre acaba distribuyendo octavillas de propaganda anarquista entre los obreros que trabajan en el recinto de la exposición; pero se da cuenta de que esta actividad no le llevará demasiado lejos, por lo que decide dar un giro a su existencia y se convierte en vendedor —entre los mismos obreros— de una loción milagrosa para el cabello. La operación es arriesgada: los obreros lo miran con incredulidad, pero interviene un nuevo Ayudante, Efrén Castells, «el Gigante de Calella», que lo salva del posible linchamiento y que después se convertirá en su socio en los negocios. El mismo mecanismo se repite en otras ocasiones; a las intervenciones externas de los Ayudantes se suma la estrategia puesta en marcha por Onofre para eliminar a los Oponentes que obstaculizan su avance. La riqueza es el objeto principal, pero en las secuencias aisladas, esta misma función es asumida por otros objetivos (la mujer amada, la supremacía sobre las bandas callejeras, etc.) frente a los cuales el héroe despliega todos los recursos, sin que se establezca, en el plano moral, una oposición significativa entre medios lícitos e ilícitos. Aunque Onofre no duda en recurrir a la violencia para obtener un beneficio, en conjunto su conducta no resulta inmoral sino más bien inútil.

Durante la trayectoria ascendente, no faltan los fracasos (piensen, por ejemplo, en cuando Onofre, creyendo seguir a Delfina, se tropieza con el padre de esta, vestido de mujer; un fallo momentáneo que será, no obstante, aprovechado a continuación para otros fines), pero el ritmo está marcado por la progresiva y constante mejora; cuando el protagonista haya llegado ya a la cima del éxito, iniciará la curva descendente en la que toda acción tendrá sustancialmente un resultado negativo. Símbolo visible del fracaso del héroe es la lujosa morada que se hace construir restaurando una vieja villa en ruinas, con absoluta fidelidad al original, hasta en los mínimos detalles de los muebles. El poder adquisitivo de Onofre le permite satisfacer todo capricho y obtener el fin previsto, pero el resultado es ilusorio: «había algo inquietante en aquella copia fidelísima, algo pomposo en aquel ornato excesivo, algo demente en aquel afán por calcar una existencia anacrónica y ajena» (p. 332); la casa es sustraída de la nada al volver a darle una apariencia del antiguo esplendor, pero no es más que un efecto de espejos: inevitablemente, volverá a convertirse en la ruina que había sido después de que su propietario haya desaparecido misteriosamente en el mar. A medida que se aproxima el final, todo parece tomar mal cariz, como advierte el propio Onofre: «a pesar de su optimismo creía ver en aquella bóveda azul que no manchaba ni una nube un comentario sarcástico a la insensatez de sus expectativas» (p. 371).

Por último, debemos recordar que la experiencia del protagonista halla un paralelo en la historia de la ciudad: Barcelona es el teatro del éxito de Onofre (piénsese en las peregrinaciones en busca de trabajo y en los diversos desplazamientos dentro de la ciudad, en los encuentros fortuitos, en los lugares de reunión, en las bandas callejeras, etc.), pero está a su vez en expansión, y crece hasta dar una imagen de gran prosperidad. Una riqueza que, en el fondo, sólo es un espejismo: al menos para muchos, el deseado bienestar tardará todavía en llegar. MARIA VITTORIA CALVI.

III. Con *La isla inaudita* (Seix-Barral, Barcelona, 1989) E. M. ha querido dar un giro a su habitual modo de ver la realidad o, al menos, de la realidad que hasta ahora servía de referente a sus novelas, como si hubiera agotado la imagen de Barcelona, de comienzos de siglo o de nuestros días, escenario inevitable de sus historias, o precisara de un paréntesis necesario en su producción, y ha escogido otro espacio, Venecia, despojado de toda caracterización realista, y revestido, en cambio, de rasgos tremendamente subjetivos y fantásticos. El título de la obra, aun con el recuerdo en su formulación de otro título suyo, *La ciudad de los prodigios*, ya avisa al lector, de modo que Venecia no será la ciudad de ensueño que a los cuatro vientos se proclama, sino una isla inaudita, extraña o, tomando su significado literal, monstruosa, más producto de fantasmagorías imaginarias que de observaciones puntuales. A pesar de este cambio tan evidente, no especialmente significativo —otros hay en las técnicas que sí lo son—, Mendoza ofrece en esta novela una historia ya contada por él mismo. Fábregas, el protagonista, recuerda a otros personajes suyos, no sólo por su condición de empresario, como Savolta o el Onofre Bouvila de su anterior novela, sino por su forma de ser: desarraigado, inestable, incapaz de ver su futuro, al igual que Javier Miranda, de su obra inicial, o el anónimo personaje de *La cripta embrujada*. El mismo narrador lo retrata en la página 120: «Nunca se había sentido seguro ... No sabía por qué hacía las cosas». Esta forma de ser justifica el arranque de la narración, cuando Fábregas, empresario catalán que ha heredado un negocio familiar, pero asediado, sin embargo, por el sinsentido vital y la falta de ilusiones, viaja a Venecia, tal vez por ir a alguna parte o tal vez porque la ciudad italiana goza de la aureola apropiada para el sueño, para la ilusión o para el apetecido cambio de vida. Allí se olvida de la empresa, de sus ataduras a Barcelona, y se entrega a la persecución de lo imposible, de nuevas sensaciones que, pese a todo, no dejarán huella en él, salvo el amor de María Clara, que acabará siendo una torturadora obsesión a la que en último término se somete sin exigencias.

Todo lector de E. M. recuerda, al menos en sus novelas más significativas, este tipo de obsesión amorosa, casi folletinesca. La pareja Fábregas-María Clara —él desarraigado y confuso, ella enigmática y de nítida tradición melodramática— recuerda en sus rasgos más precisos a la pareja Javier Miranda-María Coral. Ellos protagonizan una historia prometedora, de ricas expectativas, pues los ingredientes, compendiados en un magnífico comienzo —la huida de un mundo de rutina y aburrimiento en busca de posibles sueños liberadores, aceptable para la mayoría de los lectores actuales—, una atractiva trama de amor y unos sugerentes caracteres psicológicos, están convenientemente planteados. [La historia, por tanto, parece ya contada por el novelista con anterioridad; es el modo en que la cuenta lo que ha cambiado.] Se puede pensar que Mendoza ha entrado de lleno en la fabulación o ha intensificado una línea que ya había utilizado, ya que *La isla inaudita* se adereza de continuadas recurrencias a leyendas —la de san Francisco, la de los tres embozados con las figuras de san Marcos, san Jorge y san Nicolás, la de san Mamas, la de los cinco obispos posconciliares, la de santa Marina o la de san Hilarión, casi todas de origen y temática religiosos—, a noticias históricas —en especial del palacio donde vive María Clara— y, sobre todo, al mundo de los sueños, lo cual encierra un cambio sustancial de perspectivas. Como contrapartida, se despoja de toda intención histórica y social, base fundamental del *Caso Savolta* y *La ciudad de los prodigios*, y de los propósitos de crónica social contemporánea que contenía *La cripta embrujada*. E. M. rehúye, además, algunos aspectos que hasta ahora definían su escritura. Nos referimos, por ejemplo, a las actitudes paródicas y esperpénticas, pálida sombra de lo que fue, o al humor y la ironía, mecanismos tan peculiares del autor, que se pierden entre tan exagerado aparato fabulador. [...] La escritura también ha variado. De los ágiles diálogos y las narraciones vertiginosas ha pasado el novelista a un ritmo más pausado y a unas intervenciones dialogadas que se acercan en numerosas ocasiones a la forma normal de los monólogos. Raro es el personaje que, en un prolongado discurso, no relate su azarosa vida y sus variadas peripecias, recurso a todas luces reconocible en la tradición cervantina. SANTOS ALONSO.

GONZALO SOBEJANO

JUAN JOSÉ MILLÁS: FÁBULAS DE LA EXTRAÑEZA

Juan José Millás parece marcadamente propenso a transfigurar en novelas sus pesadillas. Aunque pudieran establecerse muy varios enlaces entre sus cinco primeras novelas, creo que, si reconocemos la pesadilla como la experiencia-modelo de sus fábulas, cabe distin-

Gonzalo Sobejano, «Juan José Millás, fabulador de la extrañeza», en Ricardo Landeira y Luis T. González del Valle, eds., *Nuevos y novísimos*, Society of Spanish and Spanish-American Studies, Boulder, Colorado, 1987, pp. 195-214 (198-201, 205-208 y 211-213); pero los cuatro últimos párrafos proceden de «Sobre la novela y el cuento dentro de una novela», *Lucanor*, 2 (diciembre de 1988), pp. 73-93 (73-75).

guir tres motivos capitales de angustia: la soledad, la convivencia y la pertenencia. En *Cerbero son las sombras* (Las Ediciones del Espejo, Madrid, 1975) y *El jardín vacío* (Legasa Literaria, Madrid, 1981) queda plasmada la pesadilla de la *soledad* del individuo por referencia al núcleo interpersonal consanguíneo: la familia. En *Visión del ahogado* (Alfaguara, Madrid, 1977) y *Papel mojado* (Anaya, Madrid, 1983) amplía J. J. M. el alcance de la pesadilla a un horizonte menos inmediato: la *convivencia* del individuo con otros que, no consanguíneos, le son próximos por edad y trato (amantes, amigos, personas de una generación). La quinta novela, *Letra muerta* (Alfaguara, Madrid, 1984) da forma a la pesadilla de la *pertenencia*: el individuo inconforme que actúa al servicio de un grupo «asocial» para minar a un grupo social aborrecido termina asimilado por este y despersonalizado bajo la opresión de su jerarquía. [...]

Cerbero son las sombras (Premio Sésamo 1974), novela-corta relativamente larga, constituye en gran medida una sensitiva sublimación del cuento de horror. Tanto el sótano invadido de roedores donde el adolescente escribe la carta a su padre como el piso familiar decrépito y destartalado de donde ha huido son variaciones del *espacio lóbrego*, y la cámara mortuoria del hermano en cuya oscura puerta adivina el relator a Cerbero lleva las imágenes de encierro a un extremo infernal. [...]

La pauta epistolar de *Cerbero son las sombras* permitiría interpretar esta carta al padre como una inversión del *Brief an den Vater* de Kafka. Inversión porque la carta de éste es un terrible testimonio de distancia entre el débil y el poderoso [...], mientras la carta del narrador de J. J. M. significa la más emocionante prueba de aproximación y comprensión: «Querido padre: Es posible que en el fondo tu problema, como el mío, no sea más que un problema de soledad. Y, sobre todo, de no haber encontrado el punto medio entre la soledad y los otros» (p. 9). Así comienza el mensaje, en el que se hallan declaraciones como ésta: «Entonces te sentía como un desprendimiento de mi ser, convirtiéndome de esta forma en tu causa y a ti en mi resultado. Y si vieras con qué facilidad elaboraba las malintencionadas palabras de mamá para recuperar tu verdadera imagen, comprenderías tal vez cómo mi amor te ha perseguido siempre» (p. 80). La «carta al padre» es, en consecuencia, un *poema de amor*, y dentro de él se inscribe el *cuento de horror*. Si un afecto tan patético al padre por parte de un adolescente puede resultar extraño (¡tan antiedípico!), extraños resultan igualmente los ingredientes terroríficos al modo de Poe, singularmente el caso del cadáver en el armario. Aquí la negatividad (tristeza, miedo, abatimiento) viene contrabalanceada por la casi fría descripción de los pormenores y por una ironía que, cuando lo macabro se extrema, bordea la parodia. Pero se trata sólo de toques de humor más situacional que buscado. La función primaria del cuento es describir la angustia; la de la carta, configurar el desamparo. [...]

Visión del ahogado, la novela que abrió en 1977 la tan brillante colección «Literatura Alfaguara», podría considerarse la novela más realista de J. J. M., si por realismo se permite entender convencionalmente la referencia a un mundo histórico-social concreto perceptible por el lector sin mayores esfuerzos. El lema de John Le Carré («Fue de nosotros de quienes aprendieron el secreto de la vida: hacerse viejo sin hacerse mejor») revela ya la intención de mostrar un proceso: unos seres que eran débiles o pequeños no mejoran con el paso del tiempo.

Horas lluviosas de una mañana de abril, en Madrid, cerca de la estación de metro de Pueblo Nuevo, en las alturas de Alcalá. Protagonizan la historia Jorge, amancebado con Julia; ésta, separada de su marido hace casi un año; el marido, llamado Luis, apodado «el Vitaminas»; y, al fondo, un tal Jesús Villar, esposo de Rosario, antigua compañera de Luis y de Jorge en una academia de bachillerato de la calle de Fuencarral. Son personas de alrededor de los 30 años, de quienes conocemos también, gracias a frecuentes rememoraciones suyas y a capítulos analépticos del narrador insertos entre los que exponen el presente, sus tiempos de estudiantes (tardíos) de enseñanza media. Jorge se había prometido años atrás ver a Julia desnuda y poseerla, y cumplió lo prometido el verano anterior a esta lluviosa mañana, al saber que Luis la había abandonado a ella y a una niña de muy poca edad, fruto del matrimonio. Vive Luis de atracos en farmacias, un modo cualquiera de manifestar su afán de singularidad y su odio al mundo. Julia y Jorge se entregan a un erotismo ansioso en un medio moral y económicamente tan sórdido como aquel en que vivieron Jorge, Luis y los compañeros y compañeras de la academia.

La narración primaria abarca sólo esa mañana, desde que Luis, seguido por un policía, le hirió a la salida del metro, hasta que otros policías vienen a buscarlo donde se ha refugiado: en el sótano de la casa donde su mujer y Jorge copulan, riñen, temen, sospechan y se apartan. Al saber a Luis en el sótano, el amante abandona a la amante, y ésta ayudará a la policía a que el fugitivo capitule. Tiene entonces Luis, cortada toda relación a la realidad, una visión global de su vida y de su miedo: «Ya han abierto la puerta del cuarto de calderas. Los oídos oyen lo que no escuchan, los ojos miran algo que no ven ... Julia, desde la puerta, insiste y ruega, pero el Vitaminas responde sin despegar los labios: cállate, cállate, ¿no ves que estoy sufriendo la visión del ahogado?» (p. 237). Constituiría, por tanto, la trama de la novela el paso de una relación entre amantes desde el desgaste a la ruptura, a través de un breve y violento proceso terminal. Y la visión del ahogado, aunque enunciada sólo al final desde la imposible voz del delincuente, afecta a todos los personajes y satura el clima asfixiante de la historia. [...]

El narrador emplea siempre la tercera persona con una circunspección neutralmente distanciada, pero asume la locución de los personajes con la frecuencia necesaria a un texto que resulta monologal incluso en las frecuentes conversaciones, o plurimonologal, ya que *los amantes extrañados*, mientras dialogan, se apartan hacia memorias y recelos, y el errabundo Luis monologa durante todo su furtivo callejeo. Aunque el narrador ceda la palabra a cada uno cuando conviene, imprime al decir de todos una tonalidad sombría de miedo, de fracaso y de tristeza estéril. Dentro de la conciencia del que lee, vendría a configurarse el narrador como un *ubicuo testigo presencial* cuyo atestado consistiera en describir sin inmutarse una acusación general. Narrador de esta índole no necesita sentir piedad ni crueldad, y no parece sentirlas. La fábula, casi más malvada que mezquina, arranca de la extrañación para acabar en ella: ruptura de los amantes, captura del facineroso que ni siquiera muere («un médico ha dicho que se va a joder, que un lavado de estómago y listo», cuenta el ratón a los curiosos tras haberles notificado que el delincuente parecía estar a punto de ahogarse por haber ingerido todo un tubo de pastillas); y una paliza de la policía es lo que logra Jesús Villar por haberse entretenido en comunicar pistas falsas.

La frustración y la malignidad del trío protagónico se condensa, como caricatura, en Jesús Villar, que se enardece proyectando hacer llamadas anónimas, mandar telegramas amenazadores, rayar coches, pinchar ruedas, envenenar al perro del vecino, incendiar buzones, etc. Luis en su delincuencia gratuita y Villar en su agresividad por venir, son tipos intermedios entre el gamberro y el terrorista que quisieran vengar un día el falseamiento contraído en la adolescencia haciendo saltar el mundo en pedazos. [De este modo] el significado simbólico de *Visión* no sería otro que el fracaso de las relaciones amorosas y amistosas: *la angustia* de un *convivir* inauténtico. [...]

El protagonista-narrador de *Letra muerta* es un tipo de 33 años que a los 18, debido a cierta humillación inolvidable, se reconoció pobre, a los 16 se había sabido feo, y ahora además comprende que no es inteligente. Este ahora desde el que escribe se encuentra a bastante distancia del año en que Franco murió (p. 45). Convertido en lego de un convento bajo el nombre de «Hermano Turis», escribe en unos cuadernos escolares un documento privado en el que se manifiesta escindido entre su originario terrorismo y su paulatina habituación a las costumbres de la comunidad religiosa que intentaba minar.

Aunque Turis acusa indudables semejanzas con el solitario de *Cerbero*, con el aún más solitario Román de *El jardín vacío*, y con el maniático enemigo público Jesús Villar de *Visión*, su pesadilla no es de soledad en la familia ni de convivencia en la sociedad (en el cabal sentido de este término), sino la angustia del individuo intentando determinar a qué comunidad (organización, partido) pertenece: si al grupo terrorista empeñado en destruir la tradición o al grupo estabilizante obstinado en preservarla. Y el resultado es el desvanecimiento del individuo entre uno y otro extremo (el uno era el otro) y su conversión en juguete de la jerarquía. Turis va sintiendo esta metamorfosis y va escribiéndola en esas páginas que él llama «letra muerta» porque no van dirigidas a nadie. [...]

Reflejan los cuadernos de Turis su vida y su pensamiento desde *el otoño de la confusión* (primera parte, siete capítulos) hasta *la primavera de la aclaración* (segunda parte, cinco capítulos), y de una a otra estación se va cumpliendo la *metamorfosis* del sujeto: de la rebeldía a la sumisión. Si ya antes de acometer su ensayo de terrorismo disimulado vivía Turis como funcionario ministerial extrañado del mundo y ansioso de descargar contra él su rencor, cuando percibe en el convento que la Organización le ha olvidado oscila entre su inquina inicial contra la comunidad que le rodea y la presión que ésta, entre suavidades y asperezas, va ejerciendo sobre él hasta doblegarlo. Así, antes como después, se ve dominado por *socios tentadores*. Primero se trata de su compañero de oficina, José, que le dibuja planes muy semejantes a los de Villar y Román en las otras novelas: cambiar el mundo, liquidar «esta nueva forma de barbarie y de opresión que llaman democracia», poner bombas, multiplicar amenazas, etc. «Todos los sueños de dedicar mi vida al servicio de la venganza quedaron colmados», confiesa el mismo que, tiempo después, tendrá que admitir haber perdido, tras la muerte de su madre y bajo los efectos narcóticos de la vida conventual, «una suerte de odio o rencor que hasta entonces había sido la justificación de mi vida» (pp. 91 y 131). Durante su enfermedad (símbolo de su crisis) ha recordado la alternativa que el Padre Provincial, en Madrid, le había planteado: o integrarse en la vida religiosa como uno más, o colgar la sotana; y la costumbre y el miedo le incitan a someterse. [Por ello puede decirse que] la *acomodación* del individuo al grupo compendia el significado de la novela: a fuerza de aparentar, se viene a ser aquello que se aparenta. El individuo se transforma en *autómata*: una apariencia de individuo manejado o conducido realmente por una instancia superior cuyos fines permanecen ocultos al obediente muñeco. [...]

El desorden de tu nombre ofrece entre otras virtudes (trascendencia, agudeza, amenidad, pericia compositiva, precisión verbal) la insólita capacidad de hacer visible al lector el proceso a través del cual el escritor pasa de la lectura de cuentos «ajenos» y de la invención de cuentos «propios» a la construcción de una novela que va desarrollándose por emulación de aquellos. Además de disfrutar de las aludidas virtudes, puede así el lector presenciar la pugna del género largo por vencer al género breve y asistir al triunfo de aquel sobre este.

[Indiquemos concisamente el asunto de la obra.] Julio Orgaz, cuarentón divorciado que trabaja en una editorial, frecuenta al psiquiatra Carlos Rodó y conoce en un parque de Madrid a una mujer casada, Laura, en quien cree reconocer una reencarnación de su amante Teresa Zagro, muerta en accidente poco tiempo atrás. La relación entre Julio y Laura se consuma, y la mutua pasión les arrastra a la idea de dar muerte al marido de Laura, que no es otro que el doctor Rodó. Eliminado el esposo, a quien se considera víctima de un infarto y no del veneno que Laura le suministró, prométense los amantes un futuro de felicidad, incrementada por el hecho de que Julio es ascendido a un puesto importante en esa editorial donde, además, ha logrado impedir la publicación de un libro de cuentos del joven Orlando Azcárate, cuentos entre admirados y desdeñados por Julio, quien, por emulación, ha conseguido, tras planear y empezar a escribir otros cuentos, vivir escribiendo (o escribir viviendo) uno de ellos, tan complejo y denso que no es un cuento: es la novela titulada *El desorden de tu nombre*, inconclusa hasta que el lector acaba de leer el texto.[1]

---

1. [En el curso de la novela se insertan nueve sumarios de otros tantos cuentos: seis de ellos proceden de *La vida en el armario*, de Orlando Azcárate; los otros tres son obra de Julio Orgaz, que los escribe o imagina espoleado por el ejemplo de Azcárate. Todos estos cuentos giran en torno a tres constantes temáticas —el éxito profesional, el adulterio y el asesinato— que constituirán también el eje de *El desorden de tu nombre*, el más largo de ellos y el que acabará incluyéndolos a todos. Pues bien, la pugna que a lo largo de la obra se entabla entre el cuento y la novela,

Como justificación de la precedente abreviatura me parecen necesarias dos observaciones. En la historia narrada la consumación del adulterio no es mero factor de intriga: representa para Julio la reanudación de su contacto con lo absoluto y su acceso a la esencia (primariamente vividos con Teresa, sucedida por Laura), es decir, supone un acontecimiento liberador respecto de la servidumbre a lo cotidiano, y para Laura significa la libertad de elegir y, por tanto, de ser ella misma. De otra parte, la función de Orlando Azcárate en la historia no es lateral (como del resumen anterior pudiera acaso inferirse), pues el desenlace no consiste sólo en el triunfo de la pasión, sino también en la victoria de la escritura, y aquí, en este nivel metafictivo, Azcárate, autor de la colección de cuentos *La vida en el armario*, desempeña el papel del inductor: es él quien, a través de sus cuentos y en su imperturbable actitud ante quien ha de juzgarlos, funciona como promotor de la emulación que lleva a Julio Orgaz a superarle.

---

que de algún modo es también una pugna entre Julio Orgaz y Orlando Azcárate, puede desde este punto de vista reducirse a términos muy sucintos: «según Julio Orgaz, los cuentos de Orlando Azcárate (y algunos de los suyos, ideados a raíz de la lectura del libro de este) adolecen de ciertas características que *no* son las que él como novelista busca: convencionalismo policíaco, simplificación, artificiosidad, ingenio humorístico, falta de experiencia vital. [...] La novela que Julio, mientras aprende estas lecciones de narrativa, está escribiendo, no es simple: es compleja. No es artificiosa ni ingeniosamente humorística: el artificio *parece* naturalidad en la medida en que se logra la impresión de que un narrador milagrosamente solícito está escribiendo aquello que el protagonista va viviendo día tras día, y el humor no deriva del ingenio tan sólo, sino principalmente del contraste irónico entre la desesperación del amante adúltero y escritor estéril y su final victoria como amante, como novelista y como profesional. Julio es consciente del giro policíaco que su novela podría tomar [...] pero el azar (¿lo invisible?) le favorece: en *El desorden de tu nombre*, no figura ningún policía, el crimen es interpretado como defunción y no requiere detective. [...]
Las mejores novelas españolas contemporáneas tienden a unir íntimamente la escritura de una aventura con la aventura del acto mismo de escribir, probando cómo la imagen de cualquier realidad viene mediatizada por la acción de escribir. Entre esas mejores novelas ha de contar desde ahora *El desorden de tu nombre*. Su trama trascendental y su delicado proceso de iluminación escriptiva no hubieran cabido dentro de los límites del cuento, no porque este sea un género "inferior" a la novela, ni sólo porque sea "menor" en cantidad (aunque es condición determinante), sino porque es un género literalmente "particular" y, a no ser con irreparables violencias y sacrificios, el todo no puede recogerse en la parte. [...] Sin embargo, *El desorden de tu nombre* no es una obra maestra porque sea novela, y no cuento: lo es porque, entre otros méritos, nos hace asistir a un debate durante el cual novela y cuento miden sus magnitudes, comparan sus potestades y celebran sus gracias» (pp. 90-92).]

El caso del libro de Azcárate no es el único ingrediente del plano metafictivo, pues en él se integran las reflexiones de Orgaz sobre materia literaria, unas monologales, otras en coloquio con la amante y con el analista, e incluso con un amigo (Ricardo Mella) dedicado a la literatura utilitaria. Pero el caso Azcárate es, sin duda, el acicate mayor que mueve al protagonista a afirmarse como escritor ante el acoso de insignificancia con que la realidad ordinaria le cerca. La lectura de los cuentos le impulsa a escribir su novela, y el lugar que en la mesa ocupaba durante días (la acción primaria dura sólo once días) lo ocupa al final «una novela manuscrita, completamente terminada, que llevaba por título *El desorden de tu nombre*», obra de Julio Orgaz.

Antonio Martínez Menchén

LA DOBLE ORILLA DE JOSÉ MARÍA MERINO

En su primera novela [*La novela de Andrés Choz* (Magisterio Español, Madrid, 1976)] José María Merino sorprende al lector por la habilidad con que construye una obra unitaria partiendo de elementos heterogéneos, pues la novela comprende tres relatos distintos que muy bien podrían haberse desarrollado como otros tantos textos cortos independientes: una novela psicológica, un cuento de ambiente campesino y un relato de ciencia-ficción; pero estas tres posibles novelas cortas se implican mediante una sabia estructuración arquitectónica en una obra compacta de sorprendente originalidad. Y esta originalidad está no sólo en que el relato se articule como la novela de una novela, sino ante todo en que autor y personaje vienen a confundirse al final borrando así los límites de lo real y de lo ficticio; pues si el autor de la novela dentro de la novela, Andrés Choz, se nos presenta en la ficción narrativa como un ser real, al final este ser real tomará un carácter novelesco al

Antonio Martínez Menchén, «La doble orilla de José María Merino», *Cuadernos Hispanoamericanos*, 439 (enero de 1987), pp. 115-121 (116-121).

confundirse con el personaje ficticio, el ser de otro planeta protagonista de la ficción que él mismo está escribiendo como exorcismo de su muerte. [...]

La novela de Andrés Choz se nos presenta como una busca del tiempo perdido. Pero esta búsqueda, paralela en buena parte a la de sus libros de poemas, la emprende J. M. M. desde tres caminos diferentes: la aldea perdida de su niñez, la angustia existencial del adulto que contempla su vida en huida y la ficción literaria como remedio de esa pérdida y de esa angustia. Y resulta significativo que el autor, al procurarse un medio idóneo para esta lucha, se decida por un género dentro de la creación literaria ligado por una parte con la mitología heroica de los sueños infantiles y por otra con esa cara oculta de la realidad que es la fantasía. J. M. M. no se limita ya, como en su poesía, a la cita evocadora en esa galería heroica que poblaban los relatos animadores de su infancia, sino que se decide a enriquecer esa imaginería con su propia aportación, abordando uno de los géneros propios de la misma: el cuento de ciencia-ficción.

J. M. M. no renuncia ni al realismo ni a la literatura. Dentro de un esquema novelístico que podía ser tradicional, el autor introduce un distanciamiento mediante una serie de consideraciones sobre la propia obra que está construyendo y que se nos va narrando desde dos niveles: el de la narración directa en tercera persona, y el de proyecto narrativo mediante cartas del autor —el a su vez personaje novelesco Andrés Choz— a su amigo *El gordo*. Pero estas consideraciones literarias no entorpecen la narración, antes bien la potencian. Asimismo la contraposición de los dos triángulos amorosos (Andrés, Teresa, Armando, María Asunción y su marido, el guardia civil), consecuencia del gusto de J. M. M. por el juego de los espejos y las simetrías, tampoco obstaculiza el desarrollo de esa contraposición más sutil que, a caballo de los dos relatos paralelos, va desenvolviendo y a la que ya hemos hecho referencia: la de la angustia existencial ante la fugacidad de la vida y la de la nostalgia por la aldea perdida, símbolo de la perdida niñez.

Vemos, pues, que, ya en su primera novela, J. M. M. plantea una serie de oposiciones complementarias: realidad-sueño, autor-personaje, literatura-vida, realismo-fantasía. Vemos también que J. M. M., tanto en diversas referencias (Julio Verne, Stevenson, etc.) como en la propia elección de un determinado género narrativo (la

ciencia-ficción), tiene una especial debilidad por lo que se ha llamado un tanto absurdamente la literatura infantil o juvenil y que,
junto con las referencias al tebeo y al cine tan abundantes en sus
poemas, constituye ese ámbito especial que puede caracterizarse
como el de la épica de los sueños de la niñez. Examinemos cómo
este juego alternante se desarrolla en su obra posterior.

Aparentemente y en una primera visión aproximada, en las dos obras
siguientes a *Andrés Choz*, parece que J. M. M. pretende destinar un cauce
distinto a cada una de esas tendencias contrapuestas. Así, mientras *El
caldero de oro*, (Alfaguara, Madrid, 1981) pertenecería a la orilla de la
realidad, la vida, el realismo literario y la narrativa para adultos, los *Cuentos del reino secreto* (Alfaguara, Madrid, 1982) caerían de lleno en la del
sueño, lo literario, fantástico y de la narrativa juvenil. En *El caldero de
oro* el protagonista, al filo de la muerte, recuerda su vida. Este viaje de la
memoria evoca aquel otro emprendido por J. M. M. en *Cumpleaños lejos
de casa*. Hallamos en él la misma nostalgia por la aldea —la niñez— y la
adolescencia —la pequeña ciudad— perdida; la misma amargura de ese
Simbad el Merino adulto y náufrago en la gran ciudad que rememora el
perdido paraíso y la ruina de sus ilusiones. Con minuciosidad, con amor, el
autor va acumulando objetos, seres, paisajes, sensaciones, sueños y esperanzas hasta configurar los diversos ámbitos en que se enmarcará esta
estupenda «novela de aprendizaje». Estamos dentro de un tipo de narrativa
realista, casi tradicional; estamos en lo que podríamos denominar la *orilla
clara* de J. M. M. [...]

Los *Cuentos del reino secreto* entrarían dentro de la otra orilla de
J. M. M. Se trata de un conjunto de relatos unificados por el tema común
de lo fantástico, en los que el autor, con independencia de rendir un
homenaje a diversos maestros del género, realiza una serie de variaciones
dignas de un virtuoso sobre temas siempre viejos y siempre renovables.
Estamos aquí en ese reino de la fantasía y el sueño, en ese reino de lo
misterioso y ominoso tan grato a nuestro autor y que una vez más le sirve
para evocar los héroes de la épica de su niñez. Como en *Andrés Choz*, al
desarrollar un género propio de la literatura juvenil, vuelve J. M. M. a la
recuperación de su pasado por el camino de la literatura, pero nos engaña-
ríamos si pensáramos que J. M. M. se mueve exclusivamente en el mundo
de las sombras, que este conjunto de relatos es tan sólo un puñado de
historias fantásticas, un ejercicio en el que el autor ha pretendido ver hasta
dónde alcanza su imaginación y el dominio de un género. Aquí, como en el
resto de su obra, J. M. M. se mueve en esa doble vertiente contrapuesta y
a la par complementaria que constituye su mundo.

Porque desde el principio vemos que estos cuentos fantásticos nacen de
un terreno muy firme y real, un terreno que es el de las vivencias del

propio autor, perfectamente localizadas y localizables en esas tierras de León, cuya evocación llena en buena parte toda la obra de J. M. M. Como en *El caldero de oro*, J. M. M. nos va dando un ámbito geográfico preciso, reconstruyendo minuciosamente, desde la nostalgia de la memoria, un paisaje con sus accidentes geográficos, sus casas y monumentos; con sus colores, sonidos y aromas; con los seres animados e inanimados, que lo pueblan; con los usos, costumbres y decires de sus hijos; con las sensaciones, emociones y experiencias del niño que fue. Y entre esas emociones y experiencias están en un primer término las literarias, que no se reducen sólo a la lectura de aquellos maestros de la novela juvenil, a quienes le hicieron soñar desde el mundo del tebeo o desde la pantalla del cine provincial y, sobre todo, a los narradores anónimos que, siendo muy niño, alimentaron su fantasía en los *filandones* de su tierra. Porque es una tierra, la de León, la que mediante la recurrencia a sus propias evocaciones vivenciales y narrativas J. M. M. hace surgir ante el lector, tanto desde el realismo de *El caldero de oro* como desde la fantasía de los *Cuentos del reino secreto*. Y en este sentido podríamos decir que J. M. M. es también un narrador costumbrista. Lo que ocurre es que su costumbrismo va más allá de la superficie, de la mera apariencia, es una consecuencia de esa búsqueda de su propia identidad, de ese profundizar hasta las raíces que inexorablemente le conducen a una concreta geografía y a que la visión que nos da de ese ámbito concreto sea mucho más profunda que la del simple costumbrismo a ultranza.

Después de leer *La orilla oscura* (Alfaguara, Madrid, 1985) uno podría pensar que todos los anteriores escritos de J. M. M. no son únicamente ensayos o trabajos preparatorios destinados a la consecución de esta extraordinaria novela. [...] Ciertamente en *La orilla oscura* también surge de vez en vez la búsqueda de ese pasado vivencial, de esa tierra concreta y real que constituyen una de las constantes de su obra. Pero, como ya su propio título indica, la preocupación principal es la de indagar esa «orilla oscura», esa orilla hecha de sueño y mito y fantasía y literatura que, si bien siempre presente en nuestro autor, aquí alcanza un inequívoco protagonismo, anulando casi esa otra clara también constante a lo largo de su obra. [...]

J. M. M. construye un gran relato nutriéndose de sus lecturas infantiles. Porque es posiblemente *Las mil y una noches* —siempre presente en su obra— el libro que más influye en esta novela, y ello no sólo por el tema del *durmiente despierto*, sino por su estructuración en forma de cajas chinas, de relatos que engendran nuevos relatos, de narrador que es a su vez narrado por un nuevo narrador, de soñador que, a su vez, es tan sólo parte de otro sueño. Y es este gusto por los héroes de la épica infantil, literarios y no literarios (la parte, a mi ver, más conseguida, la narración del piloto, hace referencia tanto al *Corazón de las tinieblas* de Conrad como al film *La reina de África*), lo que al lector atento y conocedor de la producción de J. M. M. le alerta que no está ante un simple juego literario —aunque hay mucho de estupendo juego literario en la novela—, sino que de nuevo se encuentra ante los temas y obsesiones presentes a lo largo de la poesía y prosa de nuestro autor. Y que estos temas y obsesiones conducen todos ellos a ese tema central que aquí va a lograr su expresión más acabada y su tratamiento más extenso: el de la propia identidad; el del cuestionamiento de la realidad de una existencia que se escurre de nuestras manos y a la que el tiempo convierte en una fábula rememorable entre otras fábulas, sueño perdido entre otros muchos sueños.

De ahí la importancia, en esta novela, del escritor apócrifo, del autor que es tan sólo la invención de otro autor. [...] En último término esta confusión entre creador y criatura, este cuestionar la persona real desde la ficción literaria responde, como acabamos de señalar, a esa preocupación fundamental de J. M. M. a quien el yo se le presenta fugitivo, problemático, y al que intenta fijar mediante la recuperación de un pasado donde lo real y lo literario, lo soñado y lo vivido tienen idéntico valor. Pero esta obsesión pirandelliana no lleva a una escritura abstracta, conceptual. Muy al contrario, la devoción siempre confesada que el escritor tiene por la narrativa juvenil hace que J. M. M. sea ante todo y sobre todo un narrador de historias. Como en toda su producción, en *La orilla oscura* el novelista se nos muestra como un estupendo fabulador, ganado por el placer de narrar, el placer de contarnos los cuentos más variados, desde un clásico viaje de novela de aventuras a una leyenda medieval que podría estar sacada de las *Cantigas*, pasando por la recreación de un viejo mito ultramarino con eco de nuestros cronistas de Indias, del Popol-Vuh o de Miguel Ángel Asturias.

Biruté Ciplijauskaité

ESTHER TUSQUETS Y LA ESCRITURA FEMENINA

[¿Existe algo que pueda llamarse «escritura femenina»?] Comentando la ficción de los últimos años en las lenguas alemana y francesa, varios críticos observan una inclinación notable hacia la narración en primera persona y subrayan el alto porcentaje de autores femeninos. Una constatación semejante podría extenderse a la producción literaria en Inglaterra, los Estados Unidos, España, y hasta cierto punto Italia y Portugal. En muchas de estas novelas la protagonista no sólo es mujer, sino además escritora: se trata de su emancipación en dos niveles diferentes. Al autoanálisis se une el problema de la expresión. Según Béatrice Didier, la reflexión sobre la escritura se vuelve una meditación sobre la propia identidad. Se habla cada vez más del proceso creativo como de un camino hacia la auto-realización. [...]

Elizabeth Abel ha reunido numerosos ensayos acerca de lo que ella ve como la manifestación más característica en la escritura femenina de hoy: la novela de formación (*Bildungsroman*), que ella propone denominar «novela del despertar» para subrayar las diferencias entre las estrategias narrativas masculinas y femeninas. [...] La mayor parte de las novelas de formación trata del paso de la adolescencia a la plenitud como mujer, forzosamente relacionado con la experiencia sexual. Frecuentemente se incluyen consideraciones sobre la vida de familia, a veces desde dos puntos de vista: evaluando aquella de que procede, y mirando hacia aquella que posiblemente va a —o acaba de— fundar. A esto, especialmente en los últimos años, se añade la dimensión —y el conflicto— de la mujer profesional. En casi todas entran reflexiones acerca de la mujer independiente, no pocas veces vista escépticamente. La emancipación sigue siendo el gran tema de debate. Para ser reconocida como profesionalmente capaz, la mujer se ve obligada a aceptar normas de vida pública establecidas por los hombres, aunque inte-

Biruté Ciplijauskaité, *La novela femenina contemporánea*, Anthropos, Barcelona, 1988, pp. 9, 13, 20, 46, 174-179, 191-195 y 198-199.

riormente proteste contra ellas. Por otra parte, los códigos sociales, también de hechura masculina, reglamentan asimismo su vida privada. El proceso de concienciación consiste no pocas veces en este darse cuenta al encontrarse delante de una elección difícil. Los modos de exponerlo varían según el temperamento, la ideología, el interés por la teoría literaria. (Muchas autoras francesas construyen sus novelas partiendo de la teoría. También las novelas españolas más recientes demuestran buen conocimiento de las teorías o los asuntos que están de moda: Josefina Aldecoa, Soledad Balaguer, Marina Mayoral, Ana María Navales, Montserrat Roig.) Varía también la duración del período de formación representado. En algunas, el presente se aclara desde el repaso de toda la juventud. En otras, la concienciación se limita a una experiencia esencial, a un solo aspecto de la vida de mujer adulta. [No pocas de las novelas españolas más conocidas, desde *Nada* de Carmen Laforet hasta *Mirall trencat* de Mercè Rodoreda, pasando por las obras más conocidas de Mercedes Salisachs o Montserrat Roig, pueden incluirse dentro de esta categoría.][1]

1.   [La narrativa de Lourdes Ortiz constituye sin duda un caso aparte. Vale la pena examinar *Luz de la memoria* (Akal, Madrid, 1976), donde L. O., la autora que con más ingenio ha trasladado la problemática psicoanalítica a la novela en España, consigue un grado de complejidad notable. «L. O. opta por presentar el mundo psicótico mostrando sus diferentes facetas. La estructura fragmentada de la novela capta el ritmo interior de la persona enferma, Enrique. La yuxtaposición continuada de escenas semejantes —aislamiento en la clínica después de haber cometido un acto de violencia, reclusión anterior en una celda de prisión por causas políticas, recuerdo de juegos de niños que funcionan como un indicio— sugiere que los orígenes de la "locura" pueden ser múltiples, aunque de paso se desliza la indicación de que la causa de su trastorno es la relación con el padre. Este hubiera deseado una niña, y siempre le ha guardado cierto rencor. Irónicamente, luego le reprocha su falta de "masculinidad", poniendo como modelo a los otros dos hermanos, que son verdaderos matones, como él mismo. La ironía se descubre al hacernos oír también a la madre ensalzando al hermano mayor, "un chico brillante", mientras se presenta a este como un joven vano, vago y mujeriego. (Muchos pasajes en la novela tienen intención paradójica.) Esta es la visión del protagonista, a quien llegamos a conocer principalmente por sus reflexiones interiores. Incluso los informes que pide al psiquiatra a varios miembros de la familia —cada uno en voz distinta y con un punto de vista individual— revelan más sobre ellos mismos que sobre el enfermo, sugiriendo que nadie siquiera intenta comprenderlo. L. O. no limita su novela meramente a la experiencia psicoanalítica. Muestra a continuación al protagonista ya "sano", en varios ambientes, pero siempre desdoblando sus percepciones. Al fin vuelve a caer en la locura por razones diferentes: abusos de vida irregular e iniciación a la droga.

Desde su primera novela, *El mismo mar de todos los veranos* (Lumen, Barcelona, 1978), Esther Tusquets recoge la problemática del amor entre mujeres y la va desarrollando hasta la última, *Para no volver* (Lumen, Barcelona, 1985). Su acercamiento es más sutil que las voces clamantes de Monique Wittig, Christa Reinig o Verena Stefan. Se parece más al de Elsa Morante: indaga no sólo el fenómeno mismo, sino también sus causas. La crítica ha destacado el logro de sus novelas en varios planos: como juego literario, como metaficción, como despliegue magistral de técnicas lingüísticas. Se ha señalado su intento de ilustrar la «otredad» y la «diferencia» femeninas. Todos reconocen su maestría en la composición, la importancia de la intertextualidad, su inclinación hacia el mito, que intenta subvertir, su cualidad intelectual y su erudición. Se han detenido menos en su arte de captar y crear ambientes.

Ya en *El mismo mar...* E. T. ofrece mucho más que una mera novela erótica: presenta al mismo tiempo una crítica fuerte de la sociedad burguesa con sus ritos y sus mitos que ella trata de reemplazar con otro rito-mito. Junto a ello aparece el desafío a la Iglesia y la religión tradicionales. Contiene, además, una denuncia de la condición de la mujer a través de varias generaciones por medio de un solo símbolo para designar al macho a través del tiempo: el buey. Para apoyar su tesis introduce comparaciones con otra raza/otros mitos, revelando la relatividad de todo. Entonces, el mundo de lo fantástico, de los sueños y de la niñez llega a ser más auténtico. La crítica ha aludido al hecho de que la relación de los ambientes creados por E. T. con la realidad exterior es escasa. (Sin embargo, se sitúan claramente en la España de la segunda mitad del siglo.) Por otra parte, Suñén no deja de hacer notar que a pesar de esta tenue relación toda su escritura es «una desbocada carrera hacia la verdad de lo real». Cabría recordar al respecto lo que decía Anaïs

---

El ojo que sigue los pasos del joven extraviado no es un ojo clínico primordialmente. La crítica de la sociedad que por lo menos parcialmente causa su desequilibrio es tan importante como el estudio de la terapia y sus efectos. [...] Es de notar que en esta novela el protagonista es un hombre. Así, la problemática de la emancipación de la mujer se presenta en plano secundario, a través de una conciencia distanciada, sin dejar de traslucir un matiz escéptico. El enfoque y la enunciación cambian de la primera a la segunda y a la tercera persona. A su vez, la división —y posible esquizofrenia— del yo se traduce concretamente por los diferentes nombres-alibis que este adopta en sus actividades políticas» (pp. 107-108).]

Nin: que sólo renunciando al realismo descriptivo, detallista, se llega a la realidad interior. Y esto es lo que busca E. T.: aprehender la verdad del personaje «haciéndose». Nichols llama la atención sobre sus puntos de contacto con *Chant du corps interdit* de Cixous y sugiere que los textos de E. T. invitan a un análisis musical. Es el ritmo interior de la mujer lo que trata de transmitir, más que su presencia social. Los *leitmotivs* vuelven en una cadencia regular; varios fragmentos se construyen a base de un *ritornello* que no es, sin embargo, sólo un recurso estructural, sino que transmite la obsesión y hace pensar en las transcripciones de alguna sesión de terapia psicoanalítica.

El mismo mar... se desarrolla en niveles superpuestos, particularmente evidentes cuando se trata del tema básico de la soledad: la soledad desde la cual escribe la protagonista, y su soledad recordada que está en la raíz de sus problemas actuales. Central para el desarrollo de la obra es el motivo de la falta de amor por parte de la madre: un tópico muy frecuente en la novela femenina contemporánea. Explica el hambre de afecto femenino y la desviación hacia el amor lesbiano. El lema que abre la novela, «... y Wendy fue creciendo», advierte, además, que será importante el elemento fantástico como experiencia de la niñez. Cuando al mirar la última página notamos que el mismo lema cierra la narración, nos damos cuenta de que se trata de *dos* procesos de crecimiento: el de la protagonista así como el de su amante. El «fue creciendo» subraya la importancia del «darse cuenta» gradual, de un proceso que toca a su fin.

La vivencia interior se acentúa con borrar los límites temporales. Se anula la secuencia cronológica, ampliando la extensión del tiempo narrado en el primer plano (la duración de la acción principal no llega a un mes) con excursos en el pasado de las dos protagonistas. El *tempo* lento de la novela se debe a la constante alternancia de lo vivido-percibido por los sentidos y la reflexión sobre lo aprehendido o su elaboración artística: abundan comparaciones y metáforas. (Los personajes femeninos de E. T. son sensuales, pero nunca desprovistos de capacidad intelectual.) A esto se añade el significado complementario que se deriva de las alusiones literarias. Otro factor que sirve para crear lentitud es el discurso casi ininterrumpido, de períodos muy largos, llenos de incisos y de medias palabras que permiten jugar con el doble sentido y la evocación. La intertextualidad se vuelve más compleja a medida que progresa la novela: a los elementos extradiegéticos se añaden los intradiegéticos (por ejemplo, la aniquilación de la mirada —es decir, vida interior— por el padre de la protagonista en Sofía, y por la protagonista en Clara). Así, incluso las escenas eróticas se llenan de connotaciones, de apuntes intertextuales, subrayando su polivalencia. [...]

Aunque narrada en primera persona, la experiencia se objetiva con cambiar de vez en cuando al modo impersonal: «no se sabe», o a la tercera persona: «la niña no sabe», lo cual confirma la inclinación a una presentación dramática, con uso preferente del presente, particularmente lograda en la escena del entierro de la abuela, donde se presenta visualmente el tema de las generaciones, al cual se añade en seguida una meditación acerca del destino de la mujer, de su debilidad y su fuerza a través de los años: «porque de repente me parece como si en mi familia no existieran, no hubieran existido jamás, elementos masculinos, por más que se hayan movido hombres a nuestro alrededor y hasta hayan ejercido el poder» (p. 141). El cambio y la continuidad corren paralelos.

La necesidad de crearse un mundo que sobrepase aquel en que se vive establece tres constantes que atraviesan la novela entera: se subrayan la avidez de lecturas, el cultivo de la imaginación y el poder mágico de las palabras. Es decir, se confirma la índole metaficcional del relato, insistiendo desde el principio, sin embargo, en la orientación dionisíaca como contraste con la obra de las mujeres apolíneas, autosatisfechas (la madre y la hija de la protagonista). Es otro indicio del deseo de ruptura, de su afiliación con la escritura femenina que no se limita a conceptos: el chorro desordenado del flujo de conciencia es la confirmación más evidente de su opción. [...] La narración contiene muchos elementos de una novela psicoanalítica, pero la intención de la autora no parece haber sido ésta. Si recuerda algunas novelas intencionalmente psicoanalíticas por la insistencia en el complejo creado por falta de amor maternal, no lo analiza más profundamente. Es más fuerte la nota lírica, y falta, en la estructura, la figura imprescindible del interlocutor-escucha. El aspecto erótico no se presenta como «caso», sino como vivencia.

Las novelas siguientes de lo que se puede llamar una trilogía subrayan aún más el aspecto erótico, que llega a ser el eje principal en *El amor es un juego solitario* (Lumen, Barcelona, 1979) a expensas de la indagación psicológica, aunque presentándolo con gran veracidad. [...] En *Varada tras el último naufragio* (Lumen, Barcelona, 1980) la preparación para llegar a lo erótico es larga y lenta, como en *El mismo mar...*, e incluye el autoexamen casi psicoanalítico de los cuatro protagonistas, con recuerdos y complejos de la niñez semejantes a los de las novelas precedentes. Se incorporan, con más igualdad, lo fantástico y lo alegórico, trenzándolo con el papel simbólico del mar. El lenguaje se adecúa al tema; los caminos sinuosos de la mente se transmiten en chorros ininterrumpidos de palabras, oraciones llenas de interpolaciones y paréntesis, preguntas, imágenes ambiguas. Como en las novelas precedentes, predomina el *tempo* lento, adquieren mucha importancia y se reproducen con gran acierto los procesos mentales. Una nueva variación es la constante yuxtaposición de cuatro puntos de vista sobre el amor, que permite una interpretación irónica, contraponiendo amor heterosexual (perspectiva masculina) y amor lesbiano (femenina). En las tres novelas está latente el mensaje feminista sin llegar a ser propaganda. Lo mismo se podría decir de los relatos de *Siete miradas en un mismo paisaje* (Lumen, Barcelona, 1982), donde predomina la narración en tercera persona. Con este bloque E. T. se ha adentrado en la exploración más honda de lo erótico y lo lesbiano en la literatura española de hoy.

El gran éxito de las novelas de Rosa Montero es parcialmente debido a su contenido y a su accesibilidad para el gran público. La primera, *Crónica del desamor* (Debate, Madrid, 1979), aparece cuando el movimiento de la emancipación de la mujer está llegando a su auge. Está muy influida por la profesión de la autora: el periodismo. Ella misma apunta a esto con el primer vocablo del título: «crónica». El relato —más bien varios relatos contiguos— se compone de varios reportajes, recogiendo a vuelo de pájaro diferentes casos y situaciones para yuxtaponerlos y llegar a la conclusión de que a la mujer se la trata de un modo igual bajo cualquier circunstancia. Esta orientación se indica desde el principio: «Sería el libro de las Anas, de todas y ella misma, tan distinta y tan una» (p. 9). Propósito que en seguida es llevado a cabo, ofreciendo varias situaciones hipotéticas para demostrar la infalibilidad de su teoría. Este será el procedimiento de base en la novela entera: presentar varios «casos» en desarrollo simultáneo. La autora se da cuenta del peligro que implica tal procedimiento, que no logrará soslayar del todo: «Pero escribir un libro así, se dice Ana con desconsuelo, sería banal, estúpido e interminable, un diario de aburridas frustraciones» (p. 12).

Aunque gran parte de la narración consiste en exposición en tercera persona, frecuentemente transmite los movimientos subyacentes a través del monólogo interior en cada mujer, de las cuales ninguna llega a ser verdadera protagonista, y parte de cuyas historias podría ser eliminada sin destrozar la novela. El libro da cuenta de la situación de la mujer y de los problemas que encuentra en la España posfranquista (todas sin marido, casi todas con hijos, deseando emanciparse, y sin embargo incapaces de vivir sin un hombre), presentándolo en un lenguaje muy vivo, muy de su día, aunque sin tratar conscientemente de crear un discurso que se destaque por femenino. En el año en que aparece puede ser considerada como revolucionaria por presentar la mecánica de lo sexual desde el punto de vista de la mujer. Representa casi una inversión del modelo habitual: en la presentación tradicional suelen ser los hombres quienes se jactan de sus conquistas y se cuentan las experiencias sexuales; esta vez lo oímos en boca y desde el punto de vista de la mujer. Es una novela hecha de actualidad española y de experiencia profesional autobiográfica. Incluye —como todas las novelas de R. M.— el tema de la escritura, pero más bien exteriormente. Los «casos» son vistos más bien por encima; no pretende entrar en honduras psicológicas. La experiencia de las protagonistas se complementa con la de la generación anterior —la madre de una de ellas— para justificar la conclusión de que todo se repite, y de que es difícil esperar un cambio repentino: «hacia las espaldas un fracaso, hacia el futuro una relación inventada, idiota e imposible» (p. 265).

R. M. posee un don de observación penetrante y una sensibilidad lingüística notable que le permite crear «estampas» llenas de vida y de actualidad. Esta misma facilidad perjudica hasta cierto punto la estructura total de la obra, que se desparrama en escenas exteriores. Intenta remediar esta tentación en *La función Delta* (Debate, Madrid, 1981). Aquí las situaciones siguen siendo paradigmáticas, pero ahora las une el sintagma de una sola protagonista: se cuentan sus experiencias con varios hombres. En vez de presentar un desarrollo seguido, ahora alterna la narración en dos tiempos. La conciencia de una mujer de sesenta años, recogida en una clínica, va recordando y juzgando, en forma de diario retrospectivo (buen ejemplo de cómo se noveliza la vida), los acontecimientos vividos por su «yo» de 30 años. En los dos niveles intervienen, además, otras evocaciones breves, fragmentando el tiempo aun más. El mensaje de base es el mismo: el abuso, la explotación de la mujer y, por otra parte, su incapacidad de ser feliz estando sola. Aquí, sin embargo, ofrece más matices: no se pinta a todos los hombres de color negro. Se subraya con igual fuerza que en la *Crónica* la necesidad de tener una relación sexual, sin prescindir de páginas eróticas. La dimensión metaficcional está presente constantemente; la protagonista sexagenaria no sólo va escribiendo su diario/novela, sino que lo da a leer a uno de los amigos para que él lo comente. Pero tampoco aquí se llega a tocar la problemática esencial de la escritura, al modo de las autoras francesas, ni se crea un estilo completamente original. [...]

[*Te trataré como a una reina* (Seix-Barral, Barcelona, 1983) es la más unitaria y lograda de las tres novelas de R. M. una obra de ficción —no un reportaje— que no deja de admitir los temas y los aspectos de la vida cotidiana que siempre han interesado a la autora, así como la obsesión por el sexo. Narrada en tercera persona, la obra hace un uso abundante del monólogo interior y, en menor medida, del estilo indirecto libre; también incorpora algunas cartas.] Si Emilio de Miguel [1983] ha podido calificar sus primeras novelas de «periodismo con claras connotaciones ideológicas», en *Te trataré...* se destaca ya el oficio de novelista que sabe integrar discursos diferentes. Los sueños y los deseos de la mujer (porque también en esta novela la variedad de las protagonistas sirve para ilustrar su destino común) han adquirido más profundidad. La nota polémica entra de modo más velado. Los diálogos se atienen a las exigencias estructurales más que al deseo de incorporar temas actuales. Con todo, queda muy dentro del segundo grupo establecido por Graziella Auburtin [en un estudio sobre la moderna novela francesa escrita por mujeres]: novela de orientación sociopolítica que tiene, además, muy en cuenta el gusto popular. [...]

[Un rasgo característico de las mujeres que aparecen en las narraciones de Adelaida García Morales es el hecho de que muchas de ellas admiten la existencia de hechos sobrenaturales o mágicos, e incluso creen en la «locura de amor». La escritora no predica el feminismo militante; más bien cabría decir que la afirmación del mundo femenino es inherente a su propia escritura.] En *El silencio de las sirenas* (Anagrama, Barcelona, 1985) crea un ambiente poblado exclusivamente de mujeres, aunque la trama principal gire alrededor de una figura masculina. La fuerza interior surge de la soledad; las mujeres de esta novela no viven pendientes de las actualidades: «Lo que no existe en el tiempo de todos los días parece que tiene una intensidad especial», declara la autora. Tampoco le interesa la experimentación lingüística: «Me gusta que el lenguaje sea muy preciso y que se manifieste ocultando, es decir, que tenga el poder de convocar una realidad, pero que no esté en primer plano». Subraya la importancia del elemento fantástico, y [...] logra crear mundos con límites muy borrosos entre lo real y la fantasía (sea en el acontecer, sea en la mente de los protagonistas), empezando por la niebla que cubre y llena el pueblo donde sitúa la acción. Lo real/irreal se cruzan y se acompañan constantemente. La historia de la pasión/locura de amor se narra en dos voces: la de la narradora, que la presenta desde el exterior, y la de Elsa, la mujer enamorada, que necesita esta pasión para escribir. A la voz lírica de Elsa le sirve como contrapunto el discurso más racional de la narradora, así como las reacciones silenciosas de las mujeres del pueblo.

La figura exaltada de Elsa queda abierta a la interpretación del lector. De lo que no queda duda es de la mezquindad del hombre sobre el que ha construido su mito. Al verlo derrumbarse, Elsa se encamina hacia la muerte: pero no bajando (ahogándose, saltando de una ventana o un despeñadero), sino subiendo. Con esto se afirma su fuerza y la victoria de lo femenino.

SANTOS SANZ VILLANUEVA

EN LA PROVINCIA DE LUIS MATEO DÍEZ

Luis Mateo Díez ha declarado en alguna ocasión que él no puede escribir sobre episodios inmediatos. Que necesita situarse en una distancia temporal, en una perspectiva cronológica. Así, en efecto, los emplazamientos de sus libros son contemporáneos, pero nunca pertenecen a la más cercana experiencia. [...] Entre el momento en que sucedieron los episodios y el de su narración —o, si queremos, el de nuestra lectura— ha transcurrido un tiempo suficiente como para que las anécdotas —sin perder su propio interés— deriven en categorías de un modo de ser, de unas formas de existencia. Ellas, en general, remiten a un visión crítica pero comprensiva —de raíz muy cervantina— de la vida provinciana. Y ahí es donde actúa la lente selectiva del escritor. Ahí es donde este elige unos motivos que van de una reflexión sobre la decadencia irremediable a una crítica nada complaciente de las relaciones sociales y de las actividades culturales de unas gentes que ocupan el mismo solar natal del autor. Por eso puede decirse de él que es un escritor de la provincia, si por tal no entendemos un reductor testimonio sino la forja de una metáfora de validez universalizadora. [...]

Las tres partes en que divide su primer libro novelesco —puesto que antes había publicado un volumen de poemas— nos dicen que son varios los tonos que le interesan. En efecto, *Memorial de hier-*

Santos Sanz Villanueva, «Luis Mateo Díez, entre la crítica y la invención», *La página*, 1 (1989), pp. 1-11 (1-4 y 6-10).

bas (Magisterio Español, Madrid, 1973), que así se titula, va del testimonio a la fantasía, de la crítica a la emocionalidad contenida. Algunos escenarios son mediterráneos, pero otros declaradamente leoneses. Y entre los tipos —una variada y rica gama— aparece ese don Ceferino Saldaña, el sochantre beneficiado que odia los grajos y con el que L. M. D. incorpora una figura —el clero urbano— a la que ha de volver como elemento sustancial de un paisaje ciudadano siempre presidido por la imponente fábrica de la «pulcra leonina».

Dos novelas cortas contiene *Apócrifo del clavel y de la espina* (Magisterio Español, Madrid, 1977), una que da título al volumen y otra rotulada *Blasón de muérdago*. En aquella, los últimos lustros de la pasada centuria son testigos de la imparable degradación del ominoso y soberbio escudo de los Alcidia. En *Blasón...*, la muerte del viejo hidalgo don Senén culmina otro proceso de degradación de una casa solariega que ha conocido no sólo la más absoluta ruina sino el ultraje miserable de quienes, en otros tiempos, no hubieran alzado los ojos del suelo ante el señor feudal. Más acá, a los duros tiempos del franquismo beligerante, trae la historia en *Las estaciones provinciales* (Alfaguara, Madrid, 1982). Turbios negocios, crímenes implacables, corrupción política y claudicación incondicional. Otras son las causas y otras las circunstancias, pero el paisaje espiritual resulta semejante: degradación, tiempo muerto, historia inútil.

La fuente de la edad (Alfaguara, Madrid, 1986) anuda temas y preocupaciones para configurar una parábola general —restallante, a veces, de humor de ese mismo vivir degradado y absurdo. No nos especifica el autor cuándo sucedieron los hechos pero podemos deducirlo con toda precisión: el mulo Celenque lleva quince años de prisión a raíz de unos sucesos acaecidos a comienzos de la guerra. Estamos, pues, en 1951, fecha semejante —y ambiente, desde luego, idéntico— a la de *Las estaciones...* El autor —nacido en 1942— no puede tener de aquellos hechos otra memoria que la muy vaga de la infancia, aunque bien puede completarla con sus vivencias juveniles, las de una época durante la cual no se habrían producido cambios sociales sustanciales. Pero, en cualquier caso, no se trataría de la recuperación directa de unos hechos vividos sino de una memoria selectiva, conformada por sucesos reales, por episodios contados o por invenciones verosímiles. Porque la memoria, en L. M. D., no es sólo la de los datos de la experiencia —no lo puede ser en el *Apócrifo...*— sino la de los posos del relato transmitido. En él —al igual que en otros narradores coetáneos suyos de su misma tierra leonesa, por ejemplo en José María Merino— juega un papel importante la tradición oral, la recuperación del filandón, que determina unos modos de narrar de los que luego diremos algo. Y su memoria literaria proviene tanto de la observación vital como de la recuperación de las historias contadas al amor del fuego. Una memoria, además, que actúa a través de un proceso selectivo que va formando el núcleo de temas sobre los que organiza una visión de la vida.

En esta selección de materiales nos llama enseguida la atención la importancia de lo que, por utilizar un título conocido, podríamos definir como la sensualidad pervertida. Lo mucho que comen y beben los personajes de L. M. D. es uno de los rasgos externos más aparentes de su narrativa. La resaca con que comienza el día Marcos Parra (en la primera página de *Las estaciones...*), las bufas referencias a la «beoda santidad» del padre Gerónides, la saturación etílica de los clientes del bar Capudre (en *La fuente...*) o el lento suicidio del tabernero Domingo (en *Las estaciones...*) indican un medio en el que el alcohol es una liberación. Parece, además, como si en un mundo sin más alicientes —o sin alicientes de mayor altura—, el estómago fuera uno de los pocos atractivos de una vida disparatada. [...] Junto a esta aberrante liberación sensorial, el mundo de la sexualidad tiene una existencia siempre precaria. Frente a la actitud mitificadora —pienso en la dialéctica entre Isis y Osiris a la que se acogen Ángel y Chon en *La fuente...* y que constituye una especie de *leitmotiv* del libro—, lo que predomina es un erotismo provinciano que refleja la denonada búsqueda de la aventura fortuita y con más frecuencia el triunfo del amor mercenario. El sexo está como cercado por las convenciones sociales, por la moral restrictiva, por la hipocresía religiosa. Y, además, el amor está excluido de las posibilidades de los personajes. El egoísmo o el temor acabarán con la pareja de Ángel y Chon en *La fuente...* Pero, sobre todo, los personajes estarán como condicionados por el medio, el cual dará lugar, con frecuencia, a manifestaciones de pura rijosidad, a comentarios machistas de taberna, a la liberación oral de los instintos reprimidos.

Por el contrario, existe una hermosa y doble historia de amor, dispuesta a saltar por encima de las convenciones. La protagoniza el personaje principal, Parra, con un par de mujeres, Claudia y Tina, en *Las estaciones...* Aquella es una actriz sin porvenir del teatrillo ambulante de Rosita Chen y esta una prostituta. Las relaciones con ambas tienen sinceridad y hondura y vienen a decirnos que lo único auténtico, positivo es el amor cuando se da entre personajes marginales o marginados. Pero el amor es un señuelo, no una realidad. El amor resulta imposible, una pura quimera, en el mundo egoísta y viciado de la novela. Es la realidad social la que hace imposible la felicidad, porque a los personajes se les hace inalcanzable en ese medio. Es como si este, inconscientemente, les aplastara. Lo que queda es la soledad y la desgracia, que es justo el motivo que cierra la novela. Parra, de regreso a las destartaladas instalaciones del periódico, puede pasear por ellas el sentimiento de fracaso y de soledad junto al ratón que las recorre.

El sistema selectivo de L. M. D. opera de diferentes maneras. Una consiste en la creación de una sensación de vida, a la que contribuye, por ejemplo, su inmejorable acierto en la onomástica. Párrafo bien largo y aparte merecería esta cuestión, pero me contentaré con señalarla no sin anotar unos pocos nombres procedentes de un calendario inverosímil: Obdulio, Ursicinio, Isauro, Iparino, Alipio, Corsino, Belisario, Etelvino, Elpidio, entre los varones que pululan por *Las estaciones...* [...] Otra manera deja constancia de una realidad determinada mediante referencias muy directas a los distintos elementos de la articulación social. Ningún valor positivo existe en la ciudad y su retrato es tremendamente duro. Nada se salva: no existe bondad ni valores morales y la cultura se circunscribe a los usos mostrencos de los Juegos Florales. La especial lucidez de los cofrades de *La fuente...*, su condición de intelectuales —dejemos aparte si esa bohemia disparatada y provinciana merece tal calificativo—, les permite valorar la ciudad. Y en más de una ocasión tildan a los tiempos que corren de emputecidos.

En *Las estaciones...* los elementos testimoniales no son escasos: la violencia y prepotencia de la policía; la censura de prensa; las represalias políticas; el amaño en las elecciones municipales; las componendas del poder representadas en la restauración del cacique don Abascal... Ese testimonio es explícito, pero otros son los recursos sutiles con que cuenta el autor para ponernos ante los ojos la generalizada degradación. A través de anécdotas y por medio de la selección de personajes. Algunas anécdotas constituyen, como decía, la base de una visión degradada de la realidad. Así hay que entender el que un cerillero manco haga un corte de mangas o ponga la zancadilla a los clientes (p. 11); o que un sordomudo sea sacristán de la Colegiata (p. 12); o que el director del periódico pierda el ojo de cristal y se lo aplasten (pp. 193 ss.); o la escena en que a don Baudilio se le sale la hernia y tienen que acompañarlo a casa (pp. 232 ss.). [...] En esas anécdotas que hemos seleccionado —entre otras que podrían completar el sentido de lo que decimos—

hay una coincidencia no despreciable: las limitaciones físicas forman parte de la realidad: el cerillero manco, el sacristán sordomudo, el director tuerto. No para ahí el catálogo de limitaciones que, si en *Las estaciones*... van, digamos, por libre, en *La fuente*... forman una sociedad limitada. Me refiero a la Peña de los Lisiados, integrada por un grupo de seis amigos cuyo nexo de unión es el padecer alguna tara física: Avelino el Manco, Eloy Sesma, que no tiene nariz, Nazario, que sólo cuenta con dos dedos en la mano derecha... Esa irregular asociación implica un cierto tono macabro que es el que transmite la tarjeta que el suicida Pelines se hizo imprimir: «Lo que queda de Jesús Pelines, agente comercial, le felicita a usted las Pascuas» (p. 30). Es una lucidez autoflagelante que no deja de reflejar un mundo incompleto, que no es sólo el de ellos sino el de toda la sociedad en la que conviven. [...]

Entre unas cosas y otras —y si unimos la común presencia del humor distorsionador en el relato— desembocamos en una visión degradadora de la realidad, de corte quevedesco o valleinclaniano. Muy al comienzo de *Las estaciones*... nos da el escritor una pista de los registros que le interesan cuando al describir el periódico local, el *Vespertino*, nos habla de «este triste papel, feo, católico y sentimental» (p. 25). La distorsión expresiva, el esperpento, el absurdo de una vida mostrenca está en la base de la visión novelesca de L. M. D. [...]

Si un impulso ético, un deseo de convertirse en memoria lacerante de unos tiempos ominosos no escapa de los propósitos de la narrativa de nuestro escritor, no podría decirse que sea tan sólo —ni siquiera preferentemente— una intencionalidad crítica o de denuncia la que le ha llevado al cultivo de la escritura. Demos esas metas como buenas, pero no le limitemos a ellas. El gozo por el relato gustoso, la recreación del arte de contar, la afición por las historias que entretienen a los demás... todo ello está asimismo en las raíces primitivas de sus ficciones. [...]

L. M. D. procede de una tierra en que, acabadas las laboriosas jornadas en los duros y cortos días invernales, la gente se junta a contar historias en torno al calecho o al filandón. No debemos descartar en él un deseo de reivindicar esos usos. Y es patente su voluntad de incorporarlos a sus obras. [...] Este gusto por el relato de tradición oral se puede ampliar a la intrínseca afición por el cuento, lo que hace que sus novelas sean fuertemente narrativas, que se caractericen por el deseo del autor de referirnos historias. De hecho, en buena medida, el *Apócrifo...* es una suma de sucesos contados, sí, con un sentido, pero narrados por el ancestral placer de hilvanar historias. Por eso en la narrativa del leonés predomina la acción —los hechos que vemos hacerse verdad sobre las páginas del libro— y la invención. [Por otra parte] ese gusto por contar lleva a L. M. D. al cultivo de la ficción dentro de la ficción. No como artificio metaliterario sino como procedimiento que al hilo de los sucesos principales admite otros secundarios. Que el escritor tiene presente la técnica cervantina no es de dudar. En *La fuente...* el procedimiento es evidente incluso en el título de uno de los episodios, la historia del cautivo. Sólo que aquí, en contraste con el homónimo suceso de la Primera Parte del *Quijote*, lo que se nos cuenta es la patética y descabellada historia de un animal, de un mulo condenado primero a muerte y conmutada luego su pena por la de prisión perpetua. [...] *La fuente...* está repleta de historias intercaladas. Pero aquí debemos modificar la idea de un relato principal que se suspende por medio de otros intercalados para sustituirlo por la de una trama que va acumulando episodios de cuya suma total se desprende el sentido de la novela. Algunas anécdotas bordean la pura interpolación. Por ejemplo, la del personaje que habla en pareados o la de Catalina la Joderica (pp. 196 ss.), que, a su vez, incluye las historietas salaces que esta divulga. Pero otras, las más, forman parte de una técnica ensartadora cuyo efecto se potencia al coincidir con una estructura narrativa de viaje. Es lo que sucede en toda la parte segunda de la novela, la que cuenta la excursión de los amigos para descubrir la fuente de las aguas virtuosas, la fuente de la eterna juventud. [...] En efecto, puestos en marcha los cofrades, su desatinada excursión será una imprevista serie de encuentros y sorpresas. Al poco de marchar, les aparece el viejo Domingo García Priaranza (pp. 137 ss.), quien les narra e ilustra una historia de decadencia que algo tiene que ver con el sentido del *Apócrifo...* y *Blasón...* Más tarde (parte segunda, capítulo 8) la vieja María Mirandolina les hace víctimas de una fantasía. [...] En fin, merece la pena recordar otra nueva interpolación, la de las historias que les cuenta el pastor Rutilio y que tienen que ver no sólo con los relatos fantásticos sino que guardan todo el sabor de las invenciones orales, de los relatos de filandón, de los que ya hemos dicho algo.

Una visión crítica del mundo transmitida mediante jugosos relatos es el doble eje, indisoluble, del arte narrativo de L. M. D. Otros efectos, otros recursos utiliza para conseguir esa interpretación iluminadora de la vida, en la que, como él mismo ha escrito, lo imaginario se imposta en lo cotidiano. La hipérbole en las situaciones, las deformaciones de personajes o anécdotas o el esperpentismo están entre ellos. De todo eso participa la fiesta final —especie de traca que concluye las celebraciones locales— disparatada y valleinclanesca que cierra *La fuente*... Pero su visión de la vida no es la del que actúa con un total desapego respecto de sus criaturas. El retrato crítico de la ciudad es implacable, la denuncia de algunos personajes extremada. Pero siempre hay algún elemento que sirve de contrapeso, que actúa como compensador de excesos [y nos devuelve al terreno más característico de la narrativa de L. M. D.: la crítica a un tiempo áspera y piadosa de una realidad degradada.]

Varios autores

LUGARES DE LA IMAGINACIÓN HACIA 1980: M. ESPINOSA, J. TOMEO, R. RUIZ, J. FERRERO

[Quizá uno de los rasgos que mejor define la novela española a partir de 1975 es un cierto auge de la importancia que se otorga a la imaginación; esta parecía presentarse para algunos narradores como un antídoto ideal tanto contra la autofagia experimentalista como contra el realismo pretendidamente fotográfico de los años cincuenta y sesenta. Hay que señalar, sin embargo, que esa vindicación de la *inventio*, en la que por lo demás confluyeron autores de generaciones distintas, se llevó a cabo desde postulados estéticos muy diversos y con propósitos igualmente diversos. Es cierto que empezó a recurrirse cada vez con mayor frecuencia a los patrones de la novela histórica; pero no lo es menos que tienen muy poco que ver entre sí —pongamos por caso— el Jesús Fernández Santos de *Cabrera* (1981), tan estrictamente apegado a las convenciones del género, con la libertad fabuladora de que hace gala Carlos Rojas en *Mein Führer, mein Führer* (1975) o en *El ingenioso hidalgo Federico García Lorca asciende a los cielos* (1980); y, menos aún, con la propensión culturalista, totalizante,

I. Juan Ramón Masoliver, «La creación de un mundo», *Quimera*, 64, pp. 49-53 (49-52).

II. 1. Luis Suñén, «Fernando G. Delgado y Javier Tomeo», *Ínsula*, 404-405 (julio-agosto de 1980), pp. 11-12 (12); 2. Leopoldo Azancot, reseña en *ABC* (6 de junio de 1985); 3. Ángel Basanta, reseña en *ABC* (9 de junio de 1990).

III. Santos Sanz Villanueva, «Hacia la novela total», *Quimera*, 65, pp. 32-34 (32-33).

IV. 1. Rafael Conte, reseña en *El País* (21 de febrero de 1982); 2. Ángel Basanta, reseña en *ABC* (28 de mayo de 1988).

humorística y vagamente mítica que recorre casi toda la obra de Raúl Ruiz. También es cierto que la novela de aventuras, en sus múltiples variantes, empezó a hallar una más que aceptable acogida en estos años; pero no lo es menos que, pese a que no sea difícil trazar significativos paralelismos entre el exotismo abiertamente estetizante de *Bélver Yin* (1981) y *Opium* (1986), de Jesús Ferrero, y los *pastiches* del primer Javier Marías, el de *Los dominios del lobo* (1971) y *Travesía del horizonte* (1972), es cuando menos arriesgado establecer un vínculo que no sea meramente anecdótico entre esas novelas y —pongamos por caso— *Sir Barthimbal va de viaje* (1982), de Ramón Ayerra, o *Las aventuras de sir Galahad* (1982), de Juan Blas Uría Ríos, por no hablar de las formas extremadamente heterogéneas que han adoptado otros avatares de la novela de aventuras, como la ciencia-ficción —desde la recreación de un futuro alucinado con visos de alegoría que ofrece Mariano Antolín Rato en *Mundo araña* (1981) hasta la irónica manipulación de las convenciones del género propuesta por José María Merino en *La novela de Andrés Choz* (1976)— o la propia novela policíaca —desde la vocación de crónica sociohistórica que preside las novelas de Vázquez Montalbán hasta el afán primordialmente lúdico que anima al Eduardo Mendoza de *El misterio de la cripta embrujada* (1979) y *El laberinto de las aceitunas* (1982). Es cierto, en fin, que las tendencias míticas, simbólicas y alegóricas, que ya habían impregnado la novela española desde los años sesenta, hallaron ahora un eco mayor no sólo en la sociedad literaria, sino también entre un público cada vez más amplio; pero también aquí los resultados fueron en cada caso distintos: apenas es preciso subrayar las notorias diferencias que separan —por poner dos casos paradigmáticos— esa vasta alegoría voluntariamente totalizadora que aspira a ser *Escuela de mandarines* (1974), de Miguel Espinosa, de las fábulas expresionistas de Javier Tomeo, minúsculos trasuntos simbólicos de la indefensa existencia humana. Y es que si no puede negarse que el recurso a géneros y formas más o menos codificados por la tradición caracteriza en alguna medida la novela española a partir de 1975, tampoco conviene ignorar que esas formas y géneros no son utilizados por los escritores en función de la validez intrínseca que puedan concederles, sino sólo en la medida en que admiten ser usados al modo de una suerte de alcaloides que permiten la invención de mundos de muy diversa naturaleza y la expresión de preocupaciones de índole no menos diversa; no se trata de formas y géneros empleados en sentido recto: se trata de formas y géneros degenerados. Tal vez cabe, con todo, apuntar un vínculo que une muchas de las manifestaciones que estamos considerando: la recuperación de lo que la crítica anglosajona denomina *romance* —por oposición a *novel*—, un modelo narrativo que se caracteriza por proponer «un relato de personas y sucedidos fabulosos» —mientras que la novela pinta «la vida real y las costumbres contemporáneas»— y por «describir lo que nunca ha ocurrido o es raro que pueda ocurrir» —mientras que la novela proporciona a los lectores «un cuadro de acontecimientos comunes» [Darío Villanueva, 1987]. Sea o no aceptable intentar explicar el auge de la imaginación como un auge del *romance* en detrimento de la novela, una cosa parece clara en la novela española de hacia 1980: la imaginación vuelve a contar.] HCLE.

I. *Escuela de mandarines* (Los Libros de la Frontera, Barcelona, 1974) es un avasallador, inagrietable e inconfinado régimen tiránico, pese al aparente no suceder nada; un asfixiante universo en que los milenios se cuentan por días y la vida es un mero transitar, sin objeto y sin término. Novela de peregrinaje, en los 72 capítulos, con 600 páginas, que un anciano ya sin edad, el Eremita, invierte en relatar a su visitante el inacabable viaje forzado, desde las amenidades y esperanzas de la edad moza en el jardín de su nacimiento, y la consiguiente separación de la siempre anhelada Dulcinea, su Azenaia Parzenós, hasta recordar cómo fue dando cuerpo al propósito de debelar la mentira de la llamada Feliz Gobernación en manos de la amplísima e inamovible escala de mandarines de toda laya. Como de dar testimonio elocuente de su propia entrega a los débiles, al pueblo llano, a la realidad tan científicamente deformada por el aparato burocrático. Una larga confesión, o justificación, no exenta de puntas polémicas, como de desengañadas admisiones, puesto que su interlocutor es, precisamente, aquel que el kafkiano aparato estatal jamás le permitió abordar. Y que en esta circunstancia, tantísimos años y siglos después, cuando es ya inoperante pasado, se llegó —nuevo Harún al-Raschid en noches de zoco— hasta el refugio del Eremita, viajando de riguroso incógnito.

Peregrinaje, el que desgrana ese Eremita, que es un continuo cruzarse con los más varios tipos humanos, cada cual con sus frustraciones y su historia a cuestas, por modo que se va tejiendo la urdimbre y trama de tan irrepetible (¿irrepetible?) Estado. Una especie de *quête* al revés, puesto que tales encuentros e historias deparan una visión, cada vez más amplia y decepcionante, de los problemas básicos de un modo cuyas realidades son negación, más que palmaria, de la visión ideal de la sociedad humana que el Eremita saliera a defender. Una avasalladora antiutopía, frente a ese ideal utópico. Una visión de la realidad que, a puro disquisiciones de orden filosófico-político, de religión y ética y lo que pongan, surgidas entre controversias y discursos a lo largo y a lo ancho de la

dilatada historia, ayudada por esa distensión temporal que extiende
a milenios cualquier humano discurrir, acaba por englobar los sucesos todos de la historia universal y los hallazgos y quiebras de
cuantas civilizaciones e imperios dejaron memoria de sí en la Tierra.

A tal propósito, el libro es una bien medida sucesión de breves
relatos puestos en diferentes bocas, de diálogos chispeantes, de representaciones dramáticas, sean cortesanas o de cómicos de la legua,
de poemas, de ráfagas; de cuantas formas y recursos pueda brindar
el armamentario de las letras. Episodios que salen unos de otros,
como tiran unas de otras las cerezas, en un entramado que enriquecen las continuas referencias de una a otra escena; más las notas
eruditas al final de cada capítulo que, sobre venir en ayuda del
lector, abrumado por ese alud de personajes, sucesos, citas y alusiones, cumplen de toda evidencia una función distanciadora, refres-
cante, e introducen la intención paródica, frente a tanta y vacua
erudición al uso.

Obra es de rara perfección, profunda, irisada hasta extremos
inimaginables, esta colosal comedia humana, montada con todos
los ingredientes, instrumentos y efectos del género narrativo, sin
dejar uno, desde el precedente de la novela bizantina y la buena
pluma del clásico al experimentalismo de los últimos tiempos. Que
si en Llull toma cierto didactismo moral y si del gracianesco *Criti-
cón* tiene el concepto enjundioso y la dinamitera economía verbal,
más se allega a Cervantes en el recurso al humor, a esa veta agri-
dulce puesta a redención y remedio de pasados desalientos y sobra
de desengaños. Sin por ello renunciar, faltase, a tal cual catártica
carcajada digna de Homero y a las desorbitadas y cómplices exage-
raciones de un Rabelais. Como a las rodomontadas, no menos
hilarantes, del buen Ariosto. Y este es nombre que viene oportuno
por demás donde —según el propósito de M. E.— se trate de vaciar
en términos de arte una época, todo un mundo, en crisis. [...]

¿Las aportaciones de M. E. a la narrativa actual? Sin duda, tanto o
más que la asimilación de materiales literarios de Oriente y Occidente,
antiguos y de ahora mismo; y no menos que sus juegos de espejos y su
proceder con símbolos, más requintados cada vez, importa destacar el
tratamiento crítico, sistemático, artesanal que acierta a imprimir al lenguaje. Hasta asegurarle un lugar señero en el plano de la expresión. Estudia el
vocablo con mimo de entomólogo, celebra los hallazgos, exalta la expresiva
modalidad dialectal, inventa sus propias voces o introduce persuasivas mo-

dificaciones en los esquemas sintácticos al uso, incitando al lector en la estima de nuevas formas que confieren sentido a lo que, fuera de ese contexto, bien sonara a arbitrario. Repetida supresión de artículos y preposiciones, cambios en el ritmo habitual de la frase, inéditas calificaciones, analogías y sinonimias, deformaciones voluntarias y graciosas al servicio del talante irónico, o en aras de la intensidad querida, denotan una voluntad lingüística, un proceder autónomo y siempre original, que remodela palabras, frases y períodos alzándose contra un sistema canonizado de referencias, meramente lineal, verosímil. Y que se traduce en una coherente realidad lingüística, creada, en una poética. En verdadera creación de un mundo a ser. Pues ese lenguaje infunde cuerpo a una realidad lo bastante autónoma para no presentar ataduras con cualquier tipo de falsa realidad referencial. No prefigura imágenes en el lector; antes bien, lo suyo es aprontar un sistema de frases que reiterativamente va generando la oportunidad de referencias, aclaraciones, constataciones, transposiciones, mutaciones o asociaciones de vario orden. Lo suficientemente significativas para explicarse entre sí. Con un derroche de significados que se conciertan en el establecimiento de una nueva realidad formal, sin menester apoyos externos.

Lo que no debe entenderse, ante semejante caudal lingüístico, nuevo, como un mero afán estetizante (como no lo es, distancias salvadas, en el mejor Joyce); antes, como un sugerente y lúdico hacer que, simultáneamente —y el ejemplo del gran irlandés sigue valiendo—, critica aquello mismo que construye. Con lo dicho está que no hay ni asomos de sátira (pues no busca objeto externo que trascender), sino que se ajusta a la realidad como es. Ambicioso sin duda, cual ninguno hoy, entre nosotros, el estilo de M. E. puede recordar los grandes modelos renacentistas antes aludidos.

Suyo es utilizar un lenguaje clásico, al modo de los narradores del Gran Siglo, y de Cervantes en particular; sin que por ello caiga en el *pastiche*. Suyo un ceñidísimo y jugoso frasear, encaminado a poner distancia entre el lector y lo relatado. Consiguiendo, de paso, esa rotundidad no exenta de misterio que da un inconfundible aire de familia a los textos sagrados, los de Oriente y los de Occidente, del Libro de los Muertos o Gilgamesh para acá.

Obra sin pareja fácilmente homologable, uno de esos derroches de creatividad, de fabulación, de pericia y minuciosidad técnica, que ha exigido en su elaboración una docena larga de años de diligente y lúcido trabajo; obra redonda, en fin, de las que marcan época y dejan vacío a un autor (al tiempo que le aseguran señalado lugar en los anales de la narrativa), parecía que con *Escuela de mandarines* podía darse por cerrada la carrera del novelista M. E., quien con la misma obra había hecho memorable entrada de caballo siciliano.

No fue así, por suerte. Seis años apenas, y al cabo de no sé si catorce revisiones o refundiciones, la aparición de *La tríbada falsaria* (Los Libros de la Frontera, Barcelona, 1980) ponía una vez más de manifiesto el inagotable poder fabulador de M. E., la amplitud de sus intereses y recursos, la variedad admirable de sus saberes y el acendrado rigor puesto en la creación literaria. Sin perjuicio de la desengañada, estoica, cosmovisión de quien irónicamente se escoge a sí mismo como blanco predilecto. Y haciendo en él segura diana, una y cien veces.

Obra originalísima, insólita, que quiere ser todo lo contrario de la precedente. No sólo en la extensión —como un tercio de aquella—, y eso sería lo de menos, ni por el mucho más limitado censo de personajes, la escasez de lances, la parvedad de descripciones. Lo que define a esta nueva novela es el abandono de toda representación alegórica, con su intrínseca validez significativa. Como también la ausencia de referentes espaciales (salvo una fugaz alusión a su ciudad); ni casi los hay temporales, ni aun sociales o sociológicos. Los personajes, numerosos, son apenas apoyatura, episódico apoyo conversacional para los tres en torno de los cuales gira la historia (el cuarto, Juana, que se lleva la mitad del libro, figura la autora de un par de docenas de cartas enviadas al protagonista, a la víctima, y viene a ser el *deus ex machina* de la historia).

Historia, trama, vaya de paso, reducida a la mínima expresión: el arrebato *in crescendo* del narrador-protagonista (¿y autor?) cuando la amante la suplanta con una relación lésbica. Y el papel reparador, a cargo de la tal Juana, de aquel perdida, esperanzadamente, enamorada. Todo ello salpicado, salpimentado, con la sarta de consejos y especulaciones, hipótesis, chismes y dicterios que el coro de amigos y conocidos elabora, o profiere, en torno al más o menos sonado caso ciudadano. Personajes corales que, según ya se hizo en *Escuela de mandarines*, aparecen sucintamente descritos, por su nota dominante, en oportuno índice (a veces también con su nombre en la vida real). Incluida, con el propio Miguel Espinosa Gironés, la Azenaia Parzenós, la Dulcinea de los *Mandarines*. JUAN RAMÓN MASOLIVER.

II.1. *El castillo de la carta cifrada* (Anagrama, Barcelona, 1979), de Javier Tomeo, es un texto que comienza por parecer sorprendente para acabar mostrándose como tremendamente lúcido. Un texto que, desde la apariencia de una divertida parábola, de una alegoría llena de ocurrencias, alcanza los extremos de una inteligente reflexión sobre determinadas parcelas de la conducta humana, que se convertirá luego en una verdadera teoría de la escritura. No es ello raro, pues de una carta se trata. Una carta que quiere ser ilegible, indescifrable. La carta no ofrece otra clave para su entendimiento que la imposibilidad de conseguirlo. El conde de X, don Demetrio López del Costillar, no entenderá seguramente el mensaje que debe hacerle llegar Bautista, el criado del marqués, entre otras cosas porque tal vez el conde haya dejado ya de existir. ¿Cavilación sobre la imposibilidad de comunicarse, sobre la soledad irremediable? Tal vez. Pero también, y sobre todo si no tomamos la literatura demasiado en serio —o, si lo hacemos, tratamos de no olvidar que a veces no es verdad—, auténtico placer de narrar, en el que, además, la imaginación no se muestra como factor primero. [...] Aquí tenemos una narración que, ni realista ni imaginativa, al menos de principio, da a la ficción lo que le pertenece y, además, divierte a su lector en grado sumo. Pero [...] esta novela de J. T. es, además, un prodigio de lenguaje. Un lenguaje, por añadidura, nada complejo, hasta dotado en algún momento de un cierto casticismo de la mejor ley.

La trampa de J. T. tal vez radique en el uso de la máscara. Porque ¿quién puede tomarse en serio un relato en el que, a lo largo de un monólogo, un marqués solitario aconseja a su criado —quien nada afirma o niega, pues no habla en toda la novela— que, para llevar a feliz término su misión de entregar una carta ilegible, tenga la previsión de meterse en el bolsillo, por si acaso, dos ranas, se vista de verde y esté dispuesto a recibir sobre sus costillas la cólera del destinatario? Pues bien, en ese aparente disparate subyacen toda una teoría de la escritura y toda una digresión sobre el papel que pueda corresponderle a quien lee. Estamos, no se olvide, sumidos en una gran alegoría, en una representación que sugiere paralelismos más amplios. El aparente desinterés del marqués por su carta —una carta que, a pesar de todo, le gustaría ver llegar a su destino— no es sino el aparente desinterés del propio narrador por su discurso. ¿Qué puede importarle al hacedor de la ficción que el objeto de esta llegue o no a buen término, que se sepa si el conde sigue viviendo en su castillo o se construyó en el lugar que ocupara un bloque de viviendas sociales? Nada, sino la perplejidad de su lector, equiparable sin duda a la del fiel Bautista. El narrador no sabe lo que ha de ocurrir por más que intenta cubrir cualquier eventualidad que pueda presentarse. Sin embargo, no olvida nunca analizar la desazón de su Bautista-lector. Porque el lector, como en la novela más tradicional, tratará también aquí de tomar partido y optará siempre por el mensajero, que no otra cosa sino el trasunto de la inseguridad de quien lee ante el discurso mostrará a todo lo largo de él. Lo ético se disuelve, entonces, en la materia del discurrir narrativo con la plena connivencia de su destinatario. Es el placer de narrar y el placer de aceptar lo narrado como carente de nota alguna no estrictamente convertida en literatura. Puede que el marqués se plantee muy seriamente el problema de estar solo, que le preocupe la actitud del conde de X ante su misiva, que no le importe la suerte de su criado a lo largo del encargo a cumplir, pero dudo que el narrador, desdoblado ya, separado de la identidad con el remitente de la carta, tenga la misma obsesión. Es demasiado listo como para caer en su propia trampa. LUIS SUÑÉN.

2. *Amado monstruo* (Anagrama, Barcelona, 1985) se presenta como un largo diálogo entre un hombre de treinta años, dominado por su madre, y el jefe de personal del banco en el cual el primero aspira a ingresar como guardia jurado. En el transcurso del mismo ambos personajes van cobrando creciente densidad, y en el caso del segundo de ellos, mostrando su verdadero rostro interior, al tiempo que surgen ante el lector las sombras de las madres de ambos —terrible, sobre todo, la del jefe de personal, en su indefinición misteriosa. En el fondo, los dos protagonistas del libro son aspectos de un mismo personaje, el hombre genérico, que, debido a su dependencia inicial de la mujer, ve en esta un principio amenazador contra su libertad, un principio negador de su esencia —lo cual no quita, indudablemente, para que haya mujeres que abusen de esta situación de partida, común para todos: madres y esposas abusivas. Juan, el hombre en busca de empleo, representa al hombre que tiene conciencia de la relación de poder existente entre su madre y él y que aparentemente quiere romperla. El jefe de personal, el hombre que ha interiorizado esa relación hasta el punto de que no la ve o, si la ve, la considera benéfica. Ahora bien, como ambos pueden ser vistos como una sola y misma persona, la novela debe ser tenida por un intento de sacar a luz la naturaleza global de esa relación de poder: el hombre, parece decirnos J. T., rechaza y busca simultáneamente el sometimiento a la mujer, por cuanto esta se le presenta como un refugio frente al mundo y como una negación de su destino viril, pudiendo llegar del rechazo hasta el crimen, simbólico o no, y adoptando la aceptación, por lo común, el estatus ambiguo de la simbiosis. LEOPOLDO AZANCOT.

3. La miopía es un signo emblemático del mundo literario de J. T. Aparece en la mayoría de sus obras como fundamento de visiones absurdas o grotescas propiciadas por perspectivas extrañas y deformadas, también como símbolo de la esencial limitación humana, y permanece como motivo generador de las situaciones y conflictos centrales de *El mayordomo miope* (Planeta, Barcelona, 1989), *Problemas oculares* (Planeta, Barcelona, 1990) y *El discutido testamento de Gastón de Puyparlier* (Planeta, Barcelona, 1990).

Problemas oculares está compuesta por diecisiete relatos en los que pulula una fauna de miopes de variado cuño, además de algún que otro bizco, sordo o enano. La condición humana en desacuerdo consigo misma es representada por cegatos maniáticos, impostores, suicidas, poetas, astrónomos, mirones, conductores, hijos pródigos, vejestorios de todo tipo y —no podían faltar— mayordomos. El conjunto es una mesa de trucos imaginados a partir de situaciones cotidianas entrevistas en escorzo y adoptadas como soporte para una reflexión indirecta sobre la soledad, el desamparo, la impotencia y la humillación del hombre en el difícil enfrentamiento con su destino. [...]

La miopía es también el motivo generador de la intriga en *El discutido testamento de Gastón de Puyparlier*. Esta novela corta, sustentada en elementos mínimos, constituye una posible salida del autor en su búsqueda de otros materiales novelescos. Aquí se ha internado en el campo de la criminología, si bien no hay crimen ni asesino: Gastón de Puyparlier falleció en 1874 a la edad de setenta y cuatro años. En testamento dictado la noche anterior a su notario instituye heredera universal de su fortuna a una mujer mucho más joven con la cual él había mantenido relaciones amorosas en los últimos años de su vida. Ella murió a los dos meses y la herencia pasó a su hermana. Y antes de cumplirse un año de la muerte de su tío, un sobrino calavera de Puyparlier impugna la validez del testamento apoyándose en supuestas deficiencias oculares que han podido incapacitar al anciano testador para comprobar la fidelidad de lo escrito por el notario, quien se olvidó de consignar tal circunstancia. [...]

El texto está organizado en tres partes precedidas de una introducción y seguidas de un epílogo. En la introducción se resumen los datos que originan el pleito. Los dos primeros bloques recogen declaraciones de los testigos presentados por las partes demandante y demandada, con varios resúmenes y comentarios realizados por el narrador omnisciente. A estos dos bloques de pruebas testificales sigue un tercero con pruebas documentales aportadas también por ambas partes en litigio: son cartas de los personajes difuntos implicados en el juicio que, con interpolaciones de comentarios del narrador, contribuyen a complicar aún más el esclarecimiento de la supuesta miopía del discutido testador. [...]

La hábil estructuración de la intriga es resultado de un ingenioso *tour de force* encaminado a sacar punta a cualquier minucia. Pero bajo esta aparente frivolidad se descubre una voluntad profunda que busca la inmersión del lector, a quien en el discurso se hacen frecuentes apelaciones directas que pretenden situarlo en el puesto de jurado confundido con testimonios y pruebas de uno y otro signo. La gravedad se revela en la propuesta de meditación acerca de las dificultades para llegar al conocimiento de la verdad, siempre escurridiza, y en la explícita invitación a «reflexionar sobre nuestras propias miopías e impotencias». ÁNGEL BASANTA.

III. [En la obra novelística de Raúl Ruiz destaca de un modo notorio la firme voluntad del autor de convertirlo todo en literatura,] desde la historia hasta los sueños, desde la vida hasta la imaginación. O acaso fuera más exacto decir que para él la literatura es una experiencia total y que por ello puede recogerlo todo, desde ella misma hasta las cosas del día. Esa noción germinal de la literatura, convertida en principio rector de una novela, lleva a lo que se puede llamar un «cajón de sastre». Y no lo digo con sentido peyorativo sino que invoco con toda intención la barojiana definición porque el propio R. R. recoge en su *Sixto VI* (Hiperión, Madrid, 1981) un diálogo de *La leyenda de Juan de Alzate* en el que uno de los personajes replica al protagonista que «Novela o historia, a la larga yo creo que todo es novela». En otra ocasión —en *El tirano de Taormina* (Hiperión, Madrid, 1980)—, R. R. convoca la autoridad de Borges para afirmar que «Ya no nos quedan más que citas». Ambas menciones sirven de punto de referencia para la labor de nuestro narrador. En efecto, las novelas de R. R. son un desfile imparable de asuntos que conciernen a todo lo que el hombre ha hecho en su existir concebido como una unidad desgajable en piezas que pueden, luego, recomponerse a la manera de un puzzle. Por ello, en sus relatos las dos grandes coordenadas del vivir —y de la propia ficción—, la espacial y la temporal, se subvierten y se entremezclan. Personajes de cualquier tiempo conviven cómodamente, sin sobresaltos de ninguna clase, y podemos encontrar en el mismo relato tipos —reales o inventados— del mundo pagano o de cualquier época de la cristiandad; podemos conocer a un personaje de la Revolución francesa al lado del poeta Francisco de Aldana; podemos, en fin, encontrar junto a grandes protagonistas de la histo-

ria a creaciones de la mitología. Igual pasa con el espacio: es factible ir de aquí para allá sin que la dispersión de lugares sea obstáculo para la verosimilitud del relato. A ello apunta con claridad el
subtítulo de *Sixto VI*, su segunda novela, *Relación inverosímil de
un papado infinito*. Tal disposición imaginativa exige, por supuesto, un lector mínimamente cualificado, pues aunque R. R. no lo
diga de manera expresa su escritura se basa en la conciencia de que
ya es imposible —acaso lo haya sido siempre— hacer una literatura
inocente, desconocedora de largos siglos de tradición libresca. La
historia de la cultura es como un *continuum* y cualquier adanismo
está condenando al fracaso al artista.

Toda la materia narrada por R. R. se halla filtrada por las
lentes —a veces valleinclanescas— de la cultura. Sin embargo, sus
novelas no se recluyen en el campo de lo cultural sino que entran en
el de la vida. El apócrifo Sixto VI da pie a muy variadas opiniones
que no sólo conciernen a aspectos externos de la vida de la Iglesia
católica —provocadora además de una fina captación de un mundo
de esplendores sensoriales—, sino que desembocan en una especie de
juicio moral sobre el poder y sus alrededores. Schiavón, el pintoresco
tirano de Taormina, permite, por medio de su muy gustosa charla,
pasar revista a muchos temas del pasado y del presente que siempre
cuentan con un signo de actualidad. El trashumante Montferrat es
el pretexto para traer hasta nuestros ojos mil y una cuestiones que
si no son del día sí que afectan a nuestra problemática contemporánea. [...] De este modo, encerrando vida y cultura en unas creaciones unitarias, tiende R. R. hacia esa novela total. Santos Sanz
Villanueva.

IV.1. *Bélver Yin* (Bruguera, Barcelona, 1981) es la historia de
dos hermanos gemelos y sietemesinos —hombre y mujer— llamados
significativamente Bélver Yin y Nitya Yang, en una China vagamente idealizada, refinada, cosmopolita, cruel y modernista, «algunos
años antes de que el letrado Zedong ocupase el trono del Reino del
Medio». Podría ser una *chinoiserie* modernista de los tiempos
de Rémy de Gourmont o Mirabeau, aunque pasada por el marqués
de Sade y Georges Bataille. Es una historia privada de amor y de
guerra, repleta de espías, sociedades secretas, crímenes clandestinos,
oscuras venganzas y laberintos sexuales, que incluye apólogos y
canciones en su interior, y que lenta e impasiblemente va desgranan-

do ante los ojos del sorprendido lector, divertido primero, rechazado después y finalmente fascinado, toda una simbología cruel e implacable, una especie de visión del mundo poética, cruel y exacta como un mecanismo de relojería. Se trata de un artificio, de un delicado mecanismo deliberadamente puesto en pie con sabiduría y pudor expresivos —conciliados con una rara intensidad sexual—, llevado a cabo con un extraordinario sentido del lenguaje que se ciñe al relato con una imperceptible elegancia natural, aunando tradición y modernidad al mismo tiempo, lento y vertiginoso a la vez. Es un cuento chino, desde luego, el colmo del artificio y de la trampa, y no solamente por su argumento y tema, sino por la propia concepción de la literatura que respira.

Yin y Yang están destinados a unirse al final, desde luego, en un ritual incestuoso, sangriento y criminal, pero con tanta pureza expresado que más parece el rodar de los astros que la combinación de humanas pasiones. Antes, el hombre habrá sido mujer y viceversa, el hijo hará que su padre se suicide y será a su vez ajusticiado por los aliados de una madre que no se decide a destruirlo, los protagonistas habrán pasado por la esclavitud y el poder, como en una doble novela de iniciación de dos personajes que en realidad deberán ser uno.[1]

1. [«*Bélver Yin* es novela de estructura clásica, con escenas o capítulos de títulos orientadores como en la novela de tradición realista, con una equilibrada división en tres aspectos esenciales para el desarrollo narrativo: la secta china del Nenúfar Blanco, en la que se aglutinan los enemigos de la dominación extranjera; la secta de las Vratyas, con las Dakinis o prostitutas sagradas; y la Sarao Corporation, compañía dominada por europeos que controlan el tráfico de opiáceos y que dirigen sus pistolas contra la secta del Nenúfar y otras sociedades taoístas. Más allá de esta necesaria información asoma otra más sutil: los miembros de la Sarao Corporation están "imbuidos por la creencia de que el reino de este mundo es el de las ruletas, que giran como el fatídico tambor de un revólver, y que son también imagen de la rueda eterna de Buda y del río que no cesa de Lao Tsé y Heráclito". Al mismo tiempo, el libro empieza y acaba con "La balada de Dragon Lady" de Durga que será Nitya: el ciclo se ha cerrado, se cumple el regreso al origen, a la mujer y a la madre. Pero los personajes-actores abrirán un nuevo ciclo, una nueva representación que nos lleve otra vez a la búsqueda del modelo: presenciamos así el movimiento infinito del río que no cesa y un instante "realizado" de este movimiento, la historia de la humanidad y la historia de unos personajes concretos.

»La novela deja de ser así una simple novela tradicional para ofrecerse como una fragmentación, del mismo modo que en Platón el ideal se presenta fragmentado en conciencias individuales. Igualmente, si para Platón el saber no es otra cosa que recuerdo, para las Dakinis su oficio es "amar y recordar". El platonismo, especial-

Toda novela es un cuento chino, ya se sabe; en realidad toda la literatura lo es. Pero en esos cuentos nos reconocemos. J. F. ha encontrado un truco elemental y sutil a un tiempo para evadirse de la acusación de artificio: extremarlo hasta la exasperación, escribir literalmente un cuento chino de verdad, crispar lo artificial y cargarlo a la vez de simbología, y todo ello ayudado por un estilo prístino, transparente y falsamente pudoroso. El resultado es una orgía literaria, claro está, en la que se funden el placer textual y el sensible, la filosofía y el sexo, en un parsimonioso y diabólico rito. RAFAEL CONTE.

2. *Lady Pepa* (Plaza y Janés, Barcelona, 1988) es la tercera novela de J. F., quien ha abandonado sus anteriores espacios exóticos —aunque el mundo griego y oriental sigue apareciendo en múltiples referencias y alusiones— para acercarse a lugares de la realidad presente. Aun sin ser mejor novela que las anteriores, constituye un paso adelante —no era fácil salir del mundo oriental de *Bélver Yin* y de *Opium* (Plaza y Janés, Barcelona, 1986)— y una apuesta de futuro en la trayectoria narrativa del autor. *Lady Pepa* mantiene el hábito de destacar en el título el nombre de uno de los agentes del protagonismo dual, como ya sucedía en las otras novelas. Su diseño externo presenta una organización en veinticinco capítulos sin numeración ni epígrafes, lo cual refuerza el acercamiento de las dos historias

mente el de *El banquete*, se filtra hasta en lo aparentemente más nimio (y en pocas novelas españolas hay menos concesiones a lo nimio): y así, el amor como apetito sexual y como veneración (el mito de los dos corceles) se da en todos los personajes que buscan el regreso a la unidad en Nitya, la Hembra Misteriosa. El protagonista femenino y absoluto de la novela es Nitya Yang, Yang porque representa "el fundamento masculino del cielo"; el protagonista masculino es su hermano gemelo Bélver Yin, Yin "porque es el principio femenino del Tao". La novela es (incluso formalmente) una expresión del antagonismo entre ambos principios y la búsqueda de la unidad, del origen, del modelo. Toda la dinámica de *Bélver Yin* gira, pues, en torno a esta duplicidad y multiplicidad que busca su unidad: "el río del tacto; el recorrido iniciático; lo correlativo de los gestos como en un espejo; el origen del verbo; la persona única y total". La imagen del espejo aparece continuamente, como expresión de esta búsqueda entre lo múltiple y fragmentado: "que el destino te libre / de hallarte un día perdido / en la Avenida de los Espejos", dice la balada. Los personajes se pierden en "dédalos de vidrio" y, con excepción de Nitya y Yin, son incapaces de llegar al otro lado del espejo. Lo mismo ocurre con la mirada: Nitya es la única vidente, capaz de atravesar las apariencias, y si para Yin sus ojos "iluminan la ciudad de la memoria", del origen, para el resto de los personajes son refractarios, remotos y enigmáticos. Los demás personajes pueden ver pero no penetrar o poseer.» J. A. Masoliver Ródenas, reseña en *La Vanguardia* (10 de diciembre de 1981).]

narradas en principio como independientes, sin más relación que la establecida por el personaje protagonista del relato primero y autor segundo,
hasta que ambas anécdotas se van revelando como variantes de la misma
historia en dos espacios y en dos tiempos distintos. En este sentido *Lady
Pepa*, construida sobre el recurso de la novela en la novela, es un compendio de vida y literatura, de realidad y ficción, a la vez que una lección de
cómo se hace —o no se hace— una novela, cómo se crea un mundo ficticio a partir de la realidad y cómo esta puede recibir la influencia de aquel.
ÁNGEL BASANTA.

J. C. MENA Y OTROS

LA TRAYECTORIA DE JAVIER MARÍAS

I. Tal vez el rasgo que mejor define *Los dominios del lobo*
(Edhasa, Barcelona, 1971) es el uso que en ella hace Javier Marías
de numerosos referentes que proceden de los *mass media*. En esta
primera novela J. M. reelabora desde una conciencia irónica una
serie de elementos que pueden adscribirse a géneros fácilmente reconocibles: la novela y el cine negro norteamericanos, el melodrama de Hollywood, la saga clásica, etc.; pero esa primera operación
está al servicio de otra: la construcción de un *pastiche* cuyo referente no es la inmediata realidad española sino, como ocurre en otras
novelas de la época que comparten con esta una común estética *pop*
—pienso en algunas novelas de Gonzalo Suárez, como *De cuerpo
presente* (1963), o en *Yo maté a Kennedy* (1971), de Vázquez Montalbán—, una Norteamérica tamizada por el filtro de la literatura y
el cine de masas, pero también de la prensa, el cómic o la televisión.
J. M. recrea así la geografía física y humana de una Norteamérica
que no quiere ser sino un reflejo, exacto y por ello mismo despiada-

I. J. C. Mena, *La obra literaria de Gonzalo Suárez*, Sirmio, Barcelona (en
prensa).

II. J. H. Abbot, reseña en *ABC* (9 de junio de 1983).

III. J. A. Masoliver Ródenas, «*Todas las almas*, de Javier Marías: historia de
una perturbación», *Ínsula*, 517 (enero de 1990), pp. 21-22.

damente irónico, no ya de la Norteamérica real, sino de la imagen que los *mass media* ofrecen de ella. Es en este sentido en el que cabe hablar de *Los dominios del lobo* como de una novela *pop*.

Estrechamente emparentado con el anterior y quizá más notorio que aquel, un segundo rasgo define la naturaleza de *Los dominios del lobo*: su fecundidad episódica. Con apenas veinte años a sus espaldas, J. M. muestra una admirable capacidad inventiva y una notable habilidad para, armado de una prosa extremadamente funcional, tejer una trama laberíntica y exacta. Al igual que ocurre en las novelas y films que adopta como patrón, en *Los dominios del lobo* la acción se desarrolla a un ritmo vertiginoso. Parte del aparatoso derrumbe de la familia Taeger, en el Pittsburg de 1922, cuando en una de las fiestas ofrecidas por el padre, Davison Taeger —un importante arquitecto de la ciudad—, muere la tía Mansfield. A partir de ese momento aciago la historia de la familia es una sucesión de escándalos que la arrastran a la disolución: Arthur, el menor de los cuatro hermanos, se va a Los Ángeles; Milton, el mayor, estafa a un joven tan necio como ingenuo; Elanie se suicida; Grace, que se ha entregado a la bebida y a los hombres, huye de la ciudad con un amante ocasional, como también lo hace Edward, acompañado por una camarera; el abuelo asesina a una pastelera por mero afán lúdico... Todos estos hechos, que apenas ocurren en el primer capítulo, son sólo las primeras gotas de la catarata de episodios que sumergirá la novela (al hilo de la azarosa vida de los Taeger, pero también de la de otros personajes no menos dudosos) en un melodramático y exagerado universo de venganzas y asesinatos, de tretas minuciosamente maquiavélicas, de imposibles amores y robos audaces, de gángsters implacables en el Chicago de los años treinta y libertadores de esclavos en la guerra de Secesión, de presidiarios que guardan secretos de tesoros enterrados, de mujeres fatales y matones a sueldo, de detectives privados que indefectiblemente propenden a ser Sam Spade.

Vale la pena subrayar, sin embargo, que la verdadera novedad que en su momento aportaba *Los dominios del lobo* no procede de la fecunda inventiva de su autor, sino de que en ella J. M. —como Suárez o Vázquez Montalbán en las obras que he mencionado antes— no pretende enmascarar la naturaleza cultural o ficticia de los referentes a partir de los cuales construye su obra —y mucho menos fingir que esa Norteamérica de celuloide y kiosco tiene alguna relación con la Norteamérica real—; J. M. pretende justamente lo contrario: acercarse al máximo a esos referentes para que resulten reconocibles. De esa extrema fidelidad a los modelos que inicialmente adopta nace la corriente de complicidad que la obra establece con el lector; también, la profunda ironía que la recorre. Por eso es posible afirmar que en *Los dominios del lobo* J. M. busca menos la sorpresa de la novedad que la confirmación de una expectativa. Por lo demás, nada puede extrañar que una ficción escrita a partir de otras ficciones, deliberada y reconociblemente amasada con materiales procedentes del cine y la novela de masas, declare a menudo y de modos diversos su propia naturaleza de simulacro, como lo hace el narrador con las palabras que la cierran: «Mientras Herb Rowe hablaba, hubo un movimiento de cámara hacia una ventana y se vieron los rascacielos» (p. 235). No es aventurado afirmar que, por el uso peculiar que en ella se hace de referentes que proceden de los *mass media*, *Los dominios del lobo* es esencialmente una novela *pop*; tal vez tampoco lo sea suponer que es también otra cosa: una suerte de declaración de principios en la que J. M. argumentaba por vez primera su concepción de la novela como artificio, como mera ficción urdida con palabras. Tampoco es ajena a esta idea, si no me equivoco, la segunda novela de J. M.: *Travesía del horizonte*.[1] J. C. Mena.

1. [«Lo que singulariza a *Travesía del horizonte* (La Gaya Ciencia, Barcelona, 1972) es, por una parte, el voluntario anacronismo y extranjería de su estilo y sus temas; y, por otra, su diafanidad. [...] Dos modelos, a lo que entiendo, ha tenido principalmente presentes nuestro autor: Conrad y Henry James. (Más marginalmente, quizás otro de la misma época, que ya mencionaré.) Como *Los papeles de Aspern*, *Travesía del horizonte* tiene por tema o eje central el manuscrito póstumo de un escritor; como *La lección del maestro* y muchos otros relatos de James, se encamina al descubrimiento de un misterio que terminará por revelarse inexistente, trivial o principalmente alegórico. A esta línea central vienen a superponerse dos motivos tangenciales: la historia del capitán Kerrigan, que es un *collage* conradiano a medio camino éntre la parodia y el homenaje, y el pintoresco relato del secuestro escocés del pianista, que evoca de modo irresistible los episodios absurdos o inexplicables que sirven de punto de partida a las mejores narraciones policiales de Conan Doyle.

»Deliciosamente convencional y decimonónico, el estilo de *Travesía del horizonte* sirve con notoria habilidad a sus propósitos. Sin duda, la proporción de *pastiche* es muy grande; pero sería erróneo juzgar a J. M. utilizando como referencia lo que no haya entrado en su intención. No se pretende, en *Travesía del horizonte*, que creamos en la verosimilitud psicológica, social o moral del relato; la adhesión al estilo del novelista que se nos pide no concierne, pues, sino a la fidelidad con que se haya incorporado al tono propio de J. M. la manera de los modelos que le han guiado. Conrad, James o Conan Doyle se convierten, en cierto modo, en subgéneros; no es que J. M. haya utilizado hallazgos o procedimientos de estos autores, sino que, erigiendo en género aparte la novela conradiana, la novela jamesiana y el relato

II. Con una estructura perfectamente equilibrada, en la cual el punto de vista oscila entre la narración en primera persona en los capítulos impares y en tercera persona omnisciente en los pares, J. M., más que ofrecer soluciones concretas al problema del destino del protagonista, Casaldáliga, plantea en *El siglo* (Seix-Barral, Barcelona, 1983) ciertos interrogantes al mismo tiempo a un nivel abstracto y concreto, porque cada lector se enfrenta con un destino personal, y la novela le provoca que piense abstracta y concretamente. Sus nueve capítulos forman una simetría perfecta, aparentando cerrar en el último capítulo un círculo abierto en el primero, el cual empieza con las meditaciones y reflexiones del protagonista que contempla las permanentes aguas cambiantes de su lago. En la primera página dice: «Suena música en mi casa durante todo el día» y «pues ya agonizo»; en el último capítulo dice: «la música de mi casa ha cesado durante los últimos días» y «es posible que me finja muerto por espacio de varios días. Mientras tanto pensaré en viajar, y así entretendré la espera». En vez de seguir una cronología rígida desarrollando la vida del protagonista, el novelista opta por desarrollar su esencia.

El padre de Casaldáliga le aconseja, siendo este niño, que se labre su propio destino, inimitable, que sea único e irrepetible, lo que llega a constituir la meta de su vida. Cuando se muere el padre, Casaldáliga se entera de que su percepción de la realidad era un fraude —su padre, en vez de ser director de la banca de la familia, había cesado en su trabajo hacía tiempo por no estar en condiciones mentales de regir el negocio; su madre, que él creía muerta, había abandonado al marido y al hijo; su padre, en vez de leer todas las noches, escuchaba música que le recordaba a su mujer. Casaldáliga es heredero del negocio y es capaz de llevarlo por los mejores caminos; sin embargo, no es esta la fase esencial de su vida, no es su destino. Hombre débil e incapaz de elegir, se deja llevar por cosas externas y casuales, personificadas a veces en Donato Dato, o Dado, nombre significativo, quien le sugiere y le induce al matrimonio con Constanza Bacio.

---

de Conan Doyle —voluntariamente reducidos a su discurso externo, esto es, vaciados de su significación moral, en los dos primeros casos, o del resorte de la intriga, en el último— los ha abordado con el mismo espíritu con el que antaño un poeta incipiente podía escribir imitaciones de Propercio o de Petrarca. En los mejores casos —y, entre todos, el Proust de los *pastiches* es el ejemplo excelso,— ello fue preludio, a veces muy dilatado, a la cristalización del universo novelesco y el repertorio estilístico propios de cada autor.» Pere Gimferrer, «*Travesía del horizonte*, de Javier Marías», *Destino*, n.° 1.847 (24 de febrero de 1973), pp. 33 y 35.]

Según Dato/Dado, Constanza se ha de morir dentro de poco tiempo, pero su pronóstico es falso y ella no se muere. Constanza, quien toca al piano música del mismo compositor, Schönberg, que escuchaba el padre de Casaldáliga, lo lleva al exilio en Lisboa durante los años de la guerra. Casaldáliga, por más que lo intenta, no encuentra en Lisboa el destino que buscaba, sintiéndose obligado a volver a su país, pero no es capaz de tomar una decisión concreta, ni sabe a qué bando ofrecerse en caso de volver. Busca un mando que no hay; busca fuera cuando debía buscar dentro. De vuelta a su país después de la guerra, tampoco sabe qué hacer. Constanza lo abandona como su madre había abandonado a su padre, y al final de su matrimonio, como al principio, vuelve a aparecer, por casualidad, Donato Dato/Dado, quien le convence para ser delator al servicio de la policía, destino que tampoco parece ser suyo. No obstante, desempeña su papel con éxito y sigue su trabajo con un destino creado por otros. Su vida repite aspectos de la de su padre y cree, en cierto momento, que su destino es ser condenado a repetir el de su padre. [...] Aunque no todo se realiza según lo imaginaba Casaldáliga, hay una repetición de algunos aspectos fundamentales en las vidas de padre e hijo: los dos buscan un destino irrepetible que no encuentran, los dos son abandonados por su mujer. Casaldáliga al final parece no estar tampoco en buenas condiciones mentales, y muere o finge morir en un sillón como se había muerto su padre. La vida y el destino del protagonista plantean ciertas preguntas: ¿Es malo Casaldáliga por ser débil e indeciso? ¿Se deja llevar por el enigmático y circunstancial Dato/Dado por elección o por debilidad? ¿Hay elección posible? Al no elegir, ¿ya elige? ¿Su destino es lo que encuentra al azar o es un fraude todo? ¿Cuál es la verdadera imagen de Casaldáliga, la que tiene de sí mismo o la contradictoria que ofrece al lector?

El tema del azar, o la casualidad, que J. M. incorpora en *Los dominios del lobo* de una manera fantástica, aparece en *El siglo* desde otra perspectiva, esta vez más seria, más analítica. Además del destino, tema central en la vida del protagonista, J. M. aborda los temas de la muerte, la guerra, el amor y los amigos traidores, todos unificados por centrarse en Casaldáliga. La música, que suena desde el principio de la novela hasta el último capítulo, es como un telón de fondo y al mismo tiempo es una parte íntegra de la novela, ya que subraya ciertos momentos culminantes en la vida del protagonista. J. M. escribe en un español puro con el estilo y un ritmo pausado en todos los capítulos, sean los del narrador en primera persona o los del novelista en tercera. Las oraciones, a veces largas, y parcas en diálogo, comunican el sentido del tiempo, del siglo, que a su vez viene a ser no sólo el siglo en que vive

Casaldáliga, en que vivimos nosotros, sino *El siglo*, el mundo, la vida. J. H. ABBOT.

III. «Dos de los tres han muerto desde que me fui de Oxford»: así empiezan el primer capítulo y el último de *Todas las almas* (Anagrama, Barcelona, 1989) de J. M., como si en ellos se quisiera encerrar e inmovilizar una experiencia en el pasado del narrador (sus dos años como profesor de literatura en la Universidad de Oxford) y reflejar asimismo el aletargamiento de «la ciudad estática y conservada en almíbar». A este pasado aparentemente inmóvil y al pasado aparentemente inmóvil de la muerte hay que añadir el tiempo vacío de los que no dejarán ninguna huella, con rutinas y vidas solamente imaginadas, «como las de los que escriben», y en las que el narrador ve las almas muertas de la ciudad de Oxford, y el presente eterno simbolizado por Will, el anciano portero de la Tayloriana, un ser que carece absolutamente de visión de futuro, viajero del tiempo por el que se desplaza continuamente adelante y atrás, y para quien todas las almas están vivas. Estos dos presentes son, por así decirlo, las hojas (los capítulos I y XVII) de la puerta que trata de impedir el paso del flujo temporal.

El encargado de abrir estas puertas al tiempo es el narrador, quien, plenamente inmerso en la temporalidad, vive el pasado, el presente y el futuro como una experiencia y como una indagación, y no sólo es consciente de que «el que aquí cuenta lo que vio y le ocurrió no es aquel que lo vio y al que le ocurrió», sino que incluso antes de regresar a Madrid estaba pensando más «en lo que me aguardaba (en el futuro, en lo diáfano y en lo plano), que en lo que dejaba (en lo pasado y en lo brumoso, en lo rugoso y quebrado)». La diferencia entre él y los personajes que ha dejado atrás está, desde luego, en que él «no iba a seguir en Oxford y no llegaría a ser nunca una de sus verdaderas almas», pero sobre todo en que «ellos no fantasean, y yo en cambio sigo fantaseando con lo que ha de venir».

Desgajado del tiempo, el narrador vive, en Oxford, la historia de una perturbación, pues allí no hay ninguna persona que le haya conocido en su juventud o en su infancia: «eso es lo que me resulta perturbador, dejar de estar en el mundo y no haber estado antes en *este mundo*. Que no haya ningún testigo de mi continuidad». De ahí nace precisamente la necesidad de narrar: «por eso estoy haciendo ahora este esfuerzo de memoria y este esfuerzo de escritura, porque de otro modo sé que acabaría borrándolo todo»; una narración que sólo se hace posible al adquirir plena conciencia de su condición perturbada, que le llega ante la inesperada aparición de su infancia en la mirada de Clare Bayes. Si en este origen de la conciencia de la perturbación, al que asistimos en la escena de la *high table* de los capítulos VI y VII, se encuentra la génesis de la novela, en la naturaleza de la perturbación, revelada en las escenas del museo y del restaurante del capítulo XIV, encontramos el desarrollo y el carácter de la novela: hastiado de pensar perturbadamente, el narrador siente la necesidad de «descansar de mi pensamiento que unifica y asocia y establece demasiados vínculos».

Oxford es, pues, un lugar inmóvil que se pone en marcha el día en que el narrador pisa su suelo por primera vez, «sólo que yo no lo he sabido hasta esta noche de perturbación». La ciudad resucita y ahora podemos escuchar su ritmo narrativo de sístole y diástole, contemplar sus espacios amenos y luminosos y los oscuros y cargados de significados simbólicos. Más concretamente: la escena de la *high table* es una escena divertida, parodia de un rito, y caricatura de un *warden* fácilmente identificable para cualquiera que esté familiarizado con Oxford: guiño o falso guiño para compartir con un grupo de iniciados, un tipo de complicidad frecuente en los «narradores puros». Como relato independiente, esta escena y otras muchas escenas de la novela es anecdótica, brillante y divertida, con esta facilidad y felicidad narrativas que identificamos con el mejor J. M. y que es atributo de muy contados escritores. En este nivel de normalidad, el observador sólo podría encontrar un cuerpo atractivo, «un escote de excelente gusto» en el que se han extraviado los ojos del *warden* y una mirada neutra. Sin embargo, gracias a su perturbación, él la mira abiertamente «y, sin conocerla, la vi como alguien que pertenecía ya a mi pasado» y descubre que «por aquellos ojos oscuros y azules atravesaba ese río brillante y claro en la noche, el río Yamuna o Jumna que atraviesa Delhi»; al mismo tiempo, se da cuenta de que Clare Bayes le miraba «como si conociera mi infancia en Madrid y hubiera asistido a mis juegos con mis hermanos y a mis miedos nocturnos».

Se desencadena así una serie de asociaciones centradas en las relaciones consanguíneas y las no sanguíneas y en los ríos «oscuros y azules» como los ojos de Clare y de otros personajes, o como el fluir narrativo de la propia novela. Estos ojos que vienen desde el pasado, desde la infancia, se miran, en consecuencia, como hermanos. Cromer-Blake, «mi vínculo más fuerte con esta ciudad», representa en cambio la figura paterna y la materna, esta figura «que siempre debe haber para todos en todo tiempo y en todo lugar». Y ante su propio hijo siente que quisiera «retornar a la situación de *ser sin hijos*, de ser un hombre sin prolongación, de poder encarnar siempre y sin mezclas la figura filial o fraterna, las verdaderas», las únicas en las que estamos instalados naturalmente desde el principio.

Pero la relación o, mejor dicho, identificación más dramática y la que más afecta al lado oscuro y simbólico de *Todas las almas* es la que el narrador descubre entre Clare, su padre y su hijo Eric, un parecido asombroso, espantoso. Al mirar al niño ve «el mismo rostro por tercera vez, idéntico», y en sus ojos oscuros y azules como los de la madre ve «la sensación de descenso que todos los hombres sienten más pronto y más tarde». Y fue en estos ojos azules y oscuros donde vio, la primera vez que los vio, «las aguas azules de ese río brillante y claro en la noche, el río Yamuna»: lo que nos remite, en el pasado, a otro trío y al origen absoluto del valor simbólico (tiempos y espacios que se encuentran, presagio que se cumple), los ríos que fluyen por las páginas de la novela: las tres personas que ven matarse a la persona que aman, Clare, su padre y el amante de la madre, Terry Armstrong, son testigos de cómo Clare Newton «cae con su sensación de descenso» en las aguas del río Yamuna. J. A. MASOLIVER RÓDENAS.

JOSÉ LUIS L. ARANGUREN Y OTROS

EL MUNDO DE ÁLVARO POMBO

I. No puede caber ninguna duda de que Álvaro Pombo es novelístico re-creador de un mundo novelesco muy propio, muy a la búsqueda del pasado personal y familiar, del tiempo vivido y, por «censurado», no vivido enteramente y que necesita «liberar». Es el mundo que, fragmentariamente, asomaba en los *Relatos sobre la falta de sustancia* (La Gaya Ciencia, Barcelona, 1977), que estaba ya ahí en *El parecido* (La Gaya Ciencia, Barcelona, 1979), mundo al que se le sigue dando vueltas en otras novelas y que alcanza una real plenitud en esta que ahora comentamos: *El héroe de las*

I. José Luis L. Aranguren, «El mundo novelesco y el mundo novelístico de Álvaro Pombo», *Los Cuadernos del Norte*, V, 24 (marzo-abril de 1984), pp. 44-45.

II. Javier Alfaya, «Notas para una lectura de Álvaro Pombo», *Los Cuadernos del Norte*, V, 24 (marzo-abril de 1984), pp. 51-55 (54-55).

III. Santos Sanz Villanueva, reseña en *Diario 16* (22 de noviembre de 1990).

mansardas de Mansard (Anagrama, Barcelona, 1983). Es un mundo, una ciudad del norte (pongamos Santander), en cuyo lugar central se sitúan un señorito de la alta burguesía joven o, como ahora, niño aún, pero «niño reviejo», que está dejando la niñez atrás, y un sirviente entre «doble» suyo, o, como aquí, que no llega, por falta de disponibilidad de su propio presente, enredado en el pasado, a ser lo que el protagonista espera, «inventa», de él. Y en torno a este protagonismo, frustradamente dual, otros criados y criadas, los señores, los tíos, tías y demás parientes. (Los señores, demasiado emparentados todos entre sí y, en la presente novela, un hombre y una mujer, vástagos de anterior servidumbre de la casa, demasiado casualmente hermanados también.) Mundo, pues, de *Arriba y abajo*, pero en estrecha comunicación: el mundo de «abajo» reproduce en continuidad al de «arriba», aunque más, es verdad, en los detalles —«los criados se fijan en los detalles»— que en la sustancia, de la que ellos mismos, meros «dobles» que son, carecen. [...] Lo que Á. P. está narrándonos podría ser una praxis novelística, con el acento puesto en lo erótico, de la vida ociosa de señoritos y criados, estos, como corresponde a su función, fieles seguidores-imitadores de aquellos, aun cuando siempre, repitámoslo, perdiéndose en los «detalles».

La presente novela, como *El parecido*, lo es de doble protagonismo, el del señorito y el del criado, protagonismo, allí —al haber desaparecido aquel desde antes de comenzar el relato—, sucesivo, y aquí, frustradamente simultáneo, por insuficiencia del «doble», el cual lúcidamente advierte —y repite una y otra vez— que «le he desilusionado», que no ha estado a la altura del sueño del amito. Pues, en efecto, la novela es, en gran parte, la historia de la desilusión del niño ante el criado Julián. ¿Por qué? Julián no fue capaz de comprender, en la psicología de Kus-Kús (confieso que me resisto a llamarle así, encuentro ese nombre innecesariamente varado en el tiempo pasado), el *tertium quid* entre realidad y juego, dentro del cual él pretendía vivir. (En cambio, la poética ternura, muy en el modo de Graham Greene, por el niño, sólo es comparable a la poética ternura del autor por *todos* sus personajes.)

Se trata, pues, en una primera —y quizá segunda— aproximación, de una novela psicológica en la línea angloamericana desde Henry James a Iris Murdoch. Psicología de niño que está dejando de serlo, pero mucho más en el plano de sus luciferinas definiciones verbales, que superponen lo visto y oído a lo vivido, que en el de una auténtica pubertad, que queda lejos todavía, pese a esas apariencias puramente verbales. (Por lo que se refiere al niño y a su «maestra», la tía Eugenia, la novela no tiene nada de propiamente introspectiva, sino que ambos personajes se conocen a sí mismos y se nos dan a conocer a nosotros pura y simplemente por sus acciones y palabras, rasgo este de modernidad técnica.) Esta escisión entre el *puer* y el *puber*, que es Kus-Kús, hace que las consuetudinarias calificaciones morales —«falso», «cruel», «chantajista» y «denunciador», «peor que todos nosotros» e, igualmente, por el otro lado, «héroe», «leal», «la única criatura inocente del relato»— sean improcedentes por simplificadoras. Sólo por descomprometida deshominización valen las de «elfo maligno y poderoso», «gnomo en esmalte, saltado de una porcelana» o, en buen juego de palabras del conceptista que, de vez en cuando, es Á. P., «niño revenido-*revenant*». Y, en verdad, la última y primera palabra para él es la de un niño desilusionado «que no puede perdonar», y cuya lucidez le convierte en verbalmente transparente para sí mismo, hasta saberlo, o parecer que lo sabe, *todo*. (En contraste, para venir a niños españoles también, con Leticia Valle o las niñas de Erice.)

El tiempo es, a veces, un «ahora prodigioso», pero más prodigioso aún es siempre «lo siguiente», lo que va a pasar. Es en ese tiempo que no se inscribe en los relojes en el que vive el niño, tiempo que no es ya el del *juego*, el de los soldaditos de plomo, pero que no es tampoco el de la *realidad*, sino el de lo posible, el de la imaginación (donde coincide con la tía Eugenia), el del vivir plenamente *como si* ocurriera, el de la experiencia de la pura invención. La «tercera alternativa» (etimológicamente imposible: no hay más que dos) no es «lo uno o lo otro» (y aquí, en uno de los poquísimos guiños intelectualistas al lector, se cita a Kierkegaard), sino «otra cosa». Pero el estúpido de Julián no podía comprender, y él, en definitiva, tampoco pudo mantenerse en esa etérea región intermedia, sino que recayó en el juego serio y sucio, real, de mayores, de guardias, denunciadores y ladrones.

Esa región intermedia ¿será la del teatro? Todos los principales personajes —y hasta algunos secundarios, como Esther— son actores que se caracterizan y descaracterizan por fuera y por dentro. El primero, por orden de aparición en escena, Julián, cuya conjuntivitis es máscara... del llanto real. Actor y director de escena, el niño y, con él, su tía y maestra. «Siempre el teatro les había gustado con locura, a tía Eugenia, a él y a los criados.» Teatro para sí mismo: «cada vez que te veía de pequeño estabas siendo alguien distinto, te figurabas ser miles de cosas»... Al aludir antes a los escasos rasgos intelectualistas, quería empezar a decir al lector que en este libro se despoja su autor de todo propósito de novela de ideas, y así es. Pero eso no obsta a que lo escrito sea una novela de la moral de lúcida ambigüedad (y no doblez), de ese vivir —pero no en permanencia, porque es imposible— en el «tercer reino», entre la realidad y el juego y del disfraz como traje y el teatro como vida. Novela moral también en la acepción moralista (y obviamente: inmoralista) de la palabra. Novela que participa de esa moral de la ambigüedad en la que fundamentalmente, creo, consiste, y que, perteneciendo al género —«años de aprendizaje»— de la *paideia* transgresiva —tía Eugenia, la gran maestra, Kus-Kús, su muy aventajado discípulo—, ¿no sería fácilmente reconvertible a la tesis, final para el siglo XVIII casi obligado, de los horrores del niño pervertido a que puede conducir una educación entre el fanal de una artificiosidad en inglés, un naturalismo criaderil y la loca irrealidad de una extravagante mujer marginal?

Novela de la «clase ociosa», novela psicológica de personajes, novela de selecta educación en la marginalidad, novela no del rito, sino de la des-ritualización del pasaje de la niñez a la pubertad y, a través de este análisis, de la exploración de un reino situado fuera de la realidad y también fuera del juego, y, asimismo y en fin, novela de *trama* en el sentido fuerte de la palabra. Este es el aspecto, para mi gusto, más discutible de este bello y bien escrito libro. La trama se le va de las manos al autor o, mejor dicho, en ella se le va al autor la mano. A la escena de la escalera le falta coherencia interna del personaje en grado tan alto como falta verosimilitud externa al excesivo azar de que Manolo y Esther resulten ser hermanos. El niño ambiguo y desconcertante, sí, pero manteniéndose siempre en esa extraña, equívoca luz que le es propia, se desmanda. El mucho trecho que, según dicen, hay del *dicho* —en el que vive, y puede «seguir y seguir las horas muertas»— al *hecho*, el que se da entre la ternura y la sexualidad, es aquí franqueado de un salto. Las etapas se queman, la trama se vuelve *despeñadero* por el que se arroja el, o al, protagonista. Kus-Kús descubrió un día a la *otra* tía Eugenia. ¿Será que, paralelamente, él se nos descubre ya *otro* también? No; según el contexto, el chico sigue en el dicho y en la ambigua ternura, no ha concluido su tránsito. Antes hablé de *transgresión*. ¿Habrá que hablar, y no menos, de *provocación*? JOSÉ LUIS L. ARANGUREN.

II. [Uno de los temas obsesivos de la narrativa de Á. P. gira en torno a la posibilidad de vivir sin trampas la propia sexualidad.] Un intento en el que todos sus personajes sucumben. Si *Relatos sobre la falta de sustancia* tuvo la relativa novedad de tratar los secretos ríos de la sexualidad con una franqueza no muy frecuente, en *El parecido* el juego de máscaras de sus personajes encubría una pasión homosexual que tenía algo de incestuosa y una pasión heterosexual claramente incestuosa. Las dos frustradas, ciertamente, pero que determinan el comportamiento tanto de doña María como de Gonzalo Ferrer, ambos imantados eróticamente por Jaime. Doña María estará a punto de vivir su enamoramiento con Pepelín, el parecido, el criado fiel e infiel a la vez, pero termina por rechazarlo. Gonzalo Ferrer, en un final que tiene tanto de novela —y de realidad— passoliniana, termina miserablemente, víctima de un crimen cuya turbiedad estará más en la mente de los otros que en la trivialidad terrible de los hechos.

En *El héroe de las mansardas de Mansard* entrevemos esa relación triangular y tiránica de Julián con Esther y con Rafael. En este caso la mujer es sólo un instrumento, un vehículo a través del cual Julián vive, sesgadamente, su enamoramiento de Rafael, que juega con él hasta convertirlo en su esclavo. La sexualidad, tal como la viven los personajes de Á. P., siempre es más soñada que genuina y en el fondo es un reflejo de unas relaciones de dominación que parecen regir toda la vida humana. Sólo el que niega sus instintos, a través de una peculiar ascesis personal, puede llegar a ser libre aunque sea en la soledad, como le sucede a doña María, que al final de *El parecido* se nos aparece lejana, enigmática, pero dueña de sí. Julián, en cambio, como Gonzalo Ferrer, se convierte en un juguete de una voluntad superior a la suya, porque no ha sabido resistirse a la fascinación del sexo. La abuela Mercedes, imperiosa, dominante, soberbia, desdeñosa, puede ser una doña María con muchos años más, acalladas ya todas las tormentas de la carne. La tía Eugenia, en cambio, apresada en su red de ensoñaciones románticas, de los recuerdos reales o inventados de un pasado que su sobrino Kus-Kús convierte en mítico, termina degradándose en una relación casi mercenaria, mendigando unas horas de placer a un muchacho elemental, que resulta buena persona y ni siquiera llega a humillarla.

Podemos soñar con una sexualidad sin trabas, parece decirnos Á. P., pero no vivirla, porque el vivirla implica la destrucción. Un mundo que es así es menos que humano. Es un mundo hipócrita, pero la hipocresía, tal y como la practican gentes como doña María, no es enteramente un valor negativo. Impide ser arrastrado por los demás, vampirizado, convertido en objeto, manipulado y, claro está, destruido. JAVIER ALFAYA.

III. [El título de *El metro de platino iridiado* (Anagrama, Barcelona, 1990) alude al carácter sobresaliente de una mujer,] la cual se convierte en patrón perfecto e inalterable de la unidad de medida de la bondad y de la abnegación. Ella, María de nombre, sufre con altruismo afectuoso y consciente —no es ninguna boba— las deslealtades, intrigas, malquerencias o debilidades de quienes le son próximos: su marido, su hermano y una amiga íntima. Todo lo sobrelleva con una resignación que no es muy de este mundo y que la acerca a lo que podríamos llamar —como se ha hecho con el Cid— una santa laica.

Cómo se articula la trama anecdótica que demuestra el temperamento seráfico de María no es para dicho aquí y baste con señalar que el libro está repleto de anécdotas variadas y jugosas, de tipos curiosos y bien perfilados. Esta es una primera dimensión de la obra: un relato psicologista, fino en la captación de sutiles matices del comportamiento y del sentir humanos, que arroja una media docena de personajes de cuerpo entero, a los que vemos actuar entre polos opuestos: del atolondramiento o el egoísmo a la magnanimidad; desde el discurso retórico que oculta la propia insatisfacción hasta el decir popular que expresa la limpieza de espíritu. Mucho contiene la novela, en este sentido, de esa imperecedera narrativa de todos los tiempos en torno a abisales problemas individuales, pero no se cierra ahí toda su significación. Acaso esta nueva perspectiva no sea tan importante como la precedente, pero conviene dejar apuntado lo mucho que el libro vale como perspicaz retrato de unas clases sociales ociosas y recluidas en su ensimismada inarticulación colectiva (encarnada en el omnipresente espacio cerrado del chalet familiar).

En ese medio de confort y despreocupación material se mueve como pez en el agua Martín, el marido, que aporta al relato un tema de la preferencia, casi manía, de Á. P. Me refiero a su condición de intelectual —nada menos que profesor de metafísica— abocado a la creación. No es un motivo añadido sino una convincente exploración de los límites entre vida y literatura. Martín tiene el afán de llevar a la novela que escribe su propia experiencia, que no es otra que la de la novela que leemos, de manera que la suya es una existencia transformada en campo de experimentación del relato. Y este, además, se convierte en exposición del proceso mismo de creación. Llena el libro Á. P., en este terreno, de intuiciones y aciertos, que, aunque amenazan con asfixiarlo con ganga metaliteraria, siempre quedan supeditados a la forja de la personalidad del personaje. El cual, por cierto, endosa a su mujer tales retahílas especulativas que ellas solas serían suficientes para que un riguroso juez la librara de todo lazo con pelma tan recalcitrante.

Este perfil algo hiperbólico —aunque convincente— de algún personaje me lleva a constatar otra destacable virtud de la novela: el manejo de registros de humor que convierten un relato duro en su fondo en lectura placentera y, en ocasiones, regocijante. Al lado de esas situaciones, además, se hallan momentos hondamente patéticos o de un lirismo contenido. Porque hay que advertir que Á. P. ha jugado con experta mano con las transiciones en el tono de los sucesos e incluso convierte una de ellas en eje de toda la narración. Así, una historia que se desenvuelve durante muchas páginas en la monotonía del interés de unos y del desprendimiento de otros y que parece condenada a no salir de ese cauce, de repente, con un admirable golpe de efecto, se ve sacudida por la irrupción de la tragedia —la muerte del hijo— y, desde ese instante, los personajes alcanzan la cumbre de su obstinación, de su desvalimiento, de su resignación.

No es fácil, a pesar de todos esos alicientes, la lectura de *El metro...* Su despliegue de recursos verbales —un ingenioso y reiterado juego de palabras— y el carácter especulativo de esa segunda trama metaliteraria exigen bastante atención. Pero no debe entenderse como un demérito porque no nos hallamos ante un vulgar libro de consumo sino frente a una obra ambiciosa que mezcla pensamiento y acciones morales en dosis convenientes. Además, lo que podría ser árida especulación siempre tiene como contrapunto una nítida anotación de una realidad exterior próxima. Ahí está, por no citar sino uno, ese detalle verista de la cursilería de las cristalerías Quevedo de la madrileña plaza de ese nombre. Una objeción, sin embargo, cabe ponerle a libro tan interesante: su extensión. No puedo detallar en qué momentos la pluma se entretiene en minucias y hasta anécdotas enteras algo pegadizas o poco relevantes. Despojado el libro de ellas, ganaría en unidad y abreviaría unas dimensiones algo excesivas. A pesar de esta incontención, hay que reconocer en él una obra ambiciosa, seria y lograda; la mejor, sin duda, de Á. P. y una de las más notables de la última novela española. SANTOS SANZ VILLANUEVA.

JUAN GOYTISOLO

LA ALQUIMIA VERBAL DE JULIÁN RÍOS

Pocas obras en la reciente historia o historieta española han suscitado antes de salir tantas expectativas, provocado admiraciones tan entusiastas, ocasionado tantos recelos y hecho correr tanta tinta como *Larva* (Edicions del Mall, Barcelona, 1983), de Julián Ríos. [...] El desafío que planteaba justificaba ciertamente dicha expectación: el monstruoso alumbramiento por entregas de *Larva* arramblaba, en efecto, durante las convulsiones del trance, con los hitos y mojones fronterizos que delimitaban el territorio de la narratividad. Parto tras parto, con la serenidad y entereza del creador consciente de tener todo el futuro por delante, J. R. proseguía su aventura de dinamitar el código usual del relato, hacerlo estallar en millares de fragmentos de una deslumbradora inventiva, poner su inmensa cultura al servicio de una operación milagrosa: trasmutar las palabras muertas del diccionario en organismos vivos y rebosantes de energía, tejer entre ellas una trama de relaciones sugestivas e insólitas, fecundarlas mediante trasvases culturales e inconfesables tercerías, entrar con ellas a saco en otros campos semánticos hasta forjar un metalenguaje que sería a la postre metaliteratura. En tiempos míseros como los que corren, cuando el mimetismo atropellado y vacío de unos y el conservadurismo y pretensiones comerciales de los más parecen bloquear todas las salidas, el rigor, paciencia y ambición creadores de un proyecto como el de J. R. poseen un valor ejemplar, salutífero. [...]

Independientemente de sus gustos personales y la perspectiva que adopte en sus asedios, el lector honesto del libro se enfrenta a una evidencia: la novela de J. R. ocupa un lugar aparte, un territorio literario desconocido en nuestro idioma con anterioridad a ella y que ya no podrá ser ignorado después. Si el compromiso fundamental del creador, tal como yo lo concibo, consistirá en devolver

Juan Goytisolo, «*Larva*. Babel de una noche de San Juan», en Andrés Sánchez Robayna y Gonzalo Díaz-Migoyo, eds., *Palabras para «Larva»*, Edicions del Mall, Barcelona, 1985, pp. 171-174.

a la comunidad lingüística y cultural en la que se inserta una lengua
literaria distinta y más rica que la que recibió de ella en el momento
de emprender su tarea, el autor de *Larva* ha satisfecho esta exigencia con puntualidad y precisión. El ámbito narrativo forjado por
J. R. se distingue de los malhadados «experimentos lingüísticos» y
chapuzas «lúdicas» de los últimos años por la propiedad y rigor de
sus fundamentos, una voracidad cultural a horcajadas de una docena de áreas idiomáticas, una pasión vertiginosa por la palabra lle-
vada a los límites de la locura, un sentido del humor y una inventiva que le emparentan con ese linaje de creadores atípicos que va de
Rabelais y Sterne a Machado de Assis y Cabrera Infante. Inventiva,
humor, parodia, que obligan al lector no embotado por el consumo
masivo de *best-sellers* a prorrumpir en carcajadas en las páginas
sabrosas, divertidísimas, llenas de extraordinarios juegos de palabras
de ese *Apagar, y vámonos* en las que la cohorte de doncellas,
casadas, aventureras, prostitutas y *demi-vierges* conquistadas por el
héroe se vengan, en un babel lingüístico atestado de alusiones y
retruécanos, de su desdichado seductor.

Me adelanto a una objeción que cuantos se sientan amenazados
por la radicalidad de una propuesta que choca de frente con sus
gustos y criterios restrictivos y conservadores no dejarán de formular: esto lo hizo ya Joyce hace cuarenta años. Prescindiendo del
«detalle» esencial de que la revolución joyceana se llevara a cabo en
su lengua adoptiva y no en la nuestra —y de que nadie había osado
realizar hasta hoy en castellano la tarea de extender a unos límites
tan vastos el campo de juego y maniobra de la escritura—, quienes
pretendieran descalificar a *Larva* con ese tipo de argumento incurri-
rían en un anacronismo muy semejante al de aquellos fieles porta-
voces del pensamiento correcto en los benditos tiempos del franquismo cuando tildaban a los principios básicos de las sociedades abiertas y democráticas de *nociones decimonónicas y rancias*, sin percatarse, al parecer, de que las defendidas por ellos no se remontaban
a un siglo y medio sino a la noche oscura de los tiempos. Motejar
a Joyce de anticuado cuando se practica o defiende una escritura
que remeda la de los padres o epígonos del realismo mágico o
profano es recurrir a un arma que se vuelve fatalmente contra
quien la utiliza. No olvido que la literatura abarca gran variedad de
moradas: pero el mismo derecho tiene a ellas quien asume inteligen-

temente el legado de *Finnegan's Wake* que el mugiente tropel de los imitadores de García Márquez.

Una apostilla final: *Larva* no es, ni mucho menos, como algunos pretenden, una obra casi ilegible, propiedad exclusiva de un grupo de iniciados. En mi opinión, un lector de cultura media, sensible a la vida proteica y maravillosamente maleable de las palabras y dotado, eso sí, de sentido del humor, puede penetrar en sus páginas y participar del suculento festín que le brindan. J. R. es un alquimista del verbo, capaz de transformar en objeto de risa o irrisión los conceptos y términos más graves, severos y respetables: su libro constituye en todo caso una auténtica fiesta tras la penosa dieta a pan y agua que habitualmente nos impone nuestra mediocre producción novelística.[1]

1. [«Los más de sesenta años transcurridos desde la publicación del texto de Joyce no han pasado en balde, y J. R. lo tiene en cuenta: de ahí la presencia de determinados "tics" surrealistas, valleinclanescos, o de usos y orientaciones procedentes del grupo *Tel Quel*; también el influjo del barroquismo de un Lezama Lima o del discurso crítico-novelístico de un Juan Goytisolo, etc. (...) Pero J. R. va también más lejos que Joyce. La articulación narrativa que, pese a todo, sostenía al *Ulises*, en *Larva* se ha esfumado. El texto trata de sostenerse enteramente sobre sus elementos verbales. Hasta tal punto es así, que se presenta impreso en dos páginas: a la derecha está el "relato", y a la izquierda, el comentario o anotación lingüística a lo presuntamente "narrado". Mis entrecomillados son, por supuesto, reticentes, como el lector habrá ya advertido. Cualquier semejanza entre *Larva* y lo narrativo es pura coincidencia. El interés de la intriga, la atracción del análisis, la magia de la peripecia de los personajes, o de los personajes mismos, o de los climas narrativos, o de los conflictos existenciales e ideológicos, han desaparecido, han sido —deliberadamente— eliminados. (...) J. R. tiene talento de escritor. Es notable su facilidad asociativa, su capacidad para ensamblar los materiales lingüísticos más diversos, su sentido de la ironía, del humor. El problema estriba en si 600 páginas —558 de texto— se sostienen sobre el juego verbal y la burla. Puede tener gracia leer "cherchez la flamme" (p. 23), "¡Qué cuco! Y me hacía cusquillas" (p. 93), "A pote por poeta" (p. 129), "una persadilla" (p. 181), "un latín lober feroz" (p. 311), "uterodoxos" (p. 341), "shakesperpento" (p. 399), "campenitas" (p. 419), etc. Pero hacer depender un texto sólo de estas "palarvas" (p. 411) resulta tan arriesgado como problemático. La lectura de *Larva* acaba siendo penosa, porque el lector se queda sin asideros: se quiebran los puentes con el mundo de la ficción, pero también se hacen saltar los que nos conectan con el del lenguaje. Subyace aquí un problema de género, de poética previa al texto, que no ha sido resuelto. Si se compara *Larva* con nuestra penúltima novela joyceana —*Tiempo de silencio*, de Luis Martín-Santos—, el retroceso parece evidente. J. R. tiene todos mis respetos porque es un escritor. Pero *Larva* constituye, a mi juicio, un experimento fallido.» Miguel García-Posada, reseña en *ABC* (28 de julio de 1984).]

Francisca González Arias y Darío Villanueva

SOLEDAD PUÉRTOLAS: LA CIUDAD DE LAS ALMAS

I. Una alemana residente en la costa del Sur de España se resiste a adaptarse al mundo que la rodea; en una ciudad noruega de provincias la excursión de pesca de un jefe de policía se ve frustrada por una historia de traiciones; una actriz mediocre se impone a un director de colegio inglés muy poco correcto; en una próspera ciudad francesa un padre reflexiona sobre la imposibilidad de conocer realmente a su hijo; un partícipe en un programa de intercambio, probablemente fraudulento, viaja a una ciudad fronteriza del Norte de África; un inglés es reclutado por el servicio secreto británico mientras busca el rastro de su tío en la India; un joven madrileño abandona el mundo académico por los negocios inmobiliarios; un caballero siciliano enloquece tras vislumbrar la belleza en el Nápoles del siglo XVII... Venecia, Roma; Nueva Delhi, Hong Kong, California; San Sebastián, Granada, París y, sí, también, Madrid. Tales son los escenarios y personajes de los cuentos y las novelas de Soledad Puértolas. [La dispersión geográfica de los lugares en que transcurren las obras de S. P., particularmente amplia, representa su búsqueda de distanciamiento, que frecuentemente infringe normas y expectativas. Los tipos de distanciamiento son esencialmente dos. En primer lugar, distanciamiento de una situación histórica muy específica, el tiempo y el lugar de su propio nacimiento y crianza,] no por rechazo del pasado, sino para asimilarlo y después cerrarlo, dejando paso a la vida, impredecible, enigmática e imparable como los ríos que tan frecuentemente aparecen en su obra. Segundo, el distanciamiento espacial evocado por las localizaciones geográficas exóticas de algunas de las obras de S. P., o por los viajes que algunos de sus personajes emprenden, muestra su convicción sobre el efecto saludable de un cambio de entorno

---

I. Francisca González Arias, «*De la solitude*: la poética de Soledad Puértolas», en *Las novelas de Soledad Puértolas*, coloquio de Saint Anselme College (abril de 1990), Manchester, New Hampshire, 1992 (en prensa).

II. Darío Villanueva, «Los años de Soledad», presentación de S. Puértolas en Salamanca, 29 de marzo de 1991, en el Taller de Literatura *NQSN* (fragmentos).

para mejor observar la realidad y para representarla más fielmente, fruto de su vivencia juvenil en una España enclaustrada y fosilizada.

En muchas de las obras de la autora la distancia espacial o psicológica representa la atalaya o el remanso anhelado por el artista. La carrera de taxi inesperadamente larga de Aurora, la narradora protagonista de *Queda la noche* (1989) hasta su hotel en Nueva Delhi, señala la ruptura con su pasado, y le proporciona la pausa para mirar, no al pasado, sino hacia el futuro, para abrirse a la etapa de su vida que está a punto de empezar. Cuando Aurora pasa revista a los acontecimientos del año que se inicia con su visita a la India, la expresión gráfica es una imagen vertical de distancia. Desde lo alto de su balcón, al concluir la novela, Aurora espera «el refugio, el retiro, la brecha, el ofrecimiento de la noche», esperanzada y abierta a todo lo que le espera, como en el taxi un año antes.

Si Harold Bloom ha definido los *Ensayos* de Michel de Montaigne como «una poética del yo», se podría decir de las novelas y cuentos de S. P. que son 'una poética de la vida contemporánea' nacida de la necesidad de dar significado a nuestra existencia. Se exhorta al lector a no desesperar, se le consuela, como René es consolado en *Burdeos* (1986) con la idea de «que todo responde a un plan oculto y transcendente».

De ahí la importancia de la figura del detective o del intérprete en tantas obras de Puértolas, y especialmente en su primera novela publicada, *El bandido doblemente armado* (1979), y en *Queda la noche*, cuya protagonista Aurora es designada como «una estupenda detective» cuando empieza a entretejer las conexiones entre las personas que ha conocido durante el verano precedente con las noticias de una red internacional de espionaje. A causa de la serie de coincidencias que fluyen de su viaje a la India, Aurora se ve turbada por una sobrecogedora sensación: «Mi vida estaba siendo planeada desde fuera, y ... todo lo que me estaba ocurriendo obedecía a un plan del cual yo no sabía nada». Pero vence su desasosiego contando su historia a su amigo Mario: «Al fin, todo quedó ligado, más ligado de lo que en realidad estaba, porque cuando las cosas se cuentan se transforman y simplifican». El detective o intérprete que descifra la realidad para poder profundizar en el plan oculto, sirve aquí como imagen del narrador, el escritor. El papel del artista de imponer orden a una realidad fragmentada, para darle sentido, y de ahí infundírselo a la vida, a modo de afirmación, es, a juicio de S. P., esencial. [...]

En mi opinión, las obras de S. P., y en particular *Burdeos*, son una glosa de los temas elaborados por Montaigne en sus ensayos: la naturaleza y la función de la soledad, de la amistad y de la condición humana, y la búsqueda incansable del conocimiento de sí mismo.

Los títulos de los tres episodios que comprende *Burdeos* representan el movimiento desde lo particular hacia lo universal: «Pauline» se refiere a la protagonista de este episodio, una mujer mayor, sola en el mundo; «Entre-Deux-Mers», a una zona vinatera específica, en donde la familia de René desarrolla sus actividades; el tercero, «Las capitales del mundo», alude a las ciudades que Lilly ha de visitar para realizar el reportaje que se le ha asignado. El que los episodios transcurran independientemente y en tiempos distintos sugiere la incoherencia de la vida moderna. Las tres secuencias están ligadas, sin embargo, por la aparición de algunos personajes comunes. [...] El último episodio ilustra aún más claramente que los dos que le preceden cómo la soledad se vuelve aislamiento si se huye de ella, si se rechaza la posibilidad que ofrece de conocerse mejor. Lillian, quizá la más moderna de los tres protagonistas por el acelerado y confuso ritmo de su progresión a través del viejo mundo, descubre al final de su viaje cosas esenciales sobre sí misma: cómo, después del fracaso de su matrimonio, su trabajo y sus amantes le habían servido de escapatoria, una manera de colmar el vacío. Empujada al éxito, temía no sólo la soledad, sino también el fracaso. Finalmente accede a exigir menos de la vida, a aceptarla como un valor en sí mismo: «La vida se imponía, tenía valor en sí misma, en sus vaivenes y reflujos». Esta intuición recuerda el sentimiento que René percibe, ya en su madurez, de armonía con el universo, después de haber rechazado durante muchos años, aún bajo el trauma de la marcha de su madre, la idea de la continuidad de la vida. Después de la primera visita de Hélène a Burdeos, «René sentía algo parecido al desengaño, como si la presencia de su madre en la ciudad viniera a confirmar una idea de continuidad que él rechazaba profundamente. Su experiencia le había inducido a considerar la vida por capítulos, por episodios, y no estaba en condiciones de admitir que un personaje de uno de ellos reapareciera en otro, jugando, además, un papel muy distinto al anterior».

El concepto de René de que la vida se parece a la literatura (organizada «en capítulos, por episodios») es paralelo a la estructura de la propia novela, y la sitúa, aunque sólo sea tangencialmente, en el ámbito de la literatura autorreferencial. [...] Si la idea de la continuidad de la vida aparece en la novela como valor positivo en sí mismo, son las gentes su mayor tesoro, las que le confieren su significado transcendente.

El concepto de flujo, la implacable, irreversible continuidad de la vida —lo contrario de la distancia (en *El bandido doblemente armado*, los Lennox, incapaces de sustraerse al tirón de la vida demuestran su vitalidad por un inagotable apetito; son lo opuesto al narrador distante y observador, al que fascinan)—, se plasma mediante imágenes de ríos. En *Queda la noche* Aurora contempla el Ganges al principio de la novela y de su viaje a la India, y ve «ese río fangoso que parece no fluir a ninguna parte» como imagen de su propia vida: aparentemente estancada y en suspenso, pero también al borde de nuevas, inesperadas, inexpresadas posibilidades: «Me apoyé en la balaustrada y dejé que mi imaginación atravesara el río, porque lo mejor siempre está en la otra orilla». La imaginación de Aurora es más audaz que la de Torreno: el soldado-protagonista del cuento «La orilla del Danubio» (en *Una enfermedad moral*, 1983), cruza el río una vez, pero abrumado por las peripecias de la travesía de ese río inesperadamente ancho de aguas grises, se resiste a volver a cruzarlo, hasta que al borde de la muerte se ve obligado a hacerlo y perece en el intento. [...]

La distancia (en el sentido de paso atrás para procurar una posición ventajosa) es imprescindible para observar mejor. Además, la realidad ha de ser filtrada por el ojo del artista, para conformarse a su visión ordenadora. Pero puede haber demasiada distancia. Un equilibrio entre distancia y compromiso es imprescindible. El narrador de *El bandido doblemente armado*, un escritor incipiente, se mantiene al margen de los Lennox, fascinado por ellos pero distanciado. Cuando se hacen amigos, en la adolescencia, Terry Lennox le explica al narrador: «Tú escribes poesía ..., pero yo soy poeta de la vida». La atracción que Terry siente por el lado oscuro de la vida le conduce a involucrarse en operaciones secretas e ilícitas. Al final de la novela, Terry le presenta a su amigo el problema del bandido doblemente armado, que sucintamente se resuelve en dos posibilidades: escoger una moneda y persistir en ella, o cambiar frecuentemente de moneda. El narrador reconoce que ha elegido la primera alternativa, sin arriesgar nada, manteniéndose «lejos de la realidad, observándola». En *Todos mienten* (1988), Federico Arroyo, después de su estancia en los Estados Unidos, lo expresa de otra forma: «Si no haces algo, está claro que no te equivocas, pero si tú te equivocas no se hunde el mundo, y tú has hecho algo». Al despedirse del narrador, Terry le insta: «Conviértete de una vez por todas en un escritor. Comprométete hasta el fondo con ello». El escritor ha de encontrar el modo de aunar ambas alternativas, la distancia y el compromiso con el mundo que le rodea, y sobre todo abrazar el compromiso con su propia vocación artística. El ideal es la necesaria amalgama del narrador y Terry, y es éste quien le *da* al narrador el título de la narración, *El bandido doblemente armado*, para que lo use en la novela que algún día escribirá sobre ellos.

Los dos movimientos —compromiso y distancia— están representados en *Queda la noche* por Aurora y Mario, y también coexisten dentro de la misma Aurora. Ésta espera, después de contárselos, que Mario interprete los acontecimientos del año transcurrido porque reconoce, a regañadientes, su «capacidad de observar a los demás desde lejos, sin implicarse» —es muy cómodo situarse «al margen de los hechos»—, pero cuando la arrebata el entusiasmo Aurora sabe que «había que comprometerse, que la vida era eso, y todo lo que no fuera eso no merecía tener nombre de vida». [...]

Quizá podamos decir que S. P. nos ofrece una imagen del artista como amigo, un interlocutor que nos susurra animándonos a no desesperar, que nos toca mediante cuentos de gente como nosotros. «Chaque homme porte la forme entière de l'humaine condition», 'todo hombre lleva en sí la forma entera de la condición humana', escribe Montaigne. En el mundo contemporáneo, esta condición nos puede parecer escuálida y aterradora, pero es función del arte, de la literatura, el procurarnos, como la noche que Aurora recibe al final de *Queda la noche*, «refugio,... retiro,... brecha». El novelista es como Leonard, el amigo de René, en *Burdeos*, «quien escuchaba pacientemente sus lamentos sobre la falta de voluntad, y quien, al fin, le golpeaba levemente la espalda, como si quisiera empujarlo, para seguir andando, aunque con más despreocupación». Francisca González Arias.

II. En la narrativa de S. P., la historia nunca está enteramente contada, nunca se nos revela del todo, sino más bien se nos ofrece como se nos muestra la vida, con los mismos huecos y la misma azarosa variedad de perspectivas que hacen a la vida sorprendente y enigmática. A la vez, sin embargo, la realidad novelesca tiende ahí a trascenderse a sí misma, a ir más allá de la literalidad anecdótica y, sin convertirse de ningún modo en símbolo, a cargarse de una excepcional densidad de significación. [...] Ocurre así en grado sobresaliente con la Burdeos de uno de sus textos más cuajados.

Cuando *Burdeos* estaba más que adelantada, la autora tuvo por fin ocasión de visitar Burdeos y, antes de nada, darse un paseo por el «barrio tranquilo» en que había situado la casa de Pauline y el núcleo del primer tramo de la novela. De vuelta al hotel, mientras cruzaba el parque, «frente al Museo de Ciencias Naturales», se volvió hacia quien la acompañaba y, sacudiendo la barbilla afirmativamente, anunció en tono resuelto: «Tengo que quitarle color local». *Se non è vero*, vale para advertir al lector desprevenido que *Burdeos* no es en absoluto 'la novela de una ciudad', en el sentido de tantas que han querido captar 'el latido colectivo de la urbe' o cosa por el estilo. De hecho, la Burdeos de la geografía no es objeto sino de unas pocas pinceladas descriptivas, tan rápidas como eficaces. ¿Por qué, entonces, su nombre se alza hasta el título? ¿Únicamente porque allí arranca la acción y allí nos devuelven muchos hilos de la trama? Sin duda que sí, pero sólo en parte, y ni siquiera la parte principal. Se buscará tan en vano la Burdeos del Garona en la *Burdeos* de S. P. como la Roma de Du Bellais y Quevedo a orillas del Tíber.

En la superficie del relato, Burdeos es una capital de provincia, una ciudad próspera pero de segundo orden (puestos a traducirla al español, podríamos pensar, digamos, en Zaragoza o en Valladolid), sin el ajetreo de París, por más que a veces laberíntica para el forastero, y, en definitiva, de «vida plana, sumergida en la rutina», «arcaica y solemne», de «viejas costumbres»: una ciudad, pues, un poco al margen, tanto en el espacio como en el tiempo (la historia se desarrolla en un pasado cercano, unos decenios atrás). Pero esa Burdeos apenas entrevista, ese trasfondo urbano donde Pauline, René, Lilly se cruzan sin encontrarse, es también y por encima de todo un recinto inmaterial en que habitan las almas, estén donde estén los protagonistas: la cristalización como elemento de la fábula, el equivalente físico o el *objective correlative* de un paradigma fundamental en la vida de los hombres.

La 'Burdeos' profunda es la conciencia de los límites, el mundo como regularidad y recurrencia, un ámbito moral que no siempre se elige a gusto, pero que con frecuencia es preferible a dormir al raso. Es, por ejemplo, el sentimiento, común a todos los personajes, más o menos difusa, más o menos lúcidamente, de que existe un repertorio cerrado de funciones o 'instituciones' espirituales y sociales, que poseen entidad propia y una manera de ineludibilidad, y que además lo salvan a uno de sí mismo, de los peligros de ser diferente, de modo que más vale apropiarse uno de esos papeles, quizá insatisfactorio, pero también inevitable, y procurar cumplirlo de buen grado. Pero 'Burdeos' es igualmente la idea de la vida que esos personajes han alcanzado por experiencia, educación y carácter, la única imagen que les parece natural, incluso cuando la rechazan, incluso cuando más les desazona. Es «la jerarquización que las normas imponen ..., las verdades generales ... en la base de toda conducta». Es, en fin, la circularidad de los días, los ritmos obligados de la existencia, con la noción impalpable de un orden en el que inscribirse, un orden que muchas veces es restituido por el mismo azar y otras tantas se confunde con el destino.

'Burdeos', así, no está solo en la sociedad ni se impone forzosamente desde fuera. Pauline «se había creído en posesión de otros pensamientos» más altos que atender a las trivialidades cotidianas; podía dolerse «de una vida a la que había renunciado», tras un desengaño amoroso, para caer en el ciclo monocorde de «las costumbres fijas, los pequeños cambios que introducía el paso de las estaciones». Pero cuando «la muerte de su padre la dejó a solas con ella ..., añoró ... no haber sabido que aquella vida era, tal vez, la que hubiera escogido». En ese entorno a medias aceptado y a medias construido por uno mismo, con sus largas penumbras y sus chispas de hermosura, reside probablemente la única expectativa sensata de felicidad. Al regresar a casa, después de cumplir el extraño cometido que pasajeramente la ha sacado de la soledad y la ha hecho entrar en otras vidas, Pauline se asoma a la ventana: «El universo tenía las dimensiones de una tarde inacabable de verano en la ciudad. Una tarde llena del eco de voces, risas, de polvo y de calor, de zapatos blancos que se ensucian, de trajes ligeros que se arrugan, de toda la frágil belleza que rodea las ilusiones». Ésas, formuladas con tan delicada sobriedad, son también, de la limitación a la esperanza, las dimensiones de 'Burdeos'.

[Toda la aventura de los protagonistas responde a planteamientos parejos.] A René Dufour, y justamente porque acaba de ver cómo pueden desmoronarse, el descubrimiento de esas ciudades interiores en que los hombres se cobijan se le presenta con lacerante inmediatez. Para René, cuando su madre se fue de casa, «el tiempo se detuvo y la vida hizo una espantosa, ilegible mueca ante sus ojos» («volverse a casar, ¿era eso posible?, ¿qué seguridad existía en el mundo?»), hasta que supo hallar pequeñas ventajas a la situación y entrarse en el cauce fácil de aceptarlas y olvidar otras pretensiones. «No podía ya sentirse feliz, ni siquiera lo intentaba, pero la corriente de aquel nuevo orden lo llevaba cómodamente, protegido y mimado por el mundo.» Así, de una manera o de otra, debía ser en adelante: «Su norma era no pensar, sino vivir, guiándose por las reglas que lo amparaban y que le eran convenientes». [...]

No puede decirse que René se satisfaga a poca costa ni carezca de vagas ambiciones. Pero cualquier intención de afirmarse, «de hacer algo distinto», naufraga en la distancia con que contempla cosas y personas. En tal situación, seguir las normas parece un buen camino. Casarse, por ejemplo. Casarse es, desde luego, la norma arquetípica (los compañeros de

René «se burlaban del matrimonio ... a sabiendas de que se casarían»;
Lisa, cultivada y sagaz, llega al cinismo: «Todas las mujeres necesitamos
un hombre, y te voy a decir una cosa..., cualquiera sirve»). Pero en el
matrimonio René no ve tanto una norma social como individual, la oportunidad confortable de atemperar su singularidad acomodando «el ritmo
de su vida a otra persona». Ni debe pensarse que no tiene deseos ni corre
riesgos: desea a Bianca y se arriesga por contentarla, pero cuando obra
contra las normas no puede evitar la sensación de estar «haciendo algo que
no tuviera más remedio que hacer, algo que escogía voluntariamente para
cumplir un destino». A la postre, no hay atajo que no le restituya a los
límites, las reglas, las recurrencias de 'Burdeos'. Después de muchos días
grises y sin norte, a la muerte del admirado Leonard Wastley, René gana
«un nuevo gusto por la vida, por todos sus detalles»: y desde la Explanada,
viendo surgir las estrellas sobre la ciudad, que cierra el ciclo de un día,
recibe «el consuelo de saber que todo responde a un plan oculto y trascendente. Detrás de él, el Garona seguía su curso hacia el Atlántico».

En ese horizonte, sin embargo, hay una manera de realidad más
rara y preciosa. Porque, en efecto, por el corazón de Burdeos,
partiéndolo y ciñéndolo, corre hacia el mar el Garona. Es la realidad que se sustenta en «esa extraña materia de donde nacen los
sueños y deseos de absoluto» (a nadie se le escapará cómo crece y
se precisa el verso célebre: «Such stuff / as dreams are made on»).
Es la «inexplicable e intolerable conmoción de la vida» que René
busca en Suzanne o quisiera de Florence, entre timideces e indeci-
siones en última instancia resueltas, fatalmente, «a favor de la normalidad». Es la «vida oculta, íntima, única razón de la felicidad»
que Sheilla cifra en cierto «asunto con un hombre casado». Es la
aspiración que mueve a Hélène, «llena de vida, de proyectos, de
compasión», a pesar de cansancios y fracasos. Es la meta a que
ningún personaje de *Burdeos* se acerca más que Lillian Skalnick en
su largo itinerario por «las capitales del mundo».

[A Lilly le sobra en buena parte la seguridad que a los demás les falta.
«Ama a la vida y se pone en medio de la corriente, sabiendo que no será
arrastrada»; disfruta de las cosas sin dejarse llevar por la avidez que podría
estropearlas; de los amoríos ocasionales sale más entera y más firme. Decidida, inteligente, desprecia a las mujeres incapaces de trazarse su propia
senda sentimental y profesional. Pero incluso a ella le llega el día de la
duda, la necesidad de apoyos, el amor doloroso. Es entonces cuando aflora
«una parte de sí misma, la más débil», hasta el momento escondida, y
comienza a esperar menos de la vida y a valorar más lo que aleatoriamente

le ofrece.] El viaje por Europa le ha mostrado más bien el paisaje de su propia alma y le ha dado conciencia de los límites: ahora sabe que por mucho que se anden las capitales del viejo continente todos los caminos pasan por 'Burdeos'. Inútil el empeño de descifrar el mundo, en el intento de imponerse sobre él: solo cabe aceptarlo «en sus vaivenes y reflujos» y gozar hondamente sus instantes de hermosura. Hay que encontrar «el lugar de uno mismo..., a través de aciertos, errores, batallas libradas y sin librar»; acompasarse íntimamente al «lento girar de los astros, la melancólica suce-sión de las estaciones y de las vidas, la sabiduría de los gestos, las miradas, el tono de la voz»; convencerse de que «la vida tiene valor en sí misma» y reconocerle los «signos de belleza y energía», descubriendo, como Pauline, que el mundo puede revelar «una faceta dulce, insospechada», y confian-do, como René, en que obedece a algún designio con sentido. Ese proceso de conocimiento es también, todavía, 'Burdeos'.

Lilly ha venido a Europa a preparar un extenso reportaje. En Roma, dispone sobre la mesa los materiales que hasta la fecha ha reunido. «Pero sus más profundas impresiones no estaban anotadas ni reflejadas en ninguna parte. No podía penetrar en la realidad que observaba. Necesitaba un hilo que ligase las escenas que había recogido. Se sentía incapaz de comprender el último sentido de las escenas, las palabras que habían llegado hasta ella. La realidad la desbordaba; la hallaba indescifrable ... No tenía en sus manos un reportaje; sólo datos inconexos y desalentadores. No obstante, algo en su interior le decía que de esos datos, de esas impresiones, surgiría una coherencia inesperada, porque era su propia visión la que acabaría imponiéndose. Existía un hilo conductor que la había llevado por las diferentes ciudades y países y ese hilo conductor era algo ajeno a las cosas, estaba dentro de sí misma. En realidad, era el hilo de su propia desilusión.» El artista se retrata pintando el cuadro: el pasaje es una excelente descripción de *Burdeos*.

Cierto, la trama narrativa de la novela se vertebra en una medi-da importante gracias a la trama conceptual que he venido esbozan-do, siguiendo el hilo de esa serena «desilusión» que contempla cosas y personas con *sympátheia* pero también con distancia, sin exaltación. [...] La trama conceptual no se nos presenta, obviamen-te, como un discurso con entidad propia, y mucho menos como una lección, sino se fía a *la necesidad que el lector tendrá que sentir de recomponer las piezas sueltas.*

A salvo unas pocas y sucintas glosas al paso, S. P. cede la voz y el pensamiento a los personajes, e incluso es parca en relatar lo mucho que sin duda sabe sobre ellos. [...] La fragmentación de *Burdeos* en tres capítulos con protagonistas independientes, si bien enlazados por personajes secundarios y por el punto de referencia bordelés, es análoga a la fragmentación de cada uno de los episodios en vislumbres, estampas, viñetas, que en rigor no forman una historia seguida, sino más bien un muestrario hondamente sugestivo de la historia, de las historias posibles. Cada uno de esos retazos es tan rico en significación como el escenario que da título al libro: no por 'representativo' ni 'simbólico' (si acaso, sería 'sintomático'), sino en tanto concentración de experiencias y emociones, como condensación de vida (lo ha dicho algún crítico), encrucijada en que se define o se decide toda una etapa, quizá toda una trayectoria. [...] En una narradora de tan poderosa intuición, una difícil peripecia puede reducirse al alcance de un gesto, y una circunstancia especialmente agitada tal vez se plasma, como por antífrasis, en una plácida conversación: cien años de Soledad caben en el tiempo de un relámpago. [...]

La fragmentariedad de la trama narrativa es eco de la fragmentariedad de la vida, sí, pero por otro lado, como vida escrita, postula más acuciantemente que en la vida la necesidad de interpretación. Las fotografías del ficticio Allan Rutherford «producían esa sensación de extrañeza que muchos llaman genialidad y que sitúa al objeto admirado en un lugar lejano, inasequible», de suerte que obliga a interrogarse sobre él; y el mismo Allan indica a Lilly que para «convertirse en arte» su trabajo «tenía que transmitir una visión personal». Es a todas luces el caso de *Burdeos*. Ahora bien: la evidencia de que la novela está elaborada como ensambladura de fragmentos y, a la vez, la densidad significativa de cada uno de los elementos que le dan forma empujan irremediablemente al lector a preguntarse por el sentido del conjunto y a caer en la cuenta de que es él quien debe decidirlo de acuerdo con «una visión personal». Por segura que sea la suya propia, S. P. tiene el arte finísimo y la primorosa elegancia de ceder al lector la última palabra sobre el semblante «indescifrable» de la realidad. DARÍO VILLANUEVA.

Mercedes Monmany y Ángel Basanta

CARLOS PUJOL: SOMBRAS DEL TIEMPO

I. Con *El lugar del aire* (Bruguera, Barcelona, 1984), novela finisecular, Carlos Pujol completa su trilogía francesa, comenzada en 1981 con *La sombra del tiempo* (Planeta, Barcelona, 1981). Aquel primer título ya aludía al diálogo bello, extraño y lleno de misterio que una ficción novelesca establecía con unos nexos culturales y literarios determinados. El tiempo y lugar histórico escogido era la Roma de finales del XVIII —una Roma de grabado de Piranesi, «amasijo de palacios y columnas rotas», destartalada y maloliente— y la protagonista y heroína femenina, una joven viuda francesa, huida de la Francia revolucionaria. La novela finalizaba en los años en que Chateaubriand fue embajador en Roma, pasadas ya las invasiones napoleónicas. Toda suerte de personajes reales, alegóricos e incluso los surgidos de un fino sentido del humor y la parodia literaria, se cruzaban en un torrente de anécdotas, aventuras y quimeras de las más variadas: desde el español Moratín, hasta seres enigmáticos como el «dottore Giovanni Perucio», siempre viendo «el otro lado de las cosas».

Un viaje a España (Plaza y Janés, Barcelona, 1983) la segunda novela de C. P., nos trasladaba a las guerras carlistas del XIX, y a una aventura imaginaria de uno de los personajes preferidos por Balzac en su *Comédie*: el astuto Vidocq, también apodado «Vautrin», regenerado seráficamente y convertido en amante esposo, jefe de la policía y luchador idealista de las causas justas. El propio Balzac se asomaba a las páginas de Pujol, afanosamente ocultado en un refugio secreto para huir de la barbarie de los acreedores, obsesionado por las deudas contraídas y sus angustiosas sangrías folletinescas; en permanente estado de enervación y hablando sin cesar de «sus» condesas. Pero también vagaban otros espectros y espíritus: el enemigo antagónico de Vautrin, Cerentia, el también legendario Rastignac, y varios habitantes de la *Recherche*: el ambi-

---

I. Mercedes Monmany, reseña en *La Vanguardia* (3 de mayo de 1984).
II. Ángel Basanta, reseña en *ABC* (20 de febrero de 1988).

guo barón de Charlus, y el mismísimo duque de Guermantes, que junto a otros nobles teutones combate en el lado de Don Carlos.

Aunque quizá la novela de la trilogía que tiene unas alusiones o parodias literarias más continuadas, y a la vez la más simbólica y ocultista, es esta última, *El lugar del aire*, homenaje y reconstrucción a la vez de un tiempo, de un ámbito. El homenaje evidente será Proust, y en consecuencia su magistral *En busca del tiempo perdido*. La protagonista de la novela de C. P. es una anciana viuda de raíces eslavas, aunque también con unos orígenes inciertos españoles, que, apartada casi de todo, rememora y añora la época del Imperio, a la vez que huye obstinada de la plaga de la iluminación eléctrica. Súbitamente, se ve envuelta en una inocente aventura sentimental que reclama su desinteresada ayuda. A partir de ahí comienza un hormigueo desperdigado, sonámbulo y recurrente que anuncia el universo proustiano. La oscura casa perdida en la memoria de la joven que en el relato recurre a la anciana dama, es la casa natal de Proust, en Anteuil, perteneciente al hermano de su madre, Louis Weil; el eco de los colegiales a la salida del Lycée Condorcet, es el mismo del escritor en sus años de estudiante; el personaje que habla en la novela de «un pasado que no había podido conocer, reconstruyéndolo a fuerza de lecturas y de cosas que le habían contado», es por supuesto el genial autor, del que además se especifica que estaba «recién venido de Venecia», donde efectivamente pasa por vez primera unos meses en 1900, en compañía de su madre. Los salones donde se produce este encuentro son unos de aquellos que Proust comenzaría a frecuentar desde su más temprana adolescencia y de los que extrajo sus más célebres personajes. La Fanny Jameson de C. P., centralizadora de reuniones y festejos mundanos, bien podría ser la Madeleine Lemaire, que igualmente pintaba flores, y que inspiraría a la madame Verdurin de Proust. Pero también se habla del célebre dandy Charles Haas, el Swann novelesco de Proust. Dandys que abundan y adornan la *belle époque* y que, reales como Roberto de Montesquiou o el inglés Brummell, pondrían los cimientos a los Des Esseintes, Charlus o el Maxime de Trailles de Balzac. Respecto a esto, C. P. afirmará en su espléndido ensayo *Balzac y «La comedia humana»*, que la imagen proustiana del Vautrin balzaquiano es el barón de Charlus, ambos «al margen de la normalidad afectiva». MERCEDES MONMANY.

II. *Jardín inglés* (Plaza y Janés, Barcelona, 1987) es una novela organizada en diez capítulos y un epílogo final al que siguen dos apéndices formados por una tabla de *Dramatis personae* y una breve enumeración de *Comparsas*. La historia se localiza en una innominada ciudad portuaria de un indeterminado país del Imperio Británico, lejos de Europa. En tan difuminado espacio, que en gran parte se circunscribe al chalet del narrador-protagonista, se contraponen dos formas de vida en una época agitada por la revolución de turno. El grupo social predominante en la novela es la colonia inglesa, reunida en torno al domicilio de Auberon Hayward, inglés divorciado que ahora vive con una amante nativa y que tiene en su mayordomo, James, el más celoso guardián de las costumbres británicas. En el lado opuesto están los tipos representativos de una revolución incontrolada, en las típicas situaciones de amenazas, sospechas, requisas, crímenes, etc. En el medio de ambos sectores sobresalen otros personajes que son elementos de relación, además del carácter representativo que algunos tienen: los curas y las monjas refugiados en el domicilio de Auberon, la peinadora-espía Paradise o el misterioso Jeremías.

En ningún momento se narra una revolución ni este fue el propósito del autor. C. P. presenta a sus personajes en una situación de incertidumbre motivada por una revolución, cercados por la barbarie; pero esto, con tener sus implicaciones simbólicas en el significado de la novela, no es más que el necesario telón de fondo para recrear unas costumbres británicas fosilizadas lejos de Inglaterra, en unos personajes que tipifican modos de comportamiento y que actúan pensando en modelos literarios o cinematográficos, con lo cual se va componiendo una parodia ridícula y amarga a la vez. Ridícula porque la conducta de los del «jardín inglés» no es más que «una comedia bien interpretada» (p. 37); amarga por la lección negativa que se desprende de aquella revolución, al final una más entre las muchas de turno.

El mayor acierto de la novela está en la modalidad narrativa seleccionada. La narración en primera persona por Auberon Hayward (a medio camino entre narrador-protagonista y narrador-testigo) determina que todo esté enfocado desde el punto de vista de este inglés que vive e interpreta la realidad de acuerdo con su capacidad de histrionismo y en frecuente referencia a modelos literarios y cinematográficos bien conocidos (Pimpinela Escarlata, Sherlock

Holmes, Hércules Poirot, Boris Karloff, Rodolfo Valentino, Joan Crawford y otros muchos, no todos citados en la lista de *Dramatis personae*). Al mismo tiempo estas referencias y alusiones culturales funcionan como recurso de caracterización de los personajes, completada también por medio del contraste entre ellos mismos (así, las figuras de Marjorie, la antigua esposa, y de Foxie, la actual amante). Todo ello favorece la visión cínica de una realidad en la que el miedo y la violencia se dan la mano con el humor, la broma y la pirueta irónica. Estas gentes de la colonia inglesa son más actores de una comedia de enredo que testigos de una revolución sangrienta. Actúan instalados al borde del abismo sin perder la compostura ni las dotes de simulación teatral. El *bacon*, el té y la salsa «worcester» importan mucho más que la vesania colectiva del entorno. ÁNGEL BASANTA.

VARIOS AUTORES

AIRES NUEVOS: 1984-1985

[Entre 1984 y 1985 ven la luz en España una serie de obras que parecen anunciar la definitiva eclosión de una nueva hornada de narradores: *La media distancia* (1984), de Alejandro Gándara; *El rapto del Santo Grial* (1984), de Paloma Díaz-Mas; *La ternura del dragón* (1984) y *Alguien te observa en secreto* (1985), de Ignacio Martínez de Pisón; *El año de gracia* (1985), de Cristina Fernández Cubas; *La dama del Viento Sur* (1985), de

I. Nora Catelli, reseña en *El Urogallo*, 1 (mayo de 1986), p. 70.
II. Leopoldo Azancot, reseña en *ABC* (23 de junio de 1984).
III. Robert C. Spires, «La estética postmodernista de Ignacio Martínez de Pisón», *Anales de la literatura española contemporánea*, 13 (1988), pp. 25-35 (26-28).
IV. Miguel Sánchez-Ostiz, reseña en *Navarra hoy* (5 de abril de 1985).
V. Leopoldo Azancot, reseña en *ABC* (18 de mayo de 1985).
VI. Enrique Murillo, «Introducción», a *La dama del Viento Sur*, Círculo de Lectores, Barcelona, 1989, pp. 7-15 (11 y 12-14).
VII. Miguel García-Posada, reseña en *ABC* (9 de noviembre de 1985).
VIII. José Luis Martín Nogales, *Cincuenta años de novela española (1936-1986)*. *Escritores navarros*, PPU, Barcelona, 1989, pp. 291-293.

Javier García Sánchez; *Impostura* (1984) e *Historia abreviada de la literatura portátil* (1985), de Enrique Vila-Matas; y *El pasaje de la luna* (1984), de Miguel Sánchez-Ostiz. La nómina de autores y obras podría sin duda ampliarse: 1981, por ejemplo, había visto la publicación de *Bélver Yin*, de Jesús Ferrero, quizás el primer aviso de que la llegada de los jóvenes narradores era ya inminente; en 1986, por otra parte, Antonio Muñoz Molina iniciaba con *Beatus ille* una de las más sólidas trayectorias novelescas de los últimos años. A estos escritores podrían todavía añadirse otros: basta pensar en nombres como el de Pedro Zarraluki, que en 1986 daba a la imprenta *La noche del tramoyista*, o en el de Francisco J. Satué, que ese mismo año hacía lo propio con *Las sombras rojas*; lo que interesa destacar aquí, sin embargo, es la existencia de una serie de puntos de contacto que unen a estos jóvenes narradores: con la excepción de Fernández Cubas y Vila-Matas, todos ellos habían nacido entre 1950 y 1960; con la excepción de Gándara, Díaz-Mas y Martínez de Pisón, todos ellos habían publicado alguna obra de ficción con anterioridad, si bien es cierto que para la mayoría los años 1984 y 1985 supusieron una suerte de casi definitivo asentamiento de su carrera literaria; muchos de ellos obtuvieron una acogida inusualmente favorable por parte de la crítica e incluso en algunos casos por parte de un público bastante amplio; muchos de ellos, en fin, seguirían publicando con asiduidad, y en los años siguientes verían la luz los frutos más sazonados —o simplemente más ambiciosos— de su quehacer literario hasta la fecha.

Es preciso reconocer, no obstante, que los rasgos que unen entre sí a estos jóvenes narradores son menos propiamente literarios que anecdóticos o circunstanciales: desde la romántica sed de absoluto de García Sánchez hasta la deliberada, engañosa e irónica ligereza de Vila-Matas, pasando por las formas que adopta lo fantástico en Martínez de Pisón y Fernández Cubas o por la nostálgica vocación ruralista de Llamazares, todas las opciones estéticas e ideológicas parecen querer hallar eco entre los jóvenes narradores; acaso esta dispersión constituya un rasgo menos banal de lo que a primera vista pueda pensarse: si sobre el horizonte literario de la mayor parte de la narrativa de posguerra se cernió casi siempre una poética dominante frente a la que los escritores se sentían de algún modo obligados a situarse —ya fuera para aceptarla o para rechazarla—, quizá lo que caracteriza la obra de estos jóvenes narradores es la desaparición del horizonte literario de una poética equiparable a aquella. Por ello tal vez pueda decirse que nada o muy poco une a los jóvenes narradores que se inician en España a principios o mediados de los ochenta, pero sólo a condición de que se añada de inmediato que *eso* es precisamente lo que los une.] HCLE.

I. *Punto de fuga* (Alfaguara, Madrid, 1986) es la segunda novela de Alejandro Gándara; la primera, *La media distancia* (Alfaguara, Madrid, 1984), historia del derrumbe final de un corredor de 1.500 metros, tenía, al menos, tres características sobresalientes: una composición estricta, cuya fragmentación temporal no era gratuita; un tono de introspección, de amenaza psíquica, de voz a punto de estallar, cuyo discurso al borde de la locura no era vulgar ni pretencioso; [...] y, por último, una lengua literaria exacta, no amenazada por la tendencia al circunloquio, al empaque notarial o, al contrario, al desenfado coloquial, que marca las dos vertientes de la narrativa castellana.

Poseía *La media distancia*, también, dos aciertos y un exceso en el plano del relato. Los aciertos: la resolución perfecta del destino del padre del corredor y la también perfecta narración del gol de Becerril, que me recordó los cuentos de Ring Lardner. Con respecto al destino del padre, figura ambigua que tiraniza porque es un perdedor, un soñador, un inútil, debo señalar que A. G. acierta doblemente, porque tiene que luchar —no sé si de modo consciente— contra la vasta novelística edípica o intimista que tiene sus mejores representantes en Guelbenzu, Pombo, Prometeo Moya, y sus incontables repetidores en tantos otros escritores obstinados en narrar *la casa y el padre* de la posguerra. En *La media distancia* el padre es una de las figuras que surgen porque la experiencia actual del narrador lo necesita, como un reflejo del pasado en el presente de la narración: efecto imprescindible en un relato que se sostiene por una enunciación unitaria aunque no subjetiva. Una narración, como en *Punto de fuga*, en la que el *yo* que habla no domina ni el mundo ni lo narrado: habla frente a la amenaza de la impersonalidad, frente a las grietas por donde se cuela esa objetividad siniestra que es la marca de la novela contemporánea. Una voz, en suma, entre otras voces: una buena muestra de lo que debe entenderse, con cierta propiedad, cuando se habla de *polifonía*. No muchas personas, ni muchos personajes, sino muchas voces habitando la máscara del narrador. Aun en la primera persona. Importa poco el estatuto gramatical; lo que cuenta es el efecto que los cortes y las separaciones producen en el discurso: el efecto de la pérdida de dominio de *una subjetividad* sobre el material. No es inútil recordar que Mijail Bajtin decía que «el máximo lujo de una subjetividad es la omnisciencia» y que, por ende, la verdadera novela *subjetiva* es la gran narrativa decimonónica. Por eso, la novela contemporánea, que no hace más que dar cuenta, una y otra vez, de la pérdida de ese lujo, de ese reino, es *objetiva*: ese es el terreno de A. G. Eso es lo que lo convierte en una excepción en la novela española.

Pero el exceso argumental en *La media distancia* existía: era la narración intercalada de Josefa. Ahí, creo, A. G. hacía «literatura»: probaba sus fuerzas, se complacía en narrar una historia para probar sus instrumentos. *Punto de fuga*, en cambio, es perfecta, si se entiende por perfecto lo acabado, lo cerrado, lo terminado. Tiene, por su brevedad (97 páginas), las virtudes que la *nouvelle* comparte con el cuento: todas las líneas convergen para lograr un solo efecto. Pero tiene, porque no es del todo un cuento, la posibilidad de diseminar el argumento: alguien, al borde de una crisis, de un estallido, recorre, durante un lapso determinado, ciertos itinerarios vitales: una cátedra donde trabaja y en la que juega al poder y a la humillación, dos mujeres con las que establece relaciones de dependencia y posesión, ciertos sitios en los que roba (o cree que roba) algo de valor, la posibilidad de un asesinato o una muerte. Está la ciudad en todo *Punto de fuga*: sin costumbrismo, como un espacio vivo, como el lugar de los pasajes y las transiciones (como en Benjamin, como en Handke, como en el Cortázar de *62, modelo para armar*); está, sobre todo, una prosa realmente extraordinaria. En sentido estricto. Una prosa insólita para el castellano: color, no colorismo; flexión contemporánea, no cheli; escritura, no «retórica». Si en A. G. existe una retórica, esta es lo que se entiende como la pura organización de las figuras del texto; nunca la organización de la impostura literaria. NORA CATELLI.

II.   Cuatro son los temas principales que se suceden o superponen en *El rapto del Santo Grial* (Anagrama, Barcelona, 1984), de Paloma Díaz-Mas. El primero y principal de ellos es el de la necesidad de postergar indefinidamente la realización de los ideales, a fin de que la vida, que cobraba su sentido de la persecución de los mismos, no pierda este, y se torne insípida e invivible. Se trata, como se ve, de una cuestión importante, a cuyo través se pone de manifiesto la falta de fe en la felicidad que aqueja al hombre de Occidente, quizá como consecuencia de un mal entendimiento de su pasado cristiano: la felicidad —se supone— no es de este mundo; nada aquí puede saciar nuestra sed de plenitud. Y así, los caballeros de Arturo se horrorizan ante la posibilidad de que el Grial caiga por fin en sus manos, dado que con ello su existencia perdería todo objetivo —han vivido hasta entonces en función primordial de su búsqueda—, y el enamorado tiembla al pensar que por fin podrá poseer a la mujer amada, pues esa posesión, y el objeto de la misma, nunca podrán alcanzar el esplendor que él entreveía en sueños, a través de su deseo. Casi la misma importancia que el precedente tiene en *El rapto del Santo Grial* el tema del pacifismo. Y es muy de alabar que P. D. M. no se haya limitado a plantearlo de acuerdo con los estereotipados esquemas del presente, sino que lo trascienda hasta convertirlo en un sí a la vida, a la vida entendida como realización plena.

Más soterrados, pero galvanizados por una violencia secreta, aparecen en el libro los dos temas restantes. El del feminismo, ante todo; o mejor, el de la reivindicación de la igualdad entre la mujer y el hombre, primordialmente en lo que hace a los aspectos positivos del actuar humano: no la guerra y el combate mortales, sino el choque amoroso. Y, luego, el del deseo de la mujer, que aquí se manifiesta y exalta cursivamente, mas con una intensidad sólo alcanzable gracias a las imágenes ambivalentes de que se sirve P. D.M. para ello: la lanza y la espada identificadas con el miembro viril, cien vírgenes embarazadas por un solo hombre como encarnación de un deseo que se adivina inapaciguable.

[La historia está narrada en un estilo rico y claro], que apoya su prestigio no en la elección de palabras desusadas o de adjetivos sorprendentes, sino —lo que es mucho más trascendente— en búsquedas de orden sintáctico. Verdad es que el gusto por el tono arcaizante empuja en ocasiones a P. D. M. hacia el *pastiche*, pero ¿qué peso tiene ello frente a hallazgos como el siguiente: «Señor —respondió el hombretón—, el olivo no es de plata y es de nadie», donde la prosa alcanza una precisión y una concisión admirables? En cuanto a la fabulación, la autora se sirve en buena medida de la tradicional, lo que permite decir poco a su respecto. Mas ¿cómo pasar por alto algunos episodios e imágenes puramente personales y de una novedad sorprendente, como el combate del Caballero de la Verde Oliva con su reflejo en la Garganta de los ecos, o el barco encallado en tierra por voluntad de Perceval? LEOPOLDO AZANCOT.

III. [En la obra de Ignacio Martínez de Pisón] es preciso notar dos tendencias fundamentales: yuxtaponer formas literarias ajenas y trascender las fronteras de lo racional. De acuerdo con la nueva estética, I. M. de P. nos mete en un mundo que es a la vez conocido y desconocido, donde la razón compite de igual a igual con la sinrazón. Se vale concienzudamente de las convenciones del pasado y de la cultura popular de masas; pero no imita tales convenciones sino que las viola. Mezcla y yuxtapone lo popular con lo culto, lo realista con lo fantástico, logrando así proyectar una voz «nueva», una sensibilidad acorde con la moda ya mundial de rechazar la estructuración compleja pero siempre con base racional al llamado modernismo europeo. [Veamos como ejemplo de lo dicho el primer relato de *Alguien te observa en secreto* (Anagrama, Barcelona, 1985), titulado «El filo de unos ojos».[1] Si «Alusión al tiempo» constituye un tipo de parodia del relato de intriga y «Otra vez la noche» del de crímenes, y si en ambos casos la parodia está fundada en la mezcla de lo real y lo fantástico y en el juego con las expectativas del lector, casi siempre deliberadamente defraudadas, «El filo de unos ojos» parece caber en un principio dentro de los cánones de la ficción psicológica realista, aunque finalmente acabará quebrándolos para crear su propio espacio narrativo.] Trata de un joven que

1. [«"Alusión al tiempo" constituye el segundo relato del libro y, como reza el título, la inmisericorde lentitud del transcurso temporal ocupa el sitial preferente propiciando detalles hasta la nimiedad y en los que el pensamiento horada un hueco insinuante y, a la vez, cortado por la técnica estructural de un diario. La decadencia física de un inválido y caduco personaje —no en otro tiempo— se alza como punto de mira desde el alféizar de una ventana para cuadrar la vista como teatro y con su consiguiente división radical entre el actor paciente-actuante y el espectador contemplativo-inactuante, inmune a todo el victimario posiblemente inmolado en ese teatro. Es decir, el interés del exterior por parte del protagonista para aliviar el tedio y vencer al tiempo —soledad incluida— permite el hilo de una crónica detallista y puntillosa, complementada con la morosa reflexión: un balanceo entre la apariencia, lo que verdaderamente parece cierto y el proceso mental del individuo. La intimidad —con aditamento literario: conciencia de estructura y escritura en el diario— se transmite en buena dosis, contrapunteada unas veces, escamoteada-ocultada otras, gracias a esta confrontación activa de lo narrado y contemplativa en lo propiamente reflexivo. Nuevamente un final en el aire, taimadamente, posibilita la imaginación ficcional del lector, quizá un elemento a resaltar, por inesperado, entre los logrados conatos de sensualismo bien pincelado y la intriga mantenida.

»Estos últimos aspectos retornan en el resto de los relatos ("Otra vez la noche", "Alguien te observa en secreto") con otros planteamientos temáticos para mostrar estados también ambiguamente desfigurados y concernientes al desequilibrio mental —¿crimen o lectura final?— o a confabulaciones con la fantasía que secretea pequeños mundos propios —"Silvia y sus murciélagos"— tendentes a la desazón final.» Ramón Acín, reseña en *El Día* (27 de octubre de 1985).]

va de negocios a Barcelona y durante su permanencia se aloja en la casa de un primo. El protagonista trabaja para una revista y tiene la tarea de conseguir artículos escritos por artistas. Su primer intento fracasa cuando el escritor exige una reseña elogiosa de su última novela por contribuir con un ensayo inédito. Al volver a la casa de su primo se encuentra con un hombre furioso que sale. El primo explica que el hombre había intentado venderle una *Historia del cristianismo*. Días después está en casa cuando viene un decorador a quien el primo había llamado para hacer unas reformas. Oye discutir en voz alta a su primo y al decorador hasta que todo finalmente termina y el pintor se marcha furioso de la casa gritando insultos. El primo celebra alegremente la confusión y el miedo del pobre trabajador frente a su decisión repentina de no hacer ningún cambio.

Siguen otros episodios en que el protagonista observa a su primo expresando entusiasmo por comprar algo, por ejemplo un método para aprender inglés o unas enciclopedias, tan sólo para cambiar de opinión de repente, dando lugar a lamentaciones o insultos por parte del vendedor, el cual siempre se marcha totalmente vencido. Mientras tanto el protagonista parece cautivo de un estado abúlico y deja de solicitar artículos para su revista. Por fin un día viene un vendedor de muebles de cocina pero el primo declara que va a bañarse y que no está para nadie. El protagonista se pone a hablar con entusiasmo de los aparatos más caros del muestrario pero tras varias horas de juego el pobre vendedor se marcha deprimido frente a la decisión terminante del protagonista de no comprar nada. Este se siente contento de sí mismo anticipando la aprobación por parte del primo. Sin embargo, cuando el primo sale del baño y el protagonista le mira a los ojos se encuentra con la censura: «advertí el brillo habitual del descontento, de una insatisfacción quizá fingida. Él nunca me elogiaba, nunca estaba conforme con lo que yo hacía» (p. 40).

Si bien es cierto que es la historia del cambio psicológico de un individuo influido por otro, la índole del cambio no parece caber dentro de las normas convencionales de este tipo de ficción. En vez de afirmar la imitación del mismo modelo la niega. La conducta de ambos personajes es sádica y trivial y tal vez por eso se nos antoja tan inquietante. Falta la implicación trascendente de los grandes crímenes o el impacto tremendo de un acto apasionado. De ahí en parte su nota «nueva». ROBERT C. SPIRES.

IV. El narrador de *Luna de lobos* (Seix-Barral, Barcelona, 1985) es un fugitivo del frente de Asturias de 1936 que junto con otros tres compañeros se refugia en las montañas de su tierra natal, los altos valles de León, para librar un inútil combate, una desesperada resistencia, con el único fin, en definitiva, de sobrevivir. De él no logrará el lector saber gran cosa: su nombre, su antigua afiliación a la CNT, su pasada profesión de maestro y algunos otros datos personales consignados en un pasquín de búsqueda y captura. En la sombra quedarán su pasado y su futuro. Lo mismo sucede con sus otros tres compañeros. Y es que para la narración de J. Ll. no cuenta más que un obsesivo presente, una angustiosa inmediatez. Lo único que cuenta es la lucha por la supervivencia en los montes y en los bosques de estos cuatro fugitivos, que para uno de ellos se prolongará durante diez años. Una brutal y desesperanzada lucha en la que tres de ellos perecerán. Se diría que esos personajes que pone J. Ll. en escena no tienen pasado ni otro futuro que la muerte o la huida. Los suyos son personajes definitivamente al margen. Tampoco hay consideraciones o reflexiones sobre la época, sobre las circunstancias políticas.

Hay más en *Luna de lobos*. No conviene olvidar que su autor lo es también de dos libros de poemas, *La lentitud de los bueyes* (1979) y *Memoria de la nieve* (1982). Reseño este dato porque la novela de J. Ll. es la novela de un poeta. Y eso se nota en el exquisito cuidado que su autor ha puesto en las descripciones, en las imágenes, muy bellas en ocasiones, que iluminan la narración, lo que quiere decir que no la sobrecargan con un lastre de imaginería accesoria o innecesaria, que es a lo que habitualmente se suele referir la crítica cuando habla de la novela de un poeta. [...]

Y es que quizá la historia que se narra en *Luna de lobos* no es otra cosa que el relato de las peripecias de cuatro fugitivos que no persiguen más que sobrevivir. Acosados por fuerzas militares y policiales, acosados por la naturaleza que les obliga a vivir en ínfimas condiciones, esos cuatro hombres se convierten en alimañas. Cierto que padecen, que desean verse en otra situación y que odian; pero sus impulsos más fuertes van encaminados a comer, dormir, abrigarse, defenderse, huir... Es una lucha brutal, en la que para no morir matan y que como ya he dicho no tiene otro sentido que la pura supervivencia. Pasarán los años pero el objetivo será el mismo. Así, la novela de J. Ll. es una sucesión de lances violentos, de fugas y acechos a través de los bosques y de las montañas, que culmina en la patética lucha del último superviviente, convertido en un lobo solitario y temiendo ser, al igual que los lobos, víctima de una cacería primitiva. Todo lo demás, sus reflexiones, sus posibles recuerdos, sus divagaciones, queda fuera del relato; en este no cuenta más que la lucha continua, la resistencia a no ser la víctima, la presa de la cacería.

En *Luna de lobos*, J. Ll. ha resuelto brillantemente una historia que, tal y como yo la he descrito, podría haber resultado repetitiva y monótona. No es fácil mantener a lo largo de 153 páginas el interés del lector por una historia que aunque se desarrolle a lo largo de diez años, del 36 al 46, no trata más que de la supervivencia de unos seres animalizados; pero el caso es que J. Ll. lo consigue sin recurrir a evocaciones o a historias paralelas. El lector de *Luna de lobos* queda cautivado por el relato del sutil proceso de degradación de esos cuatro hombres acosados que buscaron en los bosques guardar la vida. Miguel Sánchez-Ostíz.

v. Lo que singulariza, por encima de todo, a Cristina Fernández Cubas, dentro del panorama de nuestra narrativa actual, es su valerosa voluntad de enfrentarse con las zonas más o menos oscuras de su vida interior, de utilizar la ficción para aventurarse por zonas de las que de otra forma no hubiera podido sino presentir abismos, áridas extensiones inabarcables, miedos agazapados como animales a medias repugnantes y a medias feroces. [...]

La trama de *El año de gracia* (Tusquets, Barcelona, 1985) puede resumirse como sigue: un muchacho, educado en un seminario, abandona este para iniciarse en la vida y, gracias a la ayuda de su única hermana, emprende un viaje que lo lleva, primero, a París y, luego, tras una serie de incidentes aterradores, a una isla hostil y prácticamente desierta, donde tiene que dar cara a aquello cuya mera expectativa de existencia le causaba, sin que él lo advirtiera, la más íntima conmoción, el más profundo desasimiento de sí. Se trata, como se ve, de un libro iniciático cuyo clima espiritual trae a la memoria, en ocasiones, el de las primeras novelas de Bioy Casares. [...]

Desde mi punto de vista, *El año de gracia* reclama imperiosamente una lectura jungiana, única que puede dar razón de su enigmática complejidad. Para emplear una terminología que cualquier lector de Jung reconocerá, *El año de gracia* da cuenta de un proceso de individuación frustrado, de un intento de llevar a cabo las nupcias celestes del ánimus y del ánima de quien narra, que se salda con un fracaso, con una componenda. Como en los sueños, el ánimus es aquí encarnado por un hombre, el protagonista del libro —que, no lo olvidemos, ha sido escrito por una mujer—, el cual sólo acierta a ponerse en camino del contacto con su ánima, en busca de la plenitud vital, una vez que se produce la muerte de su padre, representación de ese principio social de orden y de denuncia de sí que todo ser humano lleva interiorizado.

Se le concede la gracia —y Gracia es el nombre de su hermana, quien le proporciona los medios con que llevar a cabo su tarea— de un año para conseguirlo, pero él, desdeñando a su ánima —Yasmine, arquetipo de la mujer total—, opta por intentar acceder a la plenitud afirmando puerilmente su condición masculina: en la soledad y la aventura. Y recibe lo que se merece: sufrimiento y terror, el encuentro con un espejo —Grock, nombre de payaso— que le revela la soledad de todo hombre, la monstruosidad de lo incompleto, y lo fuerza a hacer suyos a una y a otra. Vuelto uno más, intercambiable, del rebaño masculino, el protagonista consigue regresar a la vida cotidiana —no llega a enloquecer o a suicidarse ante el horror—, pero únicamente para instalarse en lo inesencial, en la falsedad, y para vivir dividido por siempre entre lo que es y un *ersatz* de lo que hubiera podido ser: el deseo homosexual de la imagen abismática y maldita de sí mismo. LEOPOLDO AZANCOT.

VI.   En la tensión que se crea entre la inalcanzable altura de las ambiciones humanas y la naturaleza humillantemente limitada del hombre, en esa insuturable grieta, es donde Javier García Sánchez ha hallado el espacio en el que desarrollar su novelística. Ahí y en la pasión amorosa, paradigma de esa tensión e imagen de inalcanzabilidad enloquecedora. [...]

La historia que nos cuenta Andreas Dörpfeld es la de la pasión amorosa que vivió —¿o habría que decir, como si de una enfermedad se tratara, padeció?— su compañero de oficina Hans Kruger desde el día en que se prendó irremediablemente de otra oficinista, Olga Dittersdorff. Sin embargo, mucho antes de alcanzar el primer tercio de la novela el lector ya comprende que el marco narrativo —el relato de Andreas— encuadra un monólogo dramático —el relato de Hans— que será la verdadera sustancia del libro. Ante el pasmo de Andreas, que reducirá su intervención a brevísimas acotaciones —apenas un «dijo Hans» de vez en cuando, y poca cosa más—, pero cuya presencia pasmada garantiza la participación activa del lector, a quien representa, el grueso de las páginas de la novela estará formado por la voz delirante, repetitiva, disparatada de Hans, una voz a través de la cual dará cuenta de su amor y, sobre todo, de su negativa a reducir el amor a proporciones humanas, soportables, vivibles. Pues el único amor que le interesa a Hans es el de los grandes místicos, aquel que, como explica Jacques Lacan [...], sólo se conforma con hacer de dos uno, con la identificación total y plena del enamorado con el objeto amoroso. La radicalidad del planteamiento es lo que le hizo decir a uno de nuestros más prestigiosos críticos de narrativa, Rafael Conte, que *La dama del Viento Sur* era «la novela de amor más terrible de la literatura española de los últimos lustros ...». El punto de partida no puede ser, vistas así las cosas, más tremendo. Hans se siente radicalmente opuesto a Olga: «Yo la tos, el acceso imparable —dijo Hans—, ella el concierto, la sinfonía». Y busca nada menos que acercarse a Olga hasta *ser uno* con ella. Sus primeras tentativas fueron aproximaciones físicas a través de los objetos: «Y ella, Olga, supo por mí que en cierta ocasión incluso llegué a hacer lo inaudito con tal de estar cerca de algo *suyo*: me refiero a su dentista, ir a su dentista —dijo Hans—, una de las formas más perfectas y asépticas de *suplicio*». Pero, con ejemplar radicalidad, J. G. S. lleva a su personaje mucho más allá, hasta la búsqueda de la identificación total. Sin embargo, Hans tropieza con un obstáculo insalvable: su valentía, su decisión de alcanzar el absoluto, se enfrentan con la negativa a seguirle por parte de Olga: «yo, el acorralado por mi realidad, pienso, cercado, cacheado, torturado por mis limitaciones y por el deseo jamás consumado de que el dique de mi límite, al contrario de lo que ella quería, se hubiese *roto* por completo, sí ...». De modo que no tiene otro remedio que emprender solo ese camino enloquecido. Finalmente, logra realizar su deseo una vez lejos de Olga, una vez recluido en un sanatorio: «He hecho lo que en realidad deseaba, lo *único* que deseaba, pensar y pensar incesantemente, pensar no poniendo freno alguno al curso tumultuoso de mi pensamiento».

De manera que el lector se encuentra repentinamente sumergido en la obscena corriente mental de ese pensamiento a rienda suelta, orgasmático, esa larguísima eyaculación mental, esa logorrea imparable, algo a lo que jamás se había atrevido nuestra literatura. Amorfo, sin principio organizador ni arquitectura alguna, el bloque central de *La dama*... le exige al lector un esfuerzo especial, pero le supondrá sin duda una experiencia catártica de la que difícilmente saldrá tal como había entrado. Enrique Murillo.

vII. [Desenfadada, irrespetuosa, esta *Historia abreviada de la literatura portátil* (Anagrama, Barcelona, 1985), de Enrique Vila-Matas] se burla de las normas narrativas —o al menos de algunas— y pone en tela de juicio la noción misma de literatura. El autor habla de «literatura portátil» y el significado que le da al nuevo concepto no puede resultar más sintomático de ese enjuiciamiento de la acuñación establecida de lo literario. La literatura o la obra de arte «portátil» es la que no resulta *pesada*, de modo que puede ser trasladada en un maletín. El sentido institucional, social, de la creación artística se desvanece desde este planteamiento. Resulta esclarecedora la definición que se formula en la última parte: «Un tipo de literatura que se caracteriza por no tener un sistema que proponer, sólo un arte de vivir. En cierto sentido, más que literatura es vida». Como para Tristán Tzara, a quien se atribuye la redacción de «una historia portátil de la literatura abreviada» —la alteración en el orden de los adjetivos respecto al título del relato no cambia nada—, para E. V. M. la «portátil» «es la única construcción literaria posible, la única transcripción de quien no puede creer ni en la verosimilitud de la historia ni en el carácter metafóricamente histórico de toda novelización». En estas líneas se arremete contra la cosmovisión que ha sustentado durante siglos el hecho épico y se ilumina, de modo oblicuo, la poética narrativa del autor.

Si el discurso literario se vuelve de espaldas a la historia, el texto ha de organizarse según normas ajenas a la famosa *verosimilitud* aristotélica, categoría *histórica* donde las haya. Y, en efecto, es lo que encontramos: una divertidísima, delirante fábula (y desprovéase al último epíteto de todo matiz negativo), que relata el nacimiento, desarrollo y extinción de la sociedad secreta de los portátiles o conjura de los *shandys*. A esta palabra, E. V. M. le atribuye una hilarante y ambigua etimología que parte de reconocer su relación con el personaje de la novela de Sterne, y por aquí significa «alegre, voluble, chiflado», pero también remite a un significado alcohólico, y, en definitiva, sus iniciales pueden no ser sino la abreviatura de «Si Hablas Alto Nunca Digas Yo»... Para ser admitido en la sociedad se requería, junto a la condición de creador de obras no pesadas, la de ser célibe, «funcionar como una máquina soltera», dicho sea con el autor. Fueron *shandys*, entre otros, Walter Benjamin, Marcel Duchamp, Valéry Larbaud, Céline, Scott Fitzgerald y Federico García Lorca. Fundada en 1924, en la desembocadura del río Níger, la sociedad terminaría disolviéndose en Sevilla, en 1927, en medio de un gran escándalo en el que Lorca no desempeñó papel irrelevante. Hasta este momento, los *shandys* habían vagado por el mundo de modo continuado, ejercido una actividad sexual considerable, sentido gran admiración por el mundo negro, despreciado todo lo grande o grandilocuente, convivido, en fin, con sus obsesivos dobles, los *odradeks*.

Tales son los elementos que constituyen la deliciosa fábula de E. V. M. No son gratuitos, desde luego. La visión aquí contenida enlaza con el radical vitalismo de las vanguardias, y en modo alguno es casual que Duchamp y Tzara, dos dadaístas, sean personajes clave del relato. El libro acepta e incorpora una cuestión decisiva y evidente, aunque se trate de soslayar a veces o se edulcore: la condición marginal de la literatura en la sociedad de masas. Postula por ello un entendimiento secreto de lo literario, señal cifrada en la que convienen algunos grandes vitalistas, no dispuestos empero a renunciar al arte porque están imbuidos al mismo tiempo de un sentido trágico de las cosas. [...] Dos armas fundamentales utiliza E. V. M.: la imaginación y el humor, inseparables muchas veces. Los derrocha el escritor. Algunas configuraciones son muy atractivas, como la insistente de los *odradeks* (léanse las líneas dedicadas al *odradek* de Salvador Dalí) o la danza de la muerte que, valiéndose de unas «píldoras bailarinas» a modo de marionetas, monta Federico García Lorca en homenaje a un *shandy* suicida. Las peripecias se encadenan sin solución de continuidad, bien dirigidas por un tono narrativo sostenido, en que el humor no se degrada en la mera anécdota, y servidas por un sistema expresivo ajustado, no enfático, pero tampoco plano, y que sabe ascender en intensidad según las exigencias del discurso. Los registros grotescos dominan, pero no obturan los más líricos. MIGUEL GARCÍA-POSADA.

VIII.   En *El pasaje de la luna* (Trieste, Madrid, 1984), de Miguel Sánchez-Ostiz, se relata una noche de juerga y de algarabía de dos personajes principales: Enrique Estébanez y Eduardo Osten. Situaciones bufas y escenas humorísticas convierten este libro en un divertimento, una novela corta con intenciones de comicidad, en la que están presentes también aspectos de crítica social y matices poéticos y simbólicos. La historia se desarrolla en un tiempo concentrado a lo largo de una noche, en la que los personajes deambulan por escenarios ficticios: el Grand Hotel, el cabaret de la Cotorra Verde, la casa de la adivinadora madame Scouffi, el cafetín del Moro Juan, la Casa de la Turca y el Hotel del Cisne. Se trata de un viaje a los infiernos de la noche, un recorrido nocturno por las «luces de bohemia» provincianas de una Pamplona imaginaria e intemporal.

Los dos personajes principales ejercen de hilo conductor, para presentar los distintos ambientes y personajes secundarios que aparecen en cada capítulo. Enrique Estébanez es un misántropo profesor de filosofía, excéntrico, circunspecto y de cuidado aliño; Eduardo Osten —su doble—, un noctámbulo vividor. Junto a ellos se mueven un conjunto de tipos grotescos, máscaras de la noche, caricaturas fugaces, que pueblan el decorado de sombras chinescas de la novela. Los ambientes son escenarios abigarrados y nebulosos: bares, cafetines, cabarets y dudosas salas de juego alumbradas por candiles humeantes; decorados de ópera bufa; barrocos escenarios de humo y tedio poblado por personajes pintorescos: noctámbulos, trileros, charlatanes; personajes cuya vida tiene a veces un elemento de aventura o de misterio, picaresco o canalla, pero que están acosados, a pesar de todo, por el hastío de la desolación.

Como ocurre en todas las novelas de M. S. O., en *El pasaje de la luna* hay dos planos temporales: en el presente se relata una historia sencilla y sin apenas trama argumental; es el recorrido nocturno de Enrique Estébanez y Eduardo Osten por los locales de una Pamplona de ficción. En ese plano del presente hay una marcada concentración temporal y un desarrollo lineal del intervalo de tiempo acotado. Pero al mismo tiempo, se producen continuas retrospecciones, para relatar anécdotas y lances pintorescos referidos a los personajes que se citan en cada escena. Estas historias del pasado no siguen un orden cronológico ni guardan relación argumental entre sí para formar una trama unitaria; la novela está formada por la acumulación de un conjunto de historias, cuyo elemento aglutinante es el ambiente común a todas ellas y la presencia de los dos personajes principales, que forman estructuralmente el hilo conductor de los diversos lances relatados.[1] *El pasaje de la luna* posee, por lo tanto, una estructura episódica, en la que cada uno de sus capítulos puede considerarse como un relato cerrado, completo e independiente.

La caricatura y la deformación son los recursos fundamentales empleados en la novela para el divertimento y la crítica. Se refleja tanto en los personajes —el gordo Thibault, el vate Bertoldi, la tertulia de canónigos—, como en las situaciones —la grotesca cena homenaje o el cafetín del moro Juan. En este aspecto, *El pasaje de la luna* puede relacionarse con el esperpentismo de Valle-Inclán, por esa captación distorsionada de la realidad y por la sátira zum-

1. [«El retorno a escenarios del pasado en la literatura de M. S. O. está relacionado también con la vivencia de un mundo inhabitable. [...] Esta visión del mundo como espacio inhabitable se expresa especialmente mediante la presencia de escenarios cerrados y a través del tema del provincianismo, uno de los componentes temáticos más recurrentes en su obra literaria. La provincia se identifica con la rutina, con la mediocridad y con el sentimiento de lo gregario. Por eso los personajes de todas las novelas manifiestan un rechazo de los apretados escenarios de la pequeña provincia y un deseo de salir de ellos. En este sentido, sus novelas constituyen una denuncia del provincianismo, identificado con la mediocridad, con la vulgar elegancia, con el resentimiento callejero. A veces esta denuncia está enfocada desde una perspectiva burlesca, como en *El pasaje de la luna*, en los capítulos que relatan la burda cena de homenaje al vate local Bertoldi con torpes versos de poetas provincianos y gestos bufos de intelectuales de pueblo. Pero generalmente se impone en los personajes la conciencia dramática de malgastarse en un ambiente cerrado y pueblerino. Enrique Estébanez, por ejemplo, piensa que "había desperdiciado su tiempo y su poco entusiasmo en la ciudadela de una oscura provincia; pero aquello no tenía remedio". [...]

»La provincia, en sus aspectos más ensombrecidos, es el espacio del tedio, de la mediocridad, del aburrimiento y de la rutina, en la que están apresados los personajes de los libros de M. S. O. Con la denuncia de estos aspectos, surge en las páginas de *La negra provincia de Flaubert*, de *Mundinovi* y, de forma más matizada, en las novelas, un elemento presente en toda su obra literaria: la vertiente moralista. M. S. O. no renuncia a expresar continuos juicios éticos sobre actitudes de los personajes y acerca de los rasgos característicos de la sociedad del momento. Son generalmente valoraciones que parten de una actitud pesimista y que llevan a los personajes de las novelas —y al mismo autor— a la "extenuante búsqueda de territorios habitables, apacibles, puertos de quietud, en una época zarrapastrosa, triste y desesperanzada. Extenuante búsqueda imaginaria que no conduce a otro lugar que al desasosiego".» (pp. 310-312).]

bona de los personajes y ambientes descritos. Pero en el conjunto de la novela hay una mezcla de costumbrismo, de crítica social, de lirismo y de simbolismo, que constituye uno de sus rasgos más característicos. El final es clave, en este sentido: terminada la noche iniciática de Enrique Estébanez hacia un vitalismo escéptico, entre la niebla brumosa y la oscuridad, al amanecer se monta en el primer tren que sale de la estación, con un destino desconocido, sin percatarse de que está retirado en vía muerta. Este final abierto de la novela la sitúa en un plano simbólico, que trasciende lo carnavalesco de la ficción y la eleva hacia lo metafísico. JOSÉ LUIS MARTÍN NOGALES.

VARIOS AUTORES

LA PLEAMAR DE LOS OCHENTA

[En la segunda mitad de los años ochenta la novela española vive momentos de auge; a la desconfianza en el género que habían padecido los últimos años setenta ha sucedido ahora un período de fértil exaltación. No es este el momento adecuado para examinar con detalle las numerosas causas que pueden explicar este hecho; sí vale la pena señalar, en cambio, que la buena salud de la industria editorial —y la creciente demanda del público— estuvo acompañada por la buena salud de la propia novela. Por lo menos tres generaciones de novelistas escribían profusamente en la segunda mitad de los ochenta: los hombres de la primera generación de

I.   Robert Saladrigas, reseña en *La Vanguardia* (7 de julio de 1989).

II.   M.ª Dolores de Asís Garrote, *Última hora de la novela en España,* Eudema, Madrid, 1990, pp. 368-369.

III.   José Luis Guarner, reseña en *La Vanguardia* (28 de mayo de 1987).

IV.   J. A. Masoliver Ródenas, «Introducción» a Enrique Murillo, *El centro del mundo,* Círculo de Lectores, Barcelona, 1989, pp. 7-18 (13-16).

V.   Santos Sanz Villanueva, reseña en *Diario 16* (23 de noviembre de 1989).

VI.   Emilietta Panizza, reseña en *España Contemporánea,* I, 2 (primavera de 1988), pp. 145-147.

VII.   Ángel Basanta, reseña en *ABC* (7 de abril de 1988).

VIII.   Santos Alonso, reseña en *Diario 16* (3 de diciembre de 1988).

IX.   Ángel Basanta, reseña en *ABC* (20 de abril de 1991).

posguerra no habían dicho ni mucho menos su última palabra (baste recordar aquí el caso del prolífico Torrente Ballester); los narradores del medio siglo proseguían una trayectoria que, en la mayoría de los casos, había sido definida con claridad bastantes años atrás; y muchos novelistas que se iniciaron a finales de los sesenta e inicios de los setenta encontraban ahora una voz y unos modos menos pegadizos o más personales que aquellos que impregnaban sus primeros experimentos literarios (los casos de Félix de Azúa, Javier Fernández de Castro, José María Guelbenzu o Mariano Antolín Rato pueden servir como ejemplo). A estas tres generaciones de novelistas vinieron a sumarse no sólo algunas vocaciones tardías, como la de Jesús Pardo, Fernando Fernán-Gómez o —al menos por el eco que ahora halló entre el público— José Luis Sampedro, y los escarceos de algunos escritores procedentes de otros ámbitos de la actividad intelectual, como Carlos Blanco Aguinaga, Fernando Savater o incluso José Ferrater Mora, sino también, y quizá sobre todo, una nueva hornada de escritores más jóvenes que habían empezado a dar señales de vida a mediados o principios de los ochenta.

En este contexto de evidente afianzamiento de la novela (quizás no sea una mera coincidencia que justamente en 1987 Sánchez Ferlosio rompiera con *El testimonio de Yarfoz* un sonoro silencio novelesco de más de treinta años), se diría que el alto grado de aceptación del género, por una parte, y la buena acogida que en general dispensó el público a las obras de los nuevos narradores, por otra, hubieran espoleado tanto la salida a la luz como la madurez definitiva de determinados autores que rondaban la cuarentena. Algunos, como Luis Landero o Enrique Murillo, parecían haber optado por madurar larga y secretamente el oficio de narrador antes de dar a la imprenta obras exentas de los balbuceos propios de los autores noveles que a fin de cuentas eran; otros, como Andrés Berlanga, Manuel de Lope o José Antonio Gabriel y Galán, que habían empezado a publicar en los años setenta (bien es cierto que quizá sin demasiada convicción, y de ahí los largos silencios de Berlanga y Gabriel y Galán), cuajaban ahora sus obras más logradas; otros, en fin, como Pedro García Montalvo —el más joven de todos— o Eduardo Alonso habían iniciado su carrera más o menos por los mismos años en que lo hacían los narradores más jóvenes y quizá se vieron favorecidos o arrastrados por vientos análogos a los que impulsaron a estos. Todos, es cierto, transitaban caminos personales en busca de un espacio propio en el interior de ese populoso bosque que era la novela española a finales de los años ochenta.] HCLE.

I. Dividido el texto en veinte capítulos y un epílogo, en *Octubre en el menú* (Alfaguara, Madrid, 1989) Manuel de Lope dibuja literalmente la descripción de una singular comuna juvenil de los años setenta en un destartalado caserón suizo. Uno de los puntales del relato —escrito en primera persona— se hunde en la voluntad convivencial de cada uno de los integrantes de la comuna, que no es otra que el deseo de alcanzar la utopía personal a través de la realización colectiva. Todos son en mayor o menor medida conscientes de la imposibilidad de trascender la ilusión, pero les basta con vivirla a fondo mientras dura y simular que creen en su viabilidad. Compran, venden, roban, según la predisposición de cada personaje, los sueños con los que alimentar una determinada etapa a plazo fijo, con inicio y final, de sus existencias.

El sueño y su inevitable nudo de intersecciones con la realidad se presenta como la segunda apoyatura de la historia. La interposición en el hombre de lo que imagina ser y lo que en realidad es por imperativo de la sociedad que lo integra puede llegar a producir resquebrajaduras en su carácter, que sólo contrarrestará si acierta a conciliar la libertad que disfruta en el firmamento onírico con el juego de leyes y convenciones que determinan su servidumbre en tanto que ciudadano. Al logro de esa variante pragmática de la utopía moderna se entregan, confusamente, el Náufrago, el Tigre, las Mellizas, Salvador, todos los demás, poseídos desde el comienzo por la convicción intrínseca de que al final cada uno vendrá obligado a proseguir el viaje por los cada vez más angostos senderos de la tierra, en busca de lugares tranquilos que los resguarden de temporales y naufragios.

El narrador solitario, contemplando desde Finisterre la isla de San Brandán, pone colofón al relato con estas palabras: «Este libro fue concluido y la memoria se detuvo sin afinar más detalles». De modo que todo parece haber sido vivido y dicho para quedar almacenado sin excesiva amargura en la memoria, capaz de conservar el sentimiento de la aventura ya antigua pero sin afinar más detalles; así como todo parece tener que decirse de nuevo en el futuro, a menos de renunciar para siempre a los sueños. La novela, pues, como las otras de M. de L., empieza donde terminaba la anterior y concluye donde sin duda arrancará la siguiente. Refleja un pasaje de vida en curso de desarrollo: la vida del «yo» que se va explicando a tenor de sus pisadas por la cinta sin fin, que inexorablemente lo devuelve siempre al punto de partida.

Novela a novela, acto tras acto, M. de L. va enlazando las fases de la historia de un clásico antihéroe moderno, a la manera de un

Dedalus tierno y escéptico que algo debe al pícaro Lazarillo de Tormes. Pesimismo moral, desasosiego, que sólo viene atenuado por la astucia de quien se propone sobrevivir al abismo y a la oscuridad, valiéndose de cuantas argucias tiene a su alcance. En este caso, *Octubre en el menú* es la obra que mejor sintetiza las claves reguladoras del mundo de M. de L. y la manera alegórica con que su mirar de dentro hacia afuera se transforma en discurso reflexivo y en imágenes literarias, pese a todo realistas. Sin embargo, donde se percibe que su respirar ha alcanzado a resolver el secreto de la intensidad y el ritmo exigidos por la formulación del universo que define a M. de L. es en la escritura. Desnuda de vestigios barrocos, austera y cálida, elástica, cromática, ensimismada sin dilapidar una palabra, el ajuste funcional y el equilibrio entre los diferentes tonos narrativos permiten condensar en muy pocas páginas una atmósfera cosmogónica. ROBERT SALADRIGAS.

II. La crítica ha visto en *La gaznápira* (Noguer, Barcelona, 1984) una novela que ha sabido captar el lenguaje, las costumbres, las reacciones elementales de unas gentes, las de un pequeño pueblo de la Meseta, Monchel, en la raya de Aragón; algún crítico y escritor a la vez ha encontrado resumida la historia reciente de nuestro país en este mundo elemental y campesino, en el tiempo que corre desde «el domingo del Rosario, 1949», en que comienza la primera *relatoria*, hasta «las fiestas, 1981» con que termina el relato. Quien ha leído la obra teniendo presente la profesión de periodista de su autor, Andrés Berlanga, ha visto reflejadas, en la historia del personaje protagonista, Sara Agudo, incidencias emocionadas de la propia historia del autor, por la fidelidad a la realidad ambiente y el pálpito humano con que se describe lo vivido; aspecto este que quien conoce al autor enjuicia también el libro como una biografía íntima, aunque revestida del lenguaje ficticio que precisa una novela. En la *relatoria* quinta, que el colofón de la obra, recurriendo a un engaño más de este mundo ficticio, aclara «estar concebida y abocetada exclusivamente por el autor», se lee lo siguiente: «Gabriela buscó entusiasmada otro renglón de sus notas y te confió su segundo descubrimiento: te haría nacer de nuevo para que hicieras lo que se te antojara, como un tío; ahí estaba tu pseudónimo, el que después te tentara tanto y tanto durante tantos años, ese Andrés Berlanga zigzagueante y rotundo, un nombre tan gaznápiro también;

escapado sin duda del *Quijote*, como te jurara Gabriela toda convencida». Indicio explícito, prueba patente, de la identidad de personaje con el propio autor; algo que se barrunta desde la primera página, aunque se confirma en este párrafo.

La gaznápira ofrece un conjunto de técnicas características de la novela contemporánea, que ha buscado en la expresión formal un modo de reflejar el mundo del significado. El libro no está estructurado en capítulos, sino en *relatorias*, queriendo significar el menor grado de elaboración con que, aparentemente, se nos va a dar el lenguaje. En efecto, en estas *relatorias* es frecuente el uso del monólogo que, llevando la atención sobre la superficialidad del nivel discursivo que cita directamente, puede sugerir eficazmente la profundidad psicológica. Es característica fundamental la mezcla de niveles de lenguaje. El más corriente es el vulgar, oral, del pueblo Monchel, que redunda en una ampliación y enriquecimiento del mundo representado; pero a la vez resulta especialmente significativa la introducción en la obra de otras clases de discursos, como el lenguaje oficial puesto en boca del gobernador de la provincia, o el religioso y sermonario de aquel tiempo, con una intención, en ambos casos, distanciadora y crítica de la realidad representada. La reproducción de otros idiolectos, como el de la PNN de sociología, dan la impresión de objetividad, de inmediatez de lo narrado. En todos los casos el sentido crítico salta a primer plano; se atrae al lector, pero esa atracción implica un cuestionamiento del lenguaje, un énfasis sobre la escritura y la realidad a la que alude.

Otro aspecto que merece subrayarse consiste en la singularidad del narrador. Se trata de una segunda persona gramatical, en total consonancia con la protagonista. Aunque el narrador dialogue con ella, su óptica es la de la conciencia de Sara, de modo que la aparente distancia de los dos interlocutores, narrador/protagonista, no es sino mera ficción encaminada a proporcionar al relato una aparente objetividad, un recurso del propio autor para esconderse tras lo narrado, para no hacer directamente presentes sus juicios de valor. También esta segunda persona asume en las *relatorias* el papel del narrador común del psicorrelato tradicional: es decir, verbaliza e interpreta recuerdos y estados de conciencia que no podrían estar expresados sin esta mediación, por la índole del personaje protagonista. Por último anotaremos el continuo uso de la alusión como procedimiento narrativo, y la condición de relato circular de esta novela, característica a la que, en opinión de Virginia Woolf, retornaría el género literario y que aquí, efectivamente, ha retornado. M.ª DOLORES DE ASÍS GARROTE.

III. Un perro muerto varios días atrás, convertido ya en un fardo negruzco, yace en la calzada. Es una imagen calculada de descomposición, pero se revelará premonitoria. Es lo primero que ve el dudoso héroe de *El bobo ilustrado* (Tusquets, Barcelona, 1986), Pedro de Vergara, un periodista de *La Gazeta* casado con una burguesa absolutista que le abandona en la segunda página, durante el largo y cálido verano de 1808 en un Madrid que aguarda la inminente llegada del rey José Bonaparte. No por azar, porque doscientas páginas más tarde Pedro está condenado a fundirse en esa imagen.

El destino de este contradictorio Vergara —por algo lleva nombre de pacto— que no sabe si quiere ser afrancesado, patriota, liberal o revolucionario, viene documentado por el autor, José Antonio Gabriel y Galán, con el mismo llameante sarcasmo de su primera novela, *Punto de referencia*, que fue finalista del premio Biblioteca Breve y es una de las más notables primeras novelas españolas de los setenta. Pues Pedro, escritor fracasado, adora platónicamente a un —¿ilusorio?— ídolo cultural, la excelsa Rahel Levin que reina en los cenáculos europeos y cuyo intelecto despide más fulgores que el de la mismísima madame de Staël. Pero se deja seducir por una misteriosa y muda criada de fogón, Aldonza, que el delirio y el calor canicular, amén de muchos espejos, convertirán en Dulcinea de este irrisorio don Quijote. Colmo de la ironía, ese hombre que rehúsa el compromiso y no logra entender su realidad histórica, se verá envuelto en una rocambolesca conspiración: correo de misivas secretas, intermediario renuente, participa en un complot contra la vida del monarca impuesto y en seguida trata de desbaratar la conjura.

Su frenético, angustiado ir y venir aparece descrito por el autor en segunda persona, procedimiento algo inusual: ¿dialoga el narrador con su personaje o le contempla a distancia con la omnisciente perspectiva de Dios? El caso es que la voz de Vergara —o de J. A. G. G.— no es la única que escuchamos en el relato. Porque el autor, maliciosamente, le contrapone el testimonio de un cortesano maquiavélico, el marqués de Monteyermo, aristócrata casado, cornudo, mariquita y servidor de la Corona. Su función aparente es la de reseñar las incidencias del viaje del rey José a Madrid, que no le espera con los brazos abiertos, las ceremonias inútiles de su absurdo protocolo. Es el portavoz de una clase, de una manera de entender la vida, pero también un signo de su decadencia. Y no tardaremos mucho en descubrir que el destino le ha llamado a jugar un papel decisivo —y fatal— en la vida de Vergara: periodista y marqués, polos opuestos el uno del otro, quedarán indisolublemente unidos por el azar y la historia.

Su encuentro ocurre en un Madrid descrito con realismo implacable, detallado con la precisión de un cronista, recreado con una minuciosidad maniática, digna del Rossellini de la última etapa de magistrales películas históricas. Ese Madrid sucio y derelicto, lleno de basura arrojada displicentemente por las ventanas y cadáveres en espera de que alguien se digne darles sepultura, hirviente de pasiones, rebosante de vitalidad violenta y alegre, donde los criados sisan sin misericordia a sus amos, los cómicos de la legua hacen política en la clandestinidad, el pueblo llano forma largas colas ante los aguadores para apagar su sed y se enfrenta con furia al ocupante gabacho; a la vez villa y corte y patio de Monipodio, se siente «comme si vous étiez», con una fuerza y un relieve extraordinarios. Pero ese Madrid que presenta J. A. G. G. es también fantasmagórico, surreal, en el que cualquier cosa puede ocurrir, donde el deambular del protagonista se torna gradualmente en viaje alucinatorio, del mismo modo que la servil María, oscuro objeto del deseo, se convierte poco a poco en Mariblanca, ama tiránica y elocuente verdugo. Y es que este episodio nacional se revela a la vez una fábula inquietante y sutil, algo que va más allá de un elegante recuento de los diez días del efímero reinado de Pepe Botella. JOSÉ LUIS GUARNER.

IV. En *El centro del mundo* (Anagrama, Barcelona, 1988) la indagación afecta, sobre todo, a la vida o, mejor dicho, a la muerte, ya que el escultor Ceruti, nuevo Sócrates o nuevo Cristo sin resurrección, renuncia a la vida, tras haber renunciado previamente al arte, ya que «el fin de la vida no es el final de ciertos tormentos que soporta el cuerpo, sino la liberación del alma, que emprende el vuelo en pos de la verdad». Al no haber un narrador absoluto, parecería que el destino de los personajes queda en manos del indagador, un personaje mezquino, rencoroso, torturado por la envidia y por las hipótesis, perpetuamente malhumorado y sin el menor sentido del humor. Y sin embargo esta es una novela enormemente divertida porque, en un prodigioso *tour de force*, Enrique Murillo ha conseguido que la interpretación del relato, con toda su carga paródica, dependa nada menos que de Ceruti, personaje silencioso, filosóficamente pasivo y entregado a la muerte, maestro sin sermones, profecías o milagros, dueño de un secreto que no necesita compartir y que, con su callada «pasión por la ironía», es el que provoca la compleja dinámica narrativa.

Tres espacios y tres tiempos, ambos íntimamente relacionados, determinan el ritmo nervioso y al mismo tiempo estático, la estructura fragmentaria y al mismo tiempo unitaria de la novela. Hay un desarrollo lineal, continuamente agredido pero visible, que nos permite seguir la evolución artística y espiritual de Ceruti. Vemos así cómo aquel niño que se reveló en la escuela como un dibujante prodigioso y «aquel jovencito ambiciosísimo y un tanto disparatado se convertía en un adulto que, tras haberse condenado primero a una vida gris y luego al más puro fracaso, se entregaba al final, de forma más escandalosa e inexplicablemente concienzuda, a la muerte. Porque ahora ya no me llamo a engaño. Esa es la curva que ha trazado su vida». El final de esta curva está ya anunciado en el primer capítulo del libro, en el que vemos a un Ceruti agonizante rodeado de sus tres «discípulas», Laura, Neme y Pilar, demasiado entregadas a él para poder sentir ningún tipo de celos. Por el contrario, el posesivo y celoso narrador piensa, en una frase que parece carecer de significado, «Así te atragantes». La escena se repite en el capítulo IX y final (si descontamos el epílogo) de la novela, en el que el narrador ha tomado su decisión: «Te tengo atragantado, sabes, y no tardarás mucho en atragantarte tú también».

Las etapas de la formación artística de Ceruti, su visión de carácter místico y su decisión de entregarse a la muerte se desarrollan en dos escenarios principales: «una ciudad fantasma, fría como la muerte pese al calor, poblada de almas en pena», y París, donde ocurren algunas de las escenas más divertidas del libro. Una vez Ceruti ha decidido entregarse a la oscuridad y a la muerte, el escenario, verdadero centro del mundo, es el dormitorio, y allí le vemos con «un gesto desencajado, pero al mismo tiempo radiante». Esto nos remite a otro dormitorio: el de la infancia. Allí estaba «la clase de paraíso que añoraba más tarde cuando se refería a su felicidad infantil, el tipo de escena al que quizás estuviera refiriéndose cuando mencionaba aquella época remota de cuya pérdida jamás se había consolado». Presencia dominante en este cuarto que no cuesta identificarlo con otro centro del mundo, el claustro materno, es doña Aurora, su madre: «Ella estaba mirándole con arrobamiento desde una silla, y él, en la cama, se dejaba mirar, sonriendo plácidamente, como si el estar siendo contemplado por doña Aurora constituyese un extraño pero intensísimo placer». En efecto, «parecía del todo ajeno a las preocupaciones de este mundo», como en éxtasis. Por eso la clave de las visiones de Ceruti no está en la lectura de Porfirio, en el que se nos habla de los extremos de éxtasis místico de Plotino, sino en la madre: «Aquel ramalazo visionario devolvía a Ceruti a los orígenes de su familia, en especial de la materna».

De la misma forma que vemos a Ceruti a través de la paranoica interpretación del narrador, vemos al narrador a través del silencio de Ceruti, que es quien provoca la febril actividad mental de una persona por lo demás mediocre, sin sentido del humor, envidiosa, rencorosa y prisionera de su imaginación (ir)racional. Las hipótesis y las indagaciones son las que imponen el ritmo y la estructura de la novela, con sus continuas digresiones, avances y retrocesos, con toda la libertad propia de los monólogos. De la intensidad de su odio y de su despecho nace el feroz sarcasmo y de su mediocridad nace el divertido lenguaje coloquial que trata de degradar las situaciones más nobles y más dramáticas. Del contacto con Ceruti, de su necesidad de identificarse con él y de liberarse de él, nace su personalidad trágica. J. A. MASOLIVER RÓDENAS.

v. Basta con leer la primera página de *Juegos de la edad tardía* (Tusquets, Barcelona, 1989), de Luis Landero, para darse cuenta de que nos encontramos ante un libro preñado de sugestivos sentidos. Alguien, un tal Gregorio Olías, que luego roba el centro de la ficción en su calidad de protagonista fundamental, despierta y en situación de duermevela tiene aprensiones distintas, pero de significación complementaria. Por un lado padece la impresión de estar soñando la vigilia y, por otro, es consciente de que levanta un parapeto para defenderse de las asechanzas del mundo; a la vez, está dispuesto a proclamar que la realidad es ilusión, pero ha de salir a ella con una «tragantada de pánico».

El excelente y sugeridor arranque que he parafraseado nos dispara hacia un tema clásico, que en nuestras letras logró la magistral plasmación quijotesca, el de los límites entre vida y fantasía, cordura y demencia; una sutil frontera que en *Juegos...* se pone a prueba mediante la creación de una biografía real de puro imaginaria. Lo que se nos ofrece es una vida fantástica como única salvación a la mediocridad intrínseca del existir humano. Olías, en cuya infancia se sembraron las semillas de mentiras verdaderas, por decirlo con frase prestada, es esposo rutinario y ciudadano tranquilo que trabaja como oficinista oscuro de oscuro almacén de vinos y aceitunas. Tanto conformismo familiar, social y laboral oculta una subterránea veta de insatisfacción dispuesta a encontrar cualquier falla en una estructura geológica aparentemente sólida para saltar al exterior como una lava impetuosa de efectos arrasadores. Durante un tiempo le será posible mantenerla disimulada y encauzada en la clandestinidad de una doble vida esquizoide, pero, al fin, reventará en los límites de la locura. Ese ciudadano tranquilo que ha conocido el vértigo de la insania tras haber saltado las barreras de la mediocridad se hace ganadero en remoto lugar, con lo cual regresa al orden e ingresa en la muerte, se salva y se condena: así triunfa un destino libre por medio de una claudicación lúcida de tan enajenada.

Gregorio no milita en las filas de la revolución ni se siente redentor de nadie, sino que le pasa lo que a millones de seres humanos, que constata una realidad gris y vulgar. Entonces, a la chita callando, transforma una rebelión no formulada en la forja de una esplendorosa y ficticia biografía, la de un incomprendido y genial artista a quien llama Faroni. Este *alter ego* no llega a suplantar su personalidad, porque siempre la terca realidad le avisa de su condición de impostor, pero sí que logra darle suficiente autonomía gracias a Gil, un pobre diablo, vendedor por provincias de la misma empresa, quien redime su insatisfacción mediante una entrega absoluta a la causa de Faroni. Gregorio y Gil tendrán un día que verse las caras y, entonces, se produce el fin de la superchería. Ambos emprenden una nueva vida que cierra un ciclo y firma el armisticio que sella una derrota. O, quizá, una victoria: también don Quijote pensaba hacerse pastor en el trance extremo de una cordura impertinente.

L. L., el autor de esta historia a la par regocijante y triste, ha escrito un libro de sabor clásico y de alcance intemporal. Tan intemporal que, aunque Gregorio viva en una época dominada por un general, resida en una ciudad grande y proyecte un viaje al Levante, no sabemos con detalle ni cuándo ni dónde desbarró. A la par es moderno, porque habla de unos tiempos en los que, para el hombre de la calle, «la única gran empresa se reduce a la conquista del puchero». Esa disputa entre el mesocrático disfrute del cocido y la idealidad liberadora se encarna en la novela en una variada gama de personajes que representan una u otra opción. Este es un acierto fundamental del autor: la creación de un orbe poblado por una rica galería de seres —entrañables o ruines, prosaicos o disparatados— que cobran vida en la mente del lector. [...]

No menor acierto es el de haber creado una obra repleta de incidentes que destacan por su inventiva, al borde del disparate ocurrente y feliz, y, con frecuencia, por su gracia y su desenfadado humorismo. Un humor que no es broma gratuita, sino el soporte de una actitud comprensiva e indulgente del género humano. Si una de las corrientes de nuestra última narrativa es la que disfruta del gusto por contar, la novela de L. L. entra en ella con derecho propio y pasa a formar parte de una cadena cuyo primer eslabón cronológico es Eduardo Mendoza y en la que ocupa un lugar destacado Luis Mateo Díez. Admirable también es una prosa esmerada, de frase amplia y precisa, de rico léxico y con algunas adjetivaciones inusitadas, exactas y sorprendentes. Todo ello en un primer libro que está bien lejos de los tanteos de un escritor novel y que revela una madurez insólita o, al menos, muy infrecuente. Acaso un reparo pueda ponérsele: el autor, con el entusiasmo del virtuoso, ha sido poco comedido en la extensión del relato y ha llenado páginas innecesarias con prolijidades verbales o con situaciones irrelevantes o pegadizas. SANTOS SANZ VILLANUEVA.

VI. Si tuviéramos que reducir a fábula la novela *Los jardines de Aranjuez* (Anagrama, Barcelona, 1986), podríamos decir que esta refinada variación costumbrista de Eduardo Alonso se limita a una trama muy esencial, presentando la historia de dos amores imposibles: el del bufón Sebastianillo de Céspedes por doña María Ana de Austria, esposa de Felipe IV, y el del enano Domingo Gálvez por Sara Soto, llamados estos últimos a interpretar el papel de aquellos en la pequeña pantalla. En un primer momento, la disposición de distintos tipos de enunciación crea cierta fricción lógica, con la fenomenología discursiva ecléctica de las varias secuencias, que impide comprender exactamente quién es el narrador de la historia y a qué nivel se pone. Pero, relativamente pronto, se comprende que es Domingo Gálvez, solicitado por un interlocutor anónimo, el que deshilvana el hilo de sus recuerdos en un doble plano de la narración, en el que su diálogo alterna con otra voz —la suya—, narradora en tercera persona de la vida del bufón, acabando por presentar la realidad actual y la pasada en una misma dimensión. Ello se debe a que Domingo, al encarnar en la pantalla a Sebastianillo, se ha identificado a tal punto con él —«¿Quién soy? ¿Quién soy? ¿Domingo o don Sebastián?» (p. 8)— que su punto de vista se impone y, gracias a una focalización interna, pasa del análisis de su conciencia [...] a lo objetivo de una reconstrucción que abraza dos épocas muy distintas, encarando situaciones contradictorias tanto del mundillo del espectáculo de nuestros días como del ambiente ciudadano y palaciego del siglo XVII.

La narración se desarrolla en estructura novelesca de estratos yuxtapuestos que se agrupan en capítulos donde tiempo y espacios están dislocados por las piruetas de la memoria —«Las palabras y las imágenes son sucesivas, pero la memoria no es lineal» (p. 77)—, suspendiendo y reanudando las situaciones con una técnica típicamente cinematográfica de retrospección y vuelta al presente, sin cortes «visibles» intermedios. En el centro de la escena: Sebastianillo y Domingo. Indisolublemente atados, a pesar de los siglos que los separan, por una vida de pícaros afortunados y un destino común. El bufón del rey, antes de ocupar su plaza en la Corte, fue «sacristán, recadero, mendigo, alfarero, criado de juez en Talavera y farandul» (p. 77); Domingo, antes de hacerse célebre gracias a la televisión, actuó en un circo, en un grupo folklórico como torero cómico y fue bailarín de cabaret. Los dos tienen en común un carácter contradictorio, comparten un sentimiento de soledad frente al triunfo, y están entrañablemente unidos por sus fracasos amorosos. [...]

El ritmo lingüístico, caracterizado por la presencia de grupos trimembres en la disposición sintáctica de la frase —«comían un bocadillo, bebían unos tragos del porrón, se refrescaban en el pilón, en la fuente, en el grifo del zaguán» (p. 103)—, destaca la participación afectiva y subjetiva del personaje en lo que rememora, aun cuando lo hace con marcado desapego, como narrador heterodiegético que cuenta algo que no le concierne directamente. La abundancia de epítetos antepuestos y pospuestos y la presencia de varias metáforas impuras contribuyen a realzar la valoración subjetiva e impresionista de la novela, mientras los diálogos cortos, ceñidos, precisos, se dirigen eficazmente al oyente para adentrarlo en el alma del personaje, y sostienen además el desarrollo de la acción. La prosa nítida, fluida, transparente que E. A. forja para esta novela pone de relieve su extraordinaria habilidad lingüística. En ella prevalecen oraciones coordinadas y yuxtapuestas que se suceden sin complicados enlaces, con una brevedad dinámica y suelta. Las embellece un léxico rico en atinados neologismos, arcaísmos sabiamente escogidos y extranjerismos en su mayoría de marca italiana, pronunciados con verosimilitud por el director del serial y la primera actriz (italianos), y a veces dulzonamente chapurreados por quien los escucha y refiere.

La novela resulta un sabroso y ponderado cuadro de costumbres, que no encubre ni disimula los defectos de los dos ambientes satirizados, en ciertos momentos, con amarga conciencia de los hechos —cf., por ejemplo, los caprichos de Felipe IV (pp. 116-120) y la descripción del periodista Merino (pp. 123-124)—; pero, al mismo tiempo, es testimonio de las inquietudes de dos hombres de épocas muy distintas que sufren por amor. Domingo es el que busca su identidad sin encontrarla y reflexiona sobre el mundo de las relaciones y de la condición humanas, refugiándose —como último recurso— en los sueños de una «lúcida» locura: «Don Sebastián me enseñó a desdeñar el mundo —confirma en cierto punto el enano—. Un poco de credulidad y mucho de desdén. *Sólo los sueños nos hacen justicia.* Eso lo sabemos los artistas» (p. 183, la cursiva es nuestra). EMILIETTA PANIZZA.

VII. En *Una historia madrileña* (Seix-Barral, Barcelona, 1983) Pedro García Montalvo presenta una historia de prosapia dostoievskiana en un Madrid con múltiples reminiscencias galdosianas, sobre todo del espacio —real y simbólico a la vez— de *Misericordia*. El diseño externo se ajusta a la clásica división en capítulos. Son dieciocho y un epílogo final, y responden a la composición tripartida de introducción o prólogo (capítulo I), cuerpo central de la novela (capítulos II-XVIII) y epílogo. Esta organización se manifiesta en la misma presentación del texto, con un capítulo I que bien podría llevar como epígrafe el de prólogo o capítulo cero, sin numeración, y con un epílogo ya diferenciado del resto, y también se percibe en la temporalización del discurso, con sendas elipsis, de seis meses cada una, entre el capítulo I y el II, y entre el XVIII y el epílogo.

La historia se localiza en un tiempo y un espacio bien delimitados, en el año 1953, en tres enclaves madrileños básicos: a un lado la zona del Retiro, residencia de la clase social alta, al otro el barrio de Lavapiés, en plena miseria de posguerra, y en el medio, como ámbito de transición imposible entre polos opuestos, el viejo Madrid de los Austrias. En este ambiente de posguerra, delimitado por referencias temporales explícitas y realzado por alusiones implícitas a las restricciones de energía eléctrica, a las cartillas de racionamiento y a múltiples referencias a la prehistoria narrativa de los personajes, se desarrolla la historia de amor imposible entre Luisa Estrada, viuda de un comandante del Ejército del Aire, y el capitán de aviación Javier Zaldívar. Luisa es una mujer desclasada por vía matrimonial. De su barrio natal de Lavapiés ha conseguido saltar a la calle de Alfonso XII, donde ha podido sentir la hipocresía de la aristocracia y la alta burguesía, así como también la reluctancia que su figura advenediza provocaba en aquel ambiente social. Ahora, viuda joven y atractiva, recuerda la pasión nacida entre ella y el capitán Zaldívar, a la vez que emprende una imposible recuperación de su infancia entre el pueblo de Lavapiés, donde ayuda a antiguos conocidos y, arrastrada por una misteriosa atracción hacia los desamparados, se entrega a una extraña caridad sexual en un no menos extraño camino de perfección. Luisa vive así entre dos mundos que no la admiten como suya. Su designio social —tanto el ascendente como el descendente— no es posible, como tampoco lo es la armonía entre ambos mundos. Y el amor entre esta patética samaritana y el capitán Zaldívar renace destinado al fracaso. Porque, en movimiento de intensificación gradual, casi desde los primeros capítulos se intuye que el joven militar, dominado por la pasión y atormentado por la doble vida de la mujer a la que ama, acabará siendo el agente de la inexorable tragedia final. Y la historia busca sus raíces en la tradición popular de aquella cortesana romana que entregaba su cuerpo en limosna a cuantos desamparados se lo pedían, por lo cual fue canonizada por el pueblo como santa Nefija (o santa Nafisa o Nafissia, nombre italiano con el que aparece en los *Ragionamenti* de Pietro Aretino), patrona de las prostitutas (como tal, aparece en tres ocasiones, en *La lozana andaluza*: mamotretos 23, 50 y 51).

Acierto notable de la novela es la modalización del relato en la figura de un narrador que cuenta los hechos en tercera persona desde su omnisciencia neutral, adoptando alternativamente la visión de los personajes principales y revelando sus pensamientos; a veces por medio del estilo indirecto libre. A ello responde la alternancia de capítulos en las trayectorias de los agentes del protagonismo dual. Y a esa estrategia se adecua también el tratamiento del tiempo, lineal en el presente narrativo, centrado en la primavera madrileña del año 1953, con abundantes elipsis, resúmenes narrativos y pausas descriptivas, y con frecuentes analepsis en casi todos los capítulos. Ello da lugar a una antítesis temporal entre el presente y el pasado, espacial entre el Retiro y Lavapiés, social en las implicaciones de ambos espacios. ÁNGEL BASANTA.

VIII. *Mimoun* (Anagrama, Barcelona, 1988), de Rafael Chirbes, plantea una narración lineal de escritura transparente que nos relata la peripecia de un profesor español durante un curso escolar en la Universidad de Fez. El personaje cuenta en primera persona sus experiencias y, sobre todo, el intento de adaptación al medio en que vive. Y es en este punto, detrás de sus días académicos y sus noches guiadas por los vapores etílicos y los esparcimientos eróticos, donde el relato adquiere su más profunda dimensión, la del enfrentamiento dialéctico con el medio. Poco a poco se precipita el protagonista en una progresiva degradación de cuyas claves no es por entero consciente hasta bien avanzada la trama: una enmarañada madeja de misteriosas situaciones y no menos misteriosos personajes. El enfrentamiento es tan violento que en su desenlace sólo resta la opción de la huida.

A lo largo de la historia resalta la atmósfera de ambigüedad y de misterio. Por un lado, la narración en primera persona da pie a la expresión casi lírica de sensaciones y sentimientos, un tono de escritura que se adensa en la emotividad del recuerdo, cercana en ocasiones a la ensoñación. Por otro, el cerco que rodea al protagonista, fomentado por unas relaciones personales desconcertantes y una serie de sucesos de alcances inciertos, representa el punto convergente del desasosiego que, aunque sea mínimo, debe tener toda obra literaria. Por otro, la ambigüedad, que se muestra, por ejemplo, en las relaciones amorosas, suscita el efecto de la relatividad en los modos humanos de conducta. Esta atmósfera contribuye, junto a la mencionada dialéctica, a delimitar un cuadro de seres, no sólo inadaptados —me refiero sobre todo a los extranjeros residentes en Marruecos—, sino abocados al desconocimiento de sus propios objetivos, contradictorios y abandonados al desarrollo de los acontecimientos. Podría incluso hablarse de una inercia vital, una borrachera de la que no es ajena la ciudad en que residen, que les convierte en animales indefensos y acorralados, como en algún momento apunta el narrador. Su evolución, conviene decirlo, se refleja, como en un espejo, en las condiciones exteriores del paisaje y el clima. La presión de las lluvias o del sofocante calor se corresponde con la situación emocional de los personajes, en especial del protagonista: como si el desierto lo hubiera ocupado todo y no quedara otra salida que escapar de él cuanto antes. No es casual, tampoco, la forma narrativa de *Mimoun*. Acorde con la trama, la novela adopta una estructura de relato policial donde se dan cita el suspense o la intriga: personajes que entran en la acción sin una función expresa, pero sí sugerida; sospechas condicionadas por extrañas desapariciones o intervenciones veladas; muertes inexplicables a las que se intenta dar un sentido o reacciones violentas que requieren explicaciones posteriores; participación de la policía en los sucesos; y, sobre todo, un telón de fondo donde se mueven personajes y factores de intriga que llevan a pensar en hampas organizadas, pero nunca descubiertas del todo. Es decir, una lograda conjunción entre lo que normalmente se entiende por narración subjetiva, cercana a la lírica, dialéctica, y el relato de acción con todos sus factores determinantes. SANTOS ALONSO.

IX. *Contra vosotros* (Alfaguara, Madrid, 1991), de Mercedes Soriano, se divide en dos partes de diferente extensión. La primera, «Contra nosotros», está formada por siete capítulos con otras tantas experiencias referidas por sus respectivos narradores-protagonistas en sendos monólogos dominados por el subjetivo desorden del libre fluir de la conciencia y las caprichosas leyes de la asociación. La unificación de estos siete soliloquios viene dada por las breves anotaciones finales debidas a un narrador omnisciente que realiza el cometido de reflexionar, sintetizar y extraer conclusiones de cada conflicto planteado en términos existenciales. A este narrador en tercera persona, tras el que se esconde la autora, pertenecen también los epígrafes de cada capítulo, que resumen la idea central del mismo.

Esta cuidada integración estructural, reforzada por una clara unidad de estilo, se complementa con veladas insinuaciones de coincidencias entre personajes de distintos capítulos. Tales reapariciones nunca son explícitas, pues los personajes son anónimos y sólo se reconocen por sus profesiones y lazos familiares o afectivos. Pero no pasará desapercibida, entre alguna más, la coincidencia entre el primer esposo de la rica heredera de «Relevo» y el narrador-protagonista de «Desertor». Finalmente, en la segunda parte, con la deliberada anonimia de personajes ya resaltada en el epígrafe de «Nadie», se desarrolla un texto fragmentado en seis secuencias con las acusadoras reconvenciones que una voz surgida como grave conciencia moral dirige a un destinatario colectivo.

Hay un evidente fondo común en esta diversidad de historias de hombres y mujeres de nuestro tiempo. Todas estas experiencias nacen de frustradas relaciones de pareja entre diferentes profesionales de la sociedad actual al borde de los cuarenta años. Son matrimonios entre hijos de la posguerra agotados por el engaño o el cansancio y cuyos componentes se encuentran en la encrucijada de sus vidas, con la incertidumbre que provocan la lucha y la entrega anuladas en amarga soledad. El acento fuertemente crítico con la carrera del éxito y del consumo en nuestra sociedad experimenta un realce expresivo al estar narrados los siete primeros capítulos desde la perspectiva de quienes representan dichos valores materiales, como el político de «Control»; los han padecido en su propia carne, como las mujeres separadas de «Memoria» y «Completa», o se han rebelado contra ellos, como el pintor de «Hallazgo» y el profesional que abandona sus negocios en «Desertor». Y todo alcanza su máxima concentración en la airada salmodia admonitoria de «Nadie» contra la sinrazón de los humanos arrastrados por la abismal competición de producir y padecer. Tales son los fundamentos de este acerado texto nacido de un rabioso descontento que ha cristalizado en una buena novela.

Conviene señalar por último, que el complejo entramado narrativo de *Contra vosotros* no ha caído en artificiosos virtuosismos formales que podrían dificultar innecesariamente su lectura. Habituado al desorden nacido de estos valientes desahogos íntimos en forma de soliloquios y monodiálogos, el lector puede ya seguir con facilidad los recovecos de una prosa de fuerte aliento poético y notable tensión estilística, fluida, dúctil y enriquecida por la diversidad de registros y tonos, desde la ternura y el lirismo hasta la confesión descarnada y la irritación blasfema. ÁNGEL BASANTA.

EMILIO ALARCOS LLORACH

ANTONIO MUÑOZ MOLINA:
LA INVENCIÓN DE LA MEMORIA

El propósito primario de Antonio Muñoz Molina consiste en crear narraciones que procuren entretenimiento. Con ello, vuelve conscientemente a lo que la novela fue en sus comienzos: relato de peripecias que capten el interés del que leyere. No significa esta afirmación que el novelista sea ajeno a los experimentos y ensayos narrativos que se han ido sucediendo desde Cervantes y que tan variados aspectos presentan en el siglo que se va acabando. El autor los tiene bien asimilados, pero su pretensión al escribir no es la de ofuscar al lector con procedimientos oscuros y dificultosos. Huye de la confusión abstrusa, aunque exquisita. No por ello abandona el misterio, la alusión enigmática y la elisión provocadora de curiosidad que, con manejo conveniente, tejen de suspensión e interrogantes el hilo narrativo, a base de dos ingredientes en que hace hincapié el novelista: la memoria y la invención. Él mismo ha escrito: «El narrador es alguien que ha vivido o presenciado una experiencia límite o que después de haberla oído cumple la tarea de repetirla a los otros»; y también: «La tarea del que cuenta es salvar e inventar la memoria». *Salvar e inventar la memoria*: experiencias vividas y transformadas por la habilidad fabuladora; esto es, criba de lo vivido y, a partir de su quintaesencia, creación de otra memo-

Emilio Alarcos Llorach, conferencia pronunciada en la Universidad de Cantabria, en Laredo, en agosto de 1990 (fragmentos).

ria ficticia, más real y capaz de resonar en los demás. A. M. M., pues, pretende en primer término contar y que su cuento pueda renacer en el lector, evitando su distracción y atrayéndolo a participar activamente en el relato. [...]

Cada una de sus tres novelas opera sobre materias distintas. La primera, *Beatus ille* (Seix-Barral, Barcelona, 1986), consiste aparentemente en las indagaciones que un estudiante, Minaya, lleva a cabo para restaurar la memoria, la obra de un ficticio escritor olvidado de la generación del 27. A lo largo de sus investigaciones, se van entrelazando, con la propia vida del estudiante y la del escritor Solana, los avatares ocurridos en la casa señorial de su tío Manuel. A su vez, se plantea un caso oscuro de índole criminal: quién mató en realidad a la esposa de Manuel la misma noche de bodas, muchos años atrás. La novela se desarrolla, en su mayor parte, en una supuesta Mágina, ciudad andaluza que no es sino transfiguración poética de la Úbeda nativa del autor. El tiempo en que transcurre también está puntualmente señalado, en torno a unas pocas fechas primordiales: el asesinato de Mariana (1937), la muerte admitida de Solana (1947) y los primeros meses invernales de 1969 en que el estudiante Minaya viene a Mágina, huyendo de problemas políticos, para interesarse por Solana, que había sido amigo y riguroso coetáneo del tío Manuel.

Aparte de la trama argumental, intervienen en la novela dos grandes temas: uno —imaginario—, la recreación del mundo infantil y adolescente del autor (su tierra, sus gentes, sus ambientes); otro, la inevitable referencia a la guerra civil y sus consecuencias. En este asunto, el novelista —con independencia de implicaciones familiares que puedan moverle a revivir aquellos hechos— está lo suficientemente alejado de ellos (pues ha nacido veinte años después del comienzo de las hostilidades) para tratarlos con crudeza e imparcialidad. La fría perspectiva de la distancia, no exenta a veces de ironía o escepticismo, le permite recrear tanto el hosco ambiente de los calabozos de la Dirección General de Seguridad, la torva persecución de los activistas clandestinos o la arbitraria ejecución del padre de Solana como el estúpido fusilamiento de una estatua o el atroz linchamiento de un quintacolumnista.

Como en las demás novelas de A. M. M., el narrador expone en primera persona. Pero en *Beatus ille* es un narrador muy particular que procura asomarse lo menos posible, que en realidad se oculta, de manera que muchas veces la narración parece la propia del novelista omnisciente, «testigo sin rostro» que da fe y puntualiza de vez en cuando sus fuentes de información o que manifiesta sin ambages que «imagina» o «calcula» lo que cuenta. Sólo al final (según ocurre en *La peste* de Camus) el narrador se despoja del espeso antifaz. Con acuciosa habilidad, el autor ha urdido una nueva versión compleja de la relación autor-personaje (tan pirandelliana o unamunesca). Resulta que el agazapado narrador es el propio Solana sobre el que Minaya estaba investigando y que en realidad no había muerto y seguía viviendo en la beatitud del anonimato. De este modo, en la novela se despliega un doble juego: Solana es personaje de Minaya, y este es el objeto de la narración de Solana. La ambigüedad de la creación queda patente. Dice Solana a Minaya: «Vino aquí para buscar un libro y un misterio y la biografía de un héroe ... No piense que durante todo este tiempo me he estado burlando de su inocencia y de su voluntad de saber. Yo he inventado el juego, pero usted ha sido mi cómplice ... Usted vino para recordarme que había tenido un nombre y una vida ... Una de aquellas noches ... en que ... me preguntaba por qué había tenido usted que venir, concebí el juego ... Construyámosle el laberinto que desea ... démosle no la verdad, sino aquello que él supone que sucedió» (p. 276); pero añade: «No importa que una historia sea verdad o mentira, sino que uno sepa contarla ... Ahora usted es el dueño del libro y yo soy su personaje. También yo le he obedecido» (p. 277). [...]

Por otra parte, aparece en la novela un procedimiento que en las demás se repetirá con variantes: el contraste y el paralelismo de varias intrigas, como indicando que en el mundo todo se repite aunque no exactamente. Así, en *Beatus ille* la intriga antigua se basa en el triángulo de relaciones Manuel-Mariana-Solana, revueltas con la boda y la muerte inmediata de la mujer, y paralelamente —con treinta y dos años de intervalo— se manifiesta la triple relación Minaya-Inés-Solana que queda en el aire indeciso del futuro (probable suicidio de Solana; posible encuentro de los otros dos en la estación).

Con *El invierno en Lisboa* (Seix-Barral, Barcelona, 1987) salimos de los ambientes transfigurados de la infancia y de las herencias dolorosas. Los escenarios son múltiples: el principal es Lisboa, pero también San Sebastián y Madrid, y de pasada algunas ciudades extranjeras. Nos movemos en un mundo turbio y marginal: negocios poco claros, manipulaciones escabrosas, intrigas que recuerdan ciertos productos del cine americano, y ante todo el oscuro y nocturno y poético ambiente del jazz. Ciertas notas comunes a toda la obra de A. M. M. (el desasosiego, las lóbregas obsesiones, el insistente recurso al tabaco y el alcohol) se recrudecen en esta novela, pero siempre resalta la recreación vívida de paisajes y ámbitos concretos. También aquí el relato discurre en primera persona, pero el narrador es ahora un fiel testigo presencial, amigo del protagonista, que da fe de las peripecias de este, que bebe con él, que le confiesa; su intervención en la intriga se reduce a la actividad de preciso notario, aunque no se priva de las apostillas pertinentes por cuenta propia.

El protagonista, Santiago Biralbo (curioso: con el mismo apellido de un personaje secundario de *Beatus ille*) es un pianista de jazz. Enamorado de Lucrecia, mujer de un exportador ilegal de objetos de arte, su historia amorosa es un trenzado de huidas, regresos y desapariciones hasta la definitiva al concluir la novela. La intriga se fundamenta en creer la banda ilegal que Biralbo es cómplice de la venta de un cuadro de Cézanne: acechos, amenazas, persecuciones, hasta la muerte del marido de Lucrecia, Malcolm. Biralbo, obligado a cambiar de nombre para evitar su prisión en Lisboa, se debate inquieto entre la añoranza irreprimible de Lucrecia y el acoso infatigable de los ilegales. El incesante ir y venir de unos y de otros mantienen en vilo el interés del lector, a pesar de la escasa consistencia de los personajes: sus reacciones emocionales o sentimentales son un poco gratuitas. [...]

El relato comienza con el recuerdo del narrador y el protagonista en Madrid, en un club musical nocturno. Los sucesivos capítulos refieren las conversaciones de ambos, sobre todo en el hotel de Biralbo: en ellas se evocan los momentos pasados en otro club de San Sebastián y los acontecimientos sucedidos desde entonces. El narrador aporta sus recuerdos y su interpretación personal de los hechos y recrea o transcribe las confesiones fragmentarias de Biralbo; en ellas, a veces, se insertan las manifestaciones de los otros personajes: Lucrecia y todos los demás. El narrador no reproduce textualmente siempre las palabras de estos; en ocasiones las aderezca en forma de circunstanciado relato en que se incluyen descripciones, opiniones propias, suposiciones. De este modo, la visión que de Biralbo obtiene el lector resulta del conjunto de perspectivas varias —la propia del protagonista, la de los otros personajes, la analítica del narrador—; de su composición surge más viva la figura del pianista. La trompeta de Billy Swam, las canciones de Biralbo y otras músicas obsesivas empapan todo el relato, realzando emocionalmente ese mundo denso y turbio que pretende comunicar poéticamente el autor.[1]

La tercera novela, *Beltenebros* (Seix-Barral, Barcelona, 1989), regresa temáticamente al mundo político clandestino, secuela de la guerra civil. Incluso uno de los activistas de esta novela, Luque, ostenta el mismo apellido que el estudiante que descubrió a Minaya la existencia de Solana; puestos a inventar, puede ser el mismo personaje, exiliado tras los incidentes del 68 y captado por la organización en el exterior.

Si en *Beatus ille* el narrador se muestra oculto hasta el último momento y se refiere a sí mismo como a persona ajena, y si en *El invierno en Lisboa* es testigo y comentarista de los acontecimientos, en *Beltenebros* el autor vuelve a utilizar la primera persona; pero el narrador se identifica con el protagonista desde el principio, como si de unas memorias se tratara. Darman es un agente secreto de la organización que por su eficacia ha sido enviado a menudo a cumplir diversas misiones. Vive exiliado y nacionalizado en Inglaterra. Recibe la orden de venir a Madrid para eliminar a un supuesto traidor a la organización. En contra de lo previsto y programado por esta, el viaje y el cometido tropiezan con una serie de obstáculos y aparentes casualidades. Su combinación mantiene tensa y en suspenso la atención del lector. La víctima, Andrade, ha desaparecido del almacén donde se escondía. El fortuito hallazgo de una

---

1. [«En cuanto al estilo cabe señalar que la andadura parsimoniosa, más o menos desarrollada, es muy frecuente en la prosa de A. M. M. Predominan enunciados largos sin complicaciones hipotácticas, y si el lenguaje se hace más denso es para mostrar la ambigüedad del mundo de lo aparente, oscilando entre lo real y lo fantástico, jugando con diversas perspectivas temporales o personales. [...] El cuidado por el detalle se descubre por ejemplo en dos rasgos constantes de A. M. M. El primero es el recurso a la comparación *como*. No es un mero excipiente de amplificación. Sirve para analizar la referencia del término comparado, estableciendo contacto entre los contenidos de este y los del otro término de la comparación, y conseguir así un nuevo contenido más complejo, intenso y exacto. [...] El otro rasgo consiste en la utilización de los adjetivos. En un pasaje de *Beatus ille*, Solana afirma de sí mismo: "No escribe..., no recorre con felicidad indolente las páginas de un libro recién terminado para corregir una coma, una palabra, para tachar un adjetivo o añadir otro más preciso o más cruel ..." (p. 267). Pues bien, A. M. M. sí tiene la preocupación por el uso de los adjetivos y la perspicacia de hallar los más precisos o más crueles. En su prosa, los adjetivos no son adornos, sino instrumentos para lograr la perfecta referencia del sustantivo; son siempre dardos certeros que alcanzan el blanco del contenido apuntado».]

entrada para un espectáculo nocturno lleva a Darman a la «boîte Tabú». Allí se desarrollan complicados azares. El nombre de la muchacha en el escenario, Rebeca Osorio, le vuelve al pasado, a una experiencia paralela: otro viaje a Madrid, recién acabada la guerra mundial, con objeto de eliminar a Walter, que al parecer, después de haber restablecido la organización del partido, se había hecho confidente de la policía. Aquella vez Darman había cumplido su misión. También entonces había una Rebeca Osorio. Darman va y viene de sus recuerdos del caso Walter a los acontecimientos de la nueva operación. Ahora no es Darman, convencido de la inocencia de Andrade, sino el activista Luque quien lo abate. Darman quiere conocer la verdad: desenmascarar al hombre que ha manejado todos los hilos desde la oscuridad, al que tras las gafas y el sempiterno cigarrillo ha creído reconocer, vagamente, al misterioso comisario Ugarte. Tras dificultades laberínticas y agobios constantes, Darman lo localiza en un cine abandonado. Allí se desvela la identidad de Ugarte: el antiguo activista Valdivia que tras ficticia muerte había llevado una vida oculta y eficaz de traidor a la organización. Muere ahora, huyendo de la luz, precipitado desde la alta galería al patio de butacas.

Como se ve, *Beltenebros* está también construida con el juego contrastivo de dos intrigas paralelas: la del caso Walter y la de la persecución de Andrade. Sirven en parte para mostrar el peso del tiempo: el protagonista ya no es el mismo, está más viejo, ya no es un creyente puro y se permite análisis fríos y hasta irónicos de la organización y de sus miembros, incluso piensa seriamente en abandonar la misión confiada y, rompiendo con la organización, recluirse en su apacible vida inglesa de anticuario de libros y grabados. Si no se decide, se debe a una curiosidad emocional: quién es la nueva Rebeca Osorio y qué relación la une con la antigua; más que en busca de Andrade, su persecución se orienta hacia los recuerdos del pasado y de su poso todavía vivo. [...]

Bajo la evidente trama política, el núcleo de la intriga, igual que en las otras dos novelas, es un amor imposible y exasperado en torno a una mujer siempre entre dos fuegos (en aquellas Mariana, Inés y Lucrecia, y ahora Rebeca Osorio desdoblada en madre e hija). En *Beatus ille* se asiste a los paralelos triángulos amorosos Manuel-Mariana-Solana y Minaya-Inés-Solana; en *El invierno en Lisboa* al de Biralbo-Lucrecia-Malcolm; ahora, en *Beltenebros* descubrimos también en simetría el antiguo triángulo Walter-Rebeca madre-Valdivia y el nuevo Andrade-Rebeca hija-Comisario. La vieja Rebeca, en su trágica locura, sigue fiel al recuerdo del ejecutado Walter y no olvida en su odio al homicida. La joven Rebeca, en su sometida e inerme obediencia, sólo se sostiene en el amor por Andrade. Valdivia, convertido en comisario, reconoce que si perdió a la madre, no está dispuesto a que a la hija «se la quite nadie»; los dos rivales han sido eliminados, no por él mismo, sino por brazo interpuesto; él actúa desde la oscuridad, desde sus ojos de nictálope o acechando tras sus gafas oscuras; su capa política se ha deshecho de ellos. Él era el auténtico agente Beltenebros, mencionado de pasada y que la organización había creído que era Walter; a quien «nunca lo descubrirán, porque sabe esconderse en la oscuridad» (p. 114).

VARIOS AUTORES

DESPACHOS DE ÚLTIMA HORA

I. *Mampaso* (Mondadori, Madrid, 1990), de Adolfo García Ortega (1958), está estructurada como un rompecabezas cuya imagen definitiva sólo se recompone al final y cuyo arte estriba en las combinaciones de los movimientos de las piezas que sustentan la leve intriga. No importa tanto qué pasó y cómo (por qué Ramón Mampaso cometió un crimen absurdo en la España de 1943, ni siquiera cómo era el país del momento, aunque también se puede

I.   Fernando Valls, reseña en *El Sol* (13 de agosto de 1990).
II. Miguel García-Posada, reseña en *ABC* (19 de agosto de 1989).
III. Ricardo Gullón, «Los nuevos narradores», *Cuenta y Razón*, 48-49 (julio-agosto de 1989), pp. 11-18 (18).
IV. Clara Janés, reseña en *El País* (12 de noviembre de 1989).
V.   Santos Sanz Villanueva, reseña en *Diario 16* (19 de octubre de 1989).
VI. María José Caldeteny, reseña en *El País* (13 de mayo de 1990).
VII. Enrique Murillo, reseña en *El País* (4 de noviembre de 1990).
VIII. Santos Sanz Villanueva, reseña en *Diario 16* (21 de septiembre de 1989).

leer así la novela), sino que lo más significativo es el juego —digá-moslo así— que se crea entre el asunto y el orden, el tono y las formas o materiales (diario, carta, entrevista...) en que se van des-velando esos pequeños enigmas. O sea, como siempre que hablamos de literatura: el artificio.

Las pesquisas del narrador, interesado por la historia que recons-truye debido a un recuerdo de su madre, nos lleva a conocer a los otros protagonistas de la historia: los hermanos del ajusticiado, Lorenzo (un jerarca local del nuevo régimen), Salvador (un notable historiador) y Gracia, la monja, así como a su antigua novia Tere-sina, ahora viuda acomodada. De tal forma que todos ellos acaban alcanzando un similar protagonismo.

En las cinco partes y el epílogo en que se organiza la novela se deshace la leyenda que había surgido en la ciudad sobre los hechos, y a la vez que van surgiendo nuevas preguntas aparecen otras res-puestas y se van aclarando o descartando las hipótesis con nuevos datos. Todo ello en un constante ir y venir entre el pasado y el presente, entre la verdad y la mentira, entre las culpas, añoranzas y remordimientos de unos y otros, para que el narrador —como él mismo nos recuerda— acabe inventándose la verdad de la muerte de Mampaso (complejo personaje que —como las acarantas tropi-cales— se nos va metamorfoseando según la luz que le llega) al trasluz de la vida de los otros. Así pues, esta novela puede leerse como la fábula moral de una época penosa, pero sobre todo como una metáfora —modesta, poco pretenciosa, si se quiere— del arte de la composición literaria. FERNANDO VALLS.

II. [Todos los protagonistas de los relatos de *Perros verdes* (Lumen, Barcelona, 1989), de Agustín Cerezales (1959), tienen en co-mún el hecho de ser extranjeros abocados a vivir en España en circunstancias excepcionales.] Tenemos, así, sucesivamente, un ruso dedicado a investigar el ganado ovino en Medina del Campo («Ex-pediente en curso» [Basilii Afanassiev]); un millonario francés que se orienta al misticismo tras probar en Ávila las yemas de Santa Teresa («El pan y la sal» [Marcel Lagrange]; una portuguesa *punk* que vive en Madrid del mercado callejero («Sin respuesta» [Inés Pereira]»); una rumana y sus seis hermanas perdidas por España («Moraleja» [Ana Perurena]); un camionero italiano, asesino nato («Juicio final» [Aldo Pertucci]); una bailarina rusa que se fuga de su compañía («Increíble» [Nastassia Filipovna]); una alemana que sufre múltiples desastres en el verano español y acaba convertida en destacado agente turístico («En prosa» [Dora Kronen]); un japonés, en fin, que en 1950 viene a España en busca de la Verdad («Huella leve» [Mitu Fit Sin]).

El narrador plantea, pues, casos extraños, que sitúa en contextos españoles reconocibles. Por aquí le viene al libro su dimensión «realista». Pero no es el realismo el motor de estos relatos. Son los casos, los personajes singulares, los «perros verdes», quienes centran y promueven los procesos narrativos. En ellos, con ellos, el autor ha buscado ángulos insólitos, situaciones anómalas [...]. De ahí el origen foráneo de los protagonistas, y de ahí las peripecias por las que atraviesan, inverosímiles o en la frontera de la inverosimilitud. Pero esto no preocupa al escritor, a quien se adivina íntimamente complacido con ello. Incluso alguna vez —así en «Moraleja (Ana Perurena)»— juega a poner en entredicho la noción misma de lo inverosímil. [...] Las sutilezas imaginativas de A. C. recuerdan a veces al segundo Italo Calvino. Un delicioso humor, que en ocasiones se adelgaza en texturas melancólicas, vetea e impregna estas urdimbres argumentales, resueltas con tanta coherencia como soltura. Seguramente el punto más alto en cuanto a audacia de ideación lo representa «Expediente en curso (Basilii Afanassiev)», que desarrolla magistralmente la relación que sostiene una pareja —él ruso, ella de Medina del Campo— ¡a través de la graduación de sus duchas conectadas con el mismo depósito! Pero aquí debe hacerse notar algo importante: la imaginación del narrador no se degrada nunca en la mera ingeniosidad. Los personajes tienen sustancia, encarnadura, aliento existencial: esa estrambótica pareja de Medina se ama realmente, al igual que Inés Pereira, la portuguesa *punk* que mercadea en la calle madrileña de Preciados, vive, en «Sin respuesta...», una pasión profunda por un hombre que casi la cuadruplica en edad.

Esta densidad vital de los personajes no es uno de los rasgos menores de *Perros verdes* [...]. Así, por ejemplo, el japonés Mitu Fit Sin, protagonista de «Huella leve...», es una criatura verdaderamente entrañable con su pasión... por los pies, los de ellas en especial. Y lo es igualmente Dalmacio Varela, personaje central de «Increíble (Nastassia Filipovna)», el jubilado capaz de raptar, por amor, a una bailarina rusa y de olvidarse, sin malicia, de la existencia misma... de su mujer. Una poesía profunda emana de las vicisitudes de estas complejas criaturas y trae a un primer plano tonalidades y reverberaciones turbadoras sobre cuestiones medulares del comportamiento: el amor, la experiencia erótica, la atracción del crimen, los oscuros movimientos hacia la soledad y sus enigmas. Todo ello está servido por un estilo de la mejor ley. A. C. es un narrador diestro en la conducción del relato, cuyo ritmo gradúa con sabiduría. Posee además un sistema expresivo de primer orden, con una adjetivación brillante, novedosa y nada superflua; dispone de un utillaje imaginativo fresco y que utiliza funcionalmente; su vocabulario es flexible y diverso. MIGUEL GARCÍA-POSADA.

III. [*La desolación del héroe* (Alfaguara, Madrid, 1988), de Francisco J. Satué (1961) se inscribe en una tendencia exótica de la que es excelente practicante el italiano Dino Buzzati en *El desierto de los tártaros*.] Cercana por su extensión —poco más de cien páginas— a la «novela-corta», se divide en dos partes, con un narrador que en ambas es a la vez protagonista de la acción. Una guerra contra «los amarillos» del otro lado de la frontera, ordenada por autoridades remotas y ejecutada por el comandante Stéphano, «el héroe» de la batalla y de la conquista del territorio en que reina Gore, la diosa hostil. Guerra como rito, no sagrado: manifestación de odios ancestrales cuyas causas nadie recuerda. Preparativos y batallas, espías y torturas en la primera parte; reflexiones y sueños en la segunda —escenas en que la crueldad gira en direcciones diferentes. Pesadilla que es la realidad, y el desengaño —la desolación— del héroe, premiado cuando debía de ser castigado. Si en las primeras secciones el comandante se somete a su papel con el automatismo a que su profesión le ha habituado, y de acuerdo con él conduce al ejército a la victoria, en la segunda parte la reflexión del protagonista —ascendido a coronel cuando esperaba ser castigado— ha alterado la concepción de sus creencias, oscuramente traslúcidas, en mecanismos del automatismo inicial.

F. J. S. dispone de una prosa eficiente, buen vehículo para contar una historia como esta, en que los vaivenes y contradicciones deben destacarse sin insistencia y sin olvido de su pertinencia; dispone también de una capacidad de caracterización que, prescindiendo del psicologismo tradicional, permite entender la ambigüedad de un héroe que en última instancia se contentaría con ser nada menos que todo un hombre. RICARDO GULLÓN.

IV. La lectura del libro *Qué te voy a contar* (Anagrama, Barcelona, 1989), de Martín Casariego (1962), produce una sensación parecida a la frase de un indio ponka: «El hombre, uno-en-pie, ha matado, justamente lanzando-una-flecha, al conejo, él, uno-sentado»; visión, movimiento, situación y muchas cosas más pasan casi a un tiempo de la página al cerebro que se ve atrapado en su remolino, el remolino de la contemporaneidad. El resultado, por cierto, no es un texto caótico, como el propio narrador insinúa, sino una obra que refleja el dinamismo interior y el continuo bombardeo de estímulos exteriores que impone la vida actual, y en cualquier caso la prueba de que detrás hay un escritor que dará que hablar.

Una historia de amor muy simple, la ruptura de una pareja (Antón y Rosemary) y sus diversos avatares previos, es fundamentalmente el punto en que se apoya la peonza que al girar va mezclando los diversos colores que componen su superficie. Más que circularidad, se crea la simultaneidad, una simultaneidad catalizada por un narrador-protagonista dotado de múltiples facetas que van desde la simulación y la mentira hasta la desvergüenza o la impertinencia, abarcando también la gracia y la poesía. Los cordeles que mueven todo esto son el desparpajo y el humor, y tienen casi carácter de espina dorsal del personaje mismo, llegando a convertirse por ello el estilo en verdadero protagonista. Se trate de fluidez, de tono o de formas expresivas, varios nombres acuden a la mente como puntos de partida, entre ellos Salinger, Bukovski y Woody Allen.

Casi al principio de la novela se nos dice que un libro «desde la primera página tiene que agarrar furiosamente al lector por el cuello y no soltarlo hasta la última». Para conseguirlo, M. C. emplea una técnica compleja que debe tanto a la literatura como al cine, ya sea por referencia, ya por imitación. Así, por ejemplo, salpicados a lo largo de la obra se mencionan tanto a Hesse, Musil, Zane Grey o Dostoievski como a John Wayne, Raquel Welch, Edward G. Robinson o David Bowie. La imitación del cine es uno de sus rasgos más sobresalientes. La mera alusión a este arte puede desencadenar una descripción tal como se llevaría a cabo en una película, pero no se limita el autor a este procedimiento, sino que incorpora *gags* cómicos a través de situaciones llevadas al límite.

En cuanto a las técnicas literarias, tan pronto se describe una situación remedando un deporte (fútbol, boxeo), como las fábulas de Esopo, o mediante pinceladas o fragmentos de gran belleza poética. El empleo de determinadas palabras, como las alusivas al sexo, de los diminutivos, de expresiones coloquiales («toma ya», «di que sí»), de imágenes insólitas, de juegos surrealistas, de guiños o referencias a otros autores, y sobre todo la continua autoironía que envuelve el texto, son decisivos en esa carrera a la que el lector se ve sometido. Bien es cierto que a lo largo de las páginas se dan algunos puntos estancos, como cuando se entra en el terreno de la caricatura. Entonces se pierde la frescura que es el secreto de la agilidad. Esto, sin embargo, sucede muy pocas veces; lo que prevalece es el ritmo, la simultaneidad, y lo que agarra por el cuello es la verdad. La peonza es genuinamente madrileña, sea cual fuere la procedencia del gesto que la ha puesto en marcha. CLARA JANÉS.

V. Javier Cercas (1962) cuenta en *El inquilino* (Sirmio, Barcelona, 1989) una sencilla historia: un nuevo compañero de trabajo desplaza a otro de su privilegiada situación. Un episodio corriente como la vida misma y bien alejado de esa concepción popular del género que se plasma en el dicho «esto es de novela». La acción se sitúa en una universidad norteamericana en cuyo departamento de Filología el protagonista, Mario Rota, ejerce la docencia. Vecino suyo será el recién llegado Berkowickz, eximio investigador contratado para dar lustre y pujanza a la institución y que se convierte en la mano ejecutora del hundimiento anunciado de su colega: le quita las clases, le desaloja del despacho y hasta le arrebata a la novia. En el último capitulillo el relato da un giro impensado que no desvelo para no privar al lector de un eficaz y sorprendente final, en el que radica buena parte de la sustancia del libro.

Esa común anécdota tiene particular atractivo para quienes compartan con el protagonista su condición de docentes universitarios. Con gracia maliciosa recrea J. C. ese mundillo singular de los claustros americanos, las peculiares relaciones personales que en ellos se establecen y la picaresca, ruindades o manías que constituyen su cotidiano discurrir. Se dirá que tiene un interés limitado y es cierto, pero no mayor o menor que el conocimiento de las interioridades de cualquier otra pequeña colectividad (sea la de los toreros, los médicos o el cuerpo de bomberos). El mérito está no tanto en la reducida importancia del gremio descrito, sino en la manera de describirlo, en el análisis distanciado y crítico, aparte de veraz.

El inquilino, sin embargo, más que las características de ese colectivo, lo que recrea es un personaje. Rota encarna el tipo del abúlico que se siente derrotado de antemano, que acepta las desgracias como dictadas por un destino superior e insoslayable y que ni siquiera pone nada de su parte para remontar la pendiente que lleva de la resignación al hundimiento. Así, presenciamos una serie de claudicaciones guiadas por un conformismo que llega a hipotecar hasta la dignidad. Todo ello en un contexto, el norteamericano, en el que la competitividad es regla de oro de la dinámica social, pero cuyos valores son ampliables a otras muchas sociedades, incluida la nuestra. El acierto de la invención del personaje radica en delinear un conformismo fatalista que atribuye todos sus males a que «a veces las cosas más tontas nos complican la vida». Ese aserto proporciona al relato la base para una narración hecha desde un punto de vista discretamente irónico que sin quitar dramatismo a la angustia del personaje permite sacarlo del ámbito de lo patético, que parece tan propicio, y situarlo en el de un cordial humorismo. Otra afirmación de Rota, la de que «todo se repite» (avalada por la reiteración de un fragmento en el propio libro), apoya su derrota consentida. Además, la distancia entre lo real y lo temido pone de relieve la profunda mala conciencia de quien facilita tales imaginaciones. El final del texto abre una puerta a la ambigüedad y el lector sospecha que pudiera ser verdad (o acaso que mereciera serlo) lo que ha tenido muy precaria existencia y el motor de la historia, en último extremo, no es otro que el íntimo reconocimiento de una arraigada insatisfacción.

Una de las decisiones difíciles que debe adoptar todo narrador es la de la medida conveniente para su relato. También aquí J. C. ha acertado. Podría haber aumentado fácilmente la extensión de su novela corta hasta la más habitual de un volumen mediano con tan sólo incrementar el aspecto documental, anecdótico o costumbrista de la vida universitaria. Pero la selección que ha hecho es bastante representativa como para emplazar con holgura en ella su tema. Eficaz es, asimismo, un lenguaje sencillo pero cuidado, [...] que alterna con gusto clásico la narración y el diálogo. SANTOS SANZ VILLANUEVA.

VI. El argumento de *La casa del calor* (Versal, Barcelona, 1990), de Javier Sebastián, es prácticamente inexistente: las turbias relaciones entre unos amigos —un hombre y dos mujeres que pasan unos días de sus vacaciones veraniegas en una vieja casona aislada en la montaña y, paralelamente, la misteriosa amistad de este hombre, Gonzalo Abaurre, con Julián Ureña, un antiguo compañero, aventurero y soñador, que se encuentra en la fase terminal de una grave enfermedad. Porque, en realidad, lo que pretende el autor no es contar una historia, sino reproducir una atmósfera inquietante, una tensión ascendente que desencadenará en tragedia.

Para ello, J. S. agota todos los recursos literarios posibles: la utilización de símbolos como los alacranes, el sol, la casa y el fuego; la inserción en el presente de una antigua y misteriosa fábula, la del aventurero Pedrairas de Almesto, contrafigura de Julián Ureña; la utilización de personajes tipo como el de Teresa Jacome, encarnación de la maldad; y, en fin, un punto de vista de narrador omnipresente y oculto, con el poder de penetrar en todas las interioridades o de situarse en un plano distanciado de la acción, una especie de recitado oral, ancestral y mágico. Pero, sin duda, lo mejor de la novela es su prosa: rica en matices, armónica y sensual. Capaz, al fin, de recrear el ambiente —la tensión— y de reproducir con viveza las sensaciones —el calor y el odio, por ejemplo. Abundan, claro, las figuras del lenguaje. Lo peor, en cambio, es su dispersión, especialmente en la primera mitad del libro: la acción se diluye a causa de los continuos saltos en el tiempo y en el espacio, de la aparición de personajes que apenas se esbozan, de la fusión entre la realidad —lo que ha ocurrido— y la ficción —lo que alguno de los personajes imagina que pudo ocurrir— y de la lentitud con que todo se sucede. El lector se pierde entre delicuescentes lirismos y no logra recomponer el rompecabezas. Sólo hacia el final, los elementos se definen y adquieren su verdadero carácter; hasta entonces, uno tiene la sensación de hallarse ante un ejercicio literario. MARÍA JOSÉ CALDETENY.

VII. Merece la pena llamar la atención sobre Francisco Casavella (1963), un novelista muy joven y muy distinto, cuya obra habrá que seguir de cerca. Su voz suena personal, no solamente por la impostación del léxico y las pintorescas construcciones sintácticas con que se expresa su protagonista, un rumbero imberbe, sino especialmente por el interesante planteamiento narrativo de *El triunfo* (Versal, Barcelona, 1990), su primer libro. *El triunfo* es una historia fingidamente de acción cuyo mayor atractivo no es tanto el monólogo en jerga con el que se expresa el narrador principal, sino el indudable olfato novelístico del autor. En su debut nos sumerge en un barrio prostibular que se convierte en campo de batalla para facciones contrapuestas del pequeño gangsterismo local. El Ayuntamiento aporta su granito de arena a los cambios derribando edificios, pero lo más importante es que El Gandhi, viejo y respetado líder del inframundo, por el que solía pasearse con su Dodge 3700, se muestra incapaz de frenar el ascenso de la nueva banda de moros y negros que disputa su primacía.

La novela negra, el cine de Cimino, algunos aspectos de Eduardo Mendoza, son las buenas influencias que F. C. asimila con inteligencia. Francisco Candel es su influjo nocivo, que también le pesa (aunque tal vez no le haya llegado directa, sino indirectamente). Pero recomiendo al aficionado que lea atentamente el arranque del libro, y luego todo el último tercio, pues lo que mejor hace F. C. es plantear y resolver, en términos de atmósfera y acción, una novela cuyo desarrollo queda embalsado por una intención descriptiva, costumbrista, que malogra el conjunto. ENRIQUE MURILLO.

VIII. En *Uno se vuelve loco* (Planeta, Barcelona, 1989), Daniel Múgica (1967) atisba un mundo interesante, que es la suma de una intensa conflictividad personal y de una realidad social hosca, degradada. Aquella se centra en la desazón de Max, en su irrevocable decisión de ahondar en los arcanos de Gloria como una forma de lucidez y quizá de redención. La muerte actúa a la manera de una especie de camino de Damasco de un señorito que reconoce «la porquería de vida que llevo viviendo de las rentas, vagando por los bares como un inútil». La acción se concentra a lo largo de unos pocos días alrededor de una Navidad y en ellos percibimos una existencia torturada y algo enajenada que se pregunta por el amor y por la muerte. En el fondo de Max late una visión existencialista de la vida que se agudiza al revivir el suicidio de la chica y, sobre todo, al reconstruir uno de esos destinos marcados por la desgracia. En esta hay una componente de libre decisión —la de abandonar tan joven la casa familiar— y también un entorno de malas circunstancias y peores compañías. Además, ya que la acción es contemporánea, la novela puede ser reflejo de unas formas de vida actuales embrutecidas, y en particular la edad del protagonista le puede dar el valor de un paradigma crítico, de una juventud con un pie en la marginalidad y otro en la delincuencia y con el cuerpo entero dentro de un sentimiento vital, ¿absurdo?, irreparable. Pero no estoy muy seguro de que ese propósito testimonial sea pretendido por el autor, ya que la dimensión personal, casi metafísica, del relato tiene un peso aplastante. En cualquier caso, D. M. se hace portavoz de un entendimiento desolado de la vida, sin resquicios para el optimismo o la felicidad, que el protagonista resume en una sentencia: «La vida es una putada».

El valor de una novela no está en lo que cuenta sino en la capacidad del escritor de recrearlo por medio de la palabra. Esa vida angustiada que transmite D. M. tiene el acierto de estar encajada en un relato algo expresionista, pero los personajes resultan muy difuminados. La mayor limitación, sin embargo, viene de un lenguaje pobre, inexacto o descuidado. A veces escribe frases cuyo sentido es oscuro y confuso porque ignora el significado preciso de los términos que emplea. [...] Añádase, también, que comete incorrecciones por un desconocimiento completo de nuestra gramática; su afición a los gerundios, por ejemplo, es tanto más censurable cuanto que sólo por casualidad los emplea correctamente. En fin, la extremada juventud de D. M. y el ardor, casi rabia, con que se enfrenta al mundo nos obliga a concederle un voto de confianza para el futuro. Santos Sanz Villanueva.

4. EL TEATRO

CÉSAR OLIVA

EL NUEVO TEATRO ESPAÑOL, ENTRE EL ESCENARIO Y EL LIBRO. El estudio del reciente teatro español tiene la ventaja del trato directo e inmediato con los diversos fenómenos que lo conforman, pero el inconveniente de no poder discernir con propiedad sobre la entidad de autores y obras, dado el escaso margen entre creación y crítica. Además de esto, conviene no olvidar que el teatro dispone de un aparato de mostración —originario de una verdadera industria— que caracteriza muchas de sus manifestaciones. El estreno de una obra, la inmediata crítica de diario (sin apenas tiempo para la reflexión), la aceptación o no por parte del público (que se traduce en una serie de cifras de personas que pasan por taquilla) y el componente humano que hace posible la correcta o incorrecta representación de dicha obra, dotan al fenómeno escénico de una especificidad singular en el campo de los géneros literarios.

Al acercarnos a estos últimos años de la escena española, sin embargo, nos encontramos con el hecho de que el autor ha dejado de ser la figura imprescindible que hasta el momento era en el fenómeno teatral. Si durante la dictadura, e incluso en tiempo de la transición política, la influencia del dramaturgo era fundamental, los años siguientes han dejado paso a nuevos conceptos que se ajusten más a la demanda del nuevo espectador. Si seguimos las programaciones teatrales al uso, el autor español actual aparece en tres tipos de producciones:

a) En el teatro comercial, mediante la comedia burguesa. Es este todavía el lugar más común y en donde perviven restos de la tradición escénica. Aún aquí se parte de la necesidad de contar con un texto, convencional en la mayor parte de los casos, pero el interés de la producción está en la mayor o menor categoría del reparto, nunca en la entidad de la obra.

b) En locales públicos, teatros nacionales o regionales, con dramas comprometidos de otro tiempo, y autores de la dramaturgia de los sesenta y setenta, cuyos nombres encierran cierto prestigio, y a todos los efectos son tan clásicos como Lope de Vega. Estos casos son cada vez menos numerosos, pues se suele preferir la programación de obras decididamente del pasado.

c) Los más jóvenes, en el campo de lo que hoy es el teatro independiente, esto es, en salas de escasa capacidad, y cuyo principal destinatario es el mismo autor y sus compañeros. Su relación con el teatro comercial habitual es prácticamente nula.

Fuera de ese marco, los fenómenos que quedan por citar no dependen jamás de un dramaturgo sino de un grupo. Son los casos —de los que nos ocuparemos más adelante— de compañías como Els Joglars, Dagoll-Dagom, La Cuadra, Els Comediants y otras de semejante funcionamiento, empresas todas que basan su actividad en una personalidad de realización, en donde el autor (o dramaturgo) suele ser uno de sus propios mentores.

A estos hechos meramente escénicos hemos de añadir al estudio del reciente teatro español un nuevo parámetro, cual es la peculiar circunstancia en que se mueven las publicaciones teatrales. Hasta hace relativamente poco, raro era el texto escénico que pasaba a las imprentas sin haber gozado antes del premio de la representación. Hubiera gustado o no. Quizá el primer síntoma cierto de la moderna crisis del teatro proceda precisamente de ese dato. Hoy día, no todos los dramaturgos publican lo que estrenan o, lo que es peor, estrenan lo que publican. Ni siquiera autores que cuenten en su haber con importantes éxitos de público tienen asegurada su presencia en las carteleras. Más fácil es encontrarlos en algunas de las colecciones que se editan que en los escenarios. Por eso, a la hora de valorar un momento de nuestra escena, tan significativo y próximo a la vez como es el período de la transición política y primeros años de democracia constitucional, no cabe duda de que la presencia de autores mucho más importantes en las páginas que en los escenarios plantea una manera distinta de enfocar el tema.

Por consiguiente, para estar al día de cuanto pasa en la escena española contemporánea no basta atender a la oferta que la cartelera proporciona (una cartelera llena de reclamos, cada vez más raquítica y con menos locales en donde desarrollarse), sino que es obligado el paso por las librerías, en donde se desarrollan dramaturgias de espaldas a la representación, ignoradas por actores y directores.

Quizá por ello, la especialización en el género teatral ha dejado de ser manifiesta en nuestra escena. Salvo alguna rara excepción, de dramaturgo que sólo escribe para el teatro, la mayoría de los actuales alternan dicho género con, sobre todo, la novela y el ensayo. Como paradójica respuesta, una de las notas características del fenómeno actual —lo veremos más adelante— es la llegada al teatro de autores habituales en otros géneros, sobre todo en la narrativa. Por eso, hoy día no es difícil ver en los escaparates novelas de reputados dramaturgos y, en los escenarios, adaptaciones de conocidos novelistas.

Parece, pues, como si una peculiar promiscuidad hubiera entrado en el mundo de la escena española finisecular, derivada del deseo de establecer una oferta al espectador capaz de llamar la atención: tanta es la competencia que debe sufrir con otras artes del espectáculo. Estamos en un tiempo en que los tradicionales criterios que medían y juzgaban la vida teatral española han cambiado ante nuestros ojos de manera sorprendente. Términos como *repertorio, primeros actores, empresario de paredes* o *empresario de compañía* han dejado de tener uso. Finalizando el siglo, nos encontramos con un teatro diezmado en la gran batalla de su supervivencia frente a otros fenómenos espectaculares, que no son sólo el cine y la televisión. Sus hermanos otro día menores, como la danza y la ópera, están desbancándolo de la consideración general, pues manejan lenguajes más internacionales (música, expresión corporal, textos muy conocidos de libretos clásicos, etc.) y acordes con el espíritu cosmopolita del nuevo público.

En cualquier caso, parece evidente que el teatro español actual no vive sólo del escenario, y que estamos obligados al manejo de ediciones que ayuden a conocer el momento de creación de cada autor. Y no sólo ediciones, pues muchos casos hay en los que los textos escénicos no pasan de copias y fotocopias de originales mecanografiados, de recepción puramente coyuntural.

Con todo, la edición del texto teatral de autor español vive un momento de cierto relieve, derivado probablemente de la perenne dificultad para estrenar. Nos encontramos, en efecto, en una época dorada en cuanto a publicaciones escénicas se refiere. Tanto el sector público como el privado se han ocupado de dicho fenómeno. La revista *El Público* (*EP*), publicación periódica del Ministerio de Cultura de carácter informativo (n.º 0, verano de 1983), pasó a editar textos dramáticos, tanto españoles como extranjeros, en una colección anexa llamada *Teatro* (n.º 1, enero de 1989). Asimismo, el Centro Nacional de Documentación Teatral, responsable de la edición de *El Público*, ha realizado una antología del *Teatro Español Contemporáneo*, que reúne quince obras de otros tantos dramaturgos actuales (AA.VV. [1991]). Otra institución dependiente del mismo Ministerio, el Centro Nacional de Nuevas Tendencias Escénicas, puso en marcha la colección *Nuevo Teatro Español* (n.º 1, 1984), serie que tiene como finalidad principal dar a conocer las propuestas de los dramaturgos más jóvenes de la escena española. Dicho Centro dispone asimismo de otras colecciones con orientación teórica.

Las comunidades autónomas prestan asimismo cierta atención a la publicación de textos teatrales, como hace el Institut del Teatre de Barcelona, en mucha mayor medida que los Centros Dramáticos valenciano o gallego. En el campo de la lengua castellana, no son pocas las autonomías que publican, con cierta regularidad, textos teatrales. Extremadura, Murcia, Castilla-La Mancha y Aragón los ofrecen, aunque con notorio carácter esporádico y difícil difusión.

La universidad española, que no ha manifestado una especial preocupación por las publicaciones escénicas, salvo en estudios teóricos y en muy contadas ocasiones, tiene en la *Antología del Teatro Español* (*ATE*) la excepción que confirma la regla. La colección intenta reunir al menos un texto inédito de cada uno de los dramaturgos españoles contemporáneos, desde los más conocidos (Alfonso Sastre, Antonio Buero Vallejo, José Martín Recuerda, José María Rodríguez Méndez...) hasta los más nuevos (Paloma Pedrero, Lorenzo Píriz-Carbonell, María José Ragué...).

En el campo de la iniciativa privada todavía es necesario partir de la importante labor que desarrolla la veterana revista *Primer Acto* (*PA*). Nacida en 1958, vivió un obligado paréntesis, de 1974 a 1979, tras el cual volvió al campo editorial, esta vez con marcado apoyo institucional. La revista publica de forma periódica algunos nuevos textos del teatro español (*PA*, n.º 182, primero de la 2.ª época, diciembre de 1979, y ss.). La editorial Fundamentos presenta, últimamente con cierta regularidad, textos españoles actuales, dentro de su colección *Espiral/Teatro*. Mayor popularidad tiene la colección *Teatro* de la librería La Avispa, de Madrid, que desde 1983 se propuso la tarea de ofrecer textos de autores españoles, en su mayoría poco o nada conocidos, y que de alguna manera es la serie que con mayor propiedad ha recogido el testigo de la conocida serie de Editorial Escelicer, que durante ochocientos títulos mantuvo viva, en los años de la dictadura, la tradición de viejas colecciones como *La Farsa*, el *Teatro Moderno*, *Biblioteca Teatral* o la *Novela Cómica*, de tanta influencia en los escenarios españoles de los años veinte y treinta.

La Sociedad General de Autores Españoles colabora en la llamada *Biblioteca Antonio Machado*, en donde aparecen textos estrenados recientemente por sus asociados. Y editoriales del prestigio de Austral, Alhambra o Cátedra dedican no pocos números a ediciones anotadas de textos españoles, aunque los contemporáneos no sean los más.

En el campo de las revistas, la vida teatral española muestra una efervescencia quizá superior a la real. Además de las citadas *Primer Acto* y *El Público*, sin duda las más conocidas y de mayor tirada, otras publicaciones estudian fenómenos teóricos, tanto del teatro español como del extranjero. Citemos, entre las impresas en el Estado español, *Discurso, Estaferia, Art Teatral* y *Tramoia* (Valencia), *Teatre, Estudis Escènics* (Barcelona), *Acotaciones* y *Pausa*. Las revistas siguen siendo, pues, el campo de información y seguimiento de la escena española de los últimos años.

Junto a ellas, una obra periódica ha tenido importancia fundamental a la hora de documentar nombres y críticas. Nos referimos a la ingente labor de Francisco Álvaro que, de 1958 a 1985, preparó en veintiocho volúmenes una exhaustiva recopilación de datos de todas esas temporadas. Los libros, titulados *El espectador y la crítica*, forman la base de información más notable del reciente teatro español.

También María Francisca Vilches ha publicado artículos-resumen de las temporadas 82-83 y 83-84 (ambos con Luciano García Lorenzo; el primero en *Anejos de Segismundo*, CSIC, y el segundo en *Anales de Literatura Española Contemporánea*), y de la 84-85, 85-86, 86-87 y 87-88 (todos en *Anales de Literatura Española Contemporánea*). Otros trabajos de interés que han abordado en caliente la reciente historia de la escena nacional son: «El teatro», de Andrés Amorós [1987] y «Teatro español último: de carencias y realidades», de Luciano García Lorenzo [1989].

EL TEATRO DE LA TRANSICIÓN. El teatro tuvo un importante cometido en la transición política que llevó a España desde la dictadura a la democracia. A falta de otros centros de reunión y debate de los problemas habituales del momento, el escenario se convirtió en ese lugar de encuentro que se reclamaba. Aunque el pretexto era, simple y llanamente, ir a ver una obra teatral, detrás de ello se entrecruzaban evidentes posiciones políticas. Allí se podía ver aquello que no se veía en la calle, oír lo que no se oía y, en definitiva, participar en temas que hasta entonces se habían mantenido en estado letárgico. De ahí que en ese teatro se utilizaran como moneda corriente los símbolos más inmediatos, los guiños más provocativos y las referencias más directas. Primera noticia de este momento se encuentra en el volumen VIII de *HCLE*, en el capítulo preparado por Luciano García Lorenzo (pp. 569-570). Posteriormente lo han tratado, entre otros, Pörtl [1986] y Oliva [1989].

Las normas sociales que hasta ese momento eran habituales en la producción teatral comenzaron una evolución mucho más rápida de lo que los profesionales de la escena esperaban. Los asuntos políticos fueron dejando paso a una incontrolada expresión de la libertad sexual (el conocido «destape»), y al mismo tiempo que empezaron a crearse aquellos deseados foros de debate y discusión, el teatro fue pasando a ser simplemente teatro. El período anterior se enterraba muy deprisa, y con él muchos de los que habían trabajado para su cambio pasaron también a mejor vida.

Para el arte de la escena, el acontecimiento más importante que sucedió en ese momento fue la desaparición de la censura, como mecanismo de obligada comparecencia de cuantos deseaban realizar un espectáculo. Desde 1978, los tribunales de justicia eran los únicos encargados de velar por la ética, moral y convivencia de los ciudadanos. Y no tardaron demasiado en hacer su aparición determinadas medidas de presión, sustitutorias de los conocidos y viejos mecanismos. Recordemos, a este respecto, el famoso proceso contra Els Joglars, en 1977, por considerar «que *La torna* era un ataque a las Fuerzas Armadas españolas» (*Cuadernos EP*, n.º 29, p. 30).

En lo referente a la vida teatral española dos claras reconversiones (por utilizar una terminología muy del momento) caracterizaron ese período. Por un lado, la de los teatros independientes en grupos estables, derivada de una política que primaba la dedicación completa de estos frente al carácter *amateur* de aquellos. La segunda reconversión trataba de los teatros nacionales. Estos desaparecieron con la creación, en 1978, del Centro Dramático Nacional, intento de formación de un gran teatro estable, que en definitiva fuera modelo de lo que los primeros gobiernos de la democracia deseaban para la escena.

Junto a ambas reconversiones se fue produciendo al menos otro cambio notable en el panorama teatral español, con sus correspondientes consecuencias. Es el referido al público habitual, el cual sufrió un serio descenso en número, pues, acostumbrado al teatro puramente convencional, se encontró con una serie de nuevas fórmulas, la mayoría de notoria chabacanería. Tampoco los teatros independientes cubrieron el hueco que les esperaba en la nueva geografía escénica que se iba conformando. Los pocos que consiguieron sobrevivir como estables, favorecidos por las subvenciones, pudieron dar soluciones de calidad a la escena del momento. De ahí que, al cabo de los años, los teatros independientes murieran, al menos, en el sentido que les había caracterizado como grupos inquietos y renovadores, tal y como aparecieron a finales de los sesenta.

En línea de consecuencias asimismo negativa para el teatro español, podemos considerar de nuevo la paulatina desaparición del autor como motor de la producción escénica. De las creaciones colectivas, tan de moda durante la transición, se pasó a la búsqueda imperiosa de un teatro de indudable calidad, basado en obras suficientemente contrastadas por la historia, para que el acierto en la elección del texto fuera lo más seguro posible. Los clásicos volvieron a estar de moda, se recuperó para la escena a autores difíciles, pero brillantes, como Valle-Inclán y García Lorca,, y se apostó por una serie de dramaturgos contemporáneos (Ibsen, Pirandello, Brecht), de incierta presencia en las carteleras de antes, pero que los grandes teatros europeos habían elevado a la consideración de nueva elite.

Desde 1982, con la entrada de la izquierda en el poder y la perspectiva de ingreso en la Comunidad Económica Europea, las notas antes apuntadas empezaron a subrayarse con toda propiedad. La carrera hacia la brillantez del teatro fue en aumento, de la misma manera que lo hacían los presupuestos, tanto los centrales como los autonómicos. También en las regiones el teatro pasó a utilizarse como artículo de lujo, con el que se podía hacer cultura de la mejor ley. Y de ello se benefició el mismo teatro, pues el público, reticente hacia la escena progresista pero muchas veces zafia de los últimos años, volvió a llenar las salas cuando estas proporcionaron espectáculos maravillosos y nada inquietantes. No es difícil afirmar que los primeros años de gobierno socialista sirvieron para elevar el arte escénico a categoría de hecho cultural de Estado, aunque haya sido a costa de producir una alta inflación de costos, y haber hecho imprescindible una siempre discutible política de subvenciones. Pasado el tiempo, la falta de convicción que la sociedad mostraba ante el teatro, más allá de considerarlo un prestigioso artículo de lujo, ha hecho que el arte de la escena camine hacia una peligrosa indiferencia.

AUTORES Y TENDENCIAS DESDE LA TRANSICIÓN A LOS AÑOS OCHENTA. Páginas atrás señalábamos que el papel del autor español de los últimos años ha tenido una paulatina pérdida de importancia. Paradójico caso este, en un momento en que al teatro llegaban aires de renovación. Pero, salvo un momento en que a nuestros dramaturgos se les pagaron determinados servicios prestados (justamente al principio de la democracia), poco o nada tuvieron que decir a la escena española. Ruiz Ramón [1986] llamó a aquel fenómeno operaciones «rescate» y «restitución». Con la primera, aludía al estreno indiscriminado de autores españoles cuyo exilio los había alejado de las carteleras nacionales. Dramaturgos como Alberti o Arrabal tuvieron su oportunidad, incluso en las programaciones de los centros dramáticos nacionales. Era una manera urgente de empezar a cubrir la mala conciencia de cuarenta años de silencio. La segunda operación, la de «restitución», consistía también en buscar ocasionales huecos en las carteleras para todos aquellos autores que habían aportado notables hechos dramatúrgicos en los difíciles años anteriores. Aquí no importaron generaciones ni estilos. Todos debían estrenar. Y en los escenarios volvieron a verse los Martín Recuerda, Rodríguez Méndez, Muñiz, Olmo juntamente con Romero Esteo, Riaza, Ruibal, Miralles, Matilla, García Pintado..., nombres que, si bien eran normales en los libros, en los teatros habían aparecido de manera puntual y discriminada. Dichas operaciones, además de servir como demostración de la estrechez de los conceptos de generación y estilo, fueron meros escaparates de hechos más testimoniales que otra cosa. Ninguno de esos nombres logró establecerse de manera evidente en el panorama de la escena española de los ochenta. Muchos dejaron de escribir; otros, aunque lo hagan, no pasan de las publicaciones no menos ocasionales; los más siguen en el difícil intento del más que imposible estreno.

Sin querer establecer imposibles grupos o categorías entre dichos autores, estimamos que se sitúan en tres posiciones, dentro del teatro español actual, que son las que perviven en la escena española de los ochenta:

1. Aquellos que habían conseguido un destacado lugar antes de la transición política (conocidos y estudiados en el vol. VIII de *HCLE*). Nos referimos principalmente a Antonio Buero Vallejo y Antonio Gala, a los que habría que añadir algún que otro significativo reenganche, como Alfonso Sastre, además de dramaturgos *realistas* que de manera muy esporádica han aparecido también por las carteleras. Por supuesto que siguen

estando aquellos que cultivan la comedia burguesa que, antes y después de Franco, tienen asegurado un espacio en el panorama de la escena española. Son autores como Santiago Moncada, Juan José Alonso Millán, Martín Descalzo o Ana Diosdado.

2. Un numeroso grupo de dramaturgos que se dieron a conocer precisamente durante ese período de transición. La mayoría habían escrito ya en tiempos de la dictadura, aunque nunca se revelaron en dicho oficio. Nos referimos a Francisco Nieva, más conocido entonces como escenógrafo, y a una serie de dramaturgos que habían mantenido contactos con el teatro como directores o actores: José Sanchis Sinisterra, Paco Melgares, Teófilo Calle, José Luis Alonso de Santos, Ignacio Amestoy, Rodolf Sirera o Fermín Cabal. No faltan aquí autores que habían tentado la escritura escénica en toda su extensión, como Domingo Miras, Miguel Signes o Alfonso Vallejo, y que se dieron a conocer precisamente en ese período al que nos referimos. En este apartado pueden figurar asimismo algunos de los llamados «jóvenes autores» durante la transición, y antes de ella, pero con mayor presencia en los ochenta que en los setenta, como es el caso del catalán Josep Maria Benet i Jornet, con importantes éxitos en los últimos años, y traducido al castellano con relativa frecuencia. En los escenarios barceloneses se habían visto *Quan la ràdio parlava de Franco* (1979), *El manuscrit d'Ali Bei* (1984), *Història del virtuós cavaller Tirant lo Blanc* (1987) y *Ai, carai* (1988).

3. Dramaturgos que han aparecido cuando el proceso democrático estaba consolidado y que forman el último grupo del teatro español actual. Son aquellos que, salvo excepciones, apenas han tenido relación con el pasado histórico, no escribieron nunca bajo el condicionante de la censura y, por consiguiente, experimentan en un medio en donde todo está por inventar. Ellos son los verdaderos autores de los ochenta: Eduardo Ladrón de Guevara (1939), Concha Romero (1945), Maribel Lázaro (1948), Manuel Gómez García (1950), Guillem-Jordi Graells (1950), Miguel Alarcón (1951), José Luis Alegre Cudós (1951), Teodoro García (1952), Miguel Murillo (1953), Pilar Pombo (1953), José Luis Carrillo (1955), Antón Reixá (1957), Ernesto Caballero (1957), Paloma Pedrero (1957), Ignacio del Moral (1957), María Manuela Reina (1958), Nancho Novo (1958), Marisa Ares (1960), Antonio Onetti (1962), Leopoldo Alas (1962), Adolfo Camilo Díaz (1963), Sergi Belbel (1963), Maxi Rodríguez (1965), Ignacio García May (1965)... Todos ellos autores con sus propias características difíciles de delimitar con rigor dada su proximidad, y que, si no en su mayoría, pasarán a definir lo que será el teatro finisecular español.

AUTORES DE AYER EN EL TEATRO DE HOY.   Durante la transición política no pocos autores enmarcados en movimientos anteriores estrenaron con sobresaliente éxito. Muchos de los textos elegidos habían sido redactados en la dictadura, pero su presentación en sociedad llegó cuando el país estaba sin censura, y de ahí que fueran acogidos a veces con una expectación superior a la calidad literaria de la que partían. En otras circunstancias, en cambio, obras que venían precedidas de cierta fama literaria, no se ajustaron a los gustos del momento. Fue quizá el caso de RAFAEL ALBERTI, con *El adefesio* (1976) y *Noche de guerra en el Museo del Prado* (1978), que se constituyeron en fenómenos mucho más sociales que artísticos, premonición de lo que iba a ocurrir en el panorama de la escena española de la transición. El más completo estudio de la trayectoria global de este autor lo ha ofrecido José Monleón [1990].

BUERO VALLEJO estrenó *La doble historia del doctor Valmy* (1976, pero redactada en 1967), *La detonación* (1977), *Jueces en la noche* (1979), *Caimán* (1981), *Diálogo secreto* (1984), *Lázaro en el laberinto* (1986) y *Música cercana* (1989), todas ellas con notable aceptación de público, aunque discutidas por parte de la crítica diaria. ALFONSO SASTRE, después de un prolongado período de ausencia de las carteleras españolas, regresaba también en estos años, aunque, en principio, por vía de los teatros independientes. Con El Búho estrenó *La sangre y la ceniza* (1976), con El Gayo Vallecano, *Ahola no es de leil* (1979), con la Compañía Julián Romea, *Terrores nocturnos* (1981), y ya, en comercial, *La taberna fantástica* (1985, redactada en 1966) y *Los últimos días de Emmanuel Kant* (1990, redactada en 1985). Estos autores, y los siguientes del presente epígrafe, han sido estudiados por, además de García Lorenzo [1980], Ruiz Ramón [1975], Valls [1985], Doménech [1988], Fernández Torres [1988] y Oliva [1989], entre otros.

Las arrecogías del Beaterio de Santa María Egipcíaca, del granadino JOSÉ MARTÍN RECUERDA, escrita en 1970, pero estrenada en 1977, fue quizá el éxito más importante de los años de transición, pues a sus intrínsecos valores creativos unió la oportunidad de un tiempo en que hablar de la primera Constitución española era hacerlo de la que entonces se redactaba no lejos del Teatro de la Comedia. El autor estrenó también, en este período, *El engañao* (1981, redactada en 1972) y *El carnaval de un reino* (1983; en realidad, la obra es *Las conversiones*, escrita en 1980). JOSÉ MARÍA RODRÍGUEZ MÉNDEZ había presentado *Historia de unos cuantos* (1975), *Bodas que fueron famosas del Pingajo y la Fandanga* (1978), *Flor de otoño* (1981), *Sangre de toro* (1985) y *La marca del fuego* (1986), los tres primeros textos redactados, respectivamente, en 1971, 1965 y 1972. LAURO OLMO también estrenó en 1977 *La condecoración*, obra que había escrito en 1963; con posterioridad vio representadas *Pablo Iglesias* (1983), fresco histórico sobre el fundador del Sindicato General de Trabajadores, y *La jerga nacional* (1986), especie de colección de piezas breves. También otro de los antiguos «realistas», CARLOS MUÑIZ, tuvo ocasión de presentar uno de sus títulos más conocidos, *Tragicomedia del Serenísimo Príncipe don Carlos*, en 1981, aunque la obra había sido redactada en 1972.

En este período sigue estrenando con regularidad Antonio Gala, pues cuenta con un importante respaldo de público. Su teatro no es de otro tiempo, sino propio de la situación política en la que vive, a la cual quiere hacer protagonista. Su llamada «Trilogía de la libertad» estaba formada por *Petra Regalada* (1980), *La vieja señorita del Paraíso* (1980) y *El cementerio de los pájaros* (1982). También estrenó en esa misma década *Samarkanda* (1985), *El hotelito* (1985), *Séneca o el beneficio de la duda* (1987) y el musical *Carmen, Carmen* (1988).

Otros dramaturgos bien conocidos del teatro español tuvieron también ocasión de presentar sus obras en estos años. Así, Ricardo López Aranda estrenó *Isabel, reina de corazones* (1983); Hermógenes Sainz, *La niña Piedad* (1976); Santiago Moncada, *Violines y trompetas* (1978), otro de los grandes éxitos del momento, *Salvar a los delfines* (1979) y *Dos al derecho, dos al revés* (1981), entre un considerable número de obras. En la misma línea de teatro comercial es de destacar la presencia de Julio Mathias (*Prohibido seducir a los casados*, 1981, y *Un sastre a la medida*, 1986), Adrián Ortega (*El hombre de rojo*, 1985), Juan José Alonso Millán (*Capullito de alhelí*, 1984, *Juegos de sociedad*, 1985, y *Cuéntalo tú, que tienes más gracia*, 1989), Pedro Mario Herrero (*Un día en libertad*, 1983), Rafael Mendizábal (*Mi tía y sus cosas*, 1985, y *Mala yerba*, 1989), Jaime Salom (*Una hora sin televisión*, 1987, y *El señor de las patrañas*, 1990), Miguel Sierra (*Alicia en el París de las maravillas*, 1978, y *María la mosca*, 1980), Marcial Suárez (*Dios está lejos*, 1987), Ana Diosdado (*Los ochenta son nuestros*, 1988) y Adolfo Marsillach (*Yo me bajo en la próxima, ¿y usted?*, 1981, y *Mata-Hari*, 1983).

Mejor conocido, aunque en el terreno meramente de la práctica teatral y cinematográfica (actor y director), es uno de los grandes descubrimientos de la transición, Fernando Fernán Gómez (1921). Además de un espléndido drama sobre la guerra civil española, *Las bicicletas son para el verano* (1982), Premio Lope de Vega, ha estrenado *Del rey Ordás y su infamia* (1983), *La coartada* (1985), *Ojos de bosque* (1986) y una versión del *Lazarillo de Tormes* (1990). Pero esta actividad como escritor no se ha circunscrito sólo al campo de la dramaturgia, sino que su quehacer como ensayista y novelista ha ofrecido un tono tan importante como el teatral.

Durante los últimos años del franquismo y primeros de la transición política habían aparecido algunos casos de autores de sólido prestigio en los medios escénicos intelectuales, y que encontraron válidas líneas de desarrollo en el teatro comercial. Los casos de Manuel Martínez Mediero y José María Bellido fueron especialmente significativos. El primero, sobre todo, llegó a estrenar simultáneamente más de un título. Señalemos, entre ellos, *Las hermanas de Búfalo Bill* (1975), *El día que se descubrió el pastel* (1976) y *Mientras la gallina duerme* (1976) y, algunos años después,

Juana del amor hermoso (1983) y *Aria por un papa español* (1985), estrenada con el título de *Papa Borgia*.

Dentro de un teatro de corte más innovador destacamos al hoy académico Francisco Nieva, síntesis perfecta de los movimientos y tendencias más vanguardistas de los últimos años. Sus obras fueron acogidas con tanto entusiasmo por el aficionado, como indiferencia por el público habitual. «Cuando los artistas hacemos alguna cosa que está bien, aceptamos todas las críticas, pero sabemos que está bien. ¿Que la cosa no gusta? Amigo, hay que seguir luchando. La perfección de una obra de arte no la puede juzgar el pueblo así, de sopetón. Hemos tenido muy mal público.» Con estas palabras de su personaje Salvator Rosa, el autor define a la perfección su posición ante su última trayectoria artística. Una trayectoria que tiene un perfil totalmente singular respecto a la de cualquier otro dramaturgo español, pues cuenta con una formación pictórica y plástica nada común. Sus principales obras las estrena justamente en la transición política: *Delirios del amor hostil* (1977), una innovadora versión de *Los baños de Argel* (1979) cervantinos, *La señora tártara* (1980), *Coronada y el toro* (1982), otra adaptación, esta vez de la *Casandra* (1983) de Galdós, *Las aventuras de Tirante el Blanco* (1987), *Te quiero zorra* (1988), *No es verdad* (1988) y *El baile de los ardientes* (1990). Pocos, para una dramaturgia auténticamente innovadora, rica en efectos, pero cuya principal característica, su imaginación, nunca ha sido del agrado del público español.

Nieva, en el exquisito mimo con que cuida su producción, no ha olvidado la configuración de una peculiar teorética, que llama precisamente «Breve poética teatral» (Cátedra, 1980). No obstante, y como suele suceder en estos casos, lo mejor no está reflejado en ella, sino que se encuentra muy por encima de la teoría. Porque si hay una dramaturgia variada, difícil de encasillar, diversa en su forma, compleja en su estructura y bien diferenciada entre sí, esa es la suya. No olvidemos que estamos ante el autor que posiblemente haya avanzado más en el enriquecimiento de los modernos lenguajes teatrales.

También dramaturgos de tendencia vanguardista tuvieron una explosiva llegada al teatro durante los años de la transición, para después sufrir una paulatina desaparición de las carteleras. El caso más sobresaliente es el de Fernando Arrabal, con tres estrenos en 1977, *Oye patria mi aflicción, El cementerio de automóviles* y *El arquitecto y el emperador de Asiria*. Su falta de reclamo para el público hizo que transcurrieran más de cinco años hasta regresar a los teatros madrileños, cosa que hizo con *El rey de Sodoma* (1983). *Róbame un billoncito* (1990) no pasó de una breve gira por provincias.

Otro buen número de autores de escasa presencia comercial en ese tiempo, pero de relevancia en los medios culturales, dispusieron de breves salidas a las carteleras. Fue el caso de Jesús Campos (*7.000 gallinas y un camello*, 1976), EDUARDO QUILES (*La navaja*, 1985, y *El frigorífico*, 1986), MIGUEL SIGNES (*Antonio Ramos 1963*, 1977), JOSÉ RUIBAL (*El hombre y la mosca*, 1982), JERÓNIMO LÓPEZ MOZO (*Comedia de la olla romana*, 1977), LUIS RIAZA (*Retrato de dama con perrito*, 1979), JUAN ANTONIO CASTRO (*¡Viva la Pepa!*, 1980), FRANCISCO ORS (*Contradanza*, 1981, y *El día de gloria*, 1983), LUIS MATILLA (*Ejercicios para equilibristas*, 1980, y *Como reses*, 1987, en colaboración de Jerónimo López Mozo), JOSEP MARIA BE-NET I JORNET (*Motín de brujas*, 1980), ALBERTO MIRALLES (*Céfiro agreste de olímpicos combates*, 1981), ANTONIO MARTÍNEZ BALLESTEROS (*Camila mi amor*, 1987, y *Pisito clandestino*, 1990) y ÁNGEL GARCÍA PINTADO (*El taxi-dermista*, 1982, y *La sangre del tiempo*, 1985). Otro autor de muy sólido prestigio y renovadora obra dramática, como el malagueño MIGUEL ROMERO ESTEO, pese a haber escrito una obra monumental, *Tartessos*, premiada por el Consejo de Europa en 1985, no consiguió estrenar en los años de la transición política y década de los ochenta.

NUEVOS AUTORES Y NUEVAS TENDENCIAS. Justamente este último aparta-do representa con toda propiedad el teatro español de los ochenta, aunque no debemos olvidar otros nombres propios, inmersos en anteriores proce-sos, pero que consiguieron su mayor repercusión en esta última década. Cabe situar a estos autores en dos grandes bloques, según hayan tenido contacto con el teatro de la transición, o sean abiertamente, por razones básicamente de edad, representativos de la última generación de los ochen-ta. Estos últimos los estudiaremos en el epígrafe siguiente.

Los primeros, pese a sus claras diferencias estéticas, admiten cierta relación con los innovadores precedentes. Como DOMINGO MIRAS (1934), autor mucho más premiado y editado que representado, y que dispone de un sólido manejo del castellano, que refleja abierta admiración a los clási-cos españoles. Además de limpias adaptaciones de obras de tales autores, Miras es autor de varios dramas, algunos de ellos representados también bastante tiempo después de su redacción: *La Saturna* (1973), *De San Pas-cual a San Gil* (1974), *La venta del ahorcado* (1975), *Las brujas de Baraho-na* (1978), *Las alumbradas de la Encarnación Benita* (1979), *El doctor Torralba* (1982) y *La monja alférez* (1986) (sobre Miras, véase *ATE* 1, Alonso Girgado [1987] y Serrano [1991]).

FRANCISCO MELGARES (1938) es prototipo del hombre de teatro. Proce-dente de familia de actores, encuentra en la expresión literaria la forma más adecuada de intervenir en el proceso creativo de la escena. Correcto adaptador de textos clásicos (Aristófanes) y contemporáneos (Mishima), su drama de corte nihilista, *Anselmo B* (1985), fue estrenado con no poco éxito (véase *EP* 18).

JOSÉ SANCHIS SINISTERRA (1940) se relaciona con Nieva por su contumaz presencia en los escenarios españoles desde muchos años atrás, y también su tardía aparición en público.como autor, aunque, eso sí, rodeado del más estimulante éxito. Bastaría citar su *¡Ay, Carmela!* (1986) para catalogarlo como uno de los dramaturgos más significativos del momento. Pero, además, otros textos suyos, como *La Edad Media va a empezar* (1976), *Ñaque o de piojos y actores* (1980), *Conquistador o El retablo de Eldorado* (1984) y *Crímenes y locuras del traidor Lope de Aguirre* (1986) presentan también un envidiable nivel literario y, a la vez, escénico. Es autor prolífico, pues a las obras citadas hay que añadir *Moby Dick* (1983), *Pervertimiento* (1988), *Los figurantes* (1989) y *Perdida en los Apalaches* (1990), y autor que gusta encontrarse en los límites de la teatralidad y de la narración, de donde saca los temas para sus dramaturgias. Es asimismo fino observador de la historia, de la que extrae las más sugestivas consecuencias, merced al contraste entre un casi tradicional tratamiento de la épica y su sorprendente sentido del humor (sobre Sanchis, véanse *PA* 186, *EP* 7, *EP* 18, *EP* 33, *EP* 51, *EP* 67, *EP* 75, *EP* 77, *EP* 78 y Casas [1989]).

ÁLVARO DEL AMO (1942) alterna el teatro con otras realizaciones artísticas, principalmente las cinematográficas. En la escena ha destacado su especial inclinación a procesos de creación vanguardista, como demostró con las obras *Correspondencia* (1979), *Geografía* (1983) y *Motor* (1988), en donde conjuga hábilmente la apariencia real y la puramente teatral, con un lenguaje cargado de intenciones (véanse *EP* 17 y *EP* 53).

Un autor incorporado a la dinámica de la producción con éxito indudable, y cuyo origen está en el propio teatro independiente de la transición, es JOSÉ LUIS ALONSO DE SANTOS (1942), profundo conocedor de la escena por dentro. Director y actor con el grupo Teatro Libre, recorrió la geografía española con sus espectáculos, entre los que incluyó *¡Viva el duque, nuestro dueño!* (1975), su primer estreno. Con el tiempo, formó parte del nuevo teatro, con temas y personajes propios de la España del momento, que tuvieron perfecto reflejo en las demandas del público. De esta manera logró crear una comedia costumbrista, pero enraizada en los problemas sociales del presente, y con una ingeniosa utilización de la palabra. *La estanquera de Vallecas* (1981), *Bajarse al moro* (1985) y *Pares y Nines* (1988) han permanecido durante mucho tiempo en cartel. Otras obras suyas, siempre estrenadas, han sido *El álbum familiar* (1982), *La gran pirueta* (1986), *Fuera de quicio* (1987) y *Trampa para pájaros* (1990) (sobre Alonso de Santos, véanse Olivera [1988], Tamayo y Popeanga [1989] y *PA* 194).

ALFONSO VALLEJO (1943) es un prolífico autor, pese a que su dedicación a la escritura teatral sea meramente coyuntural. Su principal profesión, la medicina, le hace entrar con especial sensibilidad en los problemas del individuo y la sociedad. Su teatro propone una especie de superación del conocido *realismo*, mediante valientes rupturas estéticas. También ha llegado a los escenarios con cierta frecuencia, pero siempre intermitentemente. Señalemos los muchos elementos renovadores que muestran obras como *Fly-by* (1973), *Eclipse* (1976), *El cero transparente* (1977), *Cangrejos de pared* (1979), *Orquídeas y panteras* (1982), *Gaviotas subterráneas* (1983) y *Ácido sulfúrico* (1988). Pese a que ha conseguido estrenar un buen número de textos, y haber sido premiado en no pocas ocasiones, otra buena parte de su obra permanece inédita en los escenarios (véanse *ATE* 9, *EP* 42, *EP* 43, *EP* 67 y *PA* 205).

Similar inclinación vanguardista a la de Álvaro del Amo muestra el también cineasta JAVIER MAQUA (1945), que con sus obras *La soledad del guardaespaldas* (1987) y *Triste animal* (1990), ambas estrenadas, plantea los múltiples y sorprendentes contactos que pueden existir entre la convencionalidad escénica y otros tipos de expresiones artísticas. Ha escrito también *El cuerpo* y *Doble garganta* (véanse *PA* 218 y *EP* 28).

IGNACIO AMESTOY (1947) es un periodista con vocación de dramaturgo, merced a su formación en el laboratorio teatral de William Layton. Su primer estreno, *Ederra* (1981), premiada y puesta en escena casi inmediatamente, muestra una inicial tendencia a teatralizar el teatro, dentro de una especial inclinación a la tragedia moderna. Interesantes disposiciones escénicas siguen ofreciendo sus siguientes producciones, *Dionisio. Una pasión española* (1982), airada reflexión sobre el poeta Ridruejo, y *Doña Elvira, imagínate a Euskadi* (1985), drama intimista a partir de la tortuosa biografía de Lope de Aguirre. Posteriormente escribe, dentro de la misma provocación ancestral de su país, *Durango, un sueño, 1493* (1989) (véanse *EP* 3, *EP* 33, *EP* 70-71 y *PA* 193).

RODOLF SIRERA (1948) es uno de los valores más importantes del teatro en lengua catalana, y que dispone de mayor número de estrenos y publicaciones. Su obra *El verí del teatre* (*El veneno del teatro*), fue traducida en 1985, por José María Rodríguez Méndez, consiguiendo un extraordinario éxito (véanse *EP* 6, *EP* 33 y *EP* 79).

FERMÍN CABAL (1948) fue otro de los fijos del teatro independiente, desde su participación en los grupos Goliardos y Tábano. Irrumpió con enorme fuerza creadora en la profesión, con títulos como *Tú estás loco, Briones* (1978), *¡Vade retro!* (1982) y *Esta noche gran velada* (1983). Después de un fulgurante comienzo, Cabal se tomó un tiempo para meditar sobre su escritura escénica, así como sobre los mecanismos de la propia producción teatral, lo que le proporcionó un señalado cambio de estilo, desde el naturalismo costumbrista hasta formas mucho más avanzadas de ese propio realismo. *Caballito del diablo* (1985) y *Ello dispara* (1990) son los primeros resultados de ese proceso. En el autor tuvo gran influencia el desencanto del intelectual de izquierdas, una vez que el socialismo llegó al poder, así como el proceso que originó en los creadores (véanse *EP* 1, *EP* 5, *EP* 21, *EP* 68, *EP* 79 y *PA* 196).

En ese difícil equilibrio entre el teatro comercial y la propuesta interesante debemos destacar a SEBASTIÁN JUNYENT (1948), autor de formación actoral, cuyo hermoso drama *Vamos a deshacer la casa* (1983), además de ser Premio Lope de Vega, fue otro importante éxito de taquilla. También ha tentado la dirección y la adaptación de textos extranjeros (véase *EP* 16).

No podemos olvidar las aportaciones de otros escritores, como JOSÉ LUIS ALEGRE CUDÓS (1951), excelente poeta que lleva con habilidad los mitos teatrales más conocidos a nuestro presente, en *El gran teatro del mudo* (1982), *La madre que te parió* (1983), *La hija de Hamlet* (1985) y *Minotauro a la cazuela* (1986); JESÚS ALVIZ (1946), con una comedia bien conocida, publicada y estrenada, *El crimen de don Benito* (1985), que se integra en el campo de la España negra. En línea parangonable cabría citar a FRANCISCO BENÍTEZ (1944) y su *Farsa inmortal del anís Machaquito* (1984).

NARRADORES EN LOS ESCENARIOS DE LOS OCHENTA. Uno de los fenómenos más peculiares que se incorporan al teatro de los ochenta es la presencia de novelistas o pensadores, bien con la redacción de textos para la escena o con la adaptación de algunas de sus obras narrativas. En el primer caso es digno de mencionar a VICENTE MOLINA FOIX (1949), con una obra estrenada, *Los abrazos del pulpo* (1979), otra sin estrenar, *Barbazul*, además de un libreto de ópera, *El viajero indiscreto*, y algunas brillantes adaptaciones, como la realizada de la obra de Shakespeare, *Hamlet*, en 1990. EDUARDO MENDOZA (1943), tras una amplia y estimadísima obra narrativa, escribió el drama *Restauració* (1990), en el que la crítica ha alabado la teatralidad de las situaciones. GONZALO TORRENTE BALLESTER (1910), dramaturgo en los años cuarenta, estrena en los ochenta el drama *¡Oh, Penélope!* (1986), moderno tratamiento del mito de Homero, cargado de su peculiar ironía y sentido del humor. También el filósofo FERNANDO SAVATER presentó en los escenarios obras de la densidad de *Vente a Sinapia* (1983) y *El último desembarco* (1987), y cuenta además con otros textos que esperan el estreno, como *Juliano en Eleusis* (véase *PA* 229).

Más habitual ha sido el proceso inverso, el de novelas adaptadas para el teatro. Más habitual, y mucho más celebrado por el público. A partir, sobre todo, del éxito de *Cinco horas con Mario* (1979) —más de diez años representándose por toda España—, MIGUEL DELIBES ha sido uno de los autores que mayor relieve han tenido en las carteleras nacionales. Así, *La hoja roja* (1986) y *Las guerras de nuestros antepasados* (1989) han supuesto dos más que notables éxitos de público de estos años. Como lo fue, en 1989, la adaptación de la novela de JAVIER TOMEO (1932), hecha por él mismo, de *Amado monstruo*, que encontró un perfecto engarce en el diálogo dramático que ya existía en el original. Por eso ha seguido probando suerte con otra de sus novelas, *El mayordomo miope* (1990).

También CARMEN MARTÍN GAITE (1925) ha realizado varias adaptaciones para la escena (*Tragicomedia de don Duardos*, de Gil Vicente, 1979, *El burlador de Sevilla*, de Tirso de Molina, 1988, y *El marinero*, de Pessoa,

1990), y un texto para la escena, *A palo seco* (1987). Otra notable novelista, LOURDES ORTIZ (1943), con probada experiencia en el campo de la didáctica teatral, ha atendido la escritura escénica con *Penteo* (1983) y *Yudith* (1988). De igual manera, del conocido narrador MANUEL VÁZQUEZ MONTALBÁN (1939) se han adaptado al catalán *El viatge* (1989) y *El supervivent* (1990). Vázquez Montalbán había realizado alguna experiencia escénica en los años setenta, pero su principal actividad en el campo del teatro ha sido en los ochenta, no sólo con los textos citados sino con la traducción al castellano de *Julio César* (1988) de Shakespeare.

LOS NOVÍSIMOS. Entrar en el último teatro español es hacerlo en un difícil medio, en donde ni los autores de antes ven premiadas sus aspiraciones en el escenario ni el cambio generacional se ha producido de manera total. Como hemos visto, las viejas generaciones siguen produciendo textos de interés, empeñados en denunciar determinados comportamientos del poder, aunque sea democrático. Casi todos los autores que hemos citado a lo largo de este repaso al teatro español de los últimos quince años tienen obras por estrenar. Y, si no en todos, en la inmensa mayoría sigue alentando un espíritu de reivindicación de su condición creadora. No sabemos qué sucedería si los productores de hoy, a la caza y captura de cuanto haya por ahí que pueda interesar al público de hoy, volvieran a jugársela con el estreno de *realistas* y *simbolistas* adaptados a la España de final de siglo. No sabemos incluso si los espectadores lo permitirían.

Por eso, antes de hablar de los más jóvenes autores de hoy, aún hemos de hacer mención de otros que, nacidos por los años cuarenta, han publicado —y a veces estrenado— después de 1975. Es el caso de EDUARDO LADRÓN DE GUEVARA (1939), periodista, actor y autor de muy ingeniosas y bien construidas obras, como *Coto de caza* (1983), *Volviste, Bisonte* (1985) y *Cosa de dos* (1986); MARÍA JOSÉ RAGUÉ (1941), profesora y escritora en lengua catalana, con marcado interés por los temas mitológicos, con *Clitemnestra* (1986) y *Crits de gavina* o *La llibertat de Fedra* (1986) (*ATE* 16); FERNANDO ALMENA (1943), con *Redobles para un mono libre* (1980) o *Ejercicios para ahuyentar fantasmas* (1983); LORENZO PÍRIZ-CARBONELL (1945), poseedor de un amplísimo historial como autor y director, ha ejercido la medicina en Nueva York durante la década de los setenta, en donde permaneció cercano a los movimientos del «teatro off»; estrenó, entre otras, *Juana la Loca* (1981), *Federico* (1982), *Vivir, para siempre vivir* (1984), *Electra y Agamenón* (1985) y *Colón* (1991) (*ATE* 12); CONCHA ROMERO (1945) ha visto poner en escena su obra *Un olor a ámbar*, y escrito *Bodas de una princesa*; MIGUEL ÁNGEL MEDINA (1946), periodista y profesor de la Escuela Superior de Arte Dramático de Madrid, es autor de un oportuno estudio sobre el teatro a finales del franquismo, *El teatro español en el banquillo* (1974), y de textos como *El laberinto de los desencantos* (1982) y *El camerino* (1982).

Tras todos estos dramaturgos, y coincidentes con ellos, han aparecido otros, más jóvenes, que plantean cuestiones bastante diferentes a las que imaginaron sus predecesores en los escenarios. Ellos son los verdaderamente nuevos, y los que terminarán por asentarse en puestos del teatro español que todavía están sin heredero. Cabe señalar la peculiaridad que supone la presencia de un considerable número de practicantes del teatro (intérpretes, sobre todo), y, lo que es más notable, de mujeres escritoras, superior al que había dado cualquier época de la historia del teatro español. Este fenómeno ha sido estudiado con detenimiento por O'Connor [1988] y *PA* 220.

De ellas, sólo MARÍA MANUELA REINA (1957) parece haber cogido el testigo de la comedia literaria, bien escrita y planeada, aunque de estética pretérita. Su primera obra es *El navegante* (1983), premiada aunque no representada. Toma contacto con los escenarios con una especie de drama histórico, titulado *La libertad esclava*, aunque estrenado con el nombre de *Lutero* (1987), en donde inventaba el apasionante e imposible encuentro entre el fraile agustino y Erasmo. El mismo año presenta *El pasajero de la noche* (1987), con no demasiada aceptación de público. Pero a partir de ahí, sus obras iniciaron una evidente carrera hacia la comedia burguesa, de buena construcción pero limitadas y convencionales intenciones. *La cinta dorada* (1989), *Alta seducción* (1989) y *Reflejos con ceniza* (1990) se convirtieron en grandes éxitos (véanse *EP* 73, *EP* 75 y *EP* 81).

MARIBEL LÁZARO (1949), con un Premio Calderón de la Barca, aún sin representar, *Humo de beleño* (1985), ha estrenado *La fosa* (1986) (véanse *EP* 30 y *PA* 212).

MIGUEL ALARCÓN (1951) ha escrito prácticamente para su grupo, Aula-6, ofreciendo temas sobre la libertad y la opresión, como *Parábola* (1977), *Espiral* (1979), *Hotel Monopol* (1984) y *Réquiem* (1987) (véase *EP* 10-11).

TEODORO GARCÍA (1952), autor, actor, director y cantante, estrenó en 1981 su primer texto, *La herencia de Sixto* (1981), al que han seguido *La inocencia se durmió en el parque* y *Diálogos de amor y tristeza*.

ANTONIO FERNÁNDEZ LERA (1952), periodista, ha escrito y representado varias obras de interés indudable: *Delante del muro* (1985), *Carambola* (1987), *Proyecto Van Gogh: entre los paisajes* (1989) y *Los hombres de piedra* (1990) (véase *EP* 44).

MIGUEL MURILLO (1953) logró el Premio Torres Naharro con *El reclinatorio* (1980), estrenada en el Centro Dramático de Extremadura. Otras obras suyas son *El aparato* (1982), *El candidato* (1986), *Las maestras* (1986), *Tierra seca* (1986) y *Perfume de mimosas* (1989) (véanse *EP* 34-35 y *EP* 75).

ANTÓN REIXÁ (1957) alterna el teatro con la música y la poesía. Su único estreno es *Gulliver F.M.* (1985). Tiene por representar la ópera-rock

After Shave. Reixá, junto a ROBERTO VIDAL BOLAÑO, son ejemplos del nuevo teatro gallego (véase *EP* 28).

IGNACIO DEL MORAL (1957) comienza su actividad teatral como actor de teatro independiente. Su producción es considerable, habiendo conseguido diversos premios y puestas en escena con *La gran muralla* (1982), *Soledad y ensueño de Robinson Crusoe* (1983), *La noche de Sabina* (1985), *Una del Oeste* (1986), *3-9-1 Desescombro* (1986), *Historias paralelas* (1987), *Zenobia* (1987), *Días de calor* (1988) y *Acuarium* (1989) (véanse *EP* 40, *EP* 46-47, *EP* 54 y *EP* 68).

PALOMA PEDRERO (1957), sin claudicar de un teatro comprometido, parece decidida a recuperar la comedia para pensar, más cerca de posturas realistas que de otras. Consigue estrenar y publicar la mayor parte de su producción, formada por *La llamada de Lauren* (1984), *Resguardo personal* (1985), *Invierno de la luna alegre* (1985), *Besos de lobo* (1986), *El color de agosto* (1987), la obra infantil *Las fresas mágicas* (1988), *La isla amarilla* (1988), *Noches de amor efímero* (1987-1989) y *Una estrella* (1990) (véanse *ATE* 15, *EP* 52, *EP* 60, *EP* 66 y *EP* 81).

ERNESTO CABALLERO (1957), que parte de la experiencia práctica en grupos independientes, busca en modernas zonas de expresión escénica. *El cuervo graznador grita venganza* (1985), *La permanencia* (1986, en colaboración con Daniel Moreno), *Operación Feniscolta* (1988), *Squash* (1988) y *Sol y sombra* (1989) son obras de evidentes connotaciones realistas, con ciertas notas de denuncia social (véanse *EP* 41, *EP* 57 y *EP* 69).

MARISA ARES (1958) ha estrenado *Negro seco* (1986), crudo relato en donde la ficción y la realidad se funden en una plástica descorazonadora, a la que la incorporación de la música rock pone oportuno contrapunto. También tiene escritas *Mordecaï Slaughter en: Rotos intencionados* y *Demasiado tarde, nena* (véase *EP* 32).

NANCHO NOVO (1958) ha visto en escena *Cyborg (Blues por un perro muerto)* y ha escrito *Maldita seas* y el musical *Poor Johnny* (véanse *EP* 78 y *PA* 219).

FERNANDO G. LOYGORRI (1960), como la mayoría de estos jóvenes autores, se inició en la práctica del teatro independiente. Ha estrenado *De un solo golpe* (1984) y *La otra cara* (1990), y tiene varias obras redactadas, como *Me persigue un misil* y *Papel en rojo* (véase *EP* 80).

ANTONIO ONETTI (1962) dispone de una serie de textos de corte realista, en donde abundan las notas de crítica social. *Malfario* (1982), *Líbrame señor de mis cadenas* (1989), *La diva al dente* (1990) y *Marcado por el típex* (1990) son algunos de sus títulos (véanse *EP* 38 y *EP* 75).

SERGI BELBEL (1963), adscrito a una importante escuela dramatúrgica, que encabeza Sanchis Sinisterra en el Institut del Teatre de Barcelona, fue premiado con su primera obra, *Caleidoscopios y faros de hoy* (1986), estrenada casi inmediatamente. A esta le siguieron *La nit del cigne* (1986),

Dins la seva memòria (1987), *Mínim-mal show* (1987, en colaboración con Miquel Górriz), *Elsa Schneider* (1988), *Òpera* (1988), *En companyia d'abisme* (1989), *Tàlem* (1990) y *Carícies* (1991), textos todos que demuestran una especial predilección por el uso de la palabra, aunque sin olvidar el importante cometido que en el teatro tiene la situación dramática (véanse *EP* 46-47, *EP* 64, *EP* 65 y *EP* 79).

ALFONSO PLOU (1964) es Premio Marqués de Bradomín por *Laberinto de cristal* (1987) y Castilla-La Mancha por *La ciudad, noches y pájaros* (1990). También cuenta con experiencia en la práctica teatral (véanse *EP* 40 y *EP* 46-47).

MAXI RODRÍGUEZ (1965) procede asimismo del mundo de la escena y de los grupos independientes. *El color del agua* (1990) ha sido Premio Marqués de Bradomín. Antes había estrenado *Ondas* (1963), *El mío coito o la épica del BUP* (1988) y *El swin del maletín y otras acciones* (1988) (véase *EP* 33).

IGNACIO GARCÍA MAY (1965), pese a su juventud, ha alcanzado el honor del estreno comercial, incluso en el Centro Dramático Nacional, con su exquisita comedia *Alesio* (1987), que fue Premio Tirso de Molina el año anterior (véanse *EP* 40, *EP* 51, *EP* 60 y *PA* 217).

Muchos otros podrán incluirse pronto en este rápido repaso del estado de la cuestión escénica. De momento, no son pocos los autores que prefieren experimentar en grupos teatrales, con obras que no tienen como objetivo ni mucho menos el éxito comercial. Son esquemas de comportamiento bastante diferentes a los que venimos viendo en la historia reciente de nuestro teatro, y que merecen la misma seriedad de análisis.

Todo esto llega en un momento en que la escena española busca desesperadamente la estética por encima de las ideas. Los escenarios están más llenos de formas que de conceptos, y, por consiguiente, de un arte que si siempre se caracterizó por sugerir realidades, ahora lo hace por realizar sugerencias.

LA EXPERIMENTACIÓN EN LOS OCHENTA.   Durante los años de la transición política la experimentación teatral encerraba un evidente matiz político, aunque, claro está, todo lo que tenía matiz político no era necesariamente experimentación. Se había superado un largo período de censura, a la que los autores jóvenes, y los menos jóvenes, se habían acostumbrado. Buena parte de las obras que se producían partían de esta premisa. Lo cual creó curiosos planos simbólicos, que incidían en lo que en Europa habían sido los principales movimientos de vanguardia. El teatro del absurdo, por ejemplo, había tenido así su correspondiente adaptación al medio español.

El espectador teatral de la democracia rompió pronto con su pasado, con lo que al mismo tiempo renunciaba a toda una serie de fórmulas modernas que lo remitía a un tiempo que no quería recordar. Para hablar de antes se prefirió llegar hasta la guerra civil, en donde la dicotomía de las dos Españas tenía una ejemplificación más notoria. Por consiguiente, los ya no tan jóvenes autores españoles carecieron de público, por lo que sus obras se vieron poco y con escaso interés. De esta manera, la historia fue injusta con una serie de autores que habían luchado por la democracia de su país desde los escenarios, constituyendo este hecho una de las paradojas más notables del teatro español del siglo xx.

Tendría que pasar la década de los setenta, y adentrarnos en la de los ochenta, para encontrar una auténtica ruptura en nuestra escena. Es entonces cuando aparecen experiencias propias de ese tiempo de renovación y que en sí son la transformación de un grupo de lenguajes teatrales en formas escénicas concretas, con elementos definidores que los distinguen de los tradicionales. Algunas de esas experiencias tienen sus raíces en los últimos años del franquismo, pero la adopción de su cuerpo expresivo común se hace con la democracia.

La experimentación que, como decimos, parte de una nueva codificación de los lenguajes escénicos, como punto de partida otorga a la palabra una distinta valoración, y potencia otros elementos, sobre todo sonoros, como son la música y el decorado. Los primeros pasos que se dan, en este sentido, proceden del llamado *teatro de calle*, moda que se impone a finales de los setenta, y que aunque no permanece en años siguientes, sirve de laboratorio para otros experimentos. El teatro de calle tiene como características principales:

a)   un cambio profundo entre los conceptos de emisor y de receptor, lejos de los tradicionales cánones del teatro a la italiana;

b)   integra un espacio urbano variopinto en la creación escénica;

c)   incorpora elementos plásticos de muy diversa índole (sonoros, musicales, ruidos, atrezzo) que hacen disminuir, a veces totalmente, los elementos verbales;

d)   propone espectáculos itinerantes, pues es distinto del *teatro en la calle* (escenario montado para repetir la posición frontal del teatro), auténticos desfiles o paradas, que disponen de una continua interrelación entre «escena» y «sala».

El teatro de calle, pues, obliga a un nuevo equilibrio en el sistema de comunicación teatral: el descenso de los elementos verbales hace crecer los paraverbales, es decir, gesto, movimiento, mímica facial, música, ruidos, etc. Por otro lado, supone un importante traslado del punto de vista del espectador. Si en el teatro tradicional, este miraba el escenario desde un lugar determinado, el teatro de calle dispone de varios enfoques, de manera que el espectáculo se acerca o se aleja del público con las mismas posibilidades que el público se acerque o aleje del espectáculo. En el teatro de calle, pues, no siempre se ve la misma obra, aunque el título así lo indique.

Todas estas circunstancias motivan la eliminación de la narración lineal del teatro tradicional por medio de palabras. Lo que hace que muchos estudiosos de la escena contemporánea no hayan considerado el teatro de calle como una forma más de posibilidad artística, relegándolo a niveles de expresión considerados menores, como el circo o el mimo.

No obstante, si estudiamos el fenómeno desde sus aspectos puramente científicos, comprobamos que existe un proceso de relación sígnica perfectamente integrable en el proceso de comunicación teatral. La disminución de la producción significante de determinados lenguajes no impide que dicha comunicación desaparezca. Si así fuera, tendrían que ponerse en cuestión otras formas escénicas, como el ballet, la pantomima e incluso la ópera, que disponen de diferente sistema comunicativo. La naturaleza de la relación emisor/receptor, e incluso la de sus signos integrantes, exige otro estudio y consideración, nunca el rechazo, por muy complejo que sea el análisis de esos fenómenos.

El teatro de calle, y muchos de los elementos que de él proceden, es un fenómeno finisecular que, pese a tener remotos antecedentes en lugares puntuales de la historia de la escena, hay que reconocerlo como moderna forma teatral, surgida de hechos contemporáneos tan evidentes como el desgaste de los sistemas tradicionales de expresión teatral, la liberalización de las formas, la búsqueda de nuevas vías de expresión y la democratización de la cultura en países en donde las reglas de contacto entre actor y espectador estaban firmemente fijadas.

Los fenómenos escénicos más significativos en la experimentación, durante esta última década, están profundamente ligados a rupturas procedentes del teatro de calle. Els Comediants, La Cubana y La Fura dels Baus son los ejemplos más representativos. En otra órbita de expresión, ligada a espacios a la italiana, aunque llena de espíritu investigador, están Els Joglars, Dagoll-Dagom y La Cuadra. Unos y otros son representantes de un trabajo de moderna expresión escénica, en algunos con discutible filiación al concepto de experimentación, pero en cualquier caso buceadores de nuevas formas de actuación. Las seis compañías, más alguna otra que dispone de esquema de producción similar, ofrecen una imagen rotundamente diferente entre los teatros independientes de los setenta y estos: si entonces los grupos malvivían, debido a la escasa importancia que les merecían los aspectos económicos, ahora comienzan por cuidar la producción hasta el menor detalle. Invierten en ellas como si de obras sometidas a la ley de la oferta y la demanda se tratara, y logran superar, en mucho, los tradicionales y raquíticos conceptos de supervivencia de las compañías.

Otros ejemplos de muy estimable labor teatral en la década de los ochenta, en el concepto de colectivo estable profesional, superador del viejo modo del teatro independiente, son el Teatre Lliure, en Barcelona, que en los noventa continúa con espléndida vitalidad su quehacer escénico, y el Teatro Estable Castellano, en Madrid, que pese a haber sido un loable intento de compañía de repertorio, con una trayectoria y estilo bien definidos, no pasó de cinco temporadas de actividad (1978-1982). Todo un ejemplo de lo que iba a ser en España la vida de los «teatros estables».

ELS COMEDIANTS. Nace en 1972 con un espectáculo, *Non plus plis*, en donde la mímica era su principal componente, junto a una saludable influencia del grupo norteamericano Bread & Puppet y del maestro francés Jacques Lecoq. Joan Font, discípulo de este, era su impulsor y eje por el que han pasado los más de veinte años de trayectoria escénica. *Catacroc* (1973) y *Plou i fa sol* (1976) fueron espectáculos de transición, destinados, sólo en principio, a público infantil. A partir de *Apoteòsic sarao* (1976) y, sobre todo, de *Sol solet* (1978), Els Comediants se adentró en un terreno mucho más complejo, en donde los límites del teatro a la italiana eran sustituidos, las más veces, por explosiones de vitalidad que hacían o salir del escenario o crear un nuevo sistema de relación absolutamente atípico. Por eso a la crítica le costó extraordinariamente definir las características de esos espectáculos, no sabiendo bien si se trataba de una fiesta popular, una función de animación o teatro de calle metido a veces en interiores. Con *Dimonis* (1981) las fronteras de la representación se situaron definitivamente fuera de cualquier marco convencional. En definitiva era la toma de cualquier ciudad (Venecia, Bogotá, Lisboa o Elche) por una multitud de demonios, como si de una invasión infernal y lúdica se tratase. Con la circunstancia especial de que esa invasión se acomodaba a las características del medio en donde se efectuase, bien dispusiera la urbe de puerto, canales, río o explanada adecuada para la llegada de los *dimonis*. Tras este espectáculo, *Alè* (1984) proponía una historia de la humanidad, con una estética que iba desde el misterio medieval, y danzas de la muerte, hasta llegar a su peculiar concepto de fiesta teatral participativa. *La nit* (1987) es su último espectáculo de la década, y, en cierto modo, tercera parte de una trilogía que se inició con *Sol solet*, y había continuado *Alè*. Al tiempo, era la consolidación de una estética tan sorprendente como eficaz, a juzgar por el elevadísimo número de representaciones que dan a cada uno de sus espectáculos. *Dimonis*, por ejemplo, ha sido ofrecido durante toda la década de los ochenta, de 1981 a 1990.

Els Comediants basa sus supuestos estéticos —participación, acciones rituales, carnaval, formas caricaturescas— en un bien alimentado tono paródico que resulta ser su principal fuente de inspiración. Su crítica, por demás simpática y divertida, queda lejos de la acritud de otro tiempo. Son sus propios patrocinadores, los gobernantes, quienes se ven sorprendentemente reflejados en las máscaras o muñecos que crean. Políticos, curas, monjas, terratenientes, pueblerinos, constituyen una materia dramática que transgrede de continuo las normas sociales, presentando el mundo habitual como un caos difícilmente controlable (véase *Cuadernos EP* 27).

LA CUBANA es otro exponente claro de la influencia del teatro de calle y participación en la estética del grupo. Surge a principio de los ochenta, en Sitges, ciudad que cuenta con un importante festival de teatro de vanguardia. Sus fundadores proceden de colectivos independientes. Jordi Milán coordina la parcela más creativa del grupo, que no es otra que una revisión constante del viejo concepto del teatro en el teatro. Sus primeros espectáculos giraban en torno a cierta dramatización de la vida diaria, con una moderna adaptación del concepto de «happening». *Cubana's Delikatessen* (1983) era la realización simultánea de once acciones autónomas que se desarrollaban en muy diferentes espacios urbanos, desde el escaparate de unos grandes establecimientos hasta el interior de un autobús en donde son invitados a un *tour* muy especial. Similar procedimiento ofrecieron en *Cubanades a la carta* (1988). En medio de estas producciones, estrenaron el primer espectáculo de interior de un grupo totalmente acostumbrado a los espacios abiertos. Fue *La tempestad* (1986). En él iniciaron un proceso similar al que habían desarrollado en la calle, pero ahora, dentro del teatro, en busca de la propia paradoja de sus límites. Una *tempestad*, en principio shakespeariana, llegaba a ser trasunto de otra real, pero imaginaria, que se desarrollaba fuera del local, y de cuyas fatales consecuencias se quería hacer partícipe a cualquier confiado espectador. El resultado mostró una línea de investigación que condujo al grupo a *Cómeme el coco, negro* (1989), en donde ya no eran sólo los propios límites de la realidad escénica lo que se cuestionaba, sino la esencia de la profesión teatral. A partir del trabajo de desmontaje de una característica función de revista española, los actores, con la ayuda siempre presta del público, desmontaban algo más que cortinas y decorados: eran las propias vidas de los protagonistas del hecho escénico.

Quizá la eficacia de estas creaciones radica en el hecho de que la participación del espectador no parta siempre de las mismas premisas. Mientras hay quien conoce con antelación el trucaje en que se basan los espectáculos, buena parte del público ignora, hasta el momento, su perspectiva paródica. En cualquier caso, cualquier espectador de La Cubana participa desde dos dimensiones, y ambas con la sorpresa como elemento básico. Una, la de quien no sabe de qué va, con toda la carga de novedad que ello comporta; y otra, la de quien conociendo las claves, adopta similar punto de vista del actor, sorprendiéndose de las muy variadas respuestas del público (véanse *EP* 6, *EP* 33 y *EP* 70-71).

LA FURA DELS BAUS es, sin duda, el fenómeno más imaginativo y transgresor de la década de los ochenta. En 1979 era un grupo de carácter festivo, que manejaba por igual los elementos del teatro de calle y los musicales. Podríamos decir que su gestación se produce en el momento en que la cultura española iniciaba su salida a espacios exteriores, rompiendo con habituales formas de mostración. La estabilidad del grupo se produce con *Accions* (1983), espectáculo presentado también en el Festival de

Sitges, y en un espacio atípico, cual era el antiguo paso a nivel de la estación del tren.

La propuesta de La Fura cuestiona, de raíz, el término *teatro*. Los muchos y muy variados lenguajes que intervienen en sus espectáculos actualizan la crisis de las formas escénicas que procedía de las dos últimas décadas. Tras *Accions*, los siguientes trabajos de La Fura muestran un paulatino avance hacia la concepción de formas teatrales en donde los elementos son tan importantes como los ruidos, la música como las escasas palabras, la plástica imponente de la escenografía como el lugar mismo de la representación. Para este, abandonan definitivamente espacios como el teatro o la propia calle. En grandes naves dispuestas a la remodelación hacen sus instalaciones, en donde la promiscuidad entre espectador y actor, escenografía y sala es total. *Suz/o/Suz* (1985), *Tier Mon* (1988), *Noun* (1990) son los títulos de sus siguientes espectáculos, todos ellos sin ningún texto previo, plenos de vitalidad, compatibilizando en una nueva dimensión la imagen y el sonido, haciendo uso de una serie de artefactos caracterizadores todos ellos de conceptos tan de nuestros días como violencia, provocación, miedo, agresividad, que estimulan una moderna ritualización. El espectador de La Fura dispone de una serie de emociones previas a la contemplación de la función, como son la propia entrada a la nave, su difícil ubicación, con cambios constantes de lugar, y un nivel sonoro que anima a la crispación. Por otro lado, dicho espectador no tiene por qué coincidir con el del teatro tradicional, dados los estímulos y el mercado que propone (véase *Cuadernos EP* 34).

En otro nivel de expresión teatral, inmerso también en ciertos usos de una experimentación más adecuada a los mecanismos habituales de distribución, encontramos Els Joglars, La Cuadra y Dagoll-Dagom.

ELS JOGLARS es posiblemente el grupo más veterano de cuantos subsisten en el teatro español. A partir de *Mimodrama* (1963), iniciaron su andadura por los escenarios de todo el mundo. Su director y principal mentor, Albert Boadella, condujo su trayectoria por los caminos de la pantomima, el gag visual y el uso de una moderna maquinaria llena de efectos sorprendentes. En los primeros años de la transición, y con un espectáculo titulado *La torna* (1977), el grupo sufrió un paréntesis debido a la detención y procesamiento de muchos de sus componentes. Reconstituidos en el exilio, prosiguieron su labor con *M-7 Catalònia* (1978), *L'Odissea* (1979), *Laetius* (1980), *Olympic Man Movement* (1981), *Teledeum* (1983), *Els virtuosos de Fontainebleau* (1985), *Bye, bye, Beethoven* (1987) y *Columbi Lapsus* (1989). *Gabinete Libermann* (1984) fue dirigido por Boadella, pero no para Els Joglars sino para el Centro Nacional de Nuevas Tendencias. La principal característica de esta última etapa del grupo es la incorporación de la palabra como elemento dramático, lo que ha conducido a una depuración mayor de los otros lenguajes escénicos. La estructura de estos espectáculos es la del acto colectivo, presentado como mitin, informe, sesión de terapia, programa televisivo o concierto, que muestran las contradicciones de la conducta humana en determinadas situaciones (véase *Cuadernos EP* 29).

La Cuadra conduce sus investigaciones hacia formas populares de la cultura española, sobre todo de la andaluza. El grupo sale de una especie de patio-mesón sevillano, con el mismo nombre, que era regentado por Paco Lira, curioso intelectual aficionado al flamenco. De allí salió *Quejío* (1971), y con *Quejío* una sorprendente irrupción en el mundo del teatro. En la transición, La Cuadra seguía una marcada línea de trabajo en los elementos populares, siempre enmarcados en bailes rituales, cargados de denuncia. *Herramientas* (1977), *Andalucía amarga* (1979), *Nana de espinas* (1982), *Piel de toro* (1985), *Las Bacantes* (1987), *Alhucema* (1988) y *Crónica de una muerte anunciada* (1990) definen una trayectoria en donde es fácil advertir una introducción cada vez más acentuada en el mundo de la literatura, aún sin perder nunca las notas ancestrales que caracterizan al grupo desde sus orígenes. Precisamente Salvador Távora, su director, ha practicado siempre un enfrentamiento con la cultura oficial, de impostura y pretensión, por su decidida búsqueda de la verdad en el teatro. De ahí que resulte sorprendente que escrituras tan dispares como las de García Lorca, Eurípides o García Márquez se unan en la personalidad de La Cuadra por efecto de una peculiar manera de entender el teatro. Un teatro de denuncia, de acentuada carga política, que si empezó a mostrar la otra cara de Andalucía, o la otra cara de España, ha terminado universalizando su contexto, de la misma manera que sus medios de expresión (véase *Cuadernos EP* 35).

Dagoll-Dagom también procede del teatro independiente. *No hablaré más en clase* (1977), su primer espectáculo (aunque no faltan otros precedentes), tuvo gran aceptación. Su fino humor, ironía y simplicidad de exposición abría un campo inesperado para la efervescencia política del momento. Un año después llegaba *Antaviana* (1978), que si bien suponía el alejamiento definitivo del compromiso que por entonces se llevaba, lograba, en cambio, un delicado y fantástico espectáculo, que llenó los teatros de todo el país. Comenzaba la gran eclosión de Dagoll-Dagom, que una perfecta organización empresarial rentabilizaría en seguida. Se inventaba lo inventado, esto es, el teatro que se vende y se demanda, lleno de una importante dosis de calidad y modernidad. *Nit de Sant Joan* (1981) iniciaba el camino de la comedia musical, que se ampliaría con *Glups!* (1983), *El Mikado* (1986) y *Mar i cel* (1988). Estos tres últimos títulos, con casi otros tantos años de explotación, han sido representados en muchísimas ocasiones, prueba irrefutable del favor que la compañía catalana ha conseguido en la década (véase *Cuadernos EP* 18).

CONSIDERACIONES FINALES. Los quince años que van desde la muerte de Franco al principio de la última década del siglo han supuesto una serie de importantes novedades en el panorama del teatro español. Si durante cuarenta años habíamos asistido al lánguido discurrir de la comedia burguesa, salpicado tan sólo por puntuales esfuerzos de los llamados autores *realistas*, a los que hay que añadir la postrera viveza que impregnó el teatro independiente, el paso a un sistema de relación democrática cambió sustancialmente el mapa teatral. La desaparición de la censura, el cambio de intereses y gustos del público, la elevación de los presupuestos para la cultura de los gobiernos socialistas y consiguiente política de subvenciones fueron algunos de los motivos más notables del cambio en el teatro del país. Junto a ello, la incorporación de muchos de los actores del teatro independiente a la profesión, ya que autores y directores lo fueron en mucha menor proporción, completa el panorama.

El teatro finisecular español ha cambiado profundamente desde aquel que batallaba por salones de actos, colegios mayores y viejos teatros burgueses, advirtiéndose una indudable mejora en la producción y distribución de los espectáculos, en el auge de los festivales, en el considerable apoyo económico que Estado, comunidades y municipios prestan al mismo, a cambio, eso sí, de un empobrecimiento estético general, cierta falta de atrevimiento formal —con las excepciones que acabamos de citar— y el descenso, en la consideración social de la escena, del papel del dramaturgo.

BIBLIOGRAFÍA

AA.VV., *Antología del Teatro Español Contemporáneo*, Centro Nacional de Documentación Teatral, México, 1991.

Alonso Girgado, Luis, ed., Domingo Miras, *De San Pascual a San Gil*, Alhambra, Madrid, 1987.

Amorós, Andrés, «El teatro», en *Letras Españolas 1976-1986*, Castalia, Madrid, 1987.

Antología del Teatro Español (ATE), Universidad de Murcia, n.° 1 (1986).

Cabal, Fermín, y José Luis Alonso de Santos, *Teatro español de los 80*, Fundamentos, Madrid, 1985.

Casas, Joan, «La insignificancia y la desmesura», prólogo a *Ay, Carmela* de José Sanchis Sinisterra, en *Teatro EP* 1, 1989.

Cuadernos EP, Ministerio de Cultura, Madrid.

Doménech, Ricardo, «1936-1975: Tiempos de guerra y dictadura», en *Escenario de dos mundos*, 2. Inventario teatral de Iberoamérica, Centro de Documentación Teatral, Madrid, 1988.

—, *Estreno*, Universidad de Cincinnati.

Fernández Torres, Alberto, «Todo ha cambiado, todo sigue igual», en *Escenario de dos mundos*, 2. Inventario teatral de Iberoamérica, Centro de Documentación Teatral, Madrid, 1988.

García Lorenzo, Luciano, «El teatro», en *HCLE*, VIII, *Época Contemporánea (1939-1980)*, coord. Domingo Ynduráin, Crítica, Barcelona, 1980.

—, *Documentos sobre el teatro español*, SGEL, Madrid, 1981.

—, «Teatro español último: de carencias y realidades», *Cuenta y Razón*, 48-49 (1989).

Monleón, José, *Tiempo y teatro de Rafael Alberti*, Primer Acto/Fundación Rafael Alberti, Madrid, 1990.

Nieva, Francisco, *Malditas sean Coronada y sus hijas* y *Delirio de amor hostil*, Cátedra, Madrid, 1986.

O'Connor, Patricia W., *Dramaturgas españolas de hoy*, Espiral/Fundamentos, Madrid, 1988.

Oliva, César, *El teatro desde 1936*, Alhambra, Madrid, 1989.

Olivera, M.ª T., Estudio preliminar de *Viva el duque, nuestro dueño* y *La estanquera de Vallecas*, de José Luis Alonso de Santos, Alhambra, Madrid, 1988.

Pörtl, Klaus, ed., *Reflexiones sobre el nuevo teatro español*, Max Niemeyer, Halle, 1986.

Primer Acto (*PA*), Madrid.

El Público (*EP*), Centro Nacional de Documentación, Madrid.

Ruiz Ramón, Francisco, *Historia del teatro español. Siglo xx*, Cátedra, Madrid, 1975.

—, «Apuntes sobre el teatro español en la transición», en Pörtl [1986], pp. 90-100.

Serrano, Virtudes, *El teatro de Domingo Miras*, Universidad de Murcia, 1991.

Tamayo, F., y E. Popeanga, eds., José Luis Alonso de Santos, *Bajarse al moro*, Cátedra, Madrid, 1989.

Teatro EP, Ministerio de Cultura, Madrid.

Valls, Fernando, «El teatro español entre 1975 y 1985», *Las Nuevas Letras*, 3/4 (1985).

Vilches de Frutos, M. F., «La temporada teatral española, 1984-1985»; *idem*, «1985-1986»; *idem*, «1986-1987»; *idem*, «1987-1988», *Anales de Literatura Española Contemporánea*.

—, y L. García Lorenzo, «La temporada teatral española, 1982-1983», en *Anejos de Segismundo*, CSIC, Madrid, 1983; «La temporada teatral española», *Anales de Literatura Española Contemporánea*, desde 1985.

VARIOS AUTORES

AUTORES Y TENDENCIAS DE LOS OCHENTA: MIRAS, SANCHIS SINISTERRA, ALONSO DE SANTOS, VALLEJO, CABAL

I. La primera etapa del teatro de Domingo Miras abarca desde 1970 a 1972. A ella pertenecen siete obras (y una primera versión de *Fedra* de 1970 de la que no queda constancia escrita). La segunda comienza en 1973 y llega hasta 1986, fecha de redacción de la que por ahora es su última obra dramática (aunque no es objeto de esta clasificación, interesa recordar que en mayo de 1988 concluyó el texto de su novela *Los demonios de San Plácido*, aún inédita). Dentro de la primera etapa surgen dos apartados atendiendo a criterios que emanan del tiempo en el que suceden las historias: *a)* «de ambiente contemporáneo» (*Una familia normal, Gente que prospera, Nivel de vida* y *La sal de la tierra*) y *b)* «de ambiente clásico» (*Egisto, Penélope* y *Fedra*).

La marca que distingue las dos etapas ha sido apuntada repetidas veces por el autor: *La Saturna*, primera de las obras que componen la segunda, «es otro lenguaje». Se trata, pues, de un criterio estilístico que se une al cronológico para diferenciar los dos períodos que venimos indicando. Ese lenguaje distinto continúa a lo largo de toda la segunda etapa, pero va

I. Virtudes Serrano, *El teatro de Domingo Miras*, Universidad de Murcia, 1991, pp. 49, 50, 327-331.

II. Joan Casas, introducción a *¡Ay, Carmela!*, de José Sanchis Sinisterra, *Teatro EP*, 1, Madrid, 1989, pp. 8-14.

III. M.ª Teresa Olivera, edición de *¡Viva el duque, nuestro dueño!* y *La estanquera de Vallecas*, de José Luis Alonso de Santos, Alhambra, Madrid, 1988, pp. 10-19.

IV. Enrique Llovet, prólogo a *Cangrejos de pared, Latidos* y *Eclipse*, de Alfonso Vallejo, Ed. de la Torre, Madrid, 1980, pp. 12-17.

V. Eduardo Haro Tecglen, introducción a *Tú estás loco, Briones, ¿Fuiste a ver a la abuela?* y *¡Vade Retro!*, de Fermín Cabal, Fundamentos, Madrid, 1982, pp. 7-13.

sufriendo pequeños cambios hasta convertirse en el específico de la dramaturgia de D. M. [...], concediéndole notas individualizadoras que constituyen una evidente señal de identidad de su creación estética.

A esta época corresponden doce obras: siete extensas, cuatro breves y un monólogo: *La Saturna, De San Pascual a San Gil, La Venta del Ahorcado, Las brujas de Barahona, Las alumbradas de la Encarnación Benita, El jarro de plata, Prólogo a «El barón» de Leandro Fernández de Moratín, El doctor Torralba, La Tirana, Entre Troya y Siracusa, La máscara de cristal* y *La Monja Alférez*.

Un apartado lo componen las tres primeras piezas, cuyo rasgo caracterizador es el de mostrar abiertamente la fuente de inspiración que las originó (Quevedo y la picaresca para *La Saturna*; Valle-Inclán y Galdós para *De San Pascual a San Gil*; y Valle —en su faceta rural— para *La Venta del Ahorcado*). Si bien estas influencias son predominantes, no son exclusivas, pues la gran cantidad de lecturas que posee el autor componen un sustrato desde donde se proyectan reflejos diversos que inciden en el influjo principal. Además, el hecho de que estas influencias se perciban con claridad no quiere decir que las piezas estén faltas de originalidad; por el contrario, el peculiarísimo estilo de D. M. impregna su obra desde los comienzos.

El segundo apartado general está compuesto por las demás obras, que, según el criterio que estamos utilizando, se muestran ya desligadas de forma visible de las fuentes, sin renunciar a ellas. D. M., a partir de *Las brujas de Barahona*, ha conseguido encontrar su auténtico lenguaje y, con él ya seguro, da vida a sus criaturas. [...]

D. M. comienza a escribir en una época en la que el teatro más combativo se encontraba personalizado en los nombres de Antonio Buero Vallejo, Alfonso Sastre y de los dramaturgos llamados «realistas». Sus primeras obras tienen la marca evidente de la tendencia que ellos representan. Tanto las piezas de «ambiente contemporáneo» como las de «ambiente clásico» manifiestan el talante trágico y la actitud de compromiso que aquellos habían iniciado. Por estos años se daban a conocer algunos dramaturgos más jóvenes que, saliéndose de los cauces del «realismo», llevaban a cabo un teatro de «vanguardia», no menos comprometido que el anterior, aunque expresado mediante una estética diferente. También conoció D. M. a estos «nuevos autores» en la etapa de «tanteos» que precede a la consolidación de su particular estilo y, como es natural, recoge en su dramaturgia algunos elementos estéticos procedentes de su influencia. Cuando nuestro dramaturgo empieza su tarea como escritor, el olvidado Valle-Inclán es ya un «clásico»; los «nuevos autores», que lo admiraban desde tiempo atrás, incorporan algunos rasgos de la perspectiva deformante del esperpento. Con clara intención ética y de compromiso social y con unos planteamientos estéticos presididos por el bien hacer literario y una poderosa intuición de los elementos teatrales, da principio D. M. en 1973 a su auténtica carrera como creador de textos dramáticos. A caballo entre los dramaturgos de la posguerra y las que serán nuevas generaciones de la democracia, su obra participa de ambas influencias.

Podríamos decir que todo el trabajo teatral de D. M. se constituye temáticamente como una serie de variaciones sobre la consideración de la acción del poder; un poder aniquilador de todo lo que signifique amenaza contra su estabilidad. Este tema se presenta desde la primera de sus piezas. En las de sociedad contemporánea se materializa en la absorción de los individuos por los mecanismos del consumo. El hombre, ingenuo e indefenso, cae en la trampa que el organismo social le tiende y se convierte en esclavo de sus dictados. En las de ambiente clásico, es un destino aniquilador de la libertad, contra el que los héroes, conscientes, estos sí, de su fatídico final, luchan inútilmente. Donde con mayor fuerza se presenta la acción del poder es en las piezas históricas, en las que por la condición de pasado que implican, el problema de la víctima resulta insoluble, puesto que los hechos han llegado a su final.

El motivo de los abusos de poder genera inmediatamente un personaje caracterizado con el rasgo de víctima de ese destino fatal (social, literario o histórico). Este personaje-víctima tiene una especial configuración en la obra de D. M., pues, inocente de los delitos por los que sufre el castigo, es individualmente culpable de otras transgresiones. Ocurre así sobre todo en las obras de su segunda etapa, porque D. M. escoge a sus protagonistas entre los marginados de la historia (en el caso de Saturna, de la literatura). Del «depósito de víctimas» que él considera el pasado de la humanidad extrae brujas, iluminados, mágicos, visionarios y miserables que, culpables en su pobreza o en lo insólito de su personalidad, son castigados para expiar las culpas del poder mismo o para servir de aviso a otros posibles rebeldes. Su condición de «desviados» los moldea con una categoría especial de «no inocente-no culpables» a quienes su debilidad y excepcionalidad llevan a la aniquilación. El orden interno de los dramas de D. M. obedece a un esquema que se refleja en la trayectoria de sus personajes, que, encontrándose hundidos, experimentan un repentino ascenso que los llevará inexorablemente a una trágica y espectacular caída: también, en la mayor parte de los casos, son mujeres cuya fortaleza de carácter no les preserva de ser heroínas rebeldes aplastadas por el peso del poder. Existe en su teatro una importante oposición hombres-mujeres que constituye, a nuestro juicio, característica específica del autor en la construcción de sus personajes. Las mujeres, desde las primeras piezas, son resueltas, saben lo que quieren y cómo conseguirlo, aunque el destino termine aniquilándolas; de ahí la tragicidad que adquieren, ya que su situación agónica termina en catástrofe, hasta en el caso de la intrépida Catalina de Erauso. Los hombres manifiestan un carácter más débil que, en los momentos de mayor tensión, se resuelve en estallidos de incontrolada violencia. [...] Egisto-Orestes y el doctor Torralba son excepcionales en el conjunto de la producción teatral de D. M.; cada uno de ellos protagoniza la obra a la que da nombre, si bien ambos poseen el rasgo de debilidad. [...]

El teatro de D. M. surge en una época de grandes transformaciones de la sociedad española, quizá sea eso lo que condiciona, como en el caso de otros autores desde Buero Vallejo, su talante trágico. En él plantea la lucha del individuo por mantener su libertad personal que le será arrebatada en nombre del bienestar de la colectividad, aunque es el poder el que no se resigna a perder sus fueros. Es un tipo de tragedia sumamente desesperanzada para los individuos que intervienen en ella, en la que el hombre se enfrenta con la propia limitación que posee por pertenecer a una sociedad determinada, obligado por ello a permanecer en el grupo o a perecer si se atreve a desligarse de él. [...]

Si uno de los empeños del dramaturgo es mostrar a las víctimas del poder, y con ello provocar la reacción del público, no es de extrañar que presente situaciones duras, cargadas de violencia, capaces de «atentar» contra las dormidas conciencias de los posibles espectadores para así establecer la distancia reflexiva. «Yo creo que el teatro tiene que ser fuerte, tiene que impresionar», comentaba en nuestra entrevista. Pero la «dureza» no reside tan sólo en los hechos, sino que la posición que el dramaturgo adopta al presentarlos genera otra de sus características más peculiares, de la que sólo se aparta *La Saturna*: la ausencia de sentimentalismo. Porque el creador no toma partido por sus personajes, sino que los deja actuar según ellos eligen, sin intentar encubrir su parte negativa. Su actitud ante los hechos que dramatiza, la selección de las figuras, que propician a la vez el acercamiento y la lejanía, y la manera de presentar su sufrimiento y caída mantienen al receptor en una actitud distante. Lo que presencia es tan inhabitual que le causa admiración u horror pero le resulta difícil compartirlo. La catarsis debe producirse más a partir de la razón que de los sentimientos, a pesar de que en muchas ocasiones lo que ocurre lo presencia el espectador focalizado por la perspectiva del personaje.

Atendiendo a los elementos formales, el rasgo mirasiano por excelencia es la creación del lenguaje que manejan sus criaturas (y él mismo en las acotaciones): «La palabra forma parte del disfraz y, cuando el autor escribe diálogos, es como el figurinista que diseña trajes, aunque trajes verbales, que hagan creíbles a la historia fingida y al personaje fingido» («Con Domingo Miras en "ventoso del noventa"»). La idea del autor adquiere realización plena en sus obras, en las que elabora un lenguaje verbal, verdadero resorte de caracterización dramatúrgica, que adapta a personajes, épocas, ambientes y situaciones. Esta lengua capta todos los registros en función del tipo de personaje que la emplea y, mediante una acertada combinación de las estructuras sintácticas y del repertorio léxico, consigue adecuarlas a las épocas en las que se desarrollan los sucesos. En las piezas de sociedad contemporánea la lengua familiar fluye con absoluta naturalidad, cargándose de matices expresivos en los momentos en los que los sentimientos o la violencia se enseñorean de la acción. A la retórica de la lengua grecolatina obedece la fórmula empleada por los personajes de las recreaciones clásicas. Las obras históricas ofrecen, a través de la expresión, la época, la clase social, el oficio, el talante espiritual y la situación emotiva de los personajes. En *La Venta del Ahorcado* el lenguaje actúa como elemento de contraste al oponer el empleado por los habitantes del medio rural (coloquial con registros familiares, populares y vulgares) con el arcaizante de las Muertes atemporales de la magnífica escena final.

En cuanto a las acotaciones, importa señalar la multiplicidad de valores que poseen como textos autónomos, de clara ascendencia literaria, y funcionales, para la puesta en escena que, en ocasiones, semejan apuntes de un cuaderno de dirección. La herencia de Valle se percibe con claridad en ellas como en otros muchos rasgos del estilo de D. M. En los textos secundarios se presentan, así mismo, los elementos espectaculares que configuran otra de sus marcas dramatúrgicas. Los espacios subconscientes son característicos en el teatro de D. M., aunque se encuentran también en otros autores contemporáneos (piénsese en Buero Vallejo y en la «tragedia compleja» de Alfonso Sastre). El dramaturgo establece con el receptor un juego de distancia y participación a partir de la presencia de esos espacios, que a veces focalizan totalmente el punto de vista del lector-espectador, mientras que otras este se convierte en ser omnisciente, capaz de presenciar a un tiempo lo interno y el exterior, por lo que obtiene la posibilidad de enjuiciar los hechos históricos en relación consigo mismo y con su tiempo. Los procedimientos que hacen posible la participación en el mundo del subconsciente y la imaginación de los personajes han ido intensificándose desde la simbólica bajada del techo, de *Nivel de vida*, a las insólitas escenas del vuelo y del aquelarre que tienen lugar en *Las brujas de Barahona* o las visiones de Torralba. También son las acotaciones las encargadas de dar a conocer los signos teatrales de la luz y el sonido que en el sentido espectacular y temático que D. M. les concede representan otra peculiaridad de su estilo.

La introducción de los elementos maravillosos trae aparejada la presencia de inhabituales objetos escénicos y complicaciones formales que enriquecen considerablemente su universo dramático y establecen, en el nivel de los contenidos, el contraste barroco «ser-parecer» que provocará la sorpresa, la incertidumbre y el descontento en el público, constituyendo por tanto un nuevo motivo para la reflexión.

Gran conocedor de nuestros clásicos, convierte D. M. el espacio escénico en el lugar de cada una de las acciones, para que el público, como el de las comedias de Lope y Calderón, siga los pasos del itinerario vital de los personajes. Solamente en las piezas de la primera etapa, en las acciones desarrolladas en «la Venta de las Cruces» y en *Las alumbradas de la Encarnación Benita*, el escenario representa un espacio cerrado y simbólico en el que se desarrolla el tema de la culpa y donde los transgresores reciben el castigo. En dos ocasiones (*La Venta del Ahorcado* y *Las brujas de Barahona*), además, hace que la acción salga del espacio habitual del escenario al ocupado por el público, que se ve así implicado, con lo que proporciona de nuevo la sorpresa y la consiguiente posibilidad de reflexión.

El tiempo de las obras históricas favorece la alternancia pasado-presente y su fusión en el momento de la mediación reflexiva del posible espectador. Desde un prisma más externo, el efecto de condensación temporal que ofrecen las piezas se superpone al tiempo real dilatado de las historias escenificadas. Sólo *La Venta del Ahorcado* está sometida a la unidad de tiempo (una noche), que la aparición de las Muertes agranda y generaliza.

La presencia de abundantes elementos culturales (historia, literatura, arte, etc.) es otro de sus caracteres específicos. Estos elementos aparecen de forma palpable como claros homenajes y referencias inconfundibles o velados en forma de sombra o eco evocadores pero siempre integrados de manera coherente y adecuada en el proceso dramático, ya que la literatura antes se enriquece que se perjudica con la intertextualidad.

Lector empedernido desde la infancia, su proceso creativo refleja el caudal de sus conocimientos. Es evidente la presencia de Cervantes, tanto en el lenguaje como en la configuración quijotesca de sus héroes y heroínas visionarios; se percibe con claridad la influencia del teatro del Siglo de Oro en múltiples aspectos de la construcción de sus dramas (el espacio, el tiempo, la información sobre los sucesos ocurridos fuera del escenario contenida en el texto principal, la condición de algunos personajes...). Como maestro más próximo tiene a Valle-Inclán, del que se considera «hijo»; recibe la influencia directa de Buero y de los dramaturgos «realistas», así como adquiere algunas peculiaridades propias del momento en el que se desarrolla el «nuevo teatro». Como en los dramaturgos españoles que realizan su obra después de 1949, la huella brechtiana también se advierte en sus textos. Los clásicos grecolatinos y su interpretación filosófica posterior han dejado rastro inequívoco en sus dramas y en sus escritos teóricos. [...] .

El discurso dramático de D. M. podríamos calificarlo, como ha sido calificado el de Valle para su tiempo por Juan Villegas, de «marginal», ya que, a pesar de que el autor está reconocido como uno de los más valiosos en el panorama del teatro español actual, sólo una minoría es «destinataria» de su obra. Parece que aquello que Valle-Inclán denunciaba en 1929, que «el autor dramático con capacidad y honradez literaria hoy lucha con dificultades insuperables», sigue teniendo vigencia en nuestros días. El dramaturgo español actual no lucha sólo contra «el mal gusto del público» sino que ha de enfrentarse a extraños mecanismos de ocultación empeñados en poner de manifiesto que «no existen autores». VIRTUDES SERRANO.

II. *¡Ay, Carmela!* sucede en un teatro, o acaso en un granero habilitado para fines teatrales en una de las pocas casas de Belchite que quedan en pie en marzo de 1938, mientras en la calle un burro se come una algarroba encima del ombligo de un cadáver. Y un teatro es también el lugar de *Ñaque*, y el del *Retablo de Eldorado*, y el de *Los figurantes*, la última —por ahora— propuesta de nuestro dramaturgo... Cómicos son Paulino y Carmela, cómicos de mucho camino andado, mucho camerino con cucaracha, meada en la pared y bombilla con cagajonazo de moscas; cómicos ínfimos son los Rojas y Solano de *Ñaque*; ínfimos cómicos la Chirinos y el Chanfalla, tomados en préstamo de Cervantes para contar las maravillas de la conquista; más cómicos y más ínfimos aún los figurantes del último de los inéditos de los cajones de José Sanchis...

Esos teatros en donde sucede una buena parte del teatro de J. S. son cualquier cosa menos lugares lujosos donde la gente va a verse, son siempre espacios marginales, polvorientos y peligrosos. Peligrosos en un sentido inmediato y real para los cómicos de la ficción, que en ellos pueden ser fusilados, como la pobre Carmela, o perseguidos por el Santo Oficio, como los apicarados farandules cervantinos, pero también en un sentido más sutil. Porque son los lugares de lo mágico. El simple hecho de trazar una línea en la mugre del suelo con un palo, y decir «de acá para allá, los bancos y las sillas, de allá para acá, los cómicos», introduce extrañas mutaciones en la mirada, lo que los ojos ven y lo que la mente imagina se mezclan rabiosamente. Y eso no tan sólo le sucede al público, que al fin y al cabo ha venido a dejarse seducir por el engaño, sino también a los cómicos, que al fin y al cabo tampoco manejan los hilos del mundo, sino que andan por sus caminos a pura patada. [...]

Teatro dentro del teatro, pues, pero no por el dudoso placer formal de enfrentar un espejo a otro espejo y sumergirse en el pozo sin fondo de las imágenes, sino para proponer el teatro como metáfora del mundo, un mundo que es, como el teatro, intercambio de gestos, y en donde, como en el teatro, nadie puede ser tan vanidoso de creer que conoce el alcance ni el sentido de su propia gesticulación. («Gestos para nada», se llamaban precisamente una serie de textos de J. S., algunos de los cuales conocieron efímeramente la escena con el título de *Pervertimento*.) Modestos cómicos de J. S., míseros cómicos, semejantes nuestros, hermanos nuestros. Y ningún Dios jugando a titiritero. Dios no juega, ni a los dados —como decía Einstein—, ni a los títeres ni a nada. Y en cualquier caso los ocios de Dios le importan un pimiento a nuestro dramaturgo.

No debería sorprender a nadie que J. S., que es un hombre de acción —puesto que, como mínimo, «hace» teatro— y al mismo tiempo un hombre de reflexión, sumergido ahora mismo hasta las cejas en los elementos de análisis y las sugerencias prácticas que le puedan aportar el minimalismo y la teoría de sistemas (¡se lo juro!), se proponga un teatro que reflexiona acerca del teatro. Una reflexión, claro está, que no significa mazacote teórico, o por lo menos, no en el escenario.

Entendámonos, J. S. es un lector empedernido y un escribidor no menos vicioso. Nadie le tiene que venir a contar, pongamos por caso, que el *Quijote* es un momento de reflexión fundamental en la historia de la novela, y que lo es no *a pesar* de ser una gran novela, sino precisamente *porque lo es*. O acaso al revés, que *es* una gran novela *porque* reflexiona sobre sí misma y marca, por tanto, un punto y aparte. Como lo marcan, pongamos por caso, el *Tristram Shandy*, de Sterne; el *Moby Dick*, de Melville; el *Ulysses*, de Joyce, o la minuciosa documentación kafkiana acerca del peso del mundo. Ni para él ni para nadie es un secreto que la narrativa escrita ha progresado a base de simultanear dos tareas: el cuestionamiento del mundo y el de su propia naturaleza. Dar por sentada cualquiera de las dos cosas, aceptar sin más el perfil que les concede la comunidad contemporánea, sitúa a la narración en la comodidad gastronómica del consumo cultural. Que no tiene nada de malo, pues asegura la dieta regular que mantiene la vitalidad de ciertas funciones del espíritu, pero que es incapaz de modificar nada. Todo eso es sabido. Ya es menos frecuente pararse a pensar en la razón por la cual el teatro es tan poco amigo de la reflexión acerca de su propia naturaleza, de la autorreferencialidad; a qué se debe la terca inercia histórica de los usos y las formas teatrales. Y, menos frecuente aún, decidirse a prescindir de ella, que es lo que le apetece a J. S.

Precisamente este contraste entre teatralidad y narratividad, entre la vitalidad de lo épico y la inercia de lo dramático, es el núcleo de otro bloque importante de la tarea dramatúrgica de J. S., que no ha vacilado en tratar de hallar las vueltas teatrales contenidas en los mitos mesopotámicos (*La leyenda de Gilgamesh*), en el tedioso monólogo interior de un personaje de Joyce (*La noche de Molly Bloom*), en Kafka (*El gran teatro natural de Oklahoma*), en el inquietante inframundo imaginado o descubierto por un personaje de Ernesto Sábato (*Informe sobre ciegos*), en Melville (*Moby Dick*), en Julio Cortázar (*Carta de la Maga a bebé Rocamadour*). [...]

En estas situaciones, el juego teatral se complica. Porque, vamos a ver, ¿quiénes son los personajes?, ¿quiénes somos nosotros, el público? En un teatro normal está el actor don fulano que representa al rey mengano, y en la sala yo, espectador, soy yo espectador y punto. Aquí tenemos, en el escenario, a José Luis Gómez (o a Manuel Galiana) que representan a Paulino, pero también están los «personajes» de Paulino, desde el vigoroso amante de Carmela al mísero pedómano pueblerino, y en la sala, junto a nosotros, el público «real»; está ese otro público inventado por J. S., de militares nacionales y milicianos republicanos condenados a muerte que contemplan junto a nosotros la provocación (o heroicidad) de Carmela, ínfima en cualquier caso, pero suficiente para costarle la vida. Si nos reímos —¡y vaya si lo hacemos!—, por ejemplo, no nos toca más remedio que preguntarnos no tan sólo de quién o de qué nos reímos, sino también con quién o contra quién nos reímos. [...]

El teatro despliega su riqueza expresiva, y de paso le mete un dedo en el ojo al gusto oficial por el despilfarro. Míseros cómicos en espacios míseros, usando materiales de derribo —réplicas de figuración, fragmentos de autos y loas seiscentistas, números de variedades tercermundistas—, son capaces de situarnos en un ámbito mucho más denso e interesante que toneladas de vestuario, escenografías mastodónticas, iluminadores de importación, producciones millonarias. El gran teatro de nuestros días, ese lujo cultural *yuppie*, ese cadáver amortajado con boato que no merece siquiera la comparación con un museo —los museos son algo mucho más vivo—, es contemplado como un altivo caballo de carreras. Tras él va J. S., recogiendo sus cagajones, las cosas y las gentes que el caballo pisotea en su desbocada carrera, y haciendo teatro *con eso*. Joan Casas.

III. Atendiendo a una evolución temática y estilística se pueden observar tres etapas en la obra dramática de Alonso de Santos. La primera tiene como referente claro el mundo de la literatura, del que surgen la mayor parte de los temas y conflictos planteados.

Así, *¡Viva el duque, nuestro dueño!* (1975) bebe en el teatro menor del Siglo de Oro, parodia la literatura heroica de la época y se convierte en un nuevo entremés, en el que están presentes, además, la novela picaresca y, sobre todo, Cervantes. *El combate de D. Carnal y D.ª Cuaresma* (1980) enlaza con toda la tradición goliárdica medieval, parodia la obra calderoniana y la literatura mística y se convierte en un nuevo Auto Sacramental al Placer. El mundo lírico de *La verdadera y singular historia de la Princesa y el Dragón* (1980) brota de la literatura modernista y funde lirismo con tono de farsa a la manera de la *Farsa infantil de la cabeza del dragón*, de Valle-Inclán.

El mundo literario recreado se presenta a través de un curioso procedimiento teatral —«el teatro en el teatro»— ya que, en las tres obras, los personajes son cómicos que ensayan o representan una comedia (*¡Viva el duque...!*), un entremés y un auto sacramental (*El combate...*) y un cuento infantil (*La verdadera...*). Es este un medio de distanciamiento que provoca siempre la reflexión del espectador hacia las circunstancias reales en las que se desarrolla la vida de los cómicos, las cuales se enfocan tanto en un aspecto profesional como social. [...]

Los cómicos son siempre personajes-tipo (el Autor, el Estudiante, el Barbas, la Gitanilla, el Trovador...) y se presentan acompañados de coros —tan habituales en las representaciones del teatro independiente— encargados de potenciar todo tipo de actividades escénicas: cantos, danzas y alusiones directas al público para que participe y disfrute de un espectáculo divertido.

Esta concepción del teatro como medio de diversión es una característica del teatro de A. de S., tanto de su época del teatro independiente como de la más reciente del teatro comercial: «Conmover y divertir son palabras preciosas. Conmover es mover, mover a una persona contigo, moverla en su interioridad y divertir es sacarla fuera de sí misma». La diversión se acompaña con un planteamiento más profundo: el conflicto entre la realidad y el deseo que se inclina peligrosamente hacia la realidad en el caso de los cómicos de *¡Viva el duque, nuestro dueño!*; los cómicos tienen que sobrevivir en circunstancias penosas y tras un tremendo desengaño, pero a pesar de ello, se vislumbra la esperanza en la posibilidad de que otro público, popular, más receptivo y agradecido, pueda disfrutar con las comedias. En cambio, en las otras dos obras, el deseo se impone sobre la realidad: Don Carnal representa un teatro nuevo, revolucionario, festivo y crítico que lucha y vence a Doña Cuaresma, quien significativamente, en un momento, aparece con un cartel en donde se lee «teatro burgués», anquilosado, aburrido y represivo. El deseo triunfa también en el cuento infantil al que A. de S. sabe darle un final muy original: así como, en la mayoría de los cuentos, el dragón se convierte en príncipe para casarse con la princesa, en esta obra es la princesa la que se convierte en dragona para poder casarse con su amado. [...]

Tiende también al uso del verso, cuando el ambiente recreado es el del Siglo de Oro, con romances, cuartetas asonantadas, redondillas o quintillas, y a la utilización del alejandrino cuando el ambiente es el modernista; los textos ofrecen una gran riqueza léxica desde arcaísmos lingüísticos, que surgen de parodiar la literatura, hasta las frases coloquiales más directas, en un efecto de contrastes que potencia siempre el humor. La parodia de la literatura y la farsa, vaciada de su contenido crítico hacia su aspecto más cómico, suponen una visión amable, divertida y festiva del mundo reflejado.

La segunda época está formada por *Del laberinto al 30*, estrenada en 1979 y publicada en 1985, y *El álbum familiar*, estrenada y publicada en 1980 (obras que tienen cierta relación con *El Gran Pudini*, aún no publicada). [...]

Dos interrogantes se transmiten en *Del laberinto al 30* mediante la presión que dos tipos de conducta: una dominada por la lógica (un psiquiatra) y otra dominada por la agresividad (un vendedor de armas) pueden ejercer sobre el ser humano; ambas fuerzas no llegan a encarnarse y transmitirse en lo que pediría un auténtico conflicto dramático entre los personajes; la acción es escasa, la caracterización de los personajes se subordina a la idea generadora que les convierte en seres extraños y lejanos para el espectador; el final es, además, inadecuado, pues, tras la tensión creada, los personajes se despiden, convencionalmente, como si nada hubiera sucedido.

En *El álbum familiar*, A. de S. inicia un proceso de introspección en el que pretende dramatizar la idea de Proust de que ni el tiempo ni el espacio pueden recuperarse (a pesar de que los críticos hayan señalado la influencia de *Wilopole, Wilopole*, de Tadeusz Kantor).

El referente, en estas obras, se encuentra en la propia subjetividad del escritor de la que brotan los interrogantes señalados y los recuerdos del protagonista de *El álbum familiar*, que se llama también José Luis y lo controla todo desde su óptica personal: mi hermana, mi abuela, mi maestro.

El tiempo pasado (reflejado en el tren) se rememora consciente y ordenadamente: preparación del viaje (escena 1.ª), el viaje (escenas 2.ª y 3.ª), sala de espera de un lugar sin nombre (4.ª y 5.ª), y despedida en el andén (6.ª). La sucesión coherente y consecutiva impediría que fuera un drama de la corriente de conciencia, a la manera de *Nuestra ciudad*, de Thornton Wilder, si no hubiera otro aspecto: el álbum de fotos (espacio) en donde han quedado, para siempre, muertos, los recuerdos, que aparecen ya desordenados en cada escena: así el pasado lejano (el tío Santo muerto en la guerra civil) se funde con el presente (padres, hermanos, ella) o con el futuro (el hijo de la hermana que aún no ha nacido o el gato que se ahogará en el balde), en sucesivos *flash-backs* que, debido a la estructura externa de viaje, nunca llegan a crear confusión.

Tiene esta obra una estructura más compleja que la anterior, pero comparte con ella la misma sensación de extrañeza y de lejanía. Unos personajes nerviosos y angustiados, que no terminan de transmitir su malestar, un lenguaje que no llega a ser desgarrador (la frase se acorta y pierde la presión de la literatura) y la ausencia de comicidad (Fermín Cabal habla de una sustitución de lo cómico por lo patético, pero este concepto supone una cierta compasión por los personajes-víctimas que, creo, no es el caso) hacen que sean obras poco maduras, poco estructuradas como *Del laberinto al 30* o sin una estética adecuada —un planteamiento decididamente expresionista— para conseguir una estructura más elaborada, como *El álbum familiar*.

Hay que ver las obras incluidas en esta etapa como una búsqueda por parte del autor de nuevos caminos y como un desahogo de sus tensiones que se transmiten en un doble aspecto: social (el tema de la violencia del que hablaré inmediatamente) y personal (hacer frente a los fantasmas del pasado y engarzarlos con el futuro).

Los barrios de Vallecas y Lavapiés, el hospital psiquiátrico de Ciempozuelos, el entorno más inmediato del autor (el mundo urbano, Madrid) son el referente del que surgen los personajes, las situaciones y el lenguaje de las últimas obras. Personajes humildes (*La estanquera de Vallecas*, 1982) o burgueses (*Bajarse al moro*, 1985, y *Fuera de quicio*, 1985), pero, siempre, jóvenes desamparados que viven en una sociedad aparentemente más libre, que sigue aún anulando su capacidad por escoger y responsabilizarse de su propio destino. Las alusiones a la situación del país son directas, aunque irónicas. [...]

Sin duda, en esta etapa, la realidad se impone al deseo: los delincuentes de *La estanquera*, que se enfrentan a una sociedad agresiva y autoritaria, encuentran la violencia y la cárcel como solución «ordenada» a unos hechos; la pareja Chusa-Jaimito de *Bajarse al moro* soportan el desamor, la deslealtad y el abandono de otra pareja, Elena-Alberto, que «felizmente» se integrarán en una sociedad consumista e hipócrita; las parejas de *Fuera de quicio* se casarán para conseguir una libertad que no soluciona los conflictos planteados. Finales, por lo tanto, amargos, sin concesiones al público, que ha premiado, con la asistencia y el aplauso, sobre todo en *Bajarse al moro*, una toma de postura inclinada con absoluta claridad, por parte del autor, hacia *los perdedores*. Ello hace que estos personajes generen sentimientos de amor, desinterés y amistad: Leandro ayuda a la estanquera a apagar el fuego, prendido por el policía; Tocho se enamora de Ángeles; Chusa, en su ingenuidad, ofrece su casa y su novio a Elena y se compadece de un hombre con cara de buena persona, que vuelve del moro como ella, y resulta ser un policía; Jaimito asume el riesgo de «haberse disparado» para evitar que Alberto, que es también policía, tenga problemas en su trabajo... Mientras, la farsa actúa críticamente sobre los personajes que representan a la sociedad más «decente», a los que ridiculiza, como sucede con el policía de *La estanquera* o con el asunto de la «virginidad» de Elena, burguesita coqueta, «con cara de mosquita muerta» o con la imagen del Director y de la Madre Superiora, desde la mente alucinada de las enfermas.

Desinterés, lealtad, amistad... siempre frente a la violencia. A pesar de las tensiones y disputas de los cómicos, ya señaladas en la primera etapa, el clímax de violencia aparece por primera vez en *Del laberinto al 30*, cuando Josué saca una metralleta ante los ojos desencajados del doctor y, posteriormente, una bomba de mano. En *El álbum familiar*, uno de los recuerdos se proyecta, con evidente violencia, a través del novio de la hermana, que está haciendo el servicio militar: «Quieto o tendré que clavarte la bayoneta. Si no te sabes el santo y seña, tienes que estarte ahí, quieto, hasta que venga el cabo de guardia, si no, te disparo, te clavo la bayoneta varias veces en la tripa, apretando con el pie para que salga»; la violencia centra las situaciones dramáticas mejor conseguidas en *La estanquera de Vallecas* (Leandro saca la navaja y avanza hacia la vieja, la vieja coge la pistola del falso doctor y dispara dos tiros) y en *Bajarse al moro* (uno de los drogadictos amenaza a Chusa y Jaimito con la navaja, este, nerviosísimo, coge la pistola de Alberto y apunta hacia ellos...). Armas, navajas, nerviosismo y tensión que surgen con espectacularidad en escena y que, curiosamente, no van a poder ser controladas por los personajes: en *Del laberinto al 30*, el doctor acciona la bomba de mano, al tirar, *sin darse cuenta*, de la argolla; cuando la estanquera ha disparado de *improviso*, se encasquilla el arma y no sucede nada o Jaimito asusta a los drogadictos al disparar, *sin querer*, porque ha quitado el seguro de la pistola y recibe un balazo, cuando dispara Alberto, también *sin querer*, al decirle que no vuelva a tocar las armas porque son muy peligrosas. El rechazo de la violencia, del poder destructivo de las armas, a las que puede manejar el azar (en felicísima intuición que aparece en *Del laberinto al 30*), están hablando de un rechazo por parte del autor de la política armamentista actual.

El humor no puede ser ya en estas obras tan amable y festivo como en la primera etapa; los *gags* cómicos tienen un fondo más irónico y punzante o este deriva de un contraste entre lo que es y lo que puede ser, más a la manera del humorismo vanguardista.

El lenguaje callejero irrumpe, además, en escena. Una extraordinaria capacidad expresiva para delimitar los usos lingüísticos urbanos que abarca tanto las diferencias generacionales (los jóvenes, sus padres o sus abuelos) como sociales (mundo suburbial y marginal, sobre todo) hace posible que A. de S. esté ofreciendo una crónica del Madrid de hoy.

Aunque es muy pronto para señalar constantes en su obra literaria, intentaré señalar los rasgos comunes que aparecen en las ya comentadas:

En primer lugar, un planteamiento existencial, centrado en el conflicto del hombre entre la realidad y el deseo, con un enfoque crítico hacia la sociedad en que está inmerso, ya que ese conflicto nunca es teórico, sino que surge de un desajuste con el medio y, por lo tanto, enlaza con el realismo literario español y, concretamente, con el teatro más popular, que no menor, tanto en la recreación de entremeses como de sainetes.

Una tendencia a la reducción espacio-temporal, con pocos personajes que centran la acción dramática en torno al conflicto señalado; las célebres tres unidades sirven de marco para un teatro de imagen, fundamentalmente visual, con danzas, canciones y situaciones dramáticas en las que las armas centran de modo espectacular la atención del público.

El humor y la ternura, como ópticas desde las que se enfoca el conflicto, que gana en comunicabilidad, pero puede caer peligrosamente en el sentimentalismo, y el tratamiento artístico del habla, reflejado en el equilibrio entre la lengua (Valle, Arniches, Mihura, Jardiel Poncela...) y el habla (los usos urbanos en sus diferentes estratos), constituyen, para terminar, la aportación del teatro crítico de A. de S. hasta la fecha.   M.ª TERESA OLIVERA.

IV.   Su inequívoca condición de «autor», es lo primero que hay que decir de Alfonso Vallejo. La biografía confirma una vocación —el seudónimo; la aceptación aproximada de una docena de obras que representan la mitad de su trabajo: *Ácido sulfúrico* y *El desguace*, accésit y Premio Lope de Vega en 1976 y 1977; *A tumba abierta*, Premio Tirso de Molina en 1978; todo el fatigoso cerco a las agencias extranjeras y todo su aislamiento de la tensión diaria de las camarillas, rigurosamente contrapesado con una firme atención a cualquier indicación crítica; el brillantísimo estreno de *El cero transparente* y la reiterada edición de su trabajo, convierten la «vocación» en «realización» absoluta y terminante. Tenemos en A. V. un extraordinario autor dramático.

La libertad de creación del teatro fue reconocida en el alma por los primeros destinatarios y perdura, naturalmente, apoyada en los brillantísimos antecedentes de todas las culturas. Las sumarias posiciones críticas de las etapas muy conservadoras suelen acusar en sus contrarios bárbaras ansias dictatoriales en materia de creación. Es una incidencia natural de las guerras ideológicas. Pero las etapas de más severa censura política o moral —y el teatro las ha padecido como muy pocas formas de expresión— han sido incapaces de obligar a un autor a hacer lo que no deseaba hacer. La libertad de creación, generando malestar o promoviendo entusiastas adhesiones, es un hecho cierto y objetivo. El espectador no crea. La función creadora, de punta a punta, corresponde a quienes presentan un espectáculo. Así pues, estos colocan una etiqueta sobre su proyecto

—farsa, un acto, drama, dos partes, naturalismo, obra comercial, zarzuela, tragedia, monólogo político, comedia de costumbres— y esa etiqueta les confiere un cierto derecho técnico a organizar su trabajo según su libérrima voluntad. Nada violento hay en reconocer el derecho de cualquier creador a instalarse en el islote que le plazca y aun a moverse, errabundo, de parcela en parcela. Por eso se puede contemplar y estudiar la realidad sin usar las herramientas del realismo. Lo que sucede es que la «realidad» que interesa a A. V. no es una antología de materialidades sino la capa singular en que la tal realidad es incidida y llega a contener irrealidades turbadoras. La capacidad de ensueño, la apetencia de sorpresas, la tensión del hombre insatisfecho arrancan, probablemente, de esa intuición sobre tanta y tanta posibilidad cercana pero desaprovechada. Teatro, pues, de escritor de gran creatividad.

Por otra parte el gobierno interior de una obra, por libremente que haya sido decidido, requiere algo más que ser un escritor. La suma de indicaciones, palabras, señales, inteligencias, caracteres y pasiones, su orden y concierto, exigen un equilibrio, una técnica, un sistema de conocimientos del que dependen nada menos que hacer bien o hacer mal aquello que se decidió hacer. Esta necesidad de una síntesis coherente es tan válida para el orbe patético de Sófocles como para el universo encandilante de Shaw, los abismos de O'Neill, los dolores de Shakespeare, las burlas de Molière, las noblezas de Calderón o las violencias de Dürrenmatt. Libres en lo que sienten, padecen, piensan y dicen, libres en su temática y en toda la peripecia de la creación argumental, las gentes de teatro están condicionadas por la estructura formal elegida para contener la fluencia de sus historias. Exteriorizar un argumento, escribir un texto teatral, es batallar entre la libertad creadora y el cauce por el que ha de franquearse y encontrar salida la «acción puesta en pie». Esta fricción turbulenta y apasionante es la que se carga, en el teatro, de mayor presión estética. El impresionismo y el expresionismo, por ejemplo, son variantes del enfoque con que la «manera» de contar una historia puede ser encarada; en estos casos, ahondando en las vivencias de los espectadores o subrayando con energía el punto de vista personal de los creadores. Después de chocar con un cerco formal esas gentes de teatro no sólo tienen que salir inermes de tan terrible encuentro sino que deben alzar ante la audiencia un claro inventario poético.

Y, efectivamente, el teatro de A. V. es claro, penetrante, indagatorio, lúcido, imaginativo y poético. La poesía es necesaria en el teatro para que se aguce la sensibilidad y la propuesta, deslizándose sobre un canal de tantas vibraciones, entregue armoniosamente su mensaje esencial. Está claro que no me refiero a la poesía estricta y directa de un texto de Shakespeare o de Lope de Vega sino a aquella forma honda de integración de las artes visuales, sonoras, plásticas y musicales que confiere sentido total a una obra dramática. Es lo que hace —incluso de forma inquietante y perturbadora— A. V. Porque lo que Aristóteles consideraba representación del «significado interno» de las cosas tiene bien poco que ver con el orden pictórico de sus detalles o el encadenado exterior de su devenir. La tensión lírica, para los griegos, tenía su centro de gravedad en el recién nacido diálogo. Los auditorios de los dramas religiosos medievales desplazaron el acento hacia la definición estética de los misterios teológicos. Con el Renacimiento volvió a identificarse la poesía con las palabras de Shakespeare, de Lope y aun de los humildes y dolientes personajes de la *commedia dell'arte*. El realismo recuperó el derecho de la vida «tal como es» a convertirse en sustancia poética. Esta competición, modulada una y otra vez, en una y otra época, por unas y otras gentes, forma, sencillamente, la voluble historia del teatro. Lo que varía son las fronteras entre la métrica y la palabra, entre el dibujo, el color y la composición, entre la mímica y la expresión corporal, entre el ritmo, el *tempo* y la cadencia del texto. Lo que permanece en el dintorno del cuerpo de un espectáculo teatral, enérgicamente exacerbado sobre el resto de nuestra vida social, sin posibilidades de confusión, poéticamente cargado de fuerza expresiva. Quizá por eso la condición poética de la escritura de A. V. me parezca, además, vital para nuestra salud dramática. Casi todos nuestros males vienen de un general desconocimiento del nuevo código teatral y de sus formas. A. V., con su proximidad escalofriante a la temática de nuestra sociedad, con su humor, su violencia, su apasionada defensa de la libertad es, claro está, un autor de nuestro tiempo. A. V., agregando a esos sumandos el color y la tensión de su creativa poética, es el autor de nuestro tiempo más calificado para hacer saltar la arriscada coraza del realismo y establecer, al fin, un código de comunicación claro, limpio y eficiente. Nada menos.

Porque la fuerza expresiva del teatro de A. V. significa la capacidad de cumplimiento de una función esencial del teatro: llegar. No a este o a aquel grupo aristocrático, informado y culto sino a una audiencia acorde con la variada constitución de la sociedad moderna. Dicho democráticamente, a la mayoría. En ella entran, con toda probabilidad, evasionistas, intelectuales puros, finos espíritus artísticos y rudos predicadores. No hay que inquietarse. En el esqueleto de todos esos espectadores hay sitio para la tragedia, para la farsa, para el drama moral, para la empresa pedagógica y para la abstracción artística. La variedad de la audiencia no tiene nada que ver —o muy poco— con el mecanismo de los géneros teatrales. Cualquier género puede y debe emocionar, promover una reflexión, intimidar, apenar, alegrar y enriquecer. Lo único que ha de hacer es encerrar dentro del perímetro de la representación una superficie de vida superior a la que cabría percibir, en el mismo lapso de tiempo, fuera del teatro. En esas condiciones, algo aparece claro: que esa variación en la intensidad de las sensaciones recibidas sólo puede obtenerse con la ayuda de elementos que intensifiquen la cuenta emocional sin anular su lógica. Estos elementos son los que integran, tradicionalmente, la función poética.

Ser creído, en poesía, se confunde con ser sincero. Para que una audiencia acepte el juego teatral, renuncie a una parte de su espíritu crítico, admita hallarse donde le dicen y oír a quien le presenten, es preciso que esa audiencia esté integrada como tal —es decir, se sienta colectividad—; sea entretenida o conmovida a niveles del corazón o de la cabeza; se encuentre compensada en la renuncia a vivir su tiempo por la presentación de unos hechos más vigorosos y estimulantes que los propios; acepte la propuesta de lectura que le hacen las acciones, caracteres, pasiones, personajes y conflictos presentados o reproducidos.

Durante mucho tiempo ha sido bastante simple adscribir la satisfacción de estas exigencias a un solo tipo de teatro: el drama psicológico social de este siglo, la tragedia mítica del teatro religioso primitivo, los cánticos heroicos del Renacimiento o la metafísica romántica. Los actuales traslados del centro de gravitación teatral —y muy especialmente el «absurdo» y sus derivaciones— han enriquecido mucho el caudal de emociones, reflexiones y estímulos de las audiencias. Pero esto ha exigido la elaboración de un código que no se entiende fuera de la representación. La escritura de A. V. articula un todo muy preciso que sólo existe plenamente cuando se cumple la posibilidad de su actualización, mediante una representación a cargo de unos actores vistos y oídos por un público. Aun así suele todavía resultar difícil para nuestro público descifrar su sistema comunicativo con el que no se le ha permitido familiarizarse. «Si uno mismo no se entiende, ¿cómo le van a entender los demás?», dice «Hugo» en *Cangrejos de pared*. Es cierto. Pero ese terminante postulado de A.V. sí que se entiende en su traducción teatral. Quizá porque es un autor de raza acompañado por un poeta y en posesión de un fuerte y utilísimo sentido del humor la transmisión de A. V. es inmediatamente entendida. Los imperativos dinámicos de sus textos, con sus exigencias conflictuales, sus peticiones de movimientos, crisis, reacciones, novedades, cambios y, en fin, interacciones de los personajes, con sus exigencias de unos tiempos concretos y unas formas determinadas, sus argumentos, sus temas, sus acciones y sus intrigas caminantes, tan bien espectacularizadas, constituyen fondos mecánicos esenciales en la estabilidad de los espectáculos dramáticos de A. V. Sin la vitalidad esencial de su libertad creadora no habría podido expresarse. Sin la vitalidad primaria de su humor y de su poesía no habría podido hacer teatro. Sin la energía de esos fondos motores genéricos de toda la mecánica de sus propuestas tampoco podría ser comprendido. ENRIQUE LLOVET.

v. El autor de teatro es una especie que se va extinguiendo velozmente. [...] Releyendo —o leyendo por primera vez, porque el conocimiento anterior fue por representación— *¿Fuiste a ver a la abuela?* me ratifico en la condición de autor de Fermín Cabal. Después de las dudas de qué podría ser lo suyo, qué del director y qué de la colectividad cuando vi esta obra en la Sala Cadarso, pude comprobar lo que percibí directa y claramente en mi primera lectura de una obra de F. C., *¡Vade retro!* Me llegó a las manos en un concurso al que se había presentado. Me bastaron las primeras líneas para, antes de saber y decidir si la obra me gustaba o no, comprender que F. C. era un raro ejemplar de autor de teatro. Esas primeras líneas son lo que en el antiguo lenguaje teatral se llamaba «acotación». Es decir, una descripción completa del escenario y de los movimientos, gestos y actuación de los personajes. F. C. recuperaba un territorio que le había sido robado a su especie, para ser subdividido entre otros trabajadores del teatro —escenógrafo, sonidista, iluminador, figurinista...— y para que esa subdivisión permita la latitud interpretativa del director. La acotación es un elemento fundamental de la obra de teatro: forma parte de ese género literario.

Es casi inicuo que haya que defender a estas alturas la pertenencia del teatro a la literatura y la condición de escritor del autor. Un escritor, si se quiere, especial: pero no más especializado que el poeta, el ensayista, el cuentista, el novelista.... De hecho, muchos grandes autores de teatro han incidido en otros géneros de la literatura —no es ni' siquiera necesario poner ejemplos— porque se trata de escritores. La obra de teatro es una narración que se desarrolla con una preceptiva determinada, capaz de variar muchas veces, pero con un denominador común: el hecho de que ha de ser representada ante el público en unas condiciones específicas —escenario, duración, disponibilidades circunstanciales... Esas condiciones específicas pueden cambiar, dentro de lo posible, y forzar al autor a que su obra literaria se adapte a ellas. Azorín explicaba la movilidad y la rapidez de los clásicos españoles del Siglo de Oro porque se representaban preferentemente ante un público de pie o sentado en bancos durísimos, y había que distraerle continuamente; y la inmovilidad del teatro de Racine porque la nobleza se sentaba en el mismísimo escenario y dificultaba la acción. Pueden ser razones de preceptiva, como lo son ahora los repartos escasos y el decorado único porque la economía del teatro no permite otra cosa, o la duración de los espectáculos por la falta de tiempo y la inquietud psicológica de los espectadores. ¡*Vade retro!*, de F. C., a pesar de su decorado único y de tener sólo dos personajes, presentaba en aquel concurso un problema de preceptiva: su duración (imaginando los jurados el tiempo de representación) era escasa, y las bases del concurso requerían una obra «de duración normal». Renuncié con pena a la defensa del premio para esta obra que, ya enteramente leída, me parecía excelente, y otros miembros del jurado tuvieron que hacer lo mismo. Lo cual no va en desdoro de la que resultó premiada y a la que voté con placer porque lo merecía.

F. C. tiene, por lo tanto, la condición intrínseca del autor: es decir, la de un escritor cuya obra narrativa se desarrolla, del principio al fin, en una atmósfera inventada por él, con unos personajes que dialogan según la acción, con una trama y un pensamiento propios. Estos tipos de obra son individuales: esto es, indivisibles. Puede el autor, en los ensayos, comprender algún error o sobreponer algún hallazgo. Puede haber quien se lo suscite: lo han hecho siempre los propios actores que, al interpretar el texto, al estudiar por sí mismos el papel, con su oficio y su arte, con su experiencia y su conocimiento, sepan cómo puede aumentar o decrecer el efecto de la narración, dentro de la preceptiva prevista; puede haber un director que, en tanto que coordinador de un todo, al que en los últimos años se ha añadido una importante carga técnica, sepa también sugerir o indicar. Pero nada de todo esto será válido si no sirve estrictamente a la obra literaria creada por el autor, que tiene, más que la obligación, la necesidad de entregar al escenario una obra terminada, completa: y de vigilar para que no sea adulterada.

Es evidente que una obra de teatro leída, simplemente escrita y no representada, no consigue más que una parte del todo que pretende. Su calidad literaria —en el mejor sentido de la palabra *literaria*— estará siempre presente; pero le faltará su calidad de representación. El lector, en esos casos, suele ser un director de escena mental. Es lo que va a ocurrirles a los lectores de este libro que no hayan visto representadas las obras de teatro que contiene. Van a prestar una fisonomía a los personajes, van a imaginar los decorados, y las luces. Pero no va a suceder, como con otros autores, que tengan un exceso de libertad para ello. F. C. tiende a describirlo todo. Tanto, casi, como un novelista. Pero el novelista tiende a sustituir lo visual con el lenguaje, con la metáfora, con la sugerencia: algunos autores, como Valle-Inclán, añadían esa forma peculiar de literatura a sus acotaciones. No es necesario, aunque pueda ser un placer para el lector. Lo necesario es que las acotaciones sean lo suficientemente abundantes y lo suficientemente precisas como para que lo imaginado por él se realice ante el espectador con la máxima fidelidad.

Quizá yo, lector de F. C., haya sido el director de escena mental, y la compañía imaginaria, y hasta el colectivo de público; que, al leerle, haya reconstruido a mi manera una representación ideal. Escribo estas líneas cuando su obra *¡Vade retro!* aún no se ha representado: quizá se publiquen después de su estreno. No excluyo, por lo tanto, una capacidad de sorpresa. No sé si donde yo he visto una burlona ironía y un escepticismo risueño, la representación —de acuerdo con el autor— ha puesto, sobre todo, comicidad y absurdo. No sé si donde yo he puesto —o supuesto— una cierta identidad entre dos personajes contradictorios —como tantas veces sucede en la tragedia clásica de la antigüedad, y tan pocas en el Siglo de Oro español—, de forma que representen dos maneras distintas de resolver el problema idéntico de los dos, hay una contradicción insuperable. No sé si donde yo he encontrado una angustia subyacente, una forma del desencanto de nuestro tiempo, de la falta de puntos de referencia más espantosa aún en dos personajes profesionalmente obligados a tener puntos de referencia fijos, la escena va a rebotar otra cosa. [...] Se sabe que F. C. ha hecho una obra determinada y que él, por dentro, la «ve» representada. Quizá cuando la vea se encuentre también él mismo con algunas sorpresas. Pero, cuantas menos tenga, cuanto más influya en los ensayos, en los decorados, en la interpretación, para que su obra se parezca lo más posible a la creación de su imaginación, mejor será. Y más le servirá para las obras siguientes. La cuestión está en mantenerse dentro de la preceptiva, en servirse de ella, para que su trabajo de escritor llegue con la máxima fidelidad al público.

Hay ya, en estas últimas temporadas, algunas obras, algunos autores que van significando el regreso de la literatura al escenario, y el servicio de la técnica escénica a esa literatura. Creo que ¡*Vade retro!*, de F. C., es muy importante en ese sentido. Que lo son también sus otras obras, y que debe hacer un esfuerzo considerable para que no se extinga la depredada especie del autor teatral. EDUARDO HARO TECGLEN.

PATRICIA W. O'CONNOR Y OTROS

NOVÍSIMAS Y NOVÍSIMOS

·I. En los últimos cincuenta años, se pueden distinguir cuatro etapas en el progreso que hacen las dramaturgas desde la *acomodación* a la actual *re-visión*. Por re-visión, me refiero a un ver «con nuevos ojos», según la definición formulada por Adrienne Rich, en su conocido artículo-manifiesto «When we Dead Awaken: Writing as Re-Vision». Las características de estas cuatro etapas son: 1) una limitación general de las dramaturgas al mundo supuestamente femenino y la idealización de las mujeres virtuosas y sumisas (años cuarenta y cincuenta); 2) un salir del mundo femenino literario al equilibrar los roles masculinos y femeninos y atreverse a opinar y afirmar (los sesenta y setenta); 3) imitación de los dramaturgos masculinos evitando temas asociados con los gustos femeninos y la adopción de un discurso masculino percibido como neutro (finales de los setenta hasta principios de los ochenta); 4) un nuevo orgullo en la identidad femenina reflejado en obras centradas otra vez en la

I. Patricia W. O'Connor, *Dramaturgas españolas de hoy*, Espiral/Fundamentos, Madrid, 1988, pp. 39-55.

II. Lola Santa-Cruz, *EP*, 57 (junio de 1988), pp. 29-30.

III. Juanjo Guerenabarrena, *EP*, 51 (diciembre de 1987), pp. 40-41.

mujer, pero rechazando las visiones y límites del pasado para dar paso a un discurso auténticamente femenino.

Al concluir la década de los ochenta, Ana Diosdado sigue firmemente en su sitio como la dramaturga más conocida y de más éxito. Pionera en varios sentidos, A. D. rompió moldes y sirvió de modelo para otras mujeres que querían escribir para teatro.

En la época democrática, sin embargo, ha dejado el liderazgo en este sentido (en cuanto a forma y fondo de su teatro) que en ningún caso se había propuesto. A pesar de indicios ligeramente rebeldes (incluso feministas) en su obra más ambiciosa, *Usted también podrá disfrutar de ella* (1973), y de su controvertida versión de *Casa de muñecas* (1983), A. D. no ha progresado en la época democrática en cuanto a la presentación de la mujer. Incluso las obras originales suyas estrenadas en los ochenta dan cierto salto atrás en este sentido. *Cuplé*, de enorme éxito y un escaparate para los múltiples talentos de A. D., quien hizo el papel principal, tiene que ver con un ama de casa poco atractiva con rulos en el pelo y gafas en la nariz. Al enviudar, se quita las gafas y suelta el pelo para revelarse hermosa e interesante; otra vez, se transmite la importancia de la belleza física de la mujer, y el público habitual goza viendo el viejo milagro de la metamorfosis del gusano que acaba en mariposa.

En 1988, A. D. estrena otra obra de enorme éxito comercial, *Los ochenta son nuestros*. Aquí unos jóvenes de familias bien siguen los modelos del pasado en cuanto a las relaciones entre chicos y chicas. Las chicas no sólo les lavan los platos y sirven café a los chicos, sino que parecen incapaces de articular con gracia —o siquiera con coherencia— sus pensamientos. Una idea central, que el amor puede triunfar para producir una armonía universal, la balbucea una de las chicas en el primer acto al tiempo que pide perdón por su falta de acumen verbal. Luego, en el tercer acto, uno de los chicos expresa fácil y elegantemente este concepto. Pero es más: los chicos hablan como oradores, mientras que las chicas o escuchan o intervienen tímidamente. Efectivamente, el único avance lingüístico, si se puede calificar como tal, es superficial: el uso de un vocabulario de tacos que durante mucho tiempo se ha considerado un privilegio masculino. Central al argumento es una violación cuya importancia la víctima minimiza, afirmando que se podría comparar al robo de un bolso: una experiencia desagradable, nada más. Incluso —e increíblemente—, la chica violada no sólo busca acto seguido un primer encuentro sexual «normal», sino que lo pasa bien, reacciones poco frecuentes, según las investigaciones publicadas sobre este tipo de violencia. En resumen, hay una corriente fuertemente paternalista en *Los ochenta son nuestros*; los individuos de autoridad, además de los chicos jóvenes, son figuras masculinas (padres, tíos) que no aparecen, pero cuya importancia se cita y se palpa.

[Carmen Resino está en la tradición del teatro del absurdo. Ha intentado proyectar una visión «humana» (otra vez, percibida como estándar), y con frecuencia ha utilizado la historia como punto de partida para explorar la alienación, la frustración, y la brutalidad. Demostrando una tendencia perfectamente compatible con su preferencia por lo grotesco en combinación con los temas universales está una reciente pieza de humor negro, *Personal e intransferible.*]

La primera dramaturga nueva que llama la atención después de la muerte de Franco, María Manuela Reina (1958), representa la tercera tendencia. No sólo elige temas y actitudes asociados con los hombres, sino que le gusta utilizar la historia y la literatura universales como materia prima para sus obras. M. M. R. es también la primera mujer ganadora del prestigioso premio de la Sociedad General de Autores (1983). Al leer el texto de *El navegante*, los miembros del jurado se sorprendieron al enterarse de la identidad femenina de la autora, pues los personajes, tratamiento, actitudes y vocabulario parecían indicar un autor masculino. Obra romántica y existencialista a la vez, *El navegante* combina temas y personajes de *Moby Dick, Don Quijote* y *Robinson Crusoe* con ideas expresadas en «La canción del pirata» («Que mi barco es mi tesoro / que es mi dios la libertad, / Mi ley la fuerza y el viento, / mi única patria la mar») de Espronceda.

La acción comienza con la llegada a un árido pueblo manchego del forastero-catalista, Ismael. Como el personaje del mismo nombre en *Moby Dick*, Ismael «narra» la obra, el subtítulo de la cual es «relato». Las primeras palabras establecen ya una intertextualidad: «¿Habéis oído hablar de Stevenson? Fue un poeta que amaba el mar... Su tumba está en la isla de Samoa ...». La isla de Samoa, significante importante, simboliza una meta y un paraíso terrestre; es para este nuevo soñador manchego lo que era la isla Barataria para don Quijote. Simón, siguiendo las huellas de este antecedente literario, pierde el «juicio» (según algunos en el pueblo) después de consumir la fantasía de Ismael, y también está dispuesto a cambiar su vida gris por la posibilidad de aventuras. En este caso, sin embargo, no sale a enderezar injusticias; su meta, más privada y egoísta, quizá, está en armonía con el mundo contemporáneo. Simón quiere vivir en una isla primitiva sin convenciones y sin leyes ni presiones sociales. Dentro de la tradición romántica que coloca los instintos, sentimientos y deseos por encima de la razón, la disciplina, y el orden, la obra parece ensalzar a los rebeldes y a los «buenos salvajes», al tiempo que demuestra cierto desprecio por la sociedad, la civilización, y la responsabilidad, asociadas con la limitación y la hipocresía. Las tensiones básicas son el derecho del individuo a la libertad frente a la responsabilidad y al orden.

Simón también es el héroe existencial que abandona su pasividad al darse cuenta de que su vida carece de autenticidad. Cuando decide abandonar a su mujer e hijos para ir en busca de su ideal, empieza a construir con Ismael un barco en el yermo de la Mancha que le llevará a su soñada Samoa. El único personaje femenino, la mujer de Simón, tiene un papel menor; querellosa y mezquina, interviene sólo lo suficiente para justificar el abandono del marido. [...]

Hacia finales de 1987, M. M. R. estrena una nueva obra llamada *El pasajero de la noche*. Aunque parece ubicada en el presente y en España, a diferencia de sus tres obras primeras, esta obra tiene un sabor a Benavente, a la «alta comedia» o a la comedia «bien hecha». Aunque no utiliza la historia como base de la fantasía ni recurre a los intertextos literarios, los críticos (Haro Tecglen, López Sancho) han señalado semejanzas o coincidencias con *Llama un inspector* y *Esquina peligrosa* de Priestley. Tiene lugar en el salón de lujo de un gran capitalista donde él y su mujer pasan la velada con otra pareja de su misma categoría social. Todos vienen elegantemente vestidos. *El pasajero de la noche*, una obra muy bien estructurada y escrita para mantener la tensión siempre, cuestiona diversas concepciones de la moral al tiempo que parece rechazar posiciones implícitas en *El navegante*. Como en todas sus obras, M. M. R. sigue escribiendo en la tradición masculina, dando más importancia y redondez a los personajes masculinos y repitiendo los estereotipos negativos femeninos. Las cuatro mujeres de esta obra son: la mujer guapa que se casa por la vida cómoda que el marido (que por su parte se casa con una mujer decorativa) le puede dar; la otra mujer no sólo es adúltera, sino que es la clásica ninfómana amoral asociada con las clases altas; la chica joven poco agraciada que lleva gafas, y por supuesto no tiene éxito con los hombres; la mujer difunta de uno de los hombres, idealizada sólo porque nadie llegó a conocerla de verdad.

Concha Romero muestra un espíritu innovador y rebelde en *Un olor a ámbar*, obra que presenta una férrea lucha de poder entre las altas esferas de la Iglesia. La jerarquía masculina aparece explotando las reliquias de santa Teresa en aras de un beneficio material. C. R. plasma con actitud crítica las tácticas opresivas del grupo dominante y cuestiona la pasividad y obediencia femeninas. En *Bodas de una princesa* también presenta a una Reina Isabel humana y creíble. A C. R., como a Reina, le gusta trabajar sobre estructuras establecidas, como ha hecho con estas dos obras basadas en personajes y acontecimientos históricos y como hizo en *Así aman los dioses*, obra construida sobre un tema mitológico.

A principios de los ochenta, Paloma Pedrero [en su primera obra estrenada], *La llamada de Lauren*, trató el tema de la homosexualidad masculina. El tiempo de carnaval se hace coincidir con el tercer aniversario de bodas de un matrimonio joven para apoyar el conflicto dramático. Para carnaval, el marido se disfraza de Lauren Bacall, y pide a la esposa que se vista y actúe con «ella» como si fuera Humphrey Bogart. En el curso del intercambio de vestimenta e inversión de papeles, los frágiles resortes del esposo se resquebrajan; se desenmascara, revelándose como homosexual, víctima de rígidas pautas sexuales, que se ha casado por presiones sociales. Aunque el personaje masculino es el más dramático e importante, la representación de la vulnerabilidad masculina y los efectos negativos de los arbitrarios modelos de comportamiento sexual manifiesta un espíritu revisionista. En general la audiencia femenina reaccionó favorablemente, mientras la masculina mostró malestar y aprensión.

Otra obra breve de dos personajes representada primero en un taller de teatro es *Resguardo personal*. Vuelve a indagar en la problemática de la pareja, pero esta vez, los cónyuges han superado los primeros dolores del fracaso matrimonial para pasar a la fase de las venganzas. [...] En 1988, P. P. da un salto profesional al ganar el Premio Tirso de Molina por *Invierno de la luna alegre*. Los personajes, cuatro hombres y una mujer, son unos parados que viven al margen de la sociedad. La obra tiene sabor a David Mamet (dramaturgo norteamericano contemporáneo), cuyos personajes asimismo suelen ser unos desplazados que hablan un argot lumpen. El público convencional español podría no aceptar el lenguaje y valores de la protagonista, una chica «amoral» más que «inmoral». Reyes es, sin embargo, compatible con los gustos juveniles y posmodernistas de la «movida».

Una obra reciente de P. P., *El color de agosto*, fue representada en un taller de producción escénica en 1987 y comercialmente en 1988. Se centra, otra vez, en la dinámica de la pareja, pero ahora en una relación femenina. Se vuelven a encontrar dos pintoras treintañeras que no se han visto en ocho años. María es ahora pintora y escultora de éxito, mientras que Laura, la más hermosa y prometedora de niña, ha abandonado la creación para ser modelo. Estas dos mujeres contemplan la relación humana en el espejo de su enfrentamiento al tiempo que comunican ansiedad en cuanto a su autoridad creadora. Un símbolo visual básico es una escultura que domina el escenario: una Venus sin brazos que tiene dentro del vientre un pájaro enjaulado. Naturalmente que es importante que a la Venus le falten brazos y manos con que trabajar y que un espíritu capaz de cantar esté mudo y encarcelado en un área muy próxima a su sistema reproductivo. La escultura dominará el cuadro que proyecta María, quien ha llamado a Laura para que sirva de modelo para las manos que quiere pintar en el acto de liberar el pájaro. A lo largo de esta obra metateatral, María y Laura asumen distintos papeles de dominio/sumisión y hacen juegos sutilmente psicológicos o violentamente físicos. La poderosa imagen que proyectan y el libre tratamiento de algunos recuerdos íntimos de su relación (integrada con notas lesbianas) ponen de relieve el cambio operado tanto en los temas que están dispuestas a tratar las dramaturgas como de la imagen de la mujer, detentadora ahora de nuevas posiciones y libertades. [...]

Humo de beleño, obra de Maribel Lázaro ganadora del Premio Calderón de la Barca en 1985, anuncia de forma audaz una serie de valores revolucionarios que resuenan a lo largo del texto. En lugar de la repelente hediondez de azufre asociada desde tiempo atrás con el Príncipe de las Tinieblas, el diablo emite un olor agradable. Utilizando un tema de brujería, M. L. acepta espontáneamente la invitación de Marguerite Duras a «... invertirlo todo; ... a hacer de la mujer el punto de partida de todos los juicios, a hacer de las tinieblas el punto de partida para juzgar lo que el hombre llama luz, a hacer de la oscuridad el punto de partida para juzgar lo que el hombre llama claridad ...». Lo demoníaco en la obra de M. L. recuerda también el retrato del demonio de Goethe en el sentido progresista; como la principal fuerza de evolución y ley inalterable del desarrollo individual.

El discurso femenino —agresión temeraria en la tradición patriarcal— se conecta directamente con lo demoníaco aquí. Como la crítica feminista ha apuntado, las escritoras expresan a menudo una ambivalencia respecto a su propia actividad literaria, sugiriendo la ya vieja asociación patriarcal entre mujeres creadoras y monstruas (S. M. Gilbert y S. Gubar). Símbolos de cercamiento y escape afluyen en cuanto Lázaro opone la unidad (femenina), basada en la cooperación, al orden (masculino), basado en el dominio. Al expresar una rabia reprimida y al retratar a las brujas de forma comprensiva y desde adentro, esta autora escribe intuitivamente desde su propio cuerpo, se desdobla, y genera múltiples significados. Si las brujas son escritoras queriendo afirmar su identidad, hablar su propio lenguaje, y establecer sus propias normas de vida, son tanto «histéricas victorianas» confinadas en manicomios como lesbianas rechazadas por perversas. Asimismo, se puede observar una sublevación del «ello» contra el «superego», que se traduce como la sublevación de la «hija» contra el «padre».

Además de las lecturas femeninas en el plano políticosocial —no percibidas por la crítica y el público—, aparece implícita una protesta alegórica contra la tiranía de Franco sobre la sociedad española. Al rechazar el dominio de poderes arbitrarios y al equiparar la negación del placer a una muerte voluntaria, M. L. se identifica con sus brujas cuando estas rechazan la existencia silenciosa, estéril y ascética que les ha sido asignada, prefiriendo asociarse con las fuerzas de la vida y la creación.

Esta ambiciosa obra sobre unas mujeres acusadas de brujería en el siglo XVII, se desarrolla en Galicia. Por los potentes elementos que la integran y por la subversión de los valores establecidos, la obra se aparta radicalmente de los dramas escritos tanto por hombres como por mujeres en la época franquista. La censura habría calificado su contenido como blasfemo y pornográfico y habría prohibido su publicación y exhibición. O sea, que en tiempos del Generalísimo, la Inquisición habría triunfado plenamente, tanto en la historia narrada como en la vida real; pero los tiempos han cambiado. En el nivel mimético, la obra presenta a una esposa temerosa de perder a su marido que pide ayuda a una vecina para que use sus poderes especiales para recobrar el amor del marido. Por recurrir a poderes desconocidos y por el temor que causan al grupo dominante, las mujeres son acusadas de brujería y son encarceladas por la Inquisición.

Una escena de *Humo de beleño* muestra una irreverente inversión de valores en la que un grupo de amigas se reúne para divertirse todas juntas y para lo que las feministas francesas llamarían *jouissance* (placer sexual). El lugar de su reunión, un espacio arbolado y abierto al aire libre, sugiere libertad y gozo fuera de los confinamientos patriarcales. Si la Iglesia, en sus diversas manifestaciones (androcentrismo, jerarquía, autoridad, exclusión, etc.), es un enemigo real y simbólico, las mujeres se levantan en un símbolo contrario a la Iglesia, invirtiendo las imágenes tradicionales. Después de lubricar sus genitales (en lugar de santiguar sus frentes) con los santos óleos, invitan provocativamente al Anti-Cristo a poseerlas, parodiando la unión mística buscada por las «novias de Cristo». Sus gestos y movimientos rítmicos sugieren que ciertas formas semióticas del discurso femenino han sobrevivido a las presiones falogocéntricas. Pero la alegría de las mujeres es efímera. En la escena final, cuando las «brujas» encarceladas esperan la ejecución de la condena, se niegan a comportarse como víctimas pasivas a pesar de las opciones limitadas de que disponen. Haciendo uso de sus poderes especiales de evasión, toman el control de su situación ingiriendo solidariamente unas hierbas que causan su muerte. Su «victoria» parcial se encuentra en la negación del poder masculino.

Otra dramaturga que comparte con M. L. la determinación por expresarse libremente y no dejarse influir por los gustos del público habitual es Marisa Ares. Esta dramaturga posmodernista niega que el teatro sea una faceta de la «Cultura» (o sea, la «alta cultura»); ella intenta una novedad «pop» y no le interesa ni reflejar la realidad ni comunicar una idea. Le interesa más jugar con las formas. Su primera obra estrenada, *Negro seco*, una parodia irreverente de los valores y formas dramáticas tradicionales, se estrenó en el Olimpia en 1986. Entreteje unos ídolos de nueva ola como la violencia, el sexo, unos representantes de la contracultura, y la música rock.

Otra dramaturga surgida en la democracia es Yolanda García Serrano (1959), autora de dos obras estrenadas: *No hay función por defunción* y *La llamada es del todo inadecuada*. La primera, parodia de una obra pornográfica, fue encargada por el gobierno municipal de Madrid en 1984 para ser representada en un ciclo de actividades que patrocinaba en torno al tema de lo erótico. No sólo el que una mujer hubiera sido elegida para tal trabajo, sino el que hubiera accedido a hacerlo demostró un enorme cambio con respecto a las dramaturgas. La segunda obra de Y. G. S., de carácter lúdico asociado con las nuevas tendencias posmodernistas, fue representada en un taller de teatro en 1985.

Hay también otras jóvenes promesas como Pilar Pombo. Su *Una comedia de encargo*, presentada en una lectura dramática en el Ateneo en 1986, va al meollo del problema de la autenticidad creativa femenina. Aquí, dos mujeres treintañeras, una creadora y la otra transcriptora, se ganan la vida produciendo obras conformes a un modelo. Universitarias las dos y comprometidas en la lucha antifranquista en su juventud, no se han adaptado al cambio sociológico de la transición democrática. Solitarias, con crisis de identidad, y carentes de objetivos vitales, hacen de sus vidas y de su escritura una representación conforme a fórmulas obsoletas. La metáfora central de esta obra palimpséstica es el fantasma de la tradición masculina que inmoviliza a las escritoras en moldes preestablecidos. Careciendo de «precursoras», las mujeres siguen modelos asequibles, repitiendo estructuras, caracteres, y valores inauténticos. Efectivamente, la obra parece un eco de la afirmación de Hélène Cixous: «La mayoría de las mujeres ... reproducen la escritura de otros, y en su inocencia lo mantienen y le dan vida y testimonio, produciendo así un discurso esencialmente masculino». PATRICIA W. O'CONNOR.

II. Visión satírica; visión farsesca; visión moderna; visión amarga. La marginación, la desilusión, la lucha de clases de los desclasados, la competitividad saltan a la cancha, se desarrollan y sucumben en el aséptico espacio de un gimnasio. La sociedad actual, la nuestra, es lo que Ernesto Caballero, autor y director de *Squash*, nos ofrece como espectáculo. Y lo hace a golpes de raqueta, a ritmo de saques y boleas, en clave de humor negro.

Tan negro como el escenario, apenas recortado por un rectángulo-habitación formado por barras metálicas y una puerta de metacrilato. Un espacio escénico casi desnudo, tres sillas blancas y una percha, es el núcleo de una trama sin altibajos, el decorado para un discurso descarnadamente realista, incómodo de digerir, si no fuera porque la ironía y el sarcasmo actúan como una red protectora, como una malla contra la que se estrella la desesperanza.

Tres personajes en busca de trabajo: dos mujeres, prostituta, una, madre de familia de clase baja, la otra, y un redicho y redundante ejecutivo, aparente encargado de realizar las pruebas de aptitud para el puesto vacante, entran en un delirante juego de situaciones y diálogos del que, poco a poco, irá emergiendo el «juego» verdadero.

Crítico y cáustico, E. C. desdobla los pliegues de su entretejido, y confiesa la sutil perversidad de su pieza, que comienza ya desde el título. [...]

Con un lenguaje rápido, ágil, popular, y tocando temas como el paro, la droga, la explotación, o los llamados conductores «kamikaces», *Squash* podría quedarse en un aburrido ensayo de realismo cotidiano, en un discurso testimonial apegado al suelo. Y es, precisamente, el afán de su autor, de hablar de la realidad desde una óptica puramente teatral, lo que consigue que la pieza remonte el vuelo. [...]

Incardinado en las formas de teatro popular, directo, y sin ningún elemento visual que le preste espectacularidad, *Squash* parece abogar por ese teatro artesanal, casi puro, en el que basta con un texto y un actor que lo haga suyo. [...]

A partir de ellos, también, ha tomado forma definitiva un montaje que, por su progresión y estructura, parece medido al milímetro, y que, sin embargo, parte de una idea más abstracta y menos desarrollada. [...]

En el balanceo constante de humor y drama, de dureza y ternura, de dobles sentidos, este *Squash* termina de rizar el rizo utilizando la llamada cuarta pared escénica, un imaginario espejo que separa a público de actores, y en el que estos se miran, se reflejan, se reconocen. Un «muro» transparente que nos permite ver, pero no ser vistos, y que nos convierte, a los espectadores, en última instancia, en esa sociedad «voyeur» que la comedia denuncia. Y que se extrapola al mismo hecho teatral: por el precio de una entrada podemos asistir al «descuartizamiento» incruento de unos seres que se mueven, allá arriba, para nosotros... LOLA SANTA-CRUZ.

III. Ignacio García May ingresó en la Escuela de Arte Dramático de Madrid en 1984, año en el que la primera sintaxis del *Alesio, una comedia de tiempos pasados* vio la luz. El día del estreno, el 17 de noviembre de 1987, el vestíbulo del María Guerrero rebosaba satisfacción profesional. Allí estaban todos los que habían participado en la formación teatral última del autor, la Escuela en pleno. Allí, ahora sobre el escenario, estaba «todo lo que me gusta en teatro», según declaraba Ignacio, a quien el argumento, la trama o la reflexión le parece, en este caso, algo secundario. Tres años han pasado desde la gestación. Los últimos meses del tercero han supuesto para I. G. M. la posibilidad de trabajar mano a mano con el teatro mejor dotado del país. [...] El aprendizaje tiene un corolario, una declaración de pleitesía y de reconocimiento del saber lejano. Se arrepiente I. G. M. de la prepotencia de los alumnos de teatro, del mundillo zafio de los que creen que una escuela es una casa de creación con brasero. La profesión le abrió los ojos hasta decir, posiblemente con dolor: «Porque, digámoslo ya, no hay nada más zoquete y más tarugo que un estudiante de arte dramático. Criticamos sin perspectiva, nos creemos exentos de errores y culpas, y presumimos, no con la soberbia de los grandes, sino con la boca torcida y la vanidad escuálida y miserable de las mentes ignorantes». Esto era parte de su «Último comentario sobre Alesio». Y se abrió el telón.

El ciclorama gris tiene abiertas las carnes y deja entrever las costuras de los personajes que irán saliendo. En el frente, biombos tornasolados, arcoiris polivalentes, anuncian otra mirada al ayer. Se hace un clásico que habla como tal, aunque con palabras nuevas, que reacciona como un adelantado y que interpreta a la manera del XVIII. Pero estamos en el XVII, en Sevilla, sin don Juan, pero con Alesio, cómico italiano venerador de Fortuna y con extravagantes dotes de escena. Criados, graciosos, doncellas y la aparición del rey, que en este caso es duque. Los biombos polarizan la luz; el texto polariza el punto de vista. Sin necesidad de meterse en honduras dogmáticas, se interpretan unos modos del pasado y se juega al juego del teatro. Entre los enredos, los atisbos de controversia teórica, leves apuntes de estudiante y de autor que reivindica la tradición culta del teatro. Shakespeare, Calderón, Diderot... nombres que resuenan tras las palabras de esos personajes; actores, en fin, que han comprendido que jugar al teatro es jugar a la vida. Teatro dentro del teatro, *Alesio*... se propone la estimulación del deseo de la escena, la necesidad del teatro. [...] La crítica ha sido cauta. Ha destacado las grandes posibilidades del autor al tiempo que se hacía eco de la supuesta superficialidad del texto. Hubo quien se habría quedado con Calderón, por ejemplo, pero hubo quien prefirió a I. G. M.; hubo quien valoró positivamente el hecho de abrir la temporada del teatro más importante del país con esta obra y hubo quien derrotó por otros recodos del sendero. JUANJO GUERENABARRENA.

VARIOS AUTORES

LA EXPERIMENTACIÓN: ELS COMEDIANTS, LA FURA DELS BAUS, ELS JOGLARS Y LA CUADRA

I. Es evidente que la fiesta es el marco de trabajo de Els Comediants. Sus espectáculos se sitúan claramente en el campo lúdico; pero, sin embargo, tienen toda la artificiosidad de una representación teatral. [...] E. C. ponen todo el énfasis en conseguir estimular a su público y no en comunicarle determinados mensajes. El contacto que existe entre el pueblo y la fiesta, ellos lo trasladan a la relación entre el público y lo cómico.

A pesar de que nos afanemos en explicar el mundo de E. C., hemos de tener en cuenta que ellos son unos auténticos salvajes. Lejos de la antropología, el costumbrismo o el folklore, «construimos nuestra propia fiesta a partir de lo que tenemos dentro», dicen. Cuando preparan el espectáculo *La nit*, se bañan con la luna. Pero esto no es nada sencillo y, aún menos, pueril. Aparte de una aproximación a los conflictos del «Homo sapiens» en *Alè* (1984), la temática de E. C. ha girado siempre en torno a las

I. Joan Castells i Altirriba, «Utilización y transgresión de la fiesta», *Cuadernos EP*, 27, pp. 48-52.

II. Esperanza Ferrer y Mercè Saumell, «La dilación de los confines teatrales», *Cuadernos EP*, 34, pp. 52-57.

III. Iago Pericot, «Espacio continente-espacio contenido», *Cuadernos EP*, 29, pp. 62-65.

IV. Salvador Távora, «De *Quejío* a *Alhucema*», *Cuadernos EP*, 35, pp. 80-94.

estaciones, al aire, el fuego, el agua, la tierra, los astros, al día, a la vida, al sol, a la luna, al universo, a los ángeles, a los demonios. El intento para comprender y explicar estos imponderables ha constituido la parte más intrínseca e inmutable del ser humano. En E. C., además, la recreación de este universo tiene siempre una dirección bien precisa: la lucha contra el orden establecido civilizadamente, incluyendo el orden del público. Van siempre a favor o en contra de la gente que los contempla, pero nunca los dejan tranquilos. Por esto sus espectáculos no tienen ningún sentido sin un público que los modifique. Su trabajo es vivo. Una vez más, nos vemos abocados a la quinta esencia de la fiesta.

Una simple mirada a sus programas, a sus publicaciones y a su espléndido libro *Sol solet*, revela ostensiblemente el sustrato festivo y popular que les gusta utilizar. Las ilustraciones —cromos, cenefas, dibujos de chiquitines, recortables, postalitas, visiones astrales, etc.—, los tipos de letra de cajista quisquilloso, la recogida de textos —recetas culinarias, dichos, cancioncillas, adivinanzas, horóscopos—, la inclusión de una hoja de laurel como guía de libro..., todo es como un rejuvenecimiento de la literatura popular y tradicional y nos invita a pensar cómo les gusta utilizar y transgredir la «festa».

Las fiestas populares han ido dejando un montón de elementos que a lo largo de los años se habían convertido en sus signos de identificación. La simple presencia de un dragón de cartón y trapo en la calle convierte la monotonía de la vida cotidiana en una jornada particular. Una de las costumbres ancestrales más arraigadas en muchas culturas gira en torno a la construcción de un monigote que preside las fiestas y que finalmente es quemado como víctima expiatoria de la jarana desenfrenada —Carnaval y otros. En los viejos rituales celtas, por ejemplo, figuraban gigantes hechos de mimbre, cañas y otros elementos vegetales que eran paseados primero y acababan siendo quemados, como en un acto de sacrificio. Uno de los elementos que ha permanecido más vivo en las fiestas populares de Cataluña ha sido el gigante y la giganta. Existen noticias documentales de presencia de gigantes desde el siglo XIV y sobreviven especialmente en núcleos ciudadanos de procedencia gremial y urbana, derivada de la expansión medieval de los gremios. La magnificencia de la procesión de la fiesta del Corpus establecida en el siglo XIV y en la cual desfilaban los gigantes y el celo de los gremios los ha salvado de la costumbre de quemar el monigote que preside la fiesta. Con el tiempo, el orgullo de tener la propiedad ha pasado de los gremios a las poblaciones. Por más que el gigante iba a las procesiones, se ha extendido la costumbre de hacerlo salir a difundir la alegría entre la chiquillería en las fiestas señaladas. [...]

E. C. utiliza estos elementos tradicionales de las fiestas populares con el mismo sentido, pero con una significación diferente. En esto radica el valor personal de su trabajo: los utilizan como elementos dramáticos. Los gigantes y los cabezudos ya no sólo bailarán al ritmo de chirimías y tambores, sino que se moverán libremente y de acuerdo con el personaje que representan. El alma de todo ello será un actor y todo estará en función de explicar una historia. Desde este punto de vista, sobrepasan incluso el valor representativo de los entremeses porque rompen el hermetismo de las alegorías de los pasos procesionales o reales. La utilización de estos elementos tampoco es en E. C. un pretexto como, vamos a suponer, los títeres de *Primera història d'Esther*, de Salvador Espriu. Desde este punto de vista, E. C. crea un universo narrativo propio y ligado a la dinámica del mundo peculiar que envuelve sus vidas. Este es uno de los muchos temas en los que algún día será necesario profundizar.

E. C. ha creado una extraña ósmosis entre su arte y diversos elementos de las fiestas populares. En el mismo sentido que acabamos de señalar han utilizado: estandartes, dragones, «guites», caballitos, fuegos, petardos, papelitos y banderas...

En algunas ocasiones han usurpado manifestaciones más amplias, para transformarlas, también, desde su peculiar taller de alquimia teatral. Es el caso del huevo de Pascua, tradición —santa palabra— de toda Europa y que, seguro, llega a E. C. en forma de chocolate sobre una Mona de Pascua. Efectivamente, los angelitos de *Alè* (1984) obsequian a Dios-nuestro-señor con un huevo enorme para aplacar su ira, encendida de descontento al ver cómo le han dejado el paraíso terrenal. Asimismo, la primavera de 1980, en la plaza del Rey, de Barcelona, hicieron una cantada de «caramelles» totalmente tergiversada. No es necesario decir cómo E. C. ha irrumpido en los pasacalles, que suponen la supervivencia de las procesiones y de las celebraciones de entrada de un rey en la ciudad, y los ha transformado. [...]

Tenemos que hablar, aunque sea de pasada, de la música, con el uso de la caramilla y la chirimía primero y los instrumentos de banda de viento más tarde. Parten del uso de canciones y melodías populares para acabar componiendo sus propias partituras sin perder nunca el aire de la música mediterránea; ni tampoco lo pierden, ahora, con la inclusión de instrumentos electrónicos tan sofisticados como los sintetizadores. En un inventario sistemático de los elementos populares utilizados por E. C. tendrían que figurar: bailes, danzas, aleluyas, pregones, leyes de jolgorio, utensilios domésticos, juguetes, cocinitas, juegos de sociedad, dichos, engaños..., siempre utilizados artesanalmente como materiales nobles. [...]

Desde luego, podemos encontrar en E. C. la influencia de determinados elementos espectaculares extraídos, eso sí, de los sustratos más populares del arte de la representación. En *Catacroc* (1973) incorpora las sombras chinas, manifestación que en Barcelona consiguió una enorme adscripción a mediados del siglo pasado; prueba de esto es la proliferación de literatura de pliegos de cordel que generó. Centenares de títulos y centenares de monigotes de cartón para recortar corrían de mano en mano para servir a la representación que los más atrevidos hacían en el portal de su casa delante de un grupo de amigos. La simplicidad de las historias que implica el género ha fascinado a E. C. que utiliza esta técnica también en *Sol solet* (1979) y en *Alè* (1984). De una fuente parecida procede la utilización de monigotes. Es innecesario explicar la rica tradición de títeres en Cataluña que ha sobrevivido espléndidamente hasta hoy.

De acuerdo con su fórmula magistral, E. C. descontextualiza el teatro de sombras y de monigotes y lo utiliza para la creación de un universo teatral fantástico pero al alcance, sin perder su función primordial: contar historias. En *Catacroc* cuentan el viaje de la poetisa, el panadero y el leñador. En *Sol solet* explican un viaje en busca del sol y en *Alè* narran toda la historia del progreso de la humanidad. E. C. tiene intuición y manipula todo aquello que toca sin traicionar la última razón de ser de cada cosa. Se escapan, así, de los destrozos que se ve hacer a algunos con afán vanguardista.

La ocasión en que E. C. se ha acercado más a un género teatral ha sido en *Apoteòsic sarao de gala de Tòtil I Tocatdelala o gran fuga en al·legro vivace* (1981). Cogen el esquema de un sarao —reunión de personas que se divierten bailando— que tanto se popularizó en Cataluña en el siglo pasado, teniendo algunos gran fama en Barcelona, como el de la Lonja para ricos y el de la «Patacada» para pobres, y aprovechan de esto el desbarajuste para hacer desfilar personajes del mundo del espectáculo de la *frivolité*: *vedettes*, transformistas, funambulistas, etc. Sin duda, ellos son más iconoclastas que los saraos atrevidos de la calle de las Tapias y no tienen ninguna clase de problema en incluir allí la elección de la «pubilla», un minueto de salón o un intérprete del *bel canto* que hace *striptease* mientras ejecuta la *Donna è mobile*. No es casual que la única aproximación al mundo del espectáculo la hagan a través de un género que es más cercano al «pueblo» que a los «artistas». JOAN CASTELLS.

II. El análisis y la comprensión de los espectáculos de La Fura dels Baus deben partir de la base del proceso de cambio sufrido en la idea-definición del teatro, sobre todo desde los años sesenta hasta nuestros días.

Para esta comprensión son fundamentales dos puntos: 1. El teatro, en su forma histórico-moderna-occidental, se convierte en una categoría insuficiente para comprender las diferentes actividades «performativas»; 2. La dilatación de la categoría «teatro» hace necesaria la individualización de una teoría que dé cuenta del sentido y de la naturaleza de las transformaciones sucedidas.

De aquí nace la necesidad de relacionar naturaleza y cultura, lo artificial y lo natural, y la consiguiente necesidad de redefinir el espacio del teatro mediante un trabajo de búsqueda en las raíces, en el interior de los propios modelos culturales. Esta necesidad provoca en los investigadores teatrales de los años sesenta un replanteamiento y una búsqueda fuera de los confines y del lugar teatral, tanto en un sentido metafórico como en un sentido real, que señale una «falta de lugar». Esta ausencia de un lugar propio es lo que hace caminar, lo que mueve, al Living, Schechner, Peter Brook, Marotti, Grotowski, Eugenio Barba, y no es otra cosa que la expresión de una «crisis de identidad» (M. de Certau). [...]

Esta corriente de investigación llevará a los teóricos al intento de definir el teatro como rito. Debemos, aun así, tener presente que, aunque es un viaje destinado a alargar los confines del teatro, no debe significar ni una fuga (como alejamiento de sí), ni una operación de domesticación, sino, al contrario, el final de las diferencias. Esto, *a posteriori*, se produce en el trabajo de la L. F. dels B.: de un modo descriptivo se intentan descubrir las relaciones, los intercambios y transformaciones más allá de delimitaciones preconcebidas o de analogías entre tribus primitivas y civilizaciones metropolitanas, entre ceremonia ritual y acontecimiento espectacular. [...]

Los espectáculos de L. F. dels B. conllevan una espectacularidad que va más allá de la renovación del lenguaje teatral y del enfrentamiento con las instituciones teatrales. Contienen una energía imaginario-realista que, a nuestro modo de ver, se separa de los esquemas representativos teatrales para introducirse en un sentido, hoy urgente, de comunicación espectacular. En *Accions* y *Suz/o/Suz* se huye de una identificación narrativo-interpretativa, de una pura sucesión de imágenes, y se consigue la comunicación mediante el espacio y el movimiento: movimiento que es también de los espectadores y espacio que es natural. El uso de materiales extrateatrales, según la ocasión, es otro componente de este nuevo proceso de espectacularización que surge en los ochenta en el ámbito experimental teatral internacional. L. F. dels B. consigue poner en práctica esta operación espectacular mediante una visión irreversible de imágenes-acciones. Asumen la espectacularidad, de un modo explosivo, en un espacio de uso urbano-degradado. Se produce una transgresión que, sin embargo, puede considerarse más una rendición estética que un procedimiento subversor del mensaje. No es extraño, por tanto, que los actores surjan de la sombra, desde cualquier punto del espacio, ni que su aportación física y mental asuma una condición múltiple y concreta. Este «viaje» es significativo y es fruto, a la vez, del cálculo y del instinto, y, aún importante, consiguen adentrarse, a su manera, en la investigación espectacular. En este punto se hace necesario no considerar la actual desorientación conceptual como una desvalorización de lo analítico, sino como una medida científica apoyada en lo imaginario.

En *Accions* y *Suz/o/Suz* el espacio se entiende como lugar físico y simultáneamente ético que se conoce en todas sus particularidades, porque solamente su posesión completa por parte de los operadores-actores puede determinar la explicación parcial de cada existencia particular. Este conocimiento riguroso se efectúa también a través del sonido, de la relación entre los objetos y de la luz.

El actor-ejecutor reduce los elementos del lenguaje a la más pequeña dimensión y asume las unidades desatomizadas. Una por una, las coloca en interrelación sin borrar sus potencialidades particulares; las homologa a su propia condición, y asume o reconoce como ajenas, siempre dentro de una situación complicada cuya mayor dificultad la constituye el público.

Así pues, la presencia en el espacio es el punto fundamental para el desarrollo de la entera ejecución. El espacio resulta el único elemento dado, un motivo inspirador y condicionador, determina el modo de hacer teatro y se convierte en un lugar, más ideológico que conceptual, del actuar: no se puede vivir de otra manera a como se vive.

Las geometrías elementales del espacio encuentran complicaciones a nivel existencial en la intervención simultánea sobre la línea analítica de componentes existenciales, en una doble dimensión psicoanalítica y comportamental. De asépticas y rituales, las acciones se codifican en el plano teatral y canalizan potentemente momentos de la existencia. L. F. dels B.

insiste sobre componentes de carácter personal en cuanto que pretende y busca la conjunción del elemento teatral con un paradigma subjetivo y existencial. Lo mismo que el *happening* dibuja un diagrama no modificable en su sustancia, L. F. dels B., que utiliza del *happening* los elementos primordiales y resolutorios, procede, mediante formas aditivas y sustractivas, en la misma línea de curva comportamental que los protagonistas individuales del mismo.

La composición del *happening* surge de la constatación de la necesidad, o de la comodidad, de varios lenguajes y llega a una determinación, fundamental incluso, que podemos identificar en la intensa carga de premeditación. [...]

En este sentido, L. F. dels B. se acerca a la *performance*, en la medida en que los componentes particulares y subjetivos se unen a la objetividad o a la falsa objetividad del espacio físico (R. Schechner).

Es la unión de estas dos dimensiones lo que acentúa el elemento teatral y espectacular en el mismo momento en que se anula. El espacio escénico se convierte en «lugar del existir», no solamente como lugar de existencia teatral como en cualquier acto creativo dramático, sino como lugar del existir efectivo, porque el acto-ejecutor se lleva, como en el visionarismo artaudiano, el propio ser, el yo escindido y mortificado por las estructuras del poder del comportamiento, refugio extremo del individuo alienado en los momentos más auténticos de la participación. Pero en el momento más álgido, el artista-actor puede chocar contra la indiferencia del público, y su «condición esquizofrénica» puede encontrarse en contradicción absoluta. [...]

Los espectáculos de L. F. dels B. buscan el efecto personal a través del tiempo y el ritmo. En cierto modo, son una suma de creatividad y analítica —suma y sustracción de comportamientos, proyección, ritmo, tiempo, sonido— y psicoanalítica —la intervención del yo, la memoria, el pasado y el futuro que borran el presente, la citación— que *establece justamente el confín* invisible entre la realidad subjetiva y la no realidad objetiva en que radica el drama profundo de la existencia de hoy.

L. F. dels B. no da respuesta, ni siquiera propone una metodología mostrándola como objetiva. Ofrece un modelo de análisis y lo presenta como algo perteneciente a su particular constitución. La particularidad consiste en que este modelo de análisis es ofrecido, *a posteriori*, porque en la L. F. dels B. el proceso y el viaje teatral se conforman como un proceso vivencial-visceral.

La relación espacio-tiempo está más allá de las categorías concebidas tradicionalmente y, por tanto, introduce una separación mental en el orden de las teorías einsteinianas y de la física moderna al sentir que viven en una determinada estructura física y que entran, por ello, en una relación dialéctica con ella, al no estar completamente condicionada por ella, y al mismo tiempo no pretender moverla a placer y al verse Dynamis en medio de una dinámica general y hacer, por tanto, cuentas con ella. [...]

L. F. dels B. es teatral en la medida en que especula con materiales pertenecientes al espectáculo. No obstante, continuamente emergen las meretrices culturales-existenciales del grupo, entre las cuales tiene un espacio privilegiado la componente histórico-artística, directamente relacionada con las competencias específicas de los miembros del grupo.

En *Accions*, la lateralidad de las ejecuciones conlleva la pérdida del centro teatral, pero coincide, al mismo tiempo, con una transparencia que nos parece de orden político: la pérdida del centro como estatuto intelectual. En el momento en que se utilizan estructuras comportamentales, se acentúa la componente existencial como fundamento natural y lógico de la relación activa/pasiva con el mundo. La interacción entre gestos, acciones, sonidos, expresiones fisiológicas de la existencia y la descoordinación en la relación con el espacio-ambiente son la muestra de que existen.

En *Accions* y *Suz/o/Suz*, la técnica es excepcional y ayuda a acentuar los módulos expresivos mediante la operación analítica de medir el espacio y enfrentarse con él. La presencia en el espacio escénico de máquinas, además de recordarnos elementos urbano-cotidianos, subraya el automatismo del comportamiento humano. La banda sonora, constante y mantenida en tonos altísimos, ayuda a determinar el tema de tensión, angustia y sujeción que representan la criminalidad y la agresión al individuo en la sociedad urbana (elemento siempre presente en L. F. dels B., como exponente que es de una generación absolutamente determinada por el elemento urbano).

El yo se encuentra escindido entre la necesidad de proyectar en el mundo la propia estructura personal y la imposibilidad de verificar niveles efectivos de participación, con la consiguiente búsqueda de la satisfacción en modelos de comportamiento que imponga ejercicios de marginación. En L. F. dels B., la marginación no es la reducción *ad unum*, sino el procedimiento a través del cual la realidad subjetiva se enfrenta con la realidad objetiva. [...] La situación de los espectadores, en el ambiente de los espectáculos de L. F. dels B. y su relación con la representación, están directamente determinadas por el modo en que se verifica esta relación. Es como si el sistema espectáculo-público fuera un microcosmos organizado alrededor del punto de atracción del espacio. El juego depende enteramente del espacio elegido por cada espectador. En el centro de este

sistema late la esencialidad de los intérpretes, que no desafían con
sus propias actuaciones la susceptibilidad de los espectadores, hacia
los cuales ostentan una especie de completa indiferencia, sino a la
naturaleza misma de su existencia. ESPERANZA FERRER Y MERCÈ
SAUMELL.

III. Dentro del espacio significante, entran una gran cantidad
de objetos escénicos que constantemente transforman este espacio.
Los objetos escénicos son en su significante objetos que provocan,
con el trabajo de dramatización, un gran número de significados,
de manera que cuantos menos significantes y más ricos en posibilidades dramáticas, provocan un esfuerzo de descodificación por parte del espectador que lo satisfará generosamente, dado que se siente
participante del hecho teatral. Estos objetos los encontramos en los
primeros montajes de Els Joglars más que en los últimos.

En el espectáculo *Mimodrama* (1965-1966) los significantes son
superficies planas, sillas, tarimas, plafones, cortinas, puertas, etc.,
con muchos significados. Divisiones de espacios diferentes, delante-
detrás, arriba-abajo, poder-víctima, cambios de ambiente en lugares
distintos que el espectador descodificaba de una manera fácil con
drama, sátira, crítica social, belleza y poesía. En *El diari* introducen dos significantes nuevos, la voz y el texto escrito sobre pancar-
tas y carteles. Aquí, el significante pierde voluntariamente su valor
polivalente para una intención más importante, la denuncia clara y
concreta, en clave de sátira de la sociedad del momento, valiéndose
del soporte de un periódico. La voz son gritos y sonidos sin valor
semántico que introducen en *El joc*.

En *Cruel Ubris* (1972) se llega a la máxima utilización de objetos escénicos, unos 230 en total. Esto hace que cada objeto tenga el
significante y el significado al mismo tiempo. Poco a poco se va
sustituyendo el código a una sola o pocas más interpretaciones de
cada objeto. Por ejemplo, un plafón derecho con un agujero cua-
drado en medio, sólo es un televisor, detrás del cual, mediante el
sistema de títeres-actores, pueden surgir numerosos *gags* cómicos,
pero siempre vistos a través de la pantalla del televisor. La participación comienza a disminuir.

E. J. han de recuperar como sea el poder participativo y directo
de sus espectáculos. En 1973, con *Mary d'Ous*, vuelven a recurrir a
unos significantes sencillos, simples, para poder seguir «provocan-

do» al público con el máximo número de significados en el campo de los objetos, en especial si tenemos en cuenta la época en que la censura oficial no permitía el más pequeño resbalón. En *Mary d'Ous* había un personaje tabú: «ísimo», que todo el mundo descodificaba como la máxima autoridad de España (palabra que hubo que cambiar por «súper»). En este contexto, E. J. hacen lo contrario que en *Cruel Ubris* y pasan de los 230 objetos a utilizar sólo nueve: seis taburetes iguales, una cinta elástica, una tela elástica y un cubo de mecanotubo.

A partir de este planteamiento tan sencillo, es fácil, con la exigencia del trabajo por parte de todo el equipo, experimentar y dramatizar en niveles altos cada uno de los nueve elementos. El cubo, por ejemplo, podía ser el interior de una casa-oficina-estructura del gobierno (que físicamente se tambaleaba, haciendo referencia a la inestabilidad del sistema), paso de procesión de semana santa, sala del generalísimo, sala de tortura y muerte. Se obligaba al público a buscar los variadísimos significados que E. J. proponían continuamente, es decir, se les hacía participar.

Este, a mi parecer, fue el momento donde la creatividad del grupo alcanzó niveles óptimos. Decían todo aquello que el público quería oír, pero descodificado dentro de un proceso selectivo a través de las improvisaciones (técnica característica del trabajo de E. J.), que daba más significados con pocos elementos escénicos.

En *Alias Serrallonga*, el espacio escénico es el más complejo de toda la producción de E. J. Son cuatro espacios: el escenario a la italiana, donde se representa la corte de Felipe IV, una plataforma elevada y una torre metálica más elevada aún, plantadas ambas en medio del espacio del espectador, además del espacio del vestíbulo; la propuesta espacial es casi total. Forzosamente, este diseño debía evolucionar por esta vía. Las posibilidades del espacio de *Mary d'Ous* de ser ubicado en lugares muy diferentes no era aplicable al nuevo proyecto. *Alias Serrallonga* se acota en un diseño fijo, en el que no cabe otra alternativa. Por otro lado, por primera vez, E. J. comienzan un espectáculo partiendo de un tema histórico, no de una idea, como en el caso del canon musical de *Mary d'Ous* y esto provoca la incorporación de la palabra con su valor semántico exacto. El bandolero Serrallonga es un personaje que existió dentro de un contexto histórico concreto. La información mínima, por consiguiente, debía darse en un significante y significado único.

Serrallonga nació en un lugar y en ninguno más. Esto les exige un tipo de espacio y objetos escénicos de un solo significado histórico. Con todo,

E. J. no pierden su valor polivalente y de fácil comprensión introduciendo elementos como el despedazamiento de una tráquea de vaca a manos de un carnicero-verdugo enemigo del espectáculo que rápidamente se identifica con la tortura. El anacronismo es evidente. Las cuchilladas, los hachazos son recursos escénicos al mismo tiempo provocativos. El mundo rural tiene sus exigencias espaciales y tiene, por consiguiente, su espacio determinado bien diferenciado del de la corte. La peste, la miseria y la injusticia están expresadas a través de los espacios escénicos y de los objetos dramatizados. Serrallonga está dentro de un proceso narrativo convencional, pero situado en unos espacios que no lo son. Además, los anacronismos son intencionados (el transistor como objeto escénico). Cada escena tiene un valor por sí misma, pero el espectador debe hacerse una síntesis para captar todo el mensaje del espectáculo.

Unos colgadores de ropa a guisa de camerinos a la vista, un escenario a la italiana otra vez, una gran mesa. Sencillez, pocos elementos, todos los personajes llevan máscaras, escasos objetos escénicos con unos significados amplios que enriquecen su mensaje. Aquí, la necesidad de denuncia, de hablar de una vez por todas, demasiado tiempo callando, soportando el silencio, es el móvil. Hablo de *La torna*. Con todo, en este montaje, el espacio queda acotado a su mensaje político revolucionario. Fácil de montar y de desmontar y, como decía, pocos elementos escénicos pero con una multiplicidad significativa: la mesa, con sólo cambiarla de posición, es prisión, puerta, bar, escondrijo, tarima autoritaria, aparato de tortura, etc.

Desde *La torna*, los espectáculos siguen creándose a partir de improvisaciones, pero ya no parten de ideas tan amplias como el periódico de *El diari* o el canon de *Mary d'Ous*. Existe una voluntad de denuncia que hace que la improvisación, aunque sigue siendo libre, quede más acotada, ya que parte de significantes más concretos. Probablemente, un espectáculo es más difícil y al mismo tiempo más interesante cuando los condicionantes son más libres. En el momento en que intervienen textos, manifiestos, como en *Teledeum*, la libertad se ve condicionada en su múltiple interpretación.

La génesis de *Olympic Man Movement* es un revulsivo —un planteamiento equívoco— a la búsqueda de la reacción. Boadella dice: «Me habría gustado que ante *Olympic Man Movement* el público se hubiese puesto a temblar de miedo». Esta es la finalidad y, a partir de aquí, pocas bromas. El espacio continente será el

escenario convencional. El espacio contenido una pista polideporti-
va, lujosa, reluciente, limpia, con unas gradas con tres escalones
detrás. Y a modo de fondo un panel electrónico de los campos
deportivos, desde donde puede incidirse en el espectador de una
manera muy directa y concreta, obligándole a leer aquellas frases
escogidas y precisas que proporcionan de una manera impositiva
(psicología subliminal) el mensaje provocador.

E. J., poco a poco, van introduciendo una tecnología rica y
sofisticada, que hace que sus espectáculos siempre vayan acompañados de una perfección de lenguaje visual que da una seguridad y
una belleza excepcionales. *Teledeum* (1983) es quizá el espectáculo
en el que el espectador puede aportar en menor medida su trabajo
descodificador. Todo se presenta claro. Incluso en el espacio contenido. El significante y el significado se integran otra vez en un sólo
elemento lingüístico. Todo es lo que quiere decir, sin ningún otro
significado. El *gag*, a veces, se empobrece, puesto que la ironía se
simplifica al tener una única interpretación. El espacio escénico,
por consiguiente, sigue esta tónica y no se propone nada más que
reproducir la realidad en el altar, en los atriles, y en las escalas
pertinentes. Sin duda, es el espacio que le corresponde.

En este punto de la trayectoria de E. J., tengo la impresión de
que el hecho de partir de textos los va introduciendo inevitablemente en espacios acotados. En *Els virtuosos de Fontainebleau* (1985) el
continente sigue siendo el mismo que el contenido. El espacio es
el mismo escenario y en este caso no hay ninguna otra interpretación posible del espacio donde quieren estar y donde están. La silla
es la silla del concertista y el violín, su violín, etc.

E. J. van dejando la polivalencia espacial y objetual para ir incidiendo
en la polivalencia interpretativa. Es una evolución lógica. Aunque el teatro
independiente de los años 60-70 «buscaba», se quiera o no se ha ido
institucionalizando, acotando también su espíritu de investigación y en el
ámbito del espacio escénico podríamos resumirlo como un replegamiento
hacia la caja a la italiana. Con el apoyo de una Administración artísticamente empobrecida y convencional.

El teatro de E. J., por su parte, gracias a la investigación temática de
Albert Boadella y su carácter inconformista y revulsivo, es siempre una
novedad incuestionable, que despierta el interés del público que sabe que,
sea el que sea, siempre habrá un nivel profesional, arriesgado, libre y
atractivo.

Bye, bye, Beethoven, es en especial interesante. Curiosamente, vuelven a utilizar la idea espacial autosuficiente de *Mary d'Ous* y de *M-7 Catalò-nia*. El espacio autosuficiente es, además, inclinado (*El joc, Laetius*). Aparece como una síntesis calculada, vuelve a ser sugerente para el espectador, el cual se siente receptor agradecido, participante en las descodificaciones que propone el espectáculo. Y seguro de una belleza plástica generosa y brillante. Personalmente, creo que *Bye, bye, Beethoven*, es el espectáculo más sólido, inteligente, universal y acabado de E. J.

En este caso, contando con unos medios más amplios y una tecnología sofisticada, pero que nunca se impone deslumbrar. No es la típica tecnología por la tecnología. No es el lenguaje «eléctrico» sino un lenguaje al servicio del espectáculo, como podemos encontrar en *Hamlet-machine*, de Müller-Wilson, en donde los lenguajes no se ahogan entre ellos sino que conviven bajo un diseño maduro y lleno de experiencia.

El espectador, pocos momentos antes de comenzar el espectáculo, se siente seguro, sabe que no ha de sufrir porque de un momento a otro puede aparecer el imponderable técnico que puede distorsionar el espectáculo. Esta seguridad del espectador le llega a hacerse sentir incluso europeo. Iago Pericot.

IV. Lo conocía, porque estaba en ellos, casi todos los ambientes en los que el cante y el baile de Andalucía se daban o se vendían. Me hacía mil veces la pregunta de por qué los cantes y los bailes no reflejaban las realidades concretas de los andaluces que los hacíamos. Poco a poco, no haciendo estudios sobre ello, sino buscando en mi propia realidad, llegué al descubrimiento de que, por un potente fenómeno canalizador, nuestros cantes y nuestros bailes andaban por un lado, y nuestras necesidades por otro. Busqué, día tras día, un auténtico modo de expresión de nuestras realidades actuales, y llegué al convencimiento de que nuestra actualidad estaba fuertemente falseada y ocultada por sólidos tópicos: una corriente traumatizadora había hecho de todo lo andaluz, y de los andaluces, de los que cantábamos y de los que no cantaban, instrumento utilizable para poner una careta alegre y colorista a un pueblo triste y sin color.

A esta corriente traumatizadora que se nos había echado encima, producto del «estudio» que de nosotros habían hecho algunos escritores y poetas, a los que alguien más capacitado que yo debería juzgar detenidamente, le salieron al paso unos llamados flamencólogos, que con excepciones estudiaban los cantes desde cómodas situaciones sociales que les permitían la investigación de los mismos, sólo en función de un interés musical-arqueológico. Casi todos con un «cantaor» al lado, al que promocionaban en compensación de las musicales informaciones que recibían. Informaciones estas, la mitad de las veces, «camelísticas», o de «ojanetas», pero que pasaban a serios libros dogmáticos y clasificativos de nuestros cantes. El resultado, casi siempre el mismo: del «cantaor» informante hacían un «artista cotizable» —evadido social— con su promoción, y del libro un catecismo condicionante que limitaba la expresión.

Me planteé entonces la necesidad de investigar en el pasado, no de cómo cantaban nuestros bisabuelos, sino «por qué», y llegué a ver muy claro que un ¡ay!, su ¡ay!, antes de ser producto utilizable, era el grito inconcreto, temeroso, resignado y conformista, que, en el límite de lo posible, denunciaba la aplastante situación socioeconómica en que vivían.

Había que poner todo «esto» en su sitio, y teníamos que hacerlo nosotros, los que habíamos aprendido por nuestros propios medios, a leer y a escribir, los que estábamos dentro de esos mecanismos de unos y otros. Había que «mostrar» la verdad del retorcido proceso a todos los traumatizados, andaluces y no andaluces, a los que son —éramos, ignorándolo— parte proyectora de la careta, y a los que les había llegado la «máscara» como falsa imagen alegre y festera de un pueblo serio: Andalucía.

Partí de una idea teatral que nació en mi mente, no sé, quizá por el desconocimiento de estudios del teatro convencional al uso, quizá por evitar caer en un manido teatro «parlanchín» y frío que nunca me había interesado y, quizá, también, por la influencia de mi participación en *Oratorio*, un montaje de Juan Bernabé y el Teatro Lebrijano de un texto de Alfonso Jiménez Romero. La cosa es que nació lo que yo deseaba: un duro esquema abierto a la aportación de vivencias individuales. [...]

Surgió el espectáculo sin palabras, sin tiempos ni actos calculados por condicionamientos, con los elementos necesarios para provocarnos la confesión, y cambiada la necesidad teatral de representar por el deseo —consciente— de «mostrar».

Quejío es, en definitiva, el resultado de unas experiencias o la suma de todo un proceso de vivencias. Es la presentación o recreación de un clima angustioso, en el que se producen el cante, el baile, el lamento o la queja del pueblo andaluz. Se han estudiado o tratado siete cantes y tres bailes, enumerados en diez ritos o ceremonias, a través de un planteamiento en el cual casi se consigue fundir cante y baile con la posible o casi segura situación de una colectividad oprimida, en la que la queja o el grito trágico de sus individuos sólo ha servido, por una premeditada canalización, para divertir a los responsables.

[*Los palos*] aspiraba a dejar claro los últimos días de García Lorca. Lo demás, lo nuestro, hasta conseguir el espectáculo como resultado, lo suponíamos muy fácil: se narrarían los últimos días de Federico «por fuera», y esos cortos y terribles textos de su historia aumentarían el deseo rabioso de contar, con nuestro lenguaje, la nuestra; y si nuestros golpes, nuestros gritos y nuestro miedo se trataban por la sala con su nombre, habríamos conseguido mostrar el paralelismo de Federico García Lorca con su pueblo.

Concebí la idea de un montaje, donde unidas rítmicamente aunque funcionando separadas, sin subordinaciones condicionantes, para no mutilar ni falsear los distintos conceptos del lenguaje pudieran mezclarse la propuesta de Monleón —convertida en narración cronológica de los últimos días de Federico—, y nuestra historia. Y apareciera un trabajo de solidaridad como expresión de una conciencia capaz de encuadrar nuestro problema específico y vivencial en un plano más general.

El resultado ha sido que esa realidad vivencial se impuso y desplazó en casi todos sus puntos a la noticia concreta, al documento; habíamos encadenado nuestros motivos fundamentales; emocionalmente, con tal intuitiva coherencia, que el espectáculo surgió, con sus propios signos, más allá de las situaciones y las palabras de la narración, destrozando el equilibrio planteado y rechazando por su unidad y redondez cualquier individualismo biográfico que transcurriera paralelo por importante que fuera. A partir de este descubrimiento, a Lorca lo perdimos como protagonista para volverlo a encontrar más tarde, mezclado entre nuestra propia realidad, entre nuestros propios sufrimientos, entre nuestras propias aspiraciones... [...]

En *Herramientas* no se pretende contar ninguna historia, ni escenificar ningún tema. El tema o la historia se pronuncian en el punto exacto del espacio donde se encuentran los impulsos y sensaciones de los que participamos con la historia personal y la sensibilidad de cada espectador.

El espectáculo nace en el propio escenario, y está asentado y amarrado a una dramática estructura que se alimenta del riesgo, del músculo, del sudor, del ruido de los motores, de nuestras contradicciones, del golpe del hierro, de la luz, del cansancio, del olor a grasa, a cera, etcétera; y también de los cantes de nuestra tierra, Andalucía; pero no utilizándolos como expresiones virtuosistas, ni como si fueran los únicos elementos expresivos de que podemos disponer en nuestro medio, sino como documentos sonoros y vivos de nuestra oscura crónica. [...]

Andalucía amarga puede ser la ordenación, en un determinado espacio, de las circunstancias y sensaciones que ante el hecho de la emigración y desde un punto coincidente muy sugestivo, sentimos unos andaluces, algunos compañeros emigrantes residentes en Bruselas.

Al imaginar este cuarto montaje, como guión de desarrollo para canalizar comportamientos y respuestas individuales, he intentado mantener, como en anteriores trabajos, una rigurosa correspondencia entre lo que se es y lo que se muestra en el espacio escénico, evitando la injerencia de cualquier factor, teatral o externamente político, que rompiera estas naturales relaciones. [...]

Andalucía amarga sólo aspira a ser un poema físico y sonoro en el que se sienta la angustia vivencial y existencial del cruel desarraigo que lleva implícita la forzada emigración; y, en la inmediatez comunicativa de este sentimiento, quizá, por sí solas, las causas se clarifiquen y encontremos, sin consoladoras reflexiones, el camino más recto para su solución. [...]

No sé si, en el proceso de creación de este quinto trabajo de nuestra aventura teatral, fue *Bodas de sangre* la que se enredó en la visión del espectáculo, o fue este el que se enmarañó en la obra de Federico García Lorca. Lo cierto es que el trabajo, entre otros propósitos, logra demostrar, en el campo específico del lenguaje teatral, la natural coexistencia de lo que podríamos llamar una poética dramática escrita y una poética dramática física; al menos, cuando las dos nacen como expresiones comprometidas del entorno vivencial o cultural de un mismo pueblo. [...]

Se puede decir que *Nana de espinas* es un espectáculo parido entre crueles escalofríos. Ni a partir de, ni sobre la obra de Federico, sino como un ritual de sentimientos trágicos —racionales o irracionales— que se engranan como ruedas dentadas de una misma máquina: una tierra vieja, cansada y dura, que se alimenta, entre risas, de llantos y de muertes porque, quizá, sólo así podrá redimirse del apretado corsé que le han colocado sus históricas circunstancias. [...]

En la concepción global del espectáculo, dos necesidades escénicas se imponían y me inquietaban. La primera, prescindir totalmente del escenario a la italiana. En el caso de *Piel de toro*, el desarrollo de la acción en el espacio que acoge el ritual taurino no es crear ninguna geometría intelectual y gratuita, ni tiene pretensión de descubrimiento teatral: es una necesidad física.

La segunda, emparentar el peligro. Introducir el riesgo de las corridas de toros o emparentarlo con el que debe de tener el teatro, es el intento formal —tímidamente esbozado en nuestros anteriores trabajos— de codificar la acción de peligro real que el teatro está reclamando para ser un hecho dramático emotivo con credibilidad si quiere sobrevivir, con características de lenguaje propio, al lado del cinema o de la televisión. [...]

Quizá en medio de la salvaje verdad de nuestras viejas fiestas de toros y de las fantasías literarias de nuestro domesticado y académicamente importado teatro «culto», esté y encontremos nuestra expresión escénica más equilibradamente genuina. [...]

Por encima de la calidad de *Las Bacantes*, Eurípides, cuatrocientos y pico años antes de Cristo, nos plantea un debate que hoy sigue cargado de actualidad, lleno de interrogantes, y sólo muy tímidamente proclamado el punto positivo de su equilibrio: el debate cultural Norte-Sur. Penteo frente al dios Baco. Lo pagano y lo religioso. Los impulsos ante la reflexión. El mundo del Sur, oriental, de lo Dionisíaco, con el mundo rígido y estricto del Norte. Lo báquico y lo apolíneo, dos posturas que, en cierta medida, conviven en cada uno de nosotros, que, llevadas a sus extremos, son capaces de desencadenar la tragedia provocada por los excesos del dios o los excesos del rey, ambos, sin duda, desmedidos.

Todo esto, de alguna forma, atañe directamente a mi actitud ante la vida, y mi concepción teatral, que está enfrentada, justamente, con el teatro exclusivamente literario, por lo que este tiene de encadenamientos y limitaciones de las posibilidades expresivas. Mis propósitos teatrales parten siempre de una especie de poética de los sentidos, donde los ruidos, la luz, el color y el olor, tienen un sitio precisamente más fundamental, en lo comunicativo, que la palabra que encorseta la expresión. Y tal como yo contemplo y siento el texto de Eurípides, en él incide también el choque de estos dos mundos: el estrictamente literario, lo escrito e inamovible, y el que ofrece la oportunidad de prestar al texto seco la aportación de un universo intuitivo y sensual.

Alhucema o Aires de historia andaluza es un espectáculo que tiene clara conciencia de ser como un emotivo puente sobre un agitado y profundo río; como una endeble pasarela de hechos, asentada sólo en cuatro pilares de significativa importancia sobre las revueltas aguas de la milenaria historia de Andalucía: su natural unidad geográfica; la llegada y la ida de los romanos; la presencia y la expulsión de los árabes; la sangrante implantación del catolicismo y la frustrada recuperación de una conciencia histórica. Todo esto entre violentos caballos que, por su anatómico poder, tanta importancia tuvieron en el curso de la historia.

El espectáculo, concebido como una pintura sonora en movimiento, tiene las mismas limitaciones que tiene un lienzo, y también las mismas aspiraciones: unir en una pincelada escénica —llamando desesperadamente a las musas del arte— el pasado y el presente, siglos y vivencias, confundiéndoles en los impulsos de la creación lo leído y lo vivido. SALVADOR TÁVORA.

ÍNDICE ALFABÉTICO

ÍNDICE

Esta obra, publicada por
EDITORIAL CRÍTICA, S.A.,
terminóse de imprimir en los talleres
de NOVAGRÀFIK, de Barcelona,
el día 28 de abril de 1992